Андрей Битов

Неизбежность ненаписанного

годовые кольца 1956–1998–1937

Москва
·Вагриус·1998

UDK 840-3
ББК 84P7-4
Б 66

В оформлении обложки использован
рисунок Артема Гордеева

Охраняется законом РФ
об авторском праве.

Воспроизведение
всей книги
или любой ее части
запрещается
без письменного
разрешения издателя.

Любые попытки
нарушения закона
будут преследоваться
в судебном порядке.

ISBN 5-7027-0752-4

ВАГРИУС

СОДЕРЖАНИЕ

Но строк печальных не смываю.
Пушкин

В поисках утраченного Я

1939 Как я начал говорить, я не помню. Мама рассказывала, что до двух лет молчал.

1962 Как человек начинает говорить, я наблюдал уже на собственных детях. Когда, после «мама-папа-баба», они начинали строить первые предложения, то говорили о себе в третьем лице: она упала, он хочет... Литература опережала речь.

И лишь срок спустя, уже вполне развив речь, с усилием разлепив губы: Я упала, Я хочу...

Изумление на лице от неожиданности этого Я. Вхождение в Я как грехопадение.

Школа наша помещалась на Фонтанке недалеко от Клодтовых коней, в особняке бывшего Купеческого Клуба. Парадная лестница упиралась в зеркало во всю стену, а затем разворачивалась двумя маршами на бельэтаж, к актовому залу. Перила были хорошие — по ним удобно было съезжать.

1948 И вот съезжаю я вниз, к зеркалу, а по противоположному маршу, через ступеньку, бегут вверх однокашники, и один кричит мне через пролет: «Андрюха! А мы только что о тебе говорили!»

Что-то оборвалось во мне и не вернулось: как же так?! Меня с ними не было, а обо мне говорили... Я доехал до конца перил и влетел в зеркало. И я не узнал этого мальчика.

Что же тогда произошло?

Меня не испугало, что говорили обо мне плохо, — такого я не мог заподозрить. Меня поразило, даже потрясло, что обо мне можно было говорить в мое отсутствие! что я был еще где-то, где меня в этот момент не было.

Что-то случилось. Причем необратимо.

При том, что более половины написано мною от Я (а может, и потому), я всегда проваливался с попыткой вести дневник, засесть за мемуары, автобиографию или исповедь; даже письма, после армии, перестал писать. Я знаю, *кому*, но не знаю, *кто* будет это делать. Фальшь первого же обращения повергает меня в ступор. Телефонные счета растут, но их в дополнительный том не переплетешь. Теперь и надежды на Ведомство, их в безвременье подшивавшее, больше нет.

Теперь ему некогда. Не до литературы. И роль литературы пала.

Как легко еще недавно было на него сослаться! Конечно, какие там письма, дневники, исповеди, когда...

1949 Вот помню. Классе эдак пятом... Мама нашла красивую, дореволюционную еще, коричневую тетрадь. Что бы в ней такое написать? Конечно, стихи.

И начал я. «Чертог сиял, невеста пела», — что-то в таком роде. Не расставался, клал под подушку, таскал в портфеле. Тайком вынимал на уроке и строчку вписывал. Увлекся. Стал писать пародии на соучеников и учителей. Поспешно прятал при приближении. Там и забыл, в парте.

Вызвал меня завуч Зверев. Преподавал он нам зоологию, в золотых очочках, с розовым румянцем. «Что бы я хотел пожелать молодежи, посвятившей себя науке?» — голос его взволнованно вибрировал. Иван Павлов. Мичурин и Лысенко. Потом он стал вице-президентом Академии педагогических наук. А тогда, когда был завучем, инструктировал уборщиц, чтобы все найденное в партах доносили лично ему. Первый читатель!

К счастью, на него пародию не успел написать. И про Сталина ни слова.

Ничего, пожурил и вернул.

Только такого чувства стыда я больше никогда не испытывал!

Потеря девственности...

И я решительно перестал кропать в рифму. Вычеркнул. Забыл.

Только некоторое время спустя Зверев меня снова вызвал. Первый заказчик!

Попросил написать стихи в стенгазету. Нет, не о Сталине. Никогда не догадаетесь. О выведении белой украинской свиньи (академик Иванов, если не ошибаюсь).

Я гордо отказался унижать еще раз свою поруганную Музу.

Теперь жалею. Как бы мне это сейчас пригодилось!

Бесследие прошлого в будущем. Адресат утерян. Или я сам? Мое Я растворено в авторском до такой степени, что я себя перестал обнаруживать. Или стал жить от Андрея Битова до такой степени независимо, что полностью раздвоился: отдельно живу, отдельно пишу. Разные люди. Тут подошла мода на астрологию: мол, автор — выраженный Близнец.

Хотя целый ряд книжек написан в жанре откровенно автобиографическом, особенно «путешествия». Начиная с «Путешествия к другу детства» (1963—1965). Но — в жанре! То есть в форме, принципиально отличающейся от жизни, имеющей другой состав.

Тут-то и пропасть. Выходит, что романы-то как раз к жизни-то и ближе. Похоже.

«Дачная местность», «Улетающий Монахов», «Пушкинский дом», «Преподаватель симметрии» и «Оглашенные», вещи, наименее списанные с натуры, более подобны окружавшей и окружающей жизни, моей собственной в том числе, чем вещи от Я и о том, что я непосредственно пережил.

Этот очевидный конфликт из области природы литературы проявился в моем опыте довольно скоро (достаточно сказать, что первый, юношеский роман назывался «Он — это я» (1959 — 1961), и непосредственно после «Путешествия к другу», в 1966 году, я задумал эдакий роман-репортаж «Япония как она есть» о том, как я собрался туда ехать и не поехал. Но это была самая внешняя сюжетная канва; основой же романной конструкции

служила сама попытка откровенно рассказать, честно доложить, как дело было, с последовательным выяснением и
доказательством, что это невозможно. Мое изначальное,
исповедальное Я через несколько страниц безнадежных
искренних усилий обретало Я-авторское, еще через некоторое количество страниц это авторское Я настолько окрепло, что превращалось в Автора, Автор становился героем повествования и, уже в таком самостоятельном качестве, задумывал роман о некоем герое (о, эти мучительные поиски фамилии!), для которого Япония была целью
всей жизни, и случайные, вольные события моей собственной жизни, претерпев тройную метаморфозу, становились
главами романа из жизни Имярека. К тому же сам Имярек начинал жить жизнью собственной, с каждой главой
обретая самостоятельность, все более раздражаясь на вме-
шательство самонадеянного Автора (который и мне-то
самому не нравился) в его отдельную, личную жизнь. Таким образом, Имярек сам брался за перо, познавая хоть и
на скудном, но уже своем опыте проблемы проклинаемого
им Автора. Таким образом, к концу повествования, в
тесных дверях финала, столпилось уже семь разных героев. Исповедь не получилась. Расколоться не удалось.
Такая большая делегация не была предусмотрена, и одного, а именно меня, сняли в последний момент с трапа
самолета. Только тут наступила самоидентифика-
1966 ция.

Но это было уже насилие. В прямой форме. Человека в
штатском.

Петр Кожевников, которого я имею честь числить в
своих учениках, написал обо мне однажды так: «Став "го-
лым королем" наоборот, то есть не только сорвав с себя
все одежды, но и объявив об этом зрителю, Битов продолжает выглядеть для большинства из них укутанным, как
"полярник" или "человек-невидимка"».

1995 И мне было приятно это его заявление прочесть.
Где же затерялось мое Я? Между формой и человеком в форме. Между текстом и ЧК проползает лишь строка...

Эту строчку (уже в технологически швейном смысле) я

и попытался здесь, в этой книге, вытянуть. Это как в старинном анекдоте с изюмом: наковыряйте полкило. Из своего изюма я набрал, быть может, на корочку хлебца.

Может быть, это я.

Поставив перед собой столь психоаналитическую задачу: выбрать из всего мною написанного текста именно то, что написано мною именно о себе, и составить таким образом некую дневниково-мемуарно-автобиографическую канву, — я долго решал, какой хронологии придерживаться: хронологии жизни или хронологии текстов? И решил держаться хронологии текстов. Сказано: стиль — это человек. Проследим же за его изменением. Может, это и есть самая честная автобиография. Анахронизм воспоминаний тому порукой: что, когда и при каких обстоятельствах вдруг возьмет и вспомнит человек?..

Наверху страницы будет последовательно выплывать дата написания, на полях, время от времени, дата события.

17—22 марта 1998, Москва—Берлин

1956

Первое стихотворение

Это все книги
и мамины рассказы...
А я не помню
1941—1942 блокадного Ленинграда:
улиц, выщербленных воздушной проказой,
и черных скелетов
разбитых фасадов.

Снег и бомбы —
на каждый дом.
В сугробах —
от тел проталины.
Ведь больше, чем снега,
с неба —
бомб,
и трупы сугробами свалены.

Дома так похожи на людей...
Тоже бывают живые и мертвые.
Но они больше,
их легче разглядеть,
чем микробов бесконечной жертвы.

Мысли уже не поселиться
в черепе,
а череп —
кому-то дом...
Ветер свистит в пустых глазницах,
а некоторые затянул снежным бельмом.

Четок костяной стук ворот,
четок
в молитве ветру-господину.
Из всех строительных пород
осталась одна порода —
руины.

Мертвый дом —
лишь кучка праха.
Ужасней живой.
Его каждый глаз
перекошен бумажными крестами
страха,
и во взгляде его
свет погас.
....
Это все книги
и мамины рассказы...
Но среди помешавшихся знаний
люди избегли
лучевой заразы
страха.
Люди все-таки больше зданий.
И их я помню...

Они,
в шаманстве над каждым куском,
смогли
по капле волю выжать:
в цепи смертей
надо выжить всем,
или уже никому
не выжить.

Я не помню
последний эшелон:
налетов, вшей, склочного гама,
как разбомбили соседний вагон...

Но помню,
1942 как от поезда
отстала мама.

Не помню,
как прибыли в глушь, к отцу:
черный ряд покосившихся избушек,
шепот: «Выковырянные», —
как удар по лицу...
Но помню
визг
взрослого,
седого:
«Андрюша!»

25 октября

1957

Первая мысль

. . . .

Быстрота мышления и память, вещи часто обратно пропорциональные...

Человеку, обладающему крепкой памятью, можно думать медленно, так как все звенья рассуждения удержатся в голове. Человеку с «короткой» — наоборот, приходится строить мысль быстро, чтобы эти звенья не распались.
1. I. 1957

. . . .

«Растительная жизнь» — брезгливый термин, синоним жизни легкой и пошлой... Но в наше время, может, самое трудное — жить, как растешь.
27. I. 1957

. . . .

Умирают за то, что стареют.

. . . .

Будет время — будут говорить «пережитки социализма».
Март—май, 1957

. . . .

Когда везет, срыв всегда кажется нелепым.

. . . .

Как, должно быть, трудно писателю, сжившись с героями и видя их со стороны, все о них зная и даже зная, какой путь для них честней и легче, поступиться своей к ним любовью и дать им право ошибаться и быть самими.

. . . .

Люди, слишком ратующие за свою собственность, забывают, что они — *хозяева* вещей.

. . . .

Наказание — это недостаток времени.

....

Когда вещь — единственная, невозможно судить о ее качестве, ценности, так как ее не с чем сравнивать. С этой точки зрения каждый человек, в силу своей неповторимости, — лучший. Поэтому, может быть, возможна любовь.

....

1958

Первый рассказ

Люди, побрившиеся в субботу

> Точка. Точка. Запятая.
> Минус. Рожица кривая.
> Ручки. Ножки. Огуречик.
> Вот и вышел человечек.
> *Присказка*

Рано утром.

Мужчины, побрившиеся в субботу, ждали троллейбус. Над женщинами торчали зонтики. От дождя у мужчин поднялись воротники, а по спинам скатывались серые капли. Шляпы уныло опустили крылья. Передо мной стояли спины с опущенными руками, и на спинах был понедельник.

Подошел троллейбус. Он должен был перевезти этих людей окончательно из воскресенья в понедельник. На лице у троллейбуса была тупость работающего без воскресений. Один за другим пропадали в нем шляпы с опущенными крыльями и женщины вперед зонтиками.

Двери захлопнулись и выдавили меня внутрь. Я уперся носом в одну из спин, стоявшую на ступеньку выше. Она пахла сыростью. Над спиной была шляпа, и с нее стало капать мне на нос. Я постучался в спину и сказал:

— Гражданин, у меня нет зонтика, чтобы спрятаться от вашей шляпы.

Под шляпой оказалось молодое лицо, на котором еще сохранилось воскресенье. Оно улыбнулось:

— Извините.

Молодой человек снял шляпу и аккуратно вылил воду из тульи. Вода попала в туфлю рядом стоящей женщины.

— Не умеете обращаться со шляпой, так не носите! — возмутилась она.

Молодой человек смутился и стряхнул на меня оставшиеся капли.

«В субботу была баня...» — подумалось мне.

Ехать было далеко, за окном был дождь и туман, и я стал смотреть на лица. На них был тоже понедельник, такой же, как на спинах. Приглядевшись, я открыл и несколько другие лица.

Оживленно делились чем-то две девушки, рассеянно и глупо рассмеялся сам по себе сосед — на их лицах доживало воскресенье. Про некоторых можно было сказать, что у них на лицах была суббота, а воскресенье было отдыхом от субботы.

Понедельники ни на кого не смотрели.

Воскресенья смотрели, но не очень видели, словно издалека.

И лишь субботы, казалось, видели и понимали происходящее.

На одной из остановок в троллейбусе появилась старушка. На лице ее не сохранилось никаких дней недели, а был какой-то общий, длинный и последний день. И было странно, зачем она сюда попала. Она вошла с передней площадки, прижимая стул к груди. Стульчик был маленький, детский, но у него было уже четыре ножки. Они воткнулись в ноги, и получился шум, сутолока. Кричали в основном понедельники. Кричали о том, что неприлично лезть со стулом в троллейбус, что со стульями надо в трамвае, что вообще с мебелью надо в грузотакси, что и так сесть негде, а она со стулом, что и так все едут на работу. Старушка испуганно обнимала стул и беззвучно жевала жалкие слова.

Она вышла, а в троллейбусе, до нее молчаливом, сохранился гул. Рядом со мной что-то говорили, что чего-то стало вовсе не достать, а что-то стоит невозможно дорого, что в детском саду дурные воспитатели и что еще надо кормить мать... А кто-то обругал кондуктора в том смысле, что безобразие, что по утрам, когда всем ехать на работу, так долго нет машины; мол, зачем она открывает двери всяким со стульями и что еще не хватает, чтобы влезли со столом. А кондуктор говорила, что не она открывает двери и составляет график, что она на работе и чтоб к ней не лезли всякие.

Потом случилась женщина: подъезжая, мы забрызгали ей чулки. Она этого так не оставила и записала номер кондуктора.

Вошел пьяный, в лице которого была ночь с воскресенья на понедельник. А кондукторша, у которой еще и вовсе не было воскресенья, стала требовать с него за проезд. А он, катая голову по плечам, просил ее не беспокоиться. А она стояла над ним и требовала, потому что у нее еще будет воскресенье, когда она ни с кого не будет требовать.

И кондукторша наконец стала на него кричать, что все они такие, что пропьют все на свете, а женщины маются, что сегодня на работу, а он, видите, с утра пораньше.

На лице пьяного смешались все недели, и он что-то бормотал про то, что он хороший рабочий и что ничего в том плохого, что рабочий человек один раз выпьет. И наконец поняв, что требует от него эта женщина, стал бессмысленно рыться в карманах, засовывая в них руки чуть не по локоть. Но устал.

— Опять плати... Жи-и-изнь... — протянул он и приткнул свою вращающуюся голову на плечо соседке. Та брезгливо стряхнула голову с плеча и встала. Он свалился на сиденье и уснул окончательно.

«В субботу тоже была выпивка... после бани», — подумалось мне.

Скучным голосом объявила кондуктор мою остановку. Это была конечная остановка. И люди, вымывшиеся и побрившиеся в субботу, ощетинив воротники и зонтики, вышли из машины.

Я присоединился к толпе спин и с общим потоком попал в стремнину заводских ворот.

Октябрь

1959

Люди, которых я не знаю

Тихая у нас улица... Совсем рядом гудит туго натянутая магистраль: автобусы, люди, люди, машины. А здесь — тихо. Речка без набережной. Мост деревянный. А все остальное — сад. И мой дом. Очень спокойный дом. Все окна у него разной формы, и это мне особенно нравится. Проходя мимо дома, мне всегда хочется пожить в угловой мансарде.

Мои окна выходят во двор.

Если пройти по лестнице, то почти на каждой двери будет медная дощечка — профессор такой-то. Очень много профессоров на нашей лестнице. Тихие старики.

Внизу магазин — тоже очень тихий. Покупателей мало, и все друг друга знают. Вот кассирша — она тоже живет по нашей лестнице.

На скамеечке у входа в магазин, согнувшись, сидит женщина. Тихо, очень неподвижно сидит эта женщина. Пятнадцать лет сидит она на этой скамеечке. Сначала молодая — худенькая, в нарядном ситчике, с короткими прямыми волосами. Она сидела на этой скамеечке в любую погоду. Иногда к ней подсаживались дворники, и иногда она исчезала куда-то.

У нее странный взгляд — кажется, никто не попадает в него.

Иногда она смеется. Такая у нее сипотца.

Может, она и не всегда сидела на этой скамейке.

Она сидела и сидела — и день, и два, и год, и другой, и потом еще год, а я, как-то странно, замечал ее только вдруг. Однажды я вдруг заметил, что она очень похудела. Потом

22

очень поседела — тоже вдруг. Потом она надела коричневое мужское пальто. Теперь она всегда сидит в этом пальто.

Внезапно согнулась ее спина.

И вся она, сжавшись, сидит сейчас на скамейке.

Я прошел в магазин. За прилавком девочка — это новенькая. Милая. Второй раз я захожу в магазин, и она за прилавком. Смущается, когда я подхожу к ней с чеком.

Очень миленькая девочка. Да-а-а...

Тихая у нас улица.

Когда я выходил из магазина, туда прошел тоже странный человечек. Он живет напротив. Он всегда в шляпе и с портфелем. Мы часто едем вместе в автобусе. Все кондуктора его знают. Встречаясь со мной, он говорит:

— Приятно видеть молодость! При этом,
    Лишь только посмотрю, я становлюсь поэтом.

Впервые я столкнулся с ним на автобусной остановке. Я направлялся в ателье, и у меня на руке повисло пальто. Впереди стоял человечек с портфелем и в шляпе. Несколько раз он оборачивался и с интересом посматривал на меня.

— Почему на вас второе пальто? — спросил он наконец.

— Это мое пальто, — сказал я.

— Я увидел на вас второе пальто.
    И сразу подумал: здесь что-то не то...

— В чем дело?! — сказал я.

— Дело в том, что нынче лето...
    А вы что, не слышали об этом?

В очереди смеялись.

— На мне первое, — сказал я. — Не приставайте.

— Зачем ко мне вы, юноша, придрались?
    Вы, может быть, в Америку собрались?

Мы поговорили.

— Родные все зовут меня поэтом,
    А я не чувствую себя при этом, — сообщил он мне.

И звал к себе.

Вот он-то и прошел в магазин, когда я вышел.

Интересно, что он еще может мне сказать?

Я вспомнил, что могу еще купить сигарет, и вернулся за

ними в магазин. Девочка за прилавком снова смутилась. Я встал в очередь за человечком с портфелем. Тут в магазин прошла девушка со стеклянным глазом. Она тоже из нашего дома. Она всегда старается быть нарядной. Она встала за мной. Бабы в очереди посмотрели на нее и зашушукались.

С этой девушкой я знаком немного. Вернее, я был знаком с ее подругой, и они пришли однажды вместе в нашу компанию. В тот вечер все разбрелись парами по комнатам, а она сидела одна в гостиной, и ее стеклянный глаз удивлялся.

Теперь я иногда вижу ее сидящей на скамейке около магазина.

Худенькая, с короткими прямыми волосами, в веселом ситчике, сидит она рядом с женщиной в коричневом мужском пальто.

Девушка встала за мной, и я поздоровался с нею.

Девочка за прилавком странно на меня посмотрела. Бабы в очереди зашикали:

— И не стыдно!.. Прямо в очереди!..

— Что вы?.. Что вы! — отмахнулась девушка в веселом ситчике. — Это просто знакомый.

— Пачку сигарет! — крикнул я на девочку за прилавком.

— Когда я вижу юности приметы,
Тогда невольно становлюсь поэтом, — сказал человечек с портфелем.

— При этом, при этом! — рассердился я.

И выскочил из магазина. С удовольствием вдохнул воздух и закурил.

Подошла толстая дворничиха. Поставила около скамейки метлу, бросила совок. Села рядом с женщиной в коричневом мужском пальто.

— Что это ты, Машка, грустная такая? — засмеялась она. — Вон, смотри, молодой человек, — кивнула она на меня.

Женщина сидела, положив локти на колени, а голову на ладони, смотрела вперед, и ничего не попадало в ее взгляд.

— Что ж ты молчишь! — толкнула ее дворничиха.

Женщина деревянно покачнулась и завалилась набок, нелепо задрав стоптанные башмаки.

— А-а-а-а! — закричала дворничиха. — Машка! Машка! Дядя Миша! Дядя Миша!

Из сапожной будки вылез дядя Миша, квартальный милиционер, степенный и усатый. За ним вылез ассириец, усатый и степенный.

Из магазина высыпали бабы.

— Жалость-то какая... — сказал кто-то из них.

— Тетя Маша! Тетя Маша! — закричала девушка в веселом ситчике.

— Уснуть... И видеть сны, — сказал человечек с портфелем.

— Да-а... — сказал дядя Миша и стал звонить по телефону.

Сентябрь

1960

Начало

С детства я бредил Азией. Семеновы-Тян-Шанские, Пржевальские и еще... Грум-Гржимайло — они ездили на своих верблюдах, стреляли своих яков, попадали в свои самумы и делали свои великие географические открытия. Я подыскивал себе достойный псевдоним (ни мое имя, ни фамилия не устраивали меня — устраивала их слава...). Сергей Карамышев! Это уже неплохо. Грум-Гржимайло и Карамышев! Пржевальский кладет мне руку на плечо, а другой обводит даль. Там хребет Сергея Карамышева. Великий путешественник Карамышев-Монгольский на фоне открытого им дикого верблюда. Книжка из серии «Жизнь замечательных людей» — фотографии: мать путешественника, отец путешественника, великий путешественник в детстве.

Я прибегал с книжкой к маме.

1949 — Вот Пржевальский пишет... Как стать великим путешественником, какие нужны качества... А у меня все это есть: путешественником я родился, страстно я увлекся, научно я подготовлюсь, характер я воспитаю, трудолюбие я разовью, а энергия — приложится... — говорил я, загибая пальцы.

1955 Вот я студент Горного института. Я уже знаю, что белых пятен, наверно, и нет. Что последнее, может, досталось Грум-Гржимайле (чудо, а не фамилия!). И что вообще это детство. Но еще не знаю, что детство, может, то немногое, чего не следует стыдиться.

Я мечтаю о Японии, стране безукоризненного вкуса и тысячелетиями отточенного движения... Вот я сижу на корточках в такой красивой японской одежде. Раздвигаются створки разрисованной журавлями двери. Это за моей спиной, но я не оборачиваюсь: я знаю, почему они открылись и кто там. Я знаю, как она подойдет, как поклонится, как поставит передо мной чашку и снова поклонится, и как будет выходить, пятясь и кланяясь, и как сдвинет за собой створки, словно уходя в стену. А я не меняю ни позы, ни выражения лица: я все это знаю. Тыщу лет, как это всем известно. Известна эта комната и как в ней что стоит. И эта женщина. И я, который все это знает...

1958 Япония... Это кончается тем, что я женюсь на курносой и рыжей девчонке, такой нелепой и такой славной. И теперь Япония все реже заходит ко мне.

А открытия? Моя специальность — ковырять землю, в двадцать три года я уже знаю, что это — работа.

(Из «Одной страны»)

1961

Автобус

Хорошо бы начать книгу, которую надо писать всю жизнь... То есть не надо, а можно писать всю жизнь: пиши себе и пиши. Ты кончишься, и она кончится. И чтобы все это было — правда. Чтобы все — искренне.

Вот пишу и не знаю... Ведь чтобы писать искренне, надо знать, как это делать. Иначе никто тебе и не поверит, что у тебя искренне. Сделать надо.

Вот это-то и ужасно: все-то — литература...

А я такой-то человек. У меня есть люди, которых я люблю, люди, с которыми я знаком, люди, которых я не знаю. Все эти люди как-то меня знают, что-то обо мне иногда думают, когда есть к тому повод. А я совершенно не представляю, что они обо мне думают. Но мне кажется, они не допускают, что я какой-нибудь другой, чем они. Что я могу чего-то больше или хотя бы иначе, чем они. Я даже могу допустить: иначе быть не может. Ведь я же не представляю себе Иванова отличным от остальных...

То-то и оно. Все люди — центры. Два с половиной миллиарда центров...

Иногда я попадаю не в фазу. Периодически. Довольно часто. Не в фазу — значит, как-то все у меня не как у всех, все со мной подло, все из рук валится, надо одно — а хочется другого.

Ничего не получается.

Вот, например, с автобусами. Вдруг получается так, что они только что отошли. А мне как раз надо бежать. Например, я сажусь на остановке, где ходят 49-й и десятка. 49-й ходит очень редко, а десятка очень часто. Так вот,

28

когда мне нужен 49-й, он подходит мало того что редко, а еще втрое реже... А когда мне нужна десятка, подходят два 49-х. А десятка... Я всегда думаю: может, она с моста свалилась?.. Такое дело. Я всегда, когда езжу через мост в автобусе, думаю: а что я буду делать, если сейчас мы полетим в воду? Положим, мы не убьемся... Наверняка не убьемся. А вот как быстро просочится в автобус вода?.. Думаю, напрягая мышцы, как я выбиваю стекло. И выныриваю. Пока все там гибнут в автобусе. Безусловно ведь, шофер не успеет открыть двери... Но вот я вынырну. И не вынырну, а только буду выныривать... А у меня в руках портфель, и на мне осеннее пальто. Это все набухает. Допустим, я умудрюсь сбросить. Я доплываю до быка, и взбираюсь, и сижу на нем, на остром ноже-ледорезе... И жалко пальто, которое сбросил, а оно совсем новое. И ботинок.

Так я думаю чаще всего, когда мне куда-нибудь очень, позарез надо, куда я еду. Что-то надо, ужасно надо сделать. Последний срок, последняя возможность. А мне удивительно неохота. Как раз сегодня было бы так прекрасно никуда не пойти, а остаться дома и спать. Или пойти в кино на утренний сеанс. Или выпить в автомате. А потом познакомиться с кем-нибудь. И пойти куда-нибудь на Острова...

И вообще, зачем это?.. Кто мне объяснит, что это так уж обязательно надо — то, что ты делаешь? И почему бы не свернуть в сторону, не свалиться в реку в автобусе?.. И тогда бы тебя доставили домой, и ты бы с полным основанием забыл про все дела и ничего бы не делал из того, что обязательно, просто совершенно обязательно надо было сделать... А им бы потом объяснил, в чем дело. Кому — им?.. Сам не знаю. Вот свалился в реку, и так прекрасно: и ты и общество — полное согласие. И никто от тебя ничего не требует. Все прекрасно между тобой и обществом. Тебе сочувствуют... А раз такой пустяк — свалиться в реку — выход, и ты будешь прав, и все тебя оправдают, что не сделал того-то и того-то, что было так, позарез, надо... Если так... на кой хрен тебе вообще куда-то надо ехать? Кто это выдумал, что так надо?..

Написать бы книгу — без композиции, без языка, без всех этих фокусов... Ведь есть же что-то самое важное. Главное, так сказать. Все остальное — так, смазка, чтобы легче проходило. Как бы обойтись без этого, оставив самую суть?.. И самое смешное — допустим, это начало такой книги, то, что я пишу; что вот я собрался и начал, — самое смешное, что будешь писать, напишешь — и окажется и композиция, и язык (развязка, завязка, метафора) — и вся литература налицо. Если книга получится, конечно...

Деться тут некуда.

Последнее время я все думаю: написать бы всю правду. Не всю-правду: для этого нужно искажать, хитрить, — а всё-правду. Думаю уже месяц. Как раз мне надо очень делать кучу вещей. Позарез надо. Дальше некуда. Просто свет клином сошелся. Не сделаю, не выполню, не напрягусь — все рухнет. Все пропало.

А что пропало? Что рухнет? Что, собственно, рухнет?! Ерунда какая-то. Все-то понятно. Просто мне трудно. А хотелось бы, чтобы не было. Чтоб ничего я не был должен...

А что я, собственно, должен? Будто бы?! А если и должен, то почему какую-то подобную чепуху?..

Уже месяц я подумываю написать бы такую книгу... Вот сегодня ехал я в автобусе... Кстати, почему это я все придумываю в автобусе? Не додумались еще, чтобы в одну секунду перелетать от дела к делу. Ехать надо. Иногда полчаса, иногда больше, когда меньше. Совершенно законная свобода. Едешь куда-то. Ехал бы и ехал. Только бы не вылезать. Особенно если рано утром. И еще дремлет в тебе сон. А за окном мороз, и окно замерзло. И если ты еще занял место у окна, и как раз под сиденьем — печка... А люди входят и выходят. И ты смотришь в лица. И девушки... Они тоже смотрят на тебя. И тоже выйдут. И ты едешь себе, едешь...

Вот я ехал и думал о такой книге. И думал, что обязательно напишу про парня, который сидит напротив. И смотрит на всех умным взглядом и чему-то такому умному в себе ухмыляется. Тыщу лет я знаю, как он ухмыляется!.. Обязательно надо про него написать в такой книге...

И вот я приехал домой, лег в постель и решил, хотя и невозможно написать такую книгу, все-таки что-нибудь записать, и сразу вспомнил про этого парня и что надо про него написать, и вот я пишу, пишу и все хочу про него написать, и уже седьмую страницу пишу, а даже не знал, о чем буду писать, пишу уже седьмую страницу, и все думаю, что надо писать об этом парне, и никак не могу подступиться к нему — все что-то пишу...

Я иногда выхожу на улицу. Спешу. И кажется — зачем я вышел? Да можно ли в таком состоянии пускать человека на улицу?.. Вот идут мне навстречу две женщины. Старые, усталые, из последних сил. И говорят друг другу какими-то высокими голосами: «И ты думаешь, можно сделать такую выкройку?.. Ну что ты... Я ему так и сказала... Ты не ходила на его концерт? Ван Клиберн прелесть...» Усталые такие. Идут куда-то. А я вот (разве можно так?) смотрю и вижу, какие у них худые старые ноги в черных чулочках... И вот эта женщина опять покупает ирисок на рубль. И этот пьяница купил бутылку фруктового вина и сунул ее мимо кармана. Она брякнулась о кафельный пол, и розовая жидкая лужица на полу... А он стоит, расставив криво ноги, и все, не понимая, смотрит на лужицу, и такое бессмысленное детство бродит по его лицу.

А здесь стоит ребенок. Кто-то его забыл. Разве можно оставлять таких на улице! Стоит, косолапый звездочет, и совсем обо всем позабыл. Никто его не теребит. И он смотрит на воробья. А воробей, серая такая птичка, чистится и чистится. Весь чистый.

И вот вчера я так глупо ошибся... Бежал, спешил и со спеху впоролся в женский туалет (две двери рядом). Мне еще раньше говорили, что в женском туалете отдыхают проститутки. И что уборщица даже специально для них держит пудру и папиросы. Я тогда не поверил.

А тут думал о чем-то — и впоролся. И вот сидят они в центре туалета, стулья вкруг, и курят. Молодые, красивые, яркие, отвлеченные какие-то, такие простые... сидят и курят. И видно, беседовали — замолчали. Смотрят на меня так спокойно, без вызова, прервавшись... А я осознаю и вылетаю пробкой.

А книга — это чудо. Понимаете, это все, что я написал вот сейчас, — этого всего не было. То есть это было... Во мне, скажем.

Великое чудо.

И вот со мной едет человек. Мы живем на одной лестнице. И сойдем на одной остановке. Он едет с женщиной. Такая, уже не очень, женщина... В первый раз ее вижу. А вот про него я как много знаю! Конечно, мы даже не здороваемся, незнакомы. Но в том смысле, что я хожу по улицам, вижу тысячи людей, — по сравнению с ними я знаю о нем ужасно много. На одной лестнице все-таки. Так, от разу до разу, словно и не слушая, узнал о нем от разных людей. Отец, например, был с ним знаком, когда еще был студентом. И мама. Он вертихвост, по словам. Седой, немолодой уже человек, а вертихвост. Так и остался со студенческих лет. С тех пор они его и не узнали... Завкафедрой, седой человек, а вертихвост. Говорят, он замечательно катался на коньках, прекрасный был фигурист. Была у него первая жена. Умерла. Побродил, побродил — появилась еще женщина, с его кафедры. Вертихвост... Славная была, красивая. Ее я уже помню. Маленький был, а очень она мне нравилась. Дети у них были, Маша и Ваня. Ваня уже в школу пошел. А мама летела из командировки, и самолет разбился. Тогда весь Ленинград говорил об этом. С какой-то делегацией разбилась. И вот он ходит, вертихвост, с сеткой, набитой картошкой, фунтиками разными, ходит, фигурист... пьяный все чаще. Худенький такой, седой, маленький мужчинка. Однажды совсем до дому не дошел — свалился. Завкафедрой, что студенты подумают!.. В газетах писали. А то тащит его Ваня за рукав: «Ну, пойдем, папочка. Не надо, папочка...» Тащит домой. Самое великое — дом... Что — книги! А то однажды подошел ко мне. Никогда мы не здороваемся даже. Подошел и с особым вызовом, гордо так говорит: «Дайте мне пятнадцать копеек — я вашего отца знаю — я отдам». Неловко ему было 15 копеек потом отдавать — не отдал... А когда трезвый, ходит такой неистребимый — седой, худенький, маленький, — делает красивое лицо, по-особому проходит мимо женщины, подпрыгивает при каждом шаге, чтобы казаться выше. Вертихвост... И сейчас едет со мной в автобусе. Мы сойдем на той же остановке. С ним женщина. И слышу, говорят они на «ты» о делах кафедры. А времени двенадцать ночи, и едут они домой, туда же, куда и я.

Можно написать об этом рассказ, повесть, роман — все об этом же. И вряд ли это будет больше того, что сидит в автобусе маленький человечек.

И вот я... Достать, что ли, велосипед? Приспособить к ободам колес лампочки... Синие, красные, зеленые. Надеть на голову кепку-лондонку до ушей... И поехать. Темным вечером. Я еду — колеса крутятся. И с ними лампочки. Зеленые, синие, красные. А у меня кепка-лондонка на голове. Зеленое, синее, красное... Словно это бал-маскарад. И шутихи летают в небе, крутятся и сыплют искрами. И серпантин, и канитель... Или я сижу на лошадке, и мчусь по кругу, и машу флажком красным...

Ах, какая канитель-карусель!

Кружится, кружится...

Вот площадь. Что-то около одиннадцати. Эта круглая площадь, с круглым сквером посередине, и круглые шары фонарей вокруг сквера. И шары окружены каким-то круглым туманом. К этим шарам тянутся ветки, заиндевелые, белые. Автобус едет по кругу площади, и меня прижимает к стенке. Центробежная сила.

И автобус останавливается. У филармонии. Видно, кончился концерт. Это, наверно, субъективно — я редко бывал в филармонии — там всегда масса девушек. Их почему-то даже больше, чем старушек, и, конечно, больше, чем парней. Почему-то они очень ходят в филармонию. И не то чтобы они были синие чулки и некрасивые — очень даже симпатичные девушки. И вот они садятся в наш автобус — одни девушки — концерт кончился — хорошенькие, модные девочки... Но что-то странное с ними. Какие-то такие очень каменные, холодные лица. Такое выражение. В общем, похожее у них выражение. Они даже совсем друг на друга похожи. Ну да, после концерта... Но все-таки... Почему у них такие лица? Ну да, вспомнил: сегодня концерт Имы Сумак. Какой-то второй или даже первый ее концерт в Ленинграде. Конечно же это она! Я узнаю ее по фотографиям и рекламам. Конечно же это она поднимается сейчас по ступеням автобуса. Одна, две, три... много! Двадцать одна Има Сумак вошла в автобус. А как они сидят, или как стоят, или платят кондуктору! Просто поразительно. Как они гордо скользят по моему лицу взглядом, холодным и далеким, как вершины Анд. Не замечают меня. А я, можно сказать, единственный молодой человек в автобусе. Вот какая хорошая девушка — и тоже Има Сумак... Как она не заметила меня! Царица!.. Но вот, бедная, вдруг закапал нос, и она судорожно ищет платочек, и вся независимость спадает с ее лица. Она смущается, краснеет и косится, видел ли я...

Ах ты, моя славная!

Вот будет у меня когда-нибудь дочка. Назову ее Сашей. Саша — будет полное ее имя. Саша Андреевна.

Будешь ты, Саша Андреевна, моей дочерью. Ой, какая ты красивая, Саша Андреевна! Молодая и счастливая...

А вот вчера затащил меня приятель в один дом играть на бильярде. А шел я, между прочим, совсем в другую сторону. Очень мне было спешно. И вот встречаю приятеля, он мне говорит: «Пошли на бильярде...» И я иду, именно потому, что спешил и очень было надо.

И не очень-то я люблю бильярд. И даже его очень не люблю. И вот гоняю шары. Они мечутся, кругленькие. Толкаются, щелкают, пихаются. Что-то одушевленное в них.

А дверь из бильярдной открыта. И через нее видно лестницу. Кусок лестницы. И в этом кадре все идут, идут, поднимаются девушки в белых платьях, в совсем одинаковых платьях. Идут чинно так, серьезно и плавно. И похожи на больших ночных бабочек со сложенными крыльями.

А мы удивляемся, откуда в Доме писателей столько девушек в белых платьях? А мы сняли пиджаки, и в рубашках, в углу рта сигарета, глаз прищурен — «оборот налево, дуплет в середину»... И так бьем, и так разгибаемся после удара — бильярд, писатели...

А по лестнице, в том куске, что виден в рамке двери, все идут, идут девушки в белых платьях. Как на заклание, на костер... Большие ночные бабочки.

«Откуда их тут так много? Восьмой направо в угол». — «Тут вечер какого-то института. Придется шар выставить...» — «А что, одни девушки? Вот этот хорошо прошел, классный шар!» — «Они, наверно, думают, что среди писателей есть женихи... Ха-ха! На две лузы...»

А девушки идут и идут.

Сашенька моя, Андреевна!..

Все это можно понять... Вот автобус. Два сиденья напротив. На каждом из них мужчина и женщина. Сидят напротив женщины и мужчины. И все читают. А я стою над ними, держась за поручень, и вижу их затылки и раскрытые книжки. Я не знаю, какие это книги, и пытаюсь узнать по тексту. Текст прыгает.

«Целыми днями... Ли-ли... Лилиан лежала у моря... и в саду, который окружал ви-ви... виллу. Ле... Лева... Левалли. В этом запущенном романтическом саду... саду встречались... на каждом шагу встречались мра... мраморные статуи, как в стихотворениях... Эй... Эй... Эйхендорфа».

Тьфу, пропасть!

«Лучше прожить пять лет... чем про-про... про-су-ще-ство-вать, просуществовать пять минут». Что — лучше? Лучше просуществовать пять лет, чем прожить пять минут? Или лучше просуществовать пять минут, чем прожить пять лет? Или прожить пять лет, чем просуществовать пять минут?

Тоже непонятно. Почему? Кто это так уж точно знает?

«Счастье, конечно... в любви...» В любви? Ну, конечно. Счастье в любви. Ничего особенного. «...но взаимной». «Счастье, конечно, в любви, но взаимной». Не правда ли, как замечательно сказано! Подумать только.

Ну еще... Последняя. Что пишут в последней?

«Как же удержать этого... этого... огненного... нет, ог-нен-но-кры-ло-го Ки-ки... этого Ки-ки... этого Ки-фа-ре-да, чье безмолвие яснее слов говорит о желании». Яснее слов говорит о желании? Как-то не очень ясно говорит. «Насытить его — значит расстаться с ним». Кого насытить? Этого Кикифареда? А расстаться с чем? Тоже с ним. Или с желанием?

Нет, с меня хватит...

И пожалуй, как понять друг друга? Ох, уж эти книжки! Пассажиры! Вы же сидите рядом, вы сидите напротив: женщина рядом с мужчиной и мужчина напротив женщины... И ни черта не понимаете! И не смотрите друг на друга...

А тут предъявляют автобусные карточки. Вы обращали внимание, как это делается? Вот старик вынимает карточку и показывает. А кондуктор в это время рвет билеты и на него не смотрит. А он говорит: «Карточка». И он кладет ее обратно в карман. А потом снова вынимает. И говорит: «Карточка». И лицо у него такое... что и не безбилетник он, а, наоборот, имеет право и желание показать достоинство, и абсолютная мольба на лице: «Обратите внимание!.. Карточка!»

И вот наконец Новый год! Я еду в автобусе. Еду встречать. Это же самый прекрасный, самый искренний и естественный праздник в году! Старое забыто — начинается новое... Как мне всегда хочется, чтобы праздник этот был чист, светел и красив! И я еду начищенный с ног до головы. А в кармане у меня соседкины пудреница и карандаш, а то даже бальные туфли, по одному в боковых карманах.

Автобус набит. Все красивые. Все шумят, смеются. Все радуются. Будет праздник. А праздник, быть может, — только ожидание его. И все напьются, будут пьяны, и мильон девушек потеряет свою невинность, будут разбиты тонны посуды... И не доедены, расплеваны, разблеваны тонны еды. Пищи... И все равно едут и едут на дни рождения и Новые года. И Новые года идут один за другим. Новые года — детские — елка, и подарки под елкой, и рано спать. Новые года — подростковые — посидеть немного за столом со взрослыми, молчать, краснеть — «жених растет» — и позволенная рюмка со всеми. И Новые года — не дома, а в компании — жмет рубашка, а рядом твоя соседка, и пить, пить, словно только это и делал всю жизнь, и потом ничего не помнить...

И ты едешь, едешь в автобусе встречать и встречать Новый год, Новый год...

И вот я не еду встречать Новый год в автобусе... Это самый мрачный и, пожалуй, самый чистый Новый год в моей жизни. Я новичок, салага. Всего две недели в армии. И — ни копейки. Не открыть ни бутылки, ни даже пачки папирос. И приказ по отряду: в новогоднюю ночь — всем дома. Дома... То есть в казарме. Но старички кто ушел в самоволку, кто так нагулькался. А нам, новичкам, — и нечего. Кто-то пил одеколон. Но вот и одеколона нет. Кто-то разводит зубную пасту. А я... Я получил сразу три письма из Ленинграда, первые письма сюда из дому: от мамы, друга и от нее. И я не вскрываю письма, жду, чтобы открыть их в двенадцать. И мне погано. В основном погано потому, что завидую, завидую... И мне кажется, бог как весело! встречают там, в Ленинграде. И память подсказывает только соблазнительное, прекрасное, радостное. И растравляю, растравляю себя и не могу остановиться. Потому что я верю, верю, что они любят меня там... Но все они сейчас встречают, и пьют, и не помнят обо мне. Конечно, вспомнят — но забудут... Потому что я — не к празднику. И мать — она любит меня больше всех — и она сидит сейчас дома, и богатый стол, и все вокруг любимые люди — и хорошо. И друг, он, конечно, предложит за меня тост, там, среди друзей, и все вспомнят, и погрустят секунду, и чокнутся от дури. И она... Она верна, верна!

И какой-то азиат жалеет меня и угощает меня планом. Я выкуриваю папироску. И вот мне смешно-смешно. Боже, как мне смешно! Какие все остроумные люди, какие лица! О, Боже... А потом я опираюсь о нары и плыву, плыву... Корабль, ночь. Звезды, ветер. А потом я мушкетер. Атос или д'Артаньян. И потом иду по залам, залам, и все прекрасные картины по стенам. Никогда не видал такого прекрасного...

А потом я просыпаюсь. В поту, голова разламывается. Где я? Почему? А по радио кончаются двенадцать ударов. И я вспоминаю... Самая большая радость — я ведь ее ждал весь день — вскрыть письма! Но во мне нет радости. И я прочитываю их кое-как. А потом всю ночь не могу уснуть от головной боли и кашля.

И вот я снова еду в автобусе встречать Новый год. И все едут. И наверное, думают, что все, все едут встречать Новый год в автобусе. Или они и не думают об этом. Конечно, не думают. Ведь праздник.

А с кем-то несправедливо поступили, кто-то потерял все деньги, у кого-то вообще все пошло прахом, кто-то умер только что и у кого-то умерли, кто-то встречает Новый год в поле, кто-то в тюрьме. Их тьмы, этих людей. Они не едут в автобусе. А мы себе едем и едем. Всё встречаем и встречаем Новый год за Новым годом.

Всё пируем...

Вот иду я по улице, возвращаюсь, допустим, с работы. Рабочий день, значит, кончился. Освободился я. Решил пройтись пешком по набережной. Солнце, воздух. Реденькие, жиденькие стоят топольки. Будут когда-нибудь большими. А я старым. Можно будет что-нибудь по этому поводу сказать. Помню, как их сажали, например. А сейчас я молодой, освободился я, иду по набережной. Корабли стоят на приколе. Солнце греет. Матросы на кораблях ничего не делают, греются. И музыка на корабле играет. Изумительная такая, дешевая музыка.

А поцелуев, извините, нет.

Ох, какая же это музыка! Что-то такое за душу берет... Конечно, вкус. Конечно. Люблю Баха, не люблю Сен-Санса. Симфония — да, джаз — да, оперетта — нет. Но песенки... Ах, эти песенки! То, что много лет хранилось в тайне.

Вкус — да! Да ну его к черту.

Иду я, к примеру, в вышеописанной обстановке, и так мне хорошо, так сладко, так щемит что-то... Плакать хочется. Тут около меня притормаживает «ЗИМ». И вижу — там генерал. Да не просто — две звездочки. Остановил шофера-солдата, дверцу открыл, высунулся и обращается к милиционеру, как проехать туда-то. А милиционер не знает. И вдруг — странное дело — я каким-то волчком завиваюсь, забегаю, чуть не сгибаюсь и говорю: туда-то и туда-то, направо и налево, так-то и так-то. А голос дрожит гаденько-гаденько и даже выше стал. И машина уехала. А я стою, провожаю взглядом, и поза вся неестественная:

скорченная и слюна чуть не капает. И вдруг понимаю: что ж это я, ведь я же терпеть генералов не могу, ведь я же чины ненавижу! Я всегда так говорил и говорю и думаю так же. Что же это такое!

Так стыдно, так стыдно.

Что это?

Что это?.. Почему бы мне не убить вот этого человека? Он сделал мне гадость, или он мне мешает, или просто мне не нравится его физиономия. Почему бы и нет? Почему бы мне не растлить собственную дочь? Или не выкрасть десять тысяч золотого займа из бабушкиного стола?

Почему я не делаю всего этого?

И почему все-таки, раз я так не поступаю, то все же, часто, поступаю грязно, погано, подло? И почему в таком случае иногда я поступаю хорошо, чисто, благородно?

Почему? Зачем? Для чего?

И вообще-то, если представить, то вся жизнь — скопление каких-то обязательств. Они могли быть такими, но могли быть и другими. И от каждого из таких обстоятельств — своя цепочка, своя жизнь. И тогда почему бы не рассмотреть свою жизнь так, что она могла бы быть тыщу раз разной и где-то, в одном случае, прекрасной? Может, я рожден быть чем-то вовсе другим? И только какое-то чудовищное и нелепое стечение обстоятельств помешало мне? Например, где-нибудь в Африке быть пигмеем... Представляете, охотиться на зебр?..

И еще хорошая специальность — водитель мотороллера. Наверно, им неплохо платят. Пожалуй, это здорово — возить молоко и книги. Ехать — бутылки в кузове звяк-звяк! Заходить в разные квартиры, и там тебя уже знают: «Может, выпьете чайку?» А вот в этой квартире открывает всегда такая славная девушка...

Но только последнее время, мне кажется, они стали ужасно носиться. Наверно, их перевели на сдельщину. Вот они и носятся. Выжимают из своих пердунков все, что можно. А треску!

Хорошо также варить варенье. И надписывать на банках «клубника отличная» и ставить дату, или «смородина удовлетворительная» — и дата. И ставить банки на шкаф плотными рядами. А потом составить их опись. Хорошо — разбираться в хламе. Сортировать. Рассортировав, заворачивать в бумагу, перевязывать бечевкой, и опять же надписывать «обивка от бывшей ширмы» или «пластинки битые», и опять же класть на шкаф.

Все это очень хорошо.

Теперь еще и снег пошел — подумать только... А ведь весна.

А мама хочет сервант. Никто ей не сочувствует. А ей очень хочется. Я говорю: зачем сервант? А она говорит: мало ли кому чего — просто охота...

Ничего... Все — будет ничего.

Вы, говорят, слишком молоды... А я говорю, не виноват.

Вот сейчас хожу и думаю: вот об этом бы написать, и об этом. И вон об этом...

А потом, страшное дело, буду ходить и — о чем бы написать? О чем? Мое же дело?! Об этом? Но почему же именно об этом? Или о том? Тоже ни к чему...

И еще говорят:

«Кто это у нас такой маленький-маленький! Кто это у нас под столом ползает? Кто это такой холесенький-холесенький! Ух ты, гули-гуленьки... Ах ты, цыпочка-цыпа! Кто это у нас такой квадратненький! Угловатенький такой кто у нас? У-тютюшеньки-тютю. Кто это у нас такой несознательный-несознательный! Такой недооценивающий-недооценивающий?.. Какой миленький маленький авторчик! Ух ты, мой поросеночек... Все пишет и пишет, пишет и пишет. Ах ты, сладенький... Сейчас я тебя съем-съем. Тпруашеньки и аашеньки не хочешь? Ух ты, бады-бады! Ух ты, бады! Ах ты, неполноценненький мой... Что же ты не то пишешь? Ой, гулюсеньки мои!.. Что же ты извращаешь? Правду, говоришь, пишешь?.. Ах ты, негодненький! Говоришь, искренне надо?.. Ах ты, сволочь, мракобес... а я-то думал, ты заблуждаешься! Я-то тебе верил, гад!! Скоро праздник. Мы будем демонстрировать свою мощь! А ползучие гады будут высовывать свои жала из-под ворот... И ты, ты будешь там!!!»

И действительно, кому хочется быть ползучим гадом и высовывать свое жало?..

Вот сейчас приеду домой и все, все приберу! Вымою, выколочу, выброшу все ненужное и открою форточку. И надену чистую рубашку. Все приберу, приберу и начну жить сначала.

И в голове тоже порядок наведу. Все негодные мысли отброшу. Выкину их, негодяек! Потом заплачу все долги, всё выполню, что кому обещал, и напишу всем письма, и сделаю всем приятные сюрпризы...

Стану жить по режиму, вылечусь, вставлю зубы, буду делать по утрам зарядку и обтираться холодной водой. И каждый день буду бегать вокруг Ботанического сада.

А когда, после всего этого, я стану абсолютно свободен, я поеду за город, заберусь в лес, там будет полянка, лягу на спину и буду смотреть в небо.

И так буду лежать на спине и смотреть в небо долго-долго — всю жизнь.

1962

Мое сегодня, 29 июля 1962 года

Лес, дорога

Вот здесь же, в Токсове, как-то, два года назад, мне было так же, как теперь, два года спустя. Спустя-а — смешно! Не смешно. Все-таки смешно. Спустил. Спустил два года.

Конечно, мне было и не так же. Но тоже не писалось. А тогда ведь еще только кончался тот период, когда мне казалось: я хожу по рассказам, ими вымощен мир. В любой, мол, момент их под рукой тыщи — возьми любой. И я жалел, что я — это не десять человек, а то бы и написал эти тыщи. Упаси Боже! Во-первых, эти тыщи... А во-вторых: как бы они ссорились, эти десять человек! Один-то возится, как десять.

Так вот, тогда, два года назад, этот период только еще начинал кончаться, так что можно считать: он еще был. И вдруг такое чудо, что мне не пишется! Теперь-то у меня даже опыт в неписьме есть. А тогда это меня прямо ошеломило. Я кис, кис — и вдруг обрадовался: ведь я же могу написать рассказ о том, как мне не пишется. Даже название придумал: «Лес, дорога». Мол, вот лес, а вот дорога, и вот мне не пишется. И еще радовался: вот какая писатель машина — и из неписьма может сделать письмо. Впрочем, в этом и какая-то правда. Так ведь, чтобы писать было нечего, не бывает. Есть немота. Писать о немоте — это такое преодоление! И может, мы в основном о своей немоте и пишем. О чем же писать в такое немое время? Я кис-кис, такая писатель, сделать письмо.

Рассказа я этого не написал. Хотя кто меня, подлеца, знает...

И вот сейчас... Я болен, можно сказать... Да что там! Болен, болен. Неудовлетворенностью, неполнотой, немотой. И суетой чрезвычайной. А суета, как ее ни кляни, — вещь любимая. Она ведь на месте пустоты. И только в случае пустоты. Так что она — недаром. Мы рвемся от суеты — и попадаем в пустоту. И без суеты нет ей заполнения, этой пустоте. И мы рвемся публично от суеты, и мы бросаемся ей в объятья. Может, не сознавая?.. Ладно, не мы, не мы! Я, я!.. Нем, нем.

Во мне сейчас пустыня. Можно напиться, можно влюбиться... Если не то и не то — можно суетиться. Если уж и это отпадает — застрелиться. Конечно, лучший выход — писать. Переделывать пустыню. Дубовыми защитными насаждениями. Лес, дорога. Суховеи — сухо веют. Сухотка. Сухость мозга.

Ничего ведь не исчезает. В этом я уверен. Если б не уверен — то что же? Ничего не исчезает. Где-то это все плесневеет в мозгу, неосвобожденное, неотданное... Обрываются какие-то связи — и не извлечь. Стучись, ломись, рвись, даже жалуйся — не натянуть струн. Нет связи. Кибернетика проклятая! Кир-бир... Кир-бир...

Вырабатывается прием...

Чик-чирик!

Чик-Чирик

«Я еще много, пожалуй, могу извлечь из своей башки!» — так я себя часто тешу. Чешу, почесываюсь.

Прыг-скок! Прыг-скок! Брык... с коп!.. ыт.

Севулямирбетроп! Севуля, Севочка! Се-ля-ви. Бетатрон. До-ре-ми. Сильву-пле. Мир — бетон. Мир — батон.

Троп, троп, троп.

Маразм —

полнейший.

Графоман —

милейший.

Танцевальщик танцевал,

А в углу сундук стоял.
Танцевальщик не заметил —
Споткнулся и упал.
Я вышел из трибуны в зал,
Перевернулся и сказал:
Я помню чудное мгновенье
И мимолетное виденье.
И в этот миг
Я к вам приник.
Е-если б зна-али вы-ы-ы,
Ка-ак мне до-ороги-и-и...
На!.. На...!
Мир, труд, счастье!
Одно забыли.
Мир, труд, счастье и братство!
Опять забыли. И не забыли, а вот, попутал, не то слово вставили.
Мир, труд, счастье, братство и... братство и... равенство!
Не монтируется.
Мир, труд, счастье, братство, равенство и... и... свобода...
Наконец-то. Выговорили. Тьфу, как трудно было! Но чего-то недостает... Какой-то ясности. Определенности, так сказать. Так все есть — а чего-то и нет. Так-то так, да не совсем так. А пожалуй, что так:
Мир, труд, счастье (не достаточно ли, товарищи, и этого?).
Мир, труд, счастье, братство (может, хватит, а, товарищи?).
Мир, труд, счастье, братство, равенство (не слишком ли, товарищи?).
Мир, труд, счастье, братство, равенство и... и... свобода, мать твою так! (О-ох, товарищи... Ох!)
Раз уж перебрали, то добавьте.
Мир, труд, счастье, братство, взаимопомощь, равенство и... свобода.
Недобрали.
Мир, труд, счастье, взаимопомощь, братство, равенство и свобода... (кого, чего? Свобода, говорю, кого-чего?)
...всех народов (Вздох зала: Все-ех).
Так бы и говорили, товарищи... А то что же получается? А так все на месте:

Мир, труд, счастье, взаимопомощь, братство, равенство и свобода всех народов!

Урара-а-а!! Нельзя же: «Свобода, равенство, братство!» Было уже. Да ведь надо исходить и из конкретных условий...

УР-Р-РА-А-А!!!!!!!!!!!!!!!!!!!!!!!

Чик-чирик! товарищи...

Ты у меня дочирикаешься!!

Си-ижу за решеткой,

В те-емнице сы-ырой,

Такой-то такой-то

Орел мо-алодой...

Чик-чирик!

А вот у нас на предпраздничном вечере самодеятельности всех зеков собрали: кто поет и пляшет, а кто сидит и смотрит. И вот был у нас такой Костя Отвали, так он тоже выступал. Стихи с выражением читал. Очень он это здорово делал. Начальству нравилось необычайно. И вот объявляют: Стихотворение Александра Сергеевича Пушкина, — и он это самое «Сижу за решеткой» читать начал. Да как! Все плачут, рыдают и хотят на свободу. А он все с большим и большим подъемом читает. И вот уже последняя строчка, и он уже кричит с болью и страстью:

— Пора-а, бля-а! пора-а!!!

Голоса сверху, снизу и сзади:

— Только тихо! Не пой с чужого голоса. Ты сам-то сидел хоть?..

— А я что? Я тихо... Просто себе напеваю. Разве вы не слышите:

Бля-бля... Бе...

Сидели на трубе...

А...

А: — Вот тебе и А... Говорю тебе: без булды, пожалуйста, без булды, дорогой...

Без Б (бе)

Б (оправдываясь): — У меня в распоряжении целый этаж. Три двери, два балкона, один солярий, одна лестница и четыре окна — на четыре стороны света. С каждой стороны торчат верхушки какой-нибудь зелени. Ничто не мешает. Иногда внизу кричит дочка. Мой стол стоит прямо в центре. «Как это ты догадался поставить его в центр, я бы никогда не догадалась», — говорит теща. Вокруг стола с четырех сторон веревки: на них иногда вешают пеленки. Это меня веселит. Вчера передо мной висели совсем не детские трусы. В мои обязанности входит колоть дрова, носить воду и керосин, иногда ходить в магазин. Если учесть, что гораздо большие помехи не мешали мне раньше писать, то сейчас мне ничто не мешает.

А: — Скажи мне, пожалуйста, что тебе мешает? Ведь, кажется, все у тебя есть, все о тебе заботятся, тебе не приходится ни о чем думать... Все условия тебе созданы. На тебя работали папа, мама и вся страна. Дали тебе образование. Одели тебя и обули. Накормили. Чего тебе не хватает, в смысле недостает? Скажи, пожалуйста. Мы потратили на тебя всю свою жизнь...

Б (молчит).

А: — Ведь теперь ты уже большой. Мы не можем тебе уже помочь. Когда ты был маленький, нам было ясно, чего тебе надо. Сейчас ты уже взрослый, и ты уже живешь сам. У тебя есть семья. У тебя есть свой опыт. У тебя есть свое дело. Ты смотришь на мир по-своему. Мы уже ничем не можем тебе помочь. Мы тебя любим, но ничем не можем...

Б (молчит).

А: — Теперь уже все зависит от тебя. Если ты виноват, ты виноват сам. Что тебе мешает, дорогой?

Б: — Дорогие мамочка, папочка, тетеньки и дяденьки, дедушки и бабушки, тещеньки и — как вас? — папы жен, дорогие граждане и гражданочки! Ничто мне не мешает. Я вам очень благодарен и признателен. Мне от вас ничего не нужно. Я буду вам благодарен до конца дней своих. Если я чего-нибудь от кого-нибудь хочу, то это от себя. Но и в этом я не уверен. У меня подрезаны крылья, дорогие гражданочки.

А: — Нет, вы мне скажите, кто вам их подрезал? А? Может, я, который всю жизнь работал и проливал кровь за таких, как вы? Может, я, который о себе не подумал?

Б: — Что вы перебиваете? Вы не перебивайте. Мне и так трудно собраться с мыслями. А если так... то, может быть, и вы. Почему же это вы о себе-то не думали? Может, этого мне и нужно было, чтобы вы о себе подумали, а не обо мне. Как же вы о других-то можете думать, если вы о себе не думали ни разу?

А (молчит обиженно).

Б: — Ладно, ладно... Не вы. Я не прав. Я действительно не о том хотел сказать. Ну хотите, я еще раз извинюсь. Ну хотите, я на колени встану? Мне это ничего не стоит, честное слово. Ах, вам надо, чтобы стоило. И это вы так о себе не думаете? Ну ладно, если по-честному, это мне дорого стоит. Вернее, стоило. Да и, в конце концов, я не вам это говорю. Пойдите и пройдитесь. Подышите, так сказать. И подумайте о себе.

А (уходит оскорбленный).

Б: — Господи, как он меня сбил... О чем же это я? нервы всё. Единственное интеллектуальное приобретение в наш век. Так вот, гражданочки, никто из нас не доезжает до города. И это грустно. Может даже, если брать только одну сторону вещей, именно это их и подрезает. Так называемые крылья. Уверенность существует только в пору щенячества. Дальше сразу начинается невозможность. Конечно, существует благородное служение количеству ради будущего качества. Кости, если расшифровать. Удобреньице. Не пропадет ваш скорбный труд. Маленькое, но нашенькое. Благородная нищета: в заплатах, но чистенькое. Но что же сделано хорошо без уверенности, хотя бы и тщательно и робко скрываемой, что тебе за это суждено бессмертие?

(Возвращается А, дружески все простив, берет под ручку Б).

БА: — Не верите? Представьте, что вы умираете. И что же в таком случае можно от человека еще отнять? Пусть сожгут ваши рукописи. И вы поймете, как много у вас еще осталось.

АБ: — Впрочем, чего не надо, так это говорить о смерти. Это пижонство, дорогой.

БА: — Обращение «дорогой» без всякого повода — это тоже пижонство. Какой я тебе на... дорогой! Когда ты меня ненавидишь.

47

АБ: — Я тебя? Помилуй...

БА: — Тогда я тебя ненавижу. Я не я, а труп с квали-фицированной сиделкой. Кому там помогают припарки? Душа сдохла, а тело ее охаживает. В иное время жену хоронили вместе с мужем. Тоже ведь проекция самоубийства. Дорогой человек уже мертв, — так почему бы не убить второго, насильника трупов (так это называется), не убить второе, телесное, я?

АБ: — Ну если тебе не нравится «дорогой», то милый... Милый мой, ну, скажи, разве говорить о самоубийстве — это ли не пижонство? Ну что о нем говорить? В некой цивили-зованной стране существует даже право на него. Это временное, дорогой и милый, поверь мне. Это только в первый раз страшно. А потом в этом будет такой же опыт, как, ты признался, у тебя в неписьме. Ты просто еще ребенок.

БА: — А ты умудрен до тупости.

АБ: — Ах, прости!.. Ну просвети меня...

БА (с чрезмерным выражением):

Вот здесь когда-то

На самую крышу

Начальной школы

Я мяч забросил...

Что-то с ним сталось?

АБ: — Чего-нибудь японского?.. Рыбного?.. И ты думаешь, что он может до сих пор там лежать?

БА: — Он там лежит.

АБ: — Интересно... Что же ты лепишь о смерти, если он у тебя там лежит?

БА: — Боюсь, как бы ты его не спер.

АБ: — А ты меньше выбалтывай сокровенных тайн. Тогда не сопрут.

БА: — Тогда-то и сопрут.

АБ: — С тобой поговоришь...

БА: — А фу-ли!..

(Входит невозможных размеров И)...

1963

Записки из-за угла*

> Вы, говорят, слишком молоды... А я говорю, не виноват.
> Вот сейчас хожу и думаю: вот об этом бы написать, и об этом. И вон об этом...
> А потом, страшное дело, буду ходить и — о чем бы написать? О чем? Мое же дело?! Об этом? Но почему же именно об этом? Или о том? Тоже ни к чему...
>
> «Автобус» (1961)

Угол

18 июня 1963

Приснился мне сон. Словно бы какое-то собрание. Помещение, как всегда во сне, было неопределенным, не то зал, не то подвал, то ли много раз мною посещенное, то ли я оказался там впервые, — собрание вроде писательское. Хотя словно бы ни с кем я не знаком... В общем, гибридное из сна и памяти сочетание: чего-то очень хорошо знакомого и чего-то совсем мне неизвестного.

Таковы были публика и зал. Собрание, по всей видимости, носило идеологический характер. Какие-то там кипят

---

* Странно до сих пор натыкаться на что-то в ящике стола... Мне тогда было столько же лет, сколько минуло с тех пор. Сей «Дневник единоборца» писан вслед за «Жизнью в ветреную погоду», повестью, более или менее классически расположенной в своем времени. Неожиданную пару, неожиданную книгу образуют они даже для автора. Можно измерить пропасть между художественной и прямой речью. Можно измерить и время: было ли оно, прошло ли (1989). — *А.Б.*

страсти, кто-то подличает, кто-то лезет: кто и что — не помню, только — мерзко. В зале (словно бы в нем нет окон или зашторены, заложены и законопачены наглухо) — полутемно и свет слабый, грязно-желтый, а люди сидят, как в сельском клубе, на длинных простых скамьях — сомкнутые и неразличимые, слитные.

И вот словно бы все оборачиваются ко мне, и я, тихо стоящий где-то вдали от президиума, у стенки, оказываюсь центром. Словно бы указывает на меня со сцены Председатель, словно кто-то шепчет мне жарко в ухо, подстрекает (никак мне не обернуться к нему — все он из-за спины...), кто-то очень знакомый, может, из приятелей даже, и все-таки неопределенно — кто. И мне становится понятно, что от меня требуют «высказаться»: вот вы все молчите, отмалчиваетесь, а сами как думаете? не так? так имейте смелость... Я все не в силах отделиться от стены и уже чувствую, что если меня вынудят, не могу уйти в кусты: отмываться, ни да ни нет, ни правда и ни ложь — неопределенного желе из страха и желания остаться «честным» на этот раз не получится. И я скажу все, что только в силах сказать, по способности и потребности, состоянию и образованию, страху и упреку.

Я еще стою у стенки, мне шепчут сзади в ухо, подталкивают; что-то холодеет и опускается по мне от страха и решимости; в бешеном темпе мелькают в мозгу, перемежаясь спазмами боязни, обрывки первых фраз и варианты начал... и вдруг я стою на сцене, на этом любительском помосте: передо мною и чуть подо мной — зал, таится в темноте, молчит и дышит, я его не вижу и говорю. Удивительно говорю, в трансе искренности и слепоты — как решившись прыгнуть, а душа ухает и замирает в полете... Может, и неумно говорю, но, по крайней мере, достаточно, чтобы взволновать себя и зал. Что сказал — и не запомнил, как ни силился потом, — только две фразы:

«...Если Семена Бабаевского переместить сейчас в Китай, он там сыграет роль Василия Аксенова, а если Василия Аксенова переместить в Соединенные Штаты, то чью роль он там сыграет? Так где же литература? Не о том речь...»

И другая:

«...Если миллионы, несколько, всех, что есть — то ли это евреи, то ли художники, то ли просто живые люди, — собрали и повели куда-то под конвоем к обрыву, к расстрелу, к уничтожению и один из них оказался вдруг (трудно ли допустить ошибку при таких масштабах!..) не еврей, а удмурт, не художник, а слесарь, не живой, а труп, то он кричит: "Какая несправедливость!" Не от его лица говорю...»

И вот я кончил, я иду в узком проходе между скамьями, и кругом такое молчание, напряжение и дыхание, словно там не выход, куда я иду, а могила, обрыв, небытие. Я иду и просыпаюсь с каждым шагом.

А проснувшись, вижу солнце из-за шторы и напротив кроватку моей Аннушки, она проснулась уже, увлеченно и деловито тормошит пеленку и прибулькивает от наслаждения. Почему-то она чувствует, что я смотрю на нее, отвлекается от пеленки и смотрит на меня, узнает — это видимым движением проходит по ее лицу узнавание, — расплывается, обрадованная, и впервые говорит мне: «Па-па».

21 *июня*

Когда мы говорим: несправедливость, — всегда подразумеваем какой-либо общественный процесс. То ли тебя посадили, то ли тебя расстреляли, то ли лишили ожидаемых или заслуженных прав или благ, то ли делу твоему помешали — всегда подразумевается какая-то протяженность времени до этого плачевного результата, какое-то количество лиц, участвующих, какие-то силы, посторонние, внешние, в это включившиеся. Все меняет свою окраску, если представить себе результат, нас страшащий, пришедшим внезапно и сразу, раздавившим в такую долю секунды, что ты ничего не успел и почувствовать, лишенным предыдущих мытарств, лживой логики, не умещающейся в мозгу, общественного окружения, свирепых бумажек с подписями — про-тя-жен-но-сти. Тогда оказывается, что именно процесс, приводящий к результату, мы называем: несправедливость, — а не сам результат, который скорее — рок, судьба, конец, и не будь этого изматывающего вращения в неких общественных сферах, когда мы осознаем приближение страшного результата, когда познаем силы зла в этой, общественной же, сфере, их неумолимую логику, заключающуюся лишь в отсутствии логики, в бесповоротной силе утверждения предписанного (когда такое утверждение совпадает с нашими интересами, обычно не ведется речь о несправедливости, а ведь механизм тот же у этих сил: одинаково, что они совпадают, что не совпадают с нашими интересами), не будь этого осознанного лишь как внешняя механика неумолимых сил, то есть не помещающегося в сознании вращения, — все превратилось бы в случай.

Представьте, к вам подходит человек, вы его никогда не видели, вы его не узнаёте, с ним у вас ничего не связано (как, впрочем, и с любым исполнителем), — и, поравнявшись, пристреливает вас... Может, смерть наступит мгновенно — тогда ваши близкие будут говорить: какая нелепость, нелепая случайность, еще вчера шутил... Если смерть придет не сразу, то и вы, страдая, будете говорить себе: как досадно умереть так вдруг, по какой-то глупой случайности, — и все равно покинете мир отлученным от причины задолго до смерти.

И вот теперь, в представлении, я часто опускаю процесс, который мы ощущаем как несправедливость, сокращаю его, как кратную дробь, и представляю себе непосредственно результат: нелепо, страшно, дико, глупо, случайно — ладно! — но при чем тут несправедливость?

В том ли, что не было приговора, или в том, что тебе его не зачитали? В том ли, что ты не согласен с ним, или в том, что ты не признаёшь права именно этого суда выносить его тебе? В том ли, что ты боишься умереть, или в том, что ты не готов к этому? В том ли, что нет причины, или в том, что ты не понял ее?

Но даже если отказать себе в возможности постигать суть вещей, спуститься на порядок ниже и удовлетворяться лишь внешними и социальными категориями, то тем более несправедливость окажется понятием слишком тонким и разумным для мира, выстроенного и понятого на этом уровне (или как мы в таком случае скажем: для современного мира), и суть вдруг окажется в том (если сократить все прочие вариации, на этом уровне качественно неразличимые), что может подойти незнакомый человек и пристрелить тебя

в любое время дня и ночи в любой точке пространства —
и уничтожить твои параметры.

(Удивительно это получилось у Кафки, хотя это и внешнее было бы для него рассуждение. У него это — как бы между прочим и само собой: одно из сечений созданного объема...

Так вот, роман называется «Процесс», и все движение, вся мука героя — процесс, а развязка — просто рок, просто убийство, и, на верхний взгляд, даже не взаимосвязано одно с другим.)

Из-за угла

10 августа 1963

Упрешься в старые слова... Несколько месяцев назад я вдруг захотел написать стихи и конечно же не рискнул, а вчера они снова вспомнились мне. Слов не хватает, потому и не написал и не напишу, но вот что-то вроде подстрочника: «Ты увидишь вдруг то, что видел каждый день, и это пронзит и наполнит отчаяньем — приступ жалости, беспомощности и любви. Люди, маленькие, трогательные, вдруг побегут перед тобой по своим, казалось бы, делам, сходим "по-маленькому" и сходим "по-большому", они садятся в автобус и выходят из него, одни едут в одну сторону, другие — в обратную, одни останавливаются у газеты, другие становятся в очередь, кто-то что-то строит — кладет свой кирпич, а кто-то пьян совсем, тут еще и дождик пойдет, люди бегут, траектории их сходятся, пересекаются, расходятся, автобусы и трамваи стригут паутину их движений, переезжают твой неостывший след, можно даже поразиться той акробатической четкости, с которой каждый бежит по своей дорожке и все цел, все невредим, и эта подсмотренная тобой ловкость усилит тогда твое ощущение до невыносимости: Боже, зачем, куда! — и ты остановишься, парализованный, ощутишь неподчинение рук, ног, и почти всерьез придет тебе мысль, что и не восстановятся больше эти связи, закупорился канал, по которому павловские приказы коры приводят твое тело в движение, и люди продолжают свой хаотичный бег перед тобой, озабоченные, устремленные, и никуда они не идут на самом деле. "Как муравьи, — скажешь ты себе, — как муравьи..." И придешь домой, и если это чувство задержится в тебе так долго, что ты донесешь его до дома, то, может, сядешь и напишешь, будешь испытывать при этом подъем и словно бы озарение и напишешь: как муравьи, как муравьи... Будешь жить дальше и перечитаешь однажды и воскликнешь, усмехнувшись криво и победно: Господи, какой же я был дурак! Ведь я ничего, ничегошеньки не понимал... и как же это я умудрился хоть что-то понять теперь? если настолько же понимал совсем не так давно! ведь это совсем не так, и слова не те, и беспомощно до стыда! Некая гордость разопрет тебя, и ты будешь жить дальше и думать дальше и однажды умудришься настолько, что невыносима станет тебе твоя же мудрость, и, словно бы усталый, с опущенными руками, взглянешь ты как бы с ее вершины, не уверенный, что сможешь уже хоть когда-нибудь приказать хоть что-либо своей руке или своей ноге, и увидишь, как побегут перед тобой люди, пересекая и путая свои траектории, вдруг увидишь, что это молекулы скачут под несильными толчками, короткими прямыми отрезками гасят они инерцию, а толчок-то был: купить колбаски, затем зайти в аптеку — и под острым углом в другую сторону... И так они скачут и пересекаются, короткими черточками обозначая прямые свои отрезки, а потом назад, а потом вбок и еще раз вбок, один толчок, другой, пятый — и уже никакого направления не определишь ты в их движении — лабиринт, хаос, — а каждый цел и невредим, и красота их движений, их уже природность, как бы в джунглях, среди зверей и лиан, усилит твое ощущение: зачем, куда? — скажешь ты, броуновское движение, броуновское движение... — будешь повторять ты. И вернешься домой и, если мозг твой еще способен удерживать ощущения в памяти, запишешь: броуновское движение, броуновское движение... "Как муравьи, — запросится тебе на перо, — как муравьи..."»

Одна из лжей, обрекающих человека на несоответствие и мучение, заключается в том, что идея способна изменить мир. Мир изменяется, а не идея. Идеи же существуют всегда. Их потребляют люди, не знающие слов, и им кажется тогда, что поступки их наполняются содержанием и направленностью.

Всегда существовала одна легендарная личность, которая породила идею, которой мы, товарищи, дышим и счастливы сейчас... и так все складывается и получается, что все человечество развивалось направленно и осмысленно, плодом этого развития и явилась идея той выдающейся личности, и из этой идеи возник тот прекрасный и наконец осмысленный и справедливый мир, в котором мы, благодарные идее, живем... Так было всегда, во все, так сказать, времена и народы. И даже честные люди, выросшие в этой атмосфере подтасовок и стихийного шулерства, научились свободно перемещать в очередности действия и размышления о них так, чтобы сначала была мысль, а потом действие и ни в коем случае не наоборот, и в этом обмане ощущать себя существом разумным, и в этом же обмане словно бы власть над миром, его подчиненность тебе, а ты — царь природы, вершина, венец, венчик ты.

Упрешься в старые слова... Человечество живет так: обманывая себя. Некоторые обманывают только себя — это честные люди, некоторые себя и других или других, а потом себя — это люди нечестные: это эксплуататоры и экспроприаторы, политики и властители дум, тираны и фанатики. Человек живет так: обманывая себя. Опереточный, романтический тиран: обманывает только других. Это внечеловечно, так, впрочем, и не бывает. Обычный, житейский тиран: для начала немножко обманывает себя, потом очень много других и в конце снова себя — чуть-чуть. Мудрец не обманывает ни себя, ни других, он знает, он ничего не может сделать поэтому, даже слова сказать, он неизвестно где, потому что, неспособный к действию, не обнаруживает себя, он невидим, его и нет. Он тоже внечеловечен, и поэтому его тоже не бывает. Художник, бедняга: жар и холод, жар и холод — и так всю жизнь, пока жив талант, он живет как человек: обманывая себя, при этом он рождает и тогда обманывает и других, к тому же он вдруг обнаруживает обман, страдает и становится мудрецом (на некоторое время), и тогда он ничего не может делать, и поскольку мудрец — это небытие, он невидим, его нет, художник возвращается к жизни через новый обман, который никогда не нов, и все повторяется снова. Он живет, разворачивая перед собой идеи, которые никогда не новы, он живет, создавая свои подобия и подобия своего мира, и обманывает людей тем, что оправдывает их существование не как зверей и птиц, которым Господь даровал жизнь, а как начала разумного, венца, венчика. Он живет, лишь минутами мудрости и разочарования впуская в сознание идею о том, что идея не способна изменить мир, и снова глупеет, чтобы продолжать свою жизнь и дело, он живет и бросает в мир новые идеи, старые как мир, и даже то, что немые, слепые и глухие люди вооружаются ими, губя одним своим дыханием, превращают их в дубины и всегда, всегда убивают его, потому что идея нужна им всего одна, а он может родить другую, — даже это никогда не убивает художника. Он приносит свои плоды и роняет их в землю, и они приносят новые плоды, не лучше и не хуже, одинаково прекрасные и неповторимые и отличающиеся лишь тем, что они существуют в настоящем времени, словно бы всего лишь «переведенные на язык современности», но это только — словно бы, потому что рождаются они всегда, как впервые сказанное слово.

11 августа

Старые слова... Скажем так: человеческие усилия суетны и тщетны. Суета... я вдосталь наигрался с нею, внутренняя борьба с ней, тоже своеобразный ее культ, в моде сейчас у передовых людей, словно это воскресло у многих на устах, и возрождение это связано с некоторым вообще оживлением в последнее столь, увы, недолгое время, это слово свидетельствовало о некотором уже уровне душевной жизни передовых людей и хорошо бы подольше не исчезало. Но по кругу душевного опыта и понятий, очерчиваемых им, употребление его и волнение им свидетельствуют о вере в прогресс, окруженности и непрестанном разрешении общественных головоломок, оно не выводит из сферы поминутных ощущений, оно невежественно и оптимистично, поэтому оно как бы подразумевает существование в море бесцельности и бессмысленности какого-то высшего смысла и высшей цели, это всегда и у всех очень абстрактно, возвышенно и смутно. Оно как бы зовет к ясной жизни, чистому служению и высокой цели, на самом деле все обусловливается выигрышем, повышением КПД, без суеты можно сделать много больше и много лучше и получить тот самый первый приз, абстрактное и сильное представление которого все-то и стимулирует, хотя этого приза и нет, потому что он у каждого свой. Так что возня с суетой, ее культ, ибо это стало чем-то вроде паспорта духовной жизни и каждый похваляется своим мученичеством в борьбе с нею, еще не выводит из той неширокой области общественных шевелений, из противопоставления которой вытекает. И хватит о ней. Другое дело — тщета. Слово это внезапно исполнилось для меня глубокого смысла, и весь мой опыт, сам собой, пристал к его берегу. Пользы говорить об этом, конечно же, немного. Это почти извращение — пробовать в период художнически беспомощной мудрости создать что-либо, используя это свое состояние, это было бы отвратительно, если бы естественно не вытекало из природы художника, которому тем более хочется доить себя, чем менее он к этому способен. Мудрость похожа на перевертыш, она не может существовать в одном желаемом высшем смысле, если существует попытка высказать ее. Конечно же, противоречиво желание высказаться глубоко о тщете, потому что это возможно лишь в случае глубокого сознания ее, а это сознание исключает возможность и способность ее выражать. Но я хочу жить и постараюсь поспешно абортировать беспокойную идею. Даже больше, вдруг окажется, что круг друзей моих воспримет то, что я пишу сейчас, как близкое, сопереживет и станет мне благодарен за тот предел искренности и выраженности, которого я пытался достичь, ну хотя бы один или два поймут, окажутся в той же фазе или на подходе, тогда все мое состояние и писание сейчас перейдет в полную свою противоположность. И я получу удовлетворение и еще одно подтверждение, что дело мое не бесполезно, а, наоборот, направленно и необходимо и что — так держать, и подъем, и высокую оценку себя, и приподнимание надо всеми, бодрый шаг, легкость и желание работать и работать дальше, и как много я еще могу сделать, фаза пройдет, ее не будет, я спущу створки сознания, чтобы ничто не мешало мне делать то, что я способен в этот момент, это будет счастливое состояние, когда я буду уходить от друзей, воспринявших то, что я сделал, такси будет не поймать, пойду пешком домой, и несколько романов будут толпиться в моей голове, споря за право предпочтения. Все будет прекрасно, то же волнение, суета, так же будет досаждать мне она и не давать написать все те прекрасные романы. И не думаю, что услужливое мое, здоровое еще сознание позволило бы мне однажды не вынырнуть из безнадежности вдруг понятых вещей. Каких только скотских слов не придумало человечество для обозначения этих переходов, этих непрестанных измен истине, этих трусливых побегов под сень лжи. На двух языках говорит человечество — всего на двух! С какой радостью, преодолев муку сознания и снова ощутив себя жизнеспособным, вспоминаем мы слова и удивляемся их точности: преодолел себя, поборол себя, справился с собой, сила характера, сила воли, служение людям, святое дело... Мы возвращаемся по пустым улицам припрыгивающей от энергии походкой, какими глазами смотрим мы тогда на девушку, одиноко спешащую домой. Мы снова способны осеменять и не способны любить, мне кажется, погружены в себя, наслаждаемся собой, существо наше открыто жизни и наслаждению, мы — боеспособны! И ты вспомнишь все физиологические объяснения своего недавнего состояния, отказываясь от его сущности и правды, ты обратишься сам по отношению к себе в ту непрестанную равнодушную и ласковую сиделку, что окружает нас в мире, переодевшись любовью, ты скажешь себе, как говорила она: ты устал, ты был усталым, тебе не везет, тебе не везло, поэтому понятно твое состояние, — и словами, навсегда уже испорченными, ты похоронишь этот свой период, чтобы и не вспомнить никогда; фатализм, криво и победно усмехнешься ты, пессимизм. Если рискнуть на образ, то как бы два времени года в нашем сознании: лето и зима. Препарировав, можно бы было выделить, наверно, и осень и весну. Не настолько я сейчас жизнеспособен, чтобы идти на припрыгивание над образом и наслаждение им. Но, впрочем, весна — начало лета, а осень — начало зимы. Тот вечер, то припрыгивающее возвращение домой от понявших и оценивших друзей можно считать весной, за ней будет лето. Сейчас, допустим, зима, но тоже не совсем, вот нахожу я силы писать эту пустоту. Ну не зима — так осень. Я не о том хотел сказать. Разными словами говорим в эти разные времена года нашего сознания (будем считать, что этот год не имеет ничего общего с астрономическим). И для жизни и дела нам приходится отказаться от тех немногих слов другого языка, что существуют глубокой и вечной жизнью. Мы, конечно, создаем духовные ценности, потому нам эти слова необходимы, мы трясем ими, но используем их, осознаем их на глубину лужи, по смутным и гонимым воспоминаниям зимы нашего сознания; далекие и сытые, мы сами же затираем эти вечные слова, чтобы следующей зимой безнадежности и оглядки на свои дела еще раз устыдиться, на что мы их разменяли. Мы живем, и делаем, и говорим на другом языке — спящего и сытого сознания. Как охотно повторяем мы, что страницы, созданные во вдохновении, беспомощны и слабы и, наоборот, то, что написано в холоде и равнодушии, почти скуке, звучит как вершина нашей вдохновенности. Языка мы того не знаем, тех слов, вот и получается слабо, что их не находим. Спокойные же, плаваем в языке и словах, нам доступных.

А начал я, между прочим, говорить о тщете и всякое говорю, держа ее на расстоянии, потому что не хватает, не знаю этих слов, для самого мучительного и сильного моего сейчас чувства нет у меня слов-ключей, и стыдно заменять отмычками и взломом.

Впрочем, неизбежно я пишу сейчас именно об этом и только об этом. О тщете. Я пишу это бесполезное и вредное произведение и в конечном счете хочу поскорее выбраться из него, и где-то у противоположного берега моего сознания ходит большая рыба, которую я втайне хочу поймать. Я хочу заманить ее. Я буду писать и писать, пока она, усыпленная, не подойдет ближе, я смогу выдернуть ее тогда. Втайне я хочу, чтобы, завязав все нити, запутавшись в них, уже в отчаянии, путая очередность и взаимосвязь, дергая за первую попавшуюся, как-то вдруг, чудом попадет мне в руку нужная леска, на которой сидит нужная мне рыба, и все так сойдется и образуется, что в конце концов приду я к настоящему утверждению, которое наполнит меня верой в необходимость дальнейших моих усилий, я переплыву, перелечу, приземлюсь, выйду на берег в полной уверенности, что это не та же, а совсем другая суша, к которой я стремился, где я наконец пойду, и все это лишь из-за того, что берег противоположный, и не сразу дойдет до меня, что нет никакого качественного различия в их противоположности, что они поменялись всего лишь местами, а означают по-прежнему равновесие и неравновесие.

Я писал о временах года нашего сознания. Мне уже трудно стало выдерживать напряжение полной речи, я хотел прочесть жене, что написал, и успокоиться на сегодня. Но жене надо варить кашу, она сможет позднее, а я вышел на балкон, закурил и пристально посмотрел на деревья и дома, и помимо осознанной моей воли получилось, что посмотрел как мудрый змий, тут уже не отделить, что нам кажется и что на самом деле, где поза, где красивость и где естество и в какой мере наблюдались эти поза и красивость — не в той ли, что не только не противоречит естеству, но и является им? Так, стоя и вспомнив о временах года нашего сознания, увидел я дерево, которое было перед моим носом, и подумал о временах года вообще. Только что я отказался от этого образа — глядя на дерево, мне представилось возможное развитие его. Жизнь и природа в своих циклах представилась мне бесконечным рядом обнимающих друг друга сфер, у них есть полное подобие, и различие количественное времени и пространства их существования, и несовпадения по фазам цикла. Но всюду завершением цикла является смерть. Наше нежелание этого ничего не меняет, оно закономерно исходит из того, что мы, постоянные свидетели проявлений законов жизни и открыватели их, сами подчинены тем же законам и не хотим сознавать этого в применении к себе. Мы произвольно обозначаем вершинами развития те моменты, когда нам было лучше всего. Таким образом, мы опять же начинаем верить в прогресс, в целенаправленность развития и принимать желаемое за действительное. Мы не хотим считаться с тем, что то, что мы считаем вершиной, лишь точка пути развития, с самоуправством нами выделенная, что для природы все равно, хорошо нам или нет, и что она не остановится на той точке, а пойдет дальше с неумолимостью; мы назовем это несправедливостью или спадом, чтобы надеяться, что справедливость, выдуманная нами и которой нет в природе, восторжествует, что спад сменится подъемом, что после старости придет молодость, после осени — лето... Да, все повторится, но нас при этом не будет, мы однократные свидетели, поденки, и нас это не устраивает. Но у природы нет цели, она бесконечна и вечна в своих смертях. И зима является концом цикла, а не лето, которое так нам по душе. И смерть является концом каждой особи, а не зрелость. И сознание наше в своем развитии имеет тенденцию к своей зиме. Только сознание лишило нас безропотности твари, и мы прибавили себе мучений. Сознание, противореча себе из эгоизма, из «я», стало желать того, что невозможно в природе, — остановки. То, что существует в природе в виде конечных и бесконечно повторяющихся маленьких и больших циклов, мы хотим растянуть в бесконечность, остановив в точках, нами любимых; сознание позволило нам осознать наслаждение и пожелать его бесконечности, мы хотим — а не получается, не получается! И это мы зовем жестокостью жизни, мы хотим жизни любимых, а они умирают, мы хотим бесконечной любви, а она кончается в нас самих, какого-то непрекращающегося оргазма хотим мы, а сами почти импотенты... Надо, а скорее вовсе не надо, понять, что нельзя принимать свое вполне естественное внутреннее сопротивление и возмущение неумолимостью природы за доказательство существования цели, смысла и прогресса. Наше карабканье, осененное обманом цели, необходимым для жизни сознания в природе, не стóит, смешно принимать за подтверждение наших идей, потому что идеи породили карабканье — не природа. Зима естественно завершает год. Смерть естественно завершает жизнь. Человечество естественно придет к своему концу. И Солнечная система тоже. И нет в этом никакой трагедии перед лицом Природы, а всего лишь трагедия одной особи, наделенной сознанием и не справляющейся с ним. У сознания тоже есть свои зимы и своя окончательная зима, достаточно пока далекая, а может, и вовсе близкая. Может, зима сознания ближе, чем зима человечества.

18 августа

Если такой взгляд может показаться слишком черным, можно всего лишь начать рассуждения с другого конца и напирать на то, что все начинается с рождения, с весны, с первых радостей сознания... и действительно, это — силы созидания. Так происходит в быту оптимизм и пессимизм: куда взглянуть, в начало или в конец своей книги... но и то и другое — лишь наши спасения и поражения, эфемериды, их так же нет в природе, как и любых наших моральных и духовных категорий, и ничего не меняется в природе от нашего взгляда на нее, откуда бы мы ни взглянули. У меня не было отчаяния, когда я говорил о смерти, я пытался увидеть вещи так же естественно и холодно, как думает природа, истерики тут все-таки не было, и оправдываться не в чем.

Если я говорил о смерти как о естественном завершении любого процесса, то, во-первых, я говорил о том, что всем известно и никогда в то же время не может явиться знанием живого человека: самое понятие *смерть* — это лишь постройка нашего сознания, исходящая из единоличного, вопреки очевидности, протеста; в природе эта штука равнозначна любому другому явлению, там нет ни оттенка, ни привкуса, которые мы ощущаем, — одна лишь необходимость. Во-вторых, если я говорил не только о бесчисленных смертях бесконечно малых величин природы (человеческая жизнь достаточно долга, чтобы он стал их свидетелем и даже терял им счет, и эти атомы смерти тоже очевидны каждому и тоже не могут явиться знанием), но и всеобщей конечной смерти, обнимающей все сферы, то, во-первых, я имел в виду не конечную, а всего лишь ту сферу, которую могу себе представить, продолжая их в бесконечность, а во-вторых, я говорил скорее о тенденции конечной смерти, нежели действительно об окончательной смерти, абсолютном равновесии и абсолютном нуле. Мы не можем стать тому свидетелями, это слишком далеко от нас, да и не нужно нам, нам чужда жалость к грядущим поколениям, свидетелям потухающего Солнца, тем более что она глупа — человечество много раньше сойдет на нет от кризиса и смерти сознания, — но тенденцию всего живого к смерти, и даже окончательной, можно ощутить, она в нас, в нашем мозгу и в итоге нашего сознания. Без конца можно отряхиваться от этих мыслей, чувствовать себя выздоровевшим, радоваться травке и солнечному лучу: какая весна, как прекрасна жизнь! — будешь выходить и выходить ты на крыльцо до самой смерти, но все это опять же побег от нелепого нашего страха и радость тому, что казалось невозможно, а вот и еще раз убежали, и опять невозможность просто сказать: да, это так. Я употребил слово «тенденция» как однажды понравившееся мне. В институте, уча нас непонятой и кастрированной диалектике, преподаватель сказал так: мы говорим, что при капитализме трудящиеся массы идут ко все большему обнищанию, однако знаем, что уровень жизни в развитых капиталистических странах не только не падает, но и растет, и даже (разговор уже велся со всей игрой в прямоту и откровенность, в то, что смотрим правде в глаза и т.д., разговор конца 50-х годов) знаем, что уровень этот превышает наш, и не только как данность, но иногда и по темпам роста, как мы видели в ФРГ, так вот, если мы говорим о растущем обнищании трудящихся масс при капитализме, то мы говорим о тенденции к этому обнищанию... — так говорил преподаватель, и так он ввел в мое сознание первое диалектическое понятие. Наверно, кто-нибудь заработал себе степень на таком прелестном переложении. Меня всегда поражали репутации умных и творческих голов в мертвых областях и их карьеры. Наши либералы, например, насквозь в этом. Потому что не обнаруживается ли прогресс (пусть это частица, полумера, пусть, говорят они убежденно и как бы оправдываясь) даже в этой формуле?.. Даже в том, что применять ее стало возможно, увидят они прогресс, эти первые спасители существующего порядка, непременные переодеватели старого в новое, гримировщики трупов, двойные спекулянты, не берущие на себя даже цинизма в достижении благ, стяжатели, завернутые в знамена идей прогресса и вспоможения новому и выглядывающие оттуда, как тля из куколки, или как там в этой... ботанике!

Отступив и дав волю своей злости, и даже не столько злости (это уже усталое чувство по отношению к ним), сколько желанию позлиться, исполнив таким образом некое душевное отправление так же формально, как мы, за редкими вспышками жизни, уже привыкли все исполнять, включая и любовь, необходимо вернуться к теме, хотя ее уже нет в этом сумбуре. Успокою себя на том, что если чем-либо и будут скреплены эти страницы, то это выйдет помимо моих усилий, хотя и в их результате, и еще тем, что только в этом случае и может появиться нечто, чего я еще не выявил в себе и не выразил. Успокоив себя так, продолжим.

Как я и предвидел, как я писал об этом неделю назад, мое письмо обернулось в свою противоположность, ибо я уже встретился с друзьями, которые и прочли те страницы и откликнулись на них пониманием. Это мое предвосхищение не наполняет меня, однако, гордостью. С грустью я обнаруживаю, что уже не получается той радости, какая, например, возникла после рассказа «Люди, которых я не знаю» (1959), где я описал смерть одного персонажа, которого я постоянно встречал и с детства приглядывался, и через несколько дней я увидел этого персонажа точно так лежащим, с точно такой суматохой вокруг, как только что описал. Определенная гордость распирала меня, и я рассказывал об этом всем встречным понимающим и знающим меня людям, облекая этот новый рассказ о рассказе в форму как бы мистического ужаса, как бы стыда за содеянное, как бы утверждая этим идею того, что письмо вообще (а в частности, мое) может обретать такую плотность и воплощенность, что и действительно случаться в жизни, и что поэтому никак нельзя писать о живых людях и тем более убивать их в рассказах; я создавал и определенный свой образ, повествуя об этом, образ не только сильного рассказчика, но и человека, способного быть потрясенным и задетым настолько, что он не в силах забыться от своей боли, что воспоминание о моем как бы убийстве как бы терзает и не оставляет меня. Я не бичую себя сейчас, отнюдь. Я был вполне искренен в своей игре и верил в нее, да ведь и не одна игра была в этом, было и то, о чем я говорил тогда, только слабо было, чуть-чуть, и потом очень усилено в изложении и в повторении. Так ведь сплошь мы усиляем наши чувства, выражая их. Особенно в письме. Это, может, и есть творчество. Отсюда и вечное житейское: что книги — ложь (при этом имеется в виду не идейная канва, что ложь всегда, а чисто житейская, воспринимаемая обычным читателем, — я говорю, конечно, о честной литературе), — и из-за этого же усиления чувств при их выражении тоже житейский разговор, что художник только в творении прекрасен, а в жизни, если бы вы только знали этого мерзавца в жизни!.. Так вот, я был искренен, искажая и усиливая в рассказе эту действительную историю, и мое желание похвастаться этим случаем кажется мне свидетельством таких непочатых сил, что вызывает теперь только зависть. По сути, я хвастался, разыгрывая потрясенность и мистический ужас, и как бы приобщался к Флоберу, почувствовавшему признаки отравления, отравляя мадам Бовари, и к Пушкину, плачущему или прыгающему над неожиданными поступками своих героев, и хотя не говорил себе об этом, но чувствовал себя равным им. Это трогает меня тем более, что, воскрешая сейчас перед собой тот момент, когда я увидел реализацию своего рассказа в жизни, я вижу: сцена ничем не походила на мной описанную, и только одна деталь — стоптанные задравшиеся башмаки умершего — совпадала... Так ведь эти башмаки я всегда на этом персонаже видел, и всегда они были стоптаны, но этой детали было достаточно, чтобы по одной точке соприкосновения и по неосознанному внутреннему желанию полностью совместить картины во всех точках: очень мне, по-видимому, хотелось этого. И потом, умилителен и еще один момент, когда вскоре снова встретил своего персонажа живым и здоровым (по-видимому, это был лишь обморок тогда); и когда я снова увидел его, два чувства, почти равные по величине и силе, столкнулись во мне, выявляя друг друга: одно, самое искреннее, которое я постарался не осознать и подавить, было разочарование в том, что этот персонаж так и не умер, убитый силой моего воображения, и другое, разработанное и привнесенное, с которым я не мог не считаться, чтобы не выявить некую внутреннюю нечестность, было то, что я должен испытывать как бы облегчение и радость, что освобождаюсь от того как бы терзания совести, о котором так охотно и горько рассказывал. Не о чем говорить, разочарование было все-таки сильнее, хотя и не позволил себе осознать это и осознаю буквально сейчас, вспомнив об этом ни с того ни с сего и, в свою очередь, исказив все во имя новой конструкции. Но заговорил об этом я все-таки недаром, вернее, не без внутренней причины, потому что усиление чувств при рассказе и, следовательно, искажение их и ложь очень занимают меня сейчас, и глупый, по-видимому, стыд перед этим часто почти парализует меня в моем письме. Тем более что путь, который я осознал в себе в последнее время, заключается в том, что я стремлюсь написать правду о самом себе, ибо это единственная из доступных мне правд, и она становится всеобщей, если достигается, что если выразить полноту мгновения собственного твоего существования, то это и будет вершиной, и, так думая и стремясь к максимальной искренности, я все ловлю себя на искажении и лжи, и, уже сознавая невозможность собственных требований, все-таки не могу от них до сего дня отказаться, и, отметая по одному все сильно действующие приемы, уже бывшие доступными мне и явно приводившие к воздействию на читателя, даже избранного, все чаще не в силах поднять перо, потому что все формы, сбегающиеся к его концу, вызывают во мне стыд... хотя бы только что написанное мною слово «перо», потому что уже полтора года пишу прямо на машинке и пером не пользуюсь... ну да это-то пустяки — подобные «перья», если бы только они!

Да, так совершенно не вызывает во мне гордости то, что я знал, что понесусь с этими страницами к друзьям, требуя от них сочувствия и похвал и, безусловно, «ставя им минусы», если они этого сочувствия не обнаружат («ставить минусы» — одна из самых мной нелюбимых черт, хотя я и сам, бывает, грешу этим: я скажу еще об этом, когда стану говорить о суде, если доберусь до него). Я знал, что так будет, и уже далек от мысли, что знание своих слабостей исключает их. Иначе бы не было литературы, не было бы живых людей и их гениев. Знание слабостей своих, скажем, и даже борьба с ними никогда не исключали их. Спекулянты во все времена стремились создать идеальные образы из гениев, мертвых конечно. Мертвые, они уже были бессильны поправить что-либо. Люди же, задуренные настолько, что уже не видели живого в их творениях, а лишь документы, тянулись к дневникам и перепискам, чтобы узнать в них живых людей, себе подобных, чтобы не отчаяться от своей слабости, которая (особенно это сейчас стало) кажется юному мозгу его личным проклятием и заставляет мучиться тем, что он единственный такой безвольный и слабый, не такой, как все. Каждое детство, по-видимому, докажет это. Потом начнется мучение (через кризис открытых глаз, когда обнаруживаются сходства и подобия во всем мире и кажется, что тебя обманули, а главное — обманывали всю жизнь; мир опрокинется на тебя своей похожестью, вечностью и нечистотой), потом начнется мучение, что ты такой, как все, совершенно без воспоминания о том, что только что ты мучился вещью, казалось бы, обратною: что ты единственный так плох в этом правильном мире, единственный не можешь справиться с собой и довести себя до идеала, что ты урод, не такой, как все. И потом, привыкая и не справляясь с собой, скажешь (и это будет почти усталостью): ...все мы такие, как все, и каждый из нас единственный. С этим уже и умирать можно. Впрочем, о непрерывном искажении действительности через внутренний и общественный образ этой действительности тоже хочется сказать подробнее и особо, ниже, так сказать, опять же только бы добраться до этого «ниже».

Так вот, меня уже ничто не поразило в том, что все так и произошло, как на страницах, писанных неделю назад, кроме разве того, что это произошло даже много раньше, чем я планировал. И я возобновил сегодня свои записки, уже вдосталь разрядившись в общении с друзьями. Но ведь небезызвестно мне, что и сегодня — воскресенье и погода без дождя — могут приехать друзья, и снова произойдет контакт, заземление и разрядка... и если я сел именно сегодня, а перед этим целую неделю все был не в силах сделать это после предыдущей разрядки, то не потому ли, что тороплюсь добавить новенькие страницы, чтобы успеть их прочесть сегодня тем друзьям, что приедут? Но это и вовсе досужее.

Я приехал в город... какой там, к черту, город! Я так и не доберусь до того. Только что написал о том, что приедут сегодня приятели, и тотчас — есть, воплотились — приехали. Я сейчас пишу уж вовсе для ничего — для того чтобы друг снял меня из своей прекрасной кинокамеры, как я на своем чердаке работаю. Очень это симпатично получится.

4 сентября

Продолжим. То, как меня не радовало собственное предвосхищение, а именно: что я стану читать эти страницы друзьям в надежде на сочувствие и вопреки сознанию ненужности такого чтения, даже прежде того, как завершу эти страницы, напомнило мне следующую историю, рассказанную неким П. Этот П., давно я его не видел, человек во многих отношениях замечательный и представляет собой идеологическую величину, которую я бы даже избрал в качестве единицы измерения, если бы возникла необходимость измерять тот особый потенциал особой категории людей, которые предпочитают воздействие на других людей скорее словом, нежели делом. Можно было бы сконструировать машинку, которая, выслушав очередного болтуна, выплевывала бы чек с оценкой: 10 П или 0,000075 П. Не будем никого обижать: для начала можно было бы предположить ей этот текст. Человек этот, наделенный многими талантами и, во всяком случае, очень чувствительный приемник телепатических идей (сейчас это стало как бы нейтрализовывать невежество или замещать знание), обладает и бесспорным талантом писателя в том числе. Вещей его я не читал, и никто из известных мне его друзей не мог похвалиться тем, что был этого удостоен. Он показывал мне огромную корзину, набитую рукописями (ни один из моих знакомых не мог бы похвастать, что написал столько), и, опустив в нее руку, вытягивал наугад один из листков, на нем всегда оказывалось изложение замысла той или иной будущей вещи, и, не глядя в него, начинал рассказывать, и это он мог делать бесконечно или, по крайней мере, столь долго, сколько вы могли у него просидеть. И вот на протяжении уже нескольких лет я не забываю и часто вспоминаю одну подробность из одного долгого его рассказа, еще в форме замысла занимавшего около часа непрерывного устного рассказа. Эта подробность своим подобием сродни многим моим переживаниям, потерявшим от повторения остроту и ставшим лишь тихим мельканием, не вызывающим ни боли, ни угрызений совести, иначе — старость, заскорузлость, короста на непобедимых душевных прыщиках, подобие этой подробности многому из моего опыта и, в частности, упомянутому выше предвосхищению, меня сначала настораживало, а потом, тоже начиная стареть, лишь угнетало или огорчало... и пора уже переходить к самой подробности...

Один старик жил у себя в комнате. Был он совершенно один, и комната у него была запущенная и пустая, как у мистика. Там была намечена атмосфера, состоящая из каких-то кошек, странных девушек, почему-то приходивших к старику и спавших с ним, темных коридоров и какой-то бесшумной и бездейственной коммунальщины, окружавшей одинокого старика, словно бы просто бывшей в воздухе, делавшей этот воздух уже не воздухом, а супом, некой питательной средой, в которой существовал микроб его одиночества. Длинные описания его несложных маршрутов в уборную и кухню, предварявшие все не начинающееся действие, давали серьезное представление об этой питательной среде, и все это точно передавалось органически получающейся формой, насыщенной всевозможными труднодоступными слову фактурами стен, полов, штукатурки, пыли, фактур цвета, света, вязкости, плотности, осязания, обоняния и т.д. — тоже своего рода суп из фактур, необычайно густой. Так вот этот старик, однажды проводивший свою ночь в одиночестве, вдруг проснулся и долго привыкал к непонятному по фактуре ощущению, пока не понял, что это он хочет есть. Тогда он вспомнил, что на кухне у него есть колбаса, и отправился во многоминутное путешествие от своей кровати до кухни, и оно становилось настоящей одиссеей благодаря подробно переданному ощущению поверхности и температуры пола босыми ногами старика и ощущению кожи босых ног старика от прикосновения с этой поверхностью, ощущению рукой старика холодной ручки двери, и нового пола в коридоре, и темноты коридора, и потерянному ощущению длины пройденного пути, и скоро ли кухня в этой темноте, и поверхности обоев, которых он касался, касаясь стен и направляя свое слепое путешествие, и нашаривание рукой выключателя, внезапное освещение кухни, ощущение пола в кухне, изменившееся от его освещенности, и ощущение тесемок кальсон, шмыгавших по этому полу при каждом шаге, и т.д. и т.д. — и, наконец, возвращение назад с колбасой, снова потушив свет в кухне, снова в темном коридоре, и то ли оттого, что снова наступила темнота, то ли оттого, что старик вдруг ощущает неудобство при попытке коснуться стены, он вдруг обнаруживает в одной руке (в другой у него колбаса) тяжелый холодный чайник. Он вспоминает тогда о том, как взял чайник и наполнил его из-под крана, и не сразу понимает, зачем он это сделал... И вдруг щемящее чувство собственной старости пронизывает его, ибо до него доходит, что, даже ни разу не подумав об этом, уже помимо всякой мысли, идеи, он, не заметив сам, наполнил и понес чайник, чтобы не ходить вторично на кухню, когда он съест колбасу и захочет пить.

Я, кажется, перестарался в изложении, и, может, не совсем понятна связь, но я не в силах пояснять дальше и хочу теперь продолжить другую, много раз начатую и много раз брошенную фразу о том, как я приехал в город и встретил друзей, чтобы так же наконец со вздохом разделаться с ней, как разделался только что с не менее мне надоевшим повтором фразы о том, что предвосхищение моего преждевременного чтения первых страниц записок своим друзьям отнюдь не наполняет меня гордостью.

Итак, я кажется, приехал в город. Встретил я случайно Г. и К., и обрадовались мы друг другу необычайно. К тому же у них у обоих, только я встретился с ними, вдруг получились приятные деловые известия — и встреча и известия, все это взбодрило нас необычайно, такая радость любви и припрыгивания появилась в нас, и мы выпили у Г., потом у меня, потом на чьей-то свадьбе и, пожалуй, отправились бы допивать к К., если бы не кончились деньги, а главное, не закрылись бы магазины. Радость наша друг другу, во всяком случае моя, была так велика, что сняла с меня все омертвение, все, из-за чего я пишу эти записки, как морское купание. Словно бы от их присутствия рядом снова появились и стимул, и уверенность в своем деле, и неодиночество в своем деле, и ощущение силы и того, что уже достигнуто нами. Мы пили и радовались и, как всегда, когда изверившиеся обретают поддержку и внятное общение, меньше даже делились наболевшими мыслями и соображениями, как просто были благодарны друг другу и умиленно поддакивали и кивали даже неважно чему, по одному лишь ощущению, что друг друга-то мы всегда поймем и лишь почаще нам встречаться, а то и вовсе не расставаться, и, как всегда, когда люди одиноки и вдруг радуются встрече, мы лишь кивали друг другу, как вежливые китайцы, и словно бы благодарили за каждый кивок, или звук, или жест и словно бы терлись носами. Мы выпивали свое самое дешевое вино. Так-так-так, вдруг говорил один. Мы его целовали и обнимали, спасибо, говорили мы, что ты сказал нам «так-так-так»: мы тоже всегда так думали и были в этом одиноки, а теперь мы в этом не одиноки, тогда он обнимал нас и целовал, да нет, вам спасибо, что вы поняли мое «так-так-так», и я теперь не одинок, вам спасибо, и тогда мы все обнимались и благодарили друг друга, все кивали головами, и стукались в благодарности лбами, и словно бы терлись носами, и снова выпивали за это. И так-так-брык, говорил другой, и опять его все благодарили, и он благодарил всех, и каждый благодарил за то, что другой ему благодарен, а потом за то, что ему благодарны за то, что он благодарен. Глупые люди, недоумки использовали это в анекдоте — на самом деле все не так. И утюр-лю-лю, говорил я, и мы выпивали снова, и я был счастлив своим «утюр-лю-лю», таким же хорошим, как и «так-так-так» и «так-так-брык» моих друзей. «Все-таки мы кошмарно терпеливы», — говорил К., и это была замечательная фраза, и в ней была правда против тех, кто считает нас нетерпеливыми, и наша уверенность, что мы все-таки живем, несмотря ни на что, и еще продолжим, и еще сделаем, и еще добавим. И мы выпивали и терлись, благодарные, носами. Тогда-то и были прочитаны первые тринадцать страниц этого текста, и прочитал их пьяный Г. и так донес даже до меня все, что я там написал, и много больше, что я удивился и ему и себе, и умилялся, и готов был всех обнимать и целовать, но сдерживался из авторской скромности. О Г. и К., людях, так много значивших для меня и для того, что успел понять, не отделаешься высказыванием, как о П. О них надо сказать много больше, и я попытаюсь ниже выразить, что сделали для меня они и некоторые другие люди, а пока перейду к какой-нибудь из мучающих меня идей, связанных непосредственно с возникновением этих записок и с нынешним моим состоянием. И это я сделаю завтра.

18 сентября

Этого я не сделал ни завтра, ни послезавтра, не сделаю и сегодня, через две недели. Сочинение мое выходит из-под надзора и охвата. Что я отражаю в нем в целом, не знаю, но изменения интонаций и настроения за время, последовавшее за первой страницей, ощущал уже несколько раз, и теперь повествование мое как бы дневником становится. Никогда я его не писал и вот грешить начал. Утешать себя, впрочем, можно и тем, что выходит он дневником как бы особым, и тем, что родился он органично.

Тон трагической умудренности и вселенского абстрагирования сменился соображениями более частными, элегическими, последние страницы о городе — уж вовсе элегия. Но сейчас, спустя полмесяца, вижу, что зря я сделал свой наезд в город событием столь радостным, когда описывал встречу с Г. и К., потому что не одна эта встреча имела место и даже не такое большое место в городе она занимала.

Город теперь окончательно делает меня больным. Я в нем простужаюсь. Я в нем задыхаюсь. Я в нем начинаю ненавидеть. Я в нем жить не могу. Я приезжаю, оторвавшийся от событий и дел, от встреч и знакомств, от свежих интеллектуальных поветрий и новеньких идеологических потрясений. Вотчина писательская плещется в своем пруду, и я ничего не понимаю и вижу только пену. Я обнаруживаю потом, после нескольких встреч и разговоров, когда у меня уже начинает звенеть и кружиться голова, что я в чем-то очень ошибаюсь, вижу мир как-то совсем не так, как видят его все, и, главное, совершенно неправильно ориентируюсь. Что я заблудился в этом литературном лесу, бывшем мне таким родным и знакомым, и вдруг, хотя ничего не переменилось в нем и я нахожу сосны и елки стоящими на тех же местах, он совершенно неузнаваем, этот лес, тропинок не нахожу — бурелом какой-то. Я, оказывается, совершенно неправильно ощущал свое тело во времени и пространстве, и как странно обнаружить себя стоящим, думал, здесь, а оказывается, вон где. Я бы сам, может, и не заметил такого у себя с собой заблуждения, если бы не добрые люди, они указали и объяснили. Нет, не то чтобы они мне это в лоб сказали. Просто на их лицах я вдруг читал, в их речах мимолетом проскальзывало, что и я не тот, за кого я себя принимаю, и нахожусь я не в том месте, где мне кажется, я стою, и мыслю я не то и не так, как мне представляется, время сейчас совсем другое, чем я себе рисую: скажем, мне кажется, что осеннее утро, а на самом деле уже зимняя ночь, мне кажется, что стою на углу Невского и

Желябова, а на самом деле это угол Большого и Введенской, и, что еще хуже, может, даже и не этот угол, а еще другой, и город другой, и партийный съезд только что закончился, не то VII, не то XXXVII, а сам я зря навязываюсь совершенно незнакомым людям и выдаю себя за незнакомого, никто обо мне не слышал, не знает, и ничего я никогда не писал и ни в какой жизни не участвовал. И со мной разговаривают лишь из вежливости, чтобы не связываться с сумасшедшим. Так-то, дорогой друг, приятно ли вдруг узнать о себе такое?

Мне казалось, я всего лишь уехал на дачу в Токсово, где и живу тихо с женой и с ребенком, а оказывается, я вовсе исчез, перешел в другое существование, потерял способность к общению, полощусь где-то в антимире и еще пытаюсь в наш здоровый советский мир выглядывать. Что за любопытство такое! — возмущаются внизу справедливо. Зачем выглядываешь? Ты умер, Сапожков, как прекрасно говорит герой рассказа моего любимого Вадика Федосеенко. Ты умер, Сапожков, говорит герой своему приятелю по детсаду. Что ты разговариваешь, раз ты умер! Я не умер, отвечает Сапожков. Нет, ты умер, умер! И ты ответишь на это, если никто тебя не поддержит? Можно и поверить. Тем более и сам себя хоронил весь год. Но об этом же не знал никто. Как же это они пронюхали?..

Я снова ощущаю перемену интонации — и здесь уже не пахнет элегией. Здесь во мне бьется интонация лихая и несправедливая, уже живая, где мне дела нет до объективности и представления мира в том неумолимом равновесии, в коем он всегда находится, и потому повод для возмущения может тебе дать лишь твое же недоумство. С радостью перейдя в свое недоумство, я вставляю здесь кусок, который написал вчера им наспех, суровыми нитками и грубыми стежками связал с предыдущим, полмесяца лежавшим без дела текстом, сегодня. Я вставляю здесь этот привесок и обозначаю его как:

ОТКРЫТОЕ ПИСЬМО ПИСАТЕЛЮ Р.Г. ИЗ ЛЕНИНГРАДА И ЧИТАТЕЛЮ ВЛАДИМИРУ КРОХЕ ИЗ ТАГАНРОГА

Вообще-то все только тем и занимаются, что хоронят меня. Даже моя жена, даже М.Д. Не говоря о таких опытных похоронщиках, как Р. или Д., хотя эти-то двое очень разные гробовщики. Ну Д.-то вообще весь понятен, что-нибудь в таком стиле, что Битов кончится, как только утихнет у него сексуальное расстройство, или что Битов зазнался и заелся и не сможет писать от ожирения, или что Битова задавит своим творчеством жена-писатель. Это все понятно у Д., который все причины с рвением первоклассника отыскивает в патологии и те три или четыре причинки, по которым считает, что пишет сам, рассматривает распространяющимися на все человечество. Поэтому ему, конечно же, непонятно, как может писать человек, если он не низкого роста, не урод и не еврей и женщины его любят, как может писать человек, столь внешне не похожий на низенького уродца-инородца, которого женщины не любят, то есть на него самого. Р. же хоронит по гораздо более многочисленным и заплетенным причинам, хотя, надо сказать, хоронит с той же протестантской простотой, без кистей и глазета, в тесном необструганном еловом гробу, в котором уже не повернешься поудобнее, чтобы — мало того, что в гробу, — еще и не занозиться. Скажем хотя бы так: что этот человек, несмотря на свой ум и талант, а может, и по свойствам своего ума и таланта, органически не способен видеть самого себя и не способен к общению, вещи самой для него необходимой, непостоянен потому и потому же никогда не сознается себе ни в одном своем естественном помысле, принявшем неблаговидное выражение, и сознание непостоянства своего всегда отодвинет от себя, объяснив это вдруг открывшимся ему несовершенством объекта бывшей любви и нынешнего непостоянства. Я не знаю ни одного человека из числа бывших близкими ему, которого бы он не чернил в ту же минуту или, и это уже свидетельствует о действительно выдающихся качествах объекта, минутой спустя. Ну да ладно, пусть хоронят. Тут я признаюсь в не прерывавшейся к ним обоим любви, тем более любви, что она выдержала знание того, что о тебе говорят не так, как тебе хотелось бы, и даже другие вещи, чем при личной встрече. Она, конечно, покачивалась, моя к ним любовь, но все же осталась, и если учесть, что, как бы умен художник ни был, в оном случае никогда не будет он благожелателен и необъективен, это в случае, если кто-либо неблагожелателен и необъективен к нему самому, то я действительно люблю их нежно. И Д. с его одесскими штучками, и Р. с его разночинной подлостью.

Все меня хоронят, и мама, и папа. Мама потому, что я выхожу из-под ее влияния. Папа потому, что принципы моего существования как бы зачеркивают принципы его существования. И оба хоронят меня потому, что образ, который они предварительно создают или создавали обо мне и моей жизни, на практике не совпадает со мной, живущим в сегодняшнем дне. И с этим уже ничего не поделать, и, как ни грустно, придется перейти в область менее близких и более формальных отношений, потому что ничто уже не поддастся изменению из желаемого в действительное и даже, если потратить всю жизнь на то, чтобы заменить в их сознании существующий образ на меня действительного, это будет рождением новой свеженькой пытки, начнется несовпадение со мной завтрашним. Я люблю маму и папу.

Как хоронит меня жена? Этого даже приблизительно не выразить словом, настолько это еще не выявленное, живое и изменяющееся начало. Скажем, так: пока это четче выражается при всяких взаимных неудовольствиях. Может, все было бы и не так, но это же надо — жена у меня писатель. Неудовольствия, иначе — ссоры, имеющие самые бытовые подкладки (по истоку это всегда коммунально и социально — очереди там, теснота или отсутствие денег), в развитии своем имеют тенденцию к оскорблению. Это так же просто, как драка с битьем посуды и порчей мебели. Сначала на пол летят наиболее близко расположенные, наиболее прочные и наименее ценные предметы, то есть те, которые не испортятся от такого с ними обращения или их не жалко... Меня всегда поражал этот точно действующий, подсознательный расчет так называемого аффекта. Потом если в комнату, к примеру, не впорхнет птичка, освежая и рассеивая все своим радостным щебетаньем и не остановит внимание сторон на том, чем же они занимаются, когда за окном столько поводов для радости и ликования, если события продолжают развиваться и аффект наливается силой, из младенца превращаясь в зрелого мужа, когда уже под рукой не находится подходящих предметов, потому что все, бывшие под рукой, уже под ногами и нагибаться за ними, чтобы снова их бросить, значит обращать серьезное дело в пародию, тогда наступает некая секунда растерянности, потому что надо найти предмет, и желательно уже потяжелее. Бросить стоящую рядом хрустальную вазу все еще жалко, тем более что это наверняка будет концом, поллюцией, разрядкой, в ход идет извращение, неспособность еще пожертвовать вазой заменяется еще большим желанием унизить и причинить боль партнеру, скажем, так: бросить в него тарелкой с горячим супом, недорого, но эффективно, тем более суп немного уже остыл и обойдешься без ожогов, швырнуть в него кошкой, половой тряпкой, макаронами, сыром, мылом, мышеловкой с мышкой, грязными трусами, замоченным бельем, тем же самым Рабле, он большой и тяжелый и написал бы целый том перечислений того, чем можно швыряться при ссоре. Роль всего вышеперечисленного легко исполняет для нас с женой вещь небьющаяся и неломающаяся, простая в употреблении, гигиеничная для быта и словно специально для того предназначенная и абсолютно ничего не стоящая — это наше писательство, вещь, которая — понимал бы Д. — вполне равносильна жидовству, уродству и низкому росту. Тут на ум приходит всякое — например, что у трезвого на уме, то у пьяного на языке. Это же надо было так подло сказать и еще назвать народной мудростью! Это же так просто — оскорбление... Можно действовать по принципу наоборот — назвать тебя уродом, если ты хорош, серым, если ты интеллектуал, бездарью, если ты талантлив, стукачом, если ты кристален. Можно даже не трудиться и называть кошку кошкой: скажи еврею — жид, врачу — вр-рач, поэту — стишки пишешь, писателю — пи-и-са-атель. И поскольку мы оба можем сказать друг другу: пи-иса-атель — и это уже неинтересно, мы черпаем в анализе творчества друг друга и в знании различий наших творческих индивидуальностей: реалист вонючий, ничего выдумать не можешь — скажет мне жена; остранялочка примитивная, правды никакой написать не умеешь — могу сказать я. После этой артиллерии можно и мириться, то есть сказать: ну, конечно, ты всех лучше пишешь, ты всех талантливей, даже меня.

Ну что ты, разве могу я идти с тобой в сравнение, должен ответить партнер. Умные, любящие люди — поговорили, и все в порядке. Тихий период. А как же быть с этим «у пьяного на языке», как освободиться потом от тихих, отгоняемых разумом вылазок этой недотыкомки «что у трезвого на уме»?

Так же, по сути, хоронят друг друга братья-писатели, с той разницей, что нет промеж них ни той любви, что между мужем и женой, ни необходимости жить в одной комнате после ссоры, ни этой одной комнаты, придающей ссорам формы столь конкретные.

Рассказывают также, что в Москве в Доме Герцена водится почтенный человек с обязательной еврейской фамилией, организатор писательских похорон. Действительно, дело и хлопотное, и не всякому по плечу, и в любую минуту надо быть во всеоружии. Наверно, и в отпуск ему уже который год не уйти — не отпускают, боятся без него не справиться. А однажды, наверно, отпустили, уже он и чемодан собрал, и пижаму уложил сверху, и на вокзал отправился с билетом в кармане — бац, умер! — и не кто-нибудь, а из самых-самых — догнали, вернули. Знаменитый человек, со всеми знаком, с каждым за руку и по имени-отчеству. Посмотрит — словно мерку снимает. На глаз определяет с точностью до сантиметра. Там, наверно, свои размеры у гробов, как у калош. С., скажут ему. С.? — скажет он, это какой, у нас их три. Ах, К. — рост 4, полнота 3. Молодыми, говорят, он не интересуется, не ценит, не замечает. А они ведь растут, молодые... Наверно, думает, до пенсии годика два осталось, плодово-ягодный участочек неподалеку, за кладбищем третья остановка, развел. А зря он молодых недооценивает. Вот и у Ш. инфаркт был, и у Г. — спазм, и у Е. — запой, и у В. — половое бессилие, а у А. — разжижение мозгов. Конечно, похороны у них какие! Нет того торжества и почету, но все же... похороны.

Да, вот отвыкнешь от города, не повидаешь подолгу людей, с которыми стоишь, так сказать, в одном строю, одними помыслами живешь и одними чернилами пишешь, — и, глядишь, отстал, не в курсе. Ты там тихонько сидел и кропал и думал — дело делаешь, а тебя тем временем отстали. Придешь там в город за надобностью, оторвешься от трудов, спички там купить надо, соль, а тебе все только спины да жопы показывают, и окликнешь — теряются и руку подают неохотно, сокрушенно так, осуждающе посматривают: что же это ты, парень... мы тебя и похоронили по всем правилам, а ты живым прикидываешься. Ты же умер давно, кончился, тебя и нет теперь в нашем списке, другая нынче обойма, мы тебя вытолкнули, мы тебе спины уже показали, не дыши ты нам, пожалуйста, в затылок, все равно не догонишь. Впрочем, люди вежливые, виду, конечно, не покажут, что ты умер, самообладание у них, созерцание трупа не расстраивает их воображения или пищеварения, глазом не моргнут, пообвыклись, поволнуются еще в душе, долго ли ты их так держать за пуговицу будешь и расспрашивать, долго ли им еще с ненужными уже людьми разговаривать, им же бежать надо, они еще живые, но тоже ведь вежливые, не скажут, лишь переминаются от нетерпения, переступают да на женщин, мимо идущих, поглядывают, а как узнают, что ты всего за солью да за спичками, а там назад, — и вовсе успокоятся. Ну что ж, скажут про себя, покойник-то еще новичок в своем деле, подышать ему с непривычки захотелось, но дисциплинированный, знает, что в гроб вернется — и все, успокоится. И посмотрят на тебя так, что словно бы ты стал стеклянным, утвердятся в том, что тебя и нет больше, сунут руку в пустоту и побегут дальше.

Я теперь в город не езжу. Я за солью и спичками теперь рядом хожу, в местный кладбищенский гастроном. Ничуть не хуже. Совсем то же самое. Что живые, что мертвые — кто разберет? Кто как себя считает. Хожу я в этот гастроном и удручаюсь. Что это, думаю, никак, накупить этих спичек и этой соли так, чтобы и ходить не надо было. И что за прок — ходить? Что за радость в этом писательстве? Все одни затраты. Вот и спички по копейке, и соль — сразу семь за пачку. И друзья молчат, и издатели не чешутся. Копейка, да копейка, да еще семь, да еще копейка... Уже гривенник. Так ведь это не только образ, спички и соль — на самом деле дешевка. А масло, а мясо? Хлеб нынче тоже... Побриться — и то на одном мыле да лезвиях разоришься, если еще помазки терять не будешь. Борода-то все растет и растет, сколько ее ни брей. Я бы ее сбрил зараз, всю ее длину, на мой век положенную, но нет, получай ее день за днем, как по карточкам, и седые волосики пересчитывай. Одних сапог сколько сносишь, бумаги сколько переведешь, машинистки тоже не бесплатные... А в награду — что? Тебя же нет, ты умер, какая награда!.. Ах, знали бы вы, все одни расходы...

Вот и спать пора. Укладываться в свой отсыревший гробик. Полпервого. За окном тьма кромешная, и я в стекле отражаюсь, и машинка моя отражается. Темный я какой-то в этом стекле, мрачный. Не люблю я себя. Хорошие рассказы пишет Генрих Шеф. Я уже не пишу, я же труп, что я могу. Жена за меня допишет. Я бы еще рисовать стал или петь, играть Баха на теткином фортепиано, но не умею. Я вот ничего в темном своем стекле не вижу — электричество мешает. Погасить разве да к темноте привыкнуть? А зачем? Я же все там, за окном, и так очень хорошо знаю. Тут ночами по Токсову хулиганы ходят. Меня небось очень хорошо из окна видно. Удобная мишень. Взять меня и пристрелить. Из профилактики. Чтоб оживать не вздумал. Не было бы так холодно, выбежал бы посмотреть, как меня с улицы хорошо видно. Но и это бессмысленно, потому что тогда меня за столом не будет, когда я на улицу выбегу, и я увижу лишь пустую комнату. А может, так оно и есть на самом деле — комната-то пустая. Я сам бы пошел сейчас по Токсову с хулиганами, прислушиваясь к тому глухому и живому, что заворочалось бы при этом внутри: в какой сад залезть, какое стекло выбить?

А я вам говорю, не волнуйтесь вы из-за меня. Умер так умер. Не воскресну. Не желаю. Мне и в гробу не дует. И догонять я вас не хочу. А тем более дышать вам в затылок. Я сам себе в затылок дышу и сам себе на пятки наступаю, сам за собою гонюсь и сам от себя то отстаю, то нагоняю. Вот ведь загадка какая. Что такое? Само по себе живет, само по себе бегает, ни на кого не плюет и никого не преследует? А? Апролджсмитьбю, как писала М.Д. Это я как бы на рояле играю и как бы ногтем по всем клавишам провел, тр-р-р-р-р-рель такую выдал.

Вот и все. Вот и спокойной вам ночи. Вот и выкушайте вы у меня то, что от меня откушали. А мне того и не надо, что от меня откусить можно. Я уже теперь гладенький стал и крепенький, никаких на мне удобных для откусывания отростков нынче нет. Укусишь — зубы соскальзывают и клацают. А я качусь себе дальше. Колобком. Кур у себя на даче разведу, рептилий нежных, пусть поют. Поросенки пусть хрюкают. Стрептококки пусть прыгают. Диплодоки пусть ползают. Бледные спирохеты пусть там и сям свисают и дополняют картину. Ну а писатели, бог с ними, пусть уж пишут, пусть не спят, если им так нравится.

Бай-бай — как хорошо! Только ведь сон опять плохой приснится. Война опять. Даром, что ли, я пишу, а у меня окна от стрельбы недалекой трясутся, а по утрам прекрасные портяночные марши звучат в шелесте опадающих листьев. Или опять эти двое под локотки меня возьмут и скажут: пройдемте. Они у меня постоянные. Я их уже узнаю во сне. Даже недавно чай с ними пил. Они пришли — а я им чаю. Выпили от неожиданности. Разоткровенничались. Тоже ведь хлеб им достался... Один все бледный такой, зеленый, на солитер все мне жаловался, и того ему нельзя и этого, солитер все не любит, даже чаю горячего нельзя, только остывшего. Я тещу утром спросил, она мне сказала — первое средство от этого дела ромашка с сушеными грибными спорами, в водке разболтанная. Вот приснятся мне сегодня, я ему посоветую. Тоже ведь и повод выпить. Он с солитером пусть пьют со своими спорами, а мы с его другом в чистом виде употребим. Давно я ни с кем не пил, хоть с ними выпью. И жену в расходы не введу. Один пусть меня посторожит, а другой за водкой сбегает. Только уж ты, Р., не снись мне, пожалуйста. А то что такое, приснился — и руки не подал. Я тебе говорю: за что? А ты мне: сам знаешь за что. Что это за манера такая! — как хорошо сказал т-ский писатель Солженицын — не объяснять простому человеку, в чем дело. Ты не подал, а за тобой В.И. пыльным чубиком тряхнул и сунул руки в карманы как можно глубже. И Д. тут же короткие свои лапки прячет. Мы, говорит он, вперед ушли, мы литературу мысли создаем, новая система координат у нас, информация-фуяция, а у тебя система координат старая, ты к нам не подмазывайся, ты все чувствишки да ощущеньица, ты мертвый уже, ты опять же нам в затылок не дыши, трое нас пока всего: я да Б.И., да Р. еще. Уж если ты и приснишься, такое дело, лучше мы выпьем с тобой, ничего, что у тебя язва, — во сне можно.

А может, и без снов посплю. Тоже ведь случится однажды, что и сны сниться перестанут. Вот ведь как. Как жить-то дальше, Р.? Ты, конечно, скажешь как. Так и так. А я это, оказывается, и сам знаю. Я вот раньше много всяких глупых воображений за собой фиксировал и писать о них любил. А теперь их нету у меня, воображений, стареть начал, седыми волосами да выпавшими зубами сначала похвалялся, молод был, а как почувствовал, что и не только зубы да волосы, то больше и не хвастаюсь. И вот из всех воображений одно еще осталось. Словно прошло лет десять—двадцать, и вот иду я по незнакомой улице неизвестно какого городка и отечества. Сам седой, морщины такие мужественные на лице, платьишко кое-какое несложное и узелок на палке через плечо. Иду я, а идти-то мне совершенно не к кому. Словно ни семьи у меня, ни друзей, ни знакомых, и речи я той не знаю, на которой все тут разговаривают. И воспоминаний ни о чем нет. Словно и не было никогда ничего. А вот только и есть, что иду я такой по этой незнакомой улице. Куда все делось? И куда я иду?

И правда, как я представляю себе, что со мной будет? По-простому, по-житейски — как сложится моя жизнь? Представляю себе, что война и все погибло, — это раз. Если не это, то что меня забрали и я в тюрьме, — это два. Если не это, то что я умираю от тоски по родине в богатом особняке на берегу теплого моря, в славе и без всякого, что люблю, — это три. Если не это... Что угодно я могу представить, только никогда не представляю одного: что вот так, как я живу, я буду продолжать жить пять, десять, тридцать лет... Это кажется мне невозможным, непосильным. Меня уже не поражает у великих, кто что написал, а поражает, как это Достоевский помер за шестьдесят, а Толстой за восемьдесят?! Как это они прожили столько!

А жить уже осталось так немного, пел сорокалетний Вертинский и тоже помер под семьдесят. А что Вертинский, не бог весть что. Если гениям, которые себя обнаружили в этом мире, было выдано такое сумасшедшее здоровье, что они выживали всю свою жизнь, то за какие это и чьи грехи им такое мучение?

Ну и будя, будя. Какие ж, батенька, тигры, как сказал Лев Толстой, я вот, сколько живу, еще ни одного тигра не встретил. Голос Толстого захотели записать на только появившийся фонограф. Попросили его сказать что-нибудь детям. Так и останется, думал устроитель, великий голос, обращающийся к детям, к потомкам. Что же сказал старый Лев? «Дети, — сказал он, — не шалите, ведите себя хорошо. Слушайтесь папу и маму. И главное, не шалите». И больше не захотел он записывать свой голос на этот фонограф. Ну что ж, будешь думать — додумаешься.

Уже которую страницу пишу, все кончить хочу, да так, чтобы вместе со страницей. И все что-нибудь начну, чего не собирался писать, и оно у меня на следующую страницу перелезает и где-нибудь в начале следующей страницы кончится. И опять тяни до конца страницы. И опять на следующую перелезает. Вот, читатель... Все. Не хочу больше.

20 сентября

Все-таки кончил я вчера не совсем правильно. Потому что когда написал «Вот читатель...», то это было началом такой фразы: «Вот читатель В.К. из Таганрога пишет», — но, написав первые два слова этой фразы, увидел, что это последняя строка и я опять перелезаю на следующую страницу, испугался. Я передвинул каретку на слово назад и вставил запятую — получилось обращение, три точки в конце обращения для многозначительности поставил. И еще хватило места дописать: «Все. Не хочу больше». Получилось нормально.

Но потом я пошел спать, а у меня еще разгон был. Все продолжение мне в голову лезло, уснуть не давало, хорошие фразочки вспыхивали и гасли бесследно. Я, конечно, их не очень запомнил, и такой дурной привычки вскакивать в подштанниках, отыскивать бумагу и карандаш и ловить эти фразочки-светлячки у меня теперь нет. Нет такого ощущения, что нечто бесценное теряется навсегда. Я не И.Е. Пусть теряется, думаю я, слава Богу. Но я, по-видимому, возбужден был, все обострено во мне было. Так я вдруг ощутил запах пыли. Острый такой, как бывает, когда ее на дороге первыми гвоздями дождя прибивает. Откуда, думаю? И сразу фразочкасветлячок: «И что это мне все пылью пахнет?» И за ней, неразделенные, сомкнутые, шевелятся другие фразочки, и одна уже делает шаг вперед, чтобы встать рядом с первой, и в остальных, я их еще не различаю, но угадываю некую готовность выявиться в определенной последовательности и образовать целый связный отрывок, который начинался бы: «Что-то мне все пылью пахнет?» Да ну вас, махнул я на них, спать пора. Вот ведь какой я щедрый, а был бы отрывок, может, не хуже, чем «Чуден Днепр...». Принюхиваюсь я, а пылью продолжает пахнуть. А тут, в Токсове, пыли и не бывает. Лежу я, а запах мне так в нос и бьет, несмотря на то что у меня насморк и нос заложен. Что бы это? — думаю. Начинаю щупать под носом, слышу легкий треск, и словно бы голубенькая искорка в кромешной тьме мелькнула. Воистину — светлячки... И вдруг понимаю: да это же я рубашку рядом с подушкой положил, чтобы утром не тянуться за ней по холоду, а сразу натянуть, сохраняя тепло (см. о старике). Рубашка у меня такая теплая, модерная, а материал — орлон, синтетика, так сказать. Вот он и электризуется, пока я рубашку весь день ношу. А снимаешь — разряжаешься. Отсюда и этот грозовой запах, и потрескивание, и даже искра. Я каждый раз, снимая ее на ночь, это потрескивание слышу, а вот запах впервые ощутил. Мне отец, у него такая же рубашка, и он очень любит явления природы, говорил, что вот трещит, и искры, и запах озона. Что трещит, я знал, а про искры и озон не поверил, подумал, что это он из любви к курсу неживой природы преувеличивает, вспоминает Рихмана, убитого молнией. А оказалось — правда. Вот как обостряются все чувства и их органы в творческом акте!

Собственно, если все эти страницы своего рода «открытое письмо», то сначала оно как бы адресовалось Р., а теперь уже является ответом таганрогскому моему читателю В.К., написавшему мне письмо. Он, видите ли, очень любит Ленинград, хотя ни разу в нем не был. И очень любит ленинградцев, с которыми он познакомился в альпинистском лагере. Кто в каком лагере знакомится — времена меняются... Теперь, пишет он, очень хочу познакомиться и с вами. То, что он очень хочет познакомиться, как-то объявлено в начале письма, когда он описывает, как читал мою книжонку: «Я лежал еще в постели, золотые квадраты лежали на полу, и окуривал вас фимиамом, как рецензент вашей книги». Читатель Владимир Кроха из Таганрога хочет со мной познакомиться и хочет, чтобы написал я ему, как я начал писать, что послужило тому толчком, какие темы волнуют меня, как я пишу, о чем я думаю, когда пишу, и какие чувства вызывает во мне «работа над словом» (кавычки В.Крохи). Скуку чаще всего, дорогой В., и некую тоску, что не могу, не в силах уже, став писателем, заставить себя пахать, грузить, бурить, что во всю свою жизнь, сменив несколько служб и написав то, что я написал, ни разу я не работал, за что долго считал себя подонком и уничижал, а теперь и не уничижаю. Не заставите же вы меня, дорогой читатель В.К. из Таганрога, написать вам в ответ много больше, чем я написал за все время, что я пишу, и все-таки быть неуверенным, что рассказал и объяснил хоть что-то? И проще всего, и, может, в этом будет не меньше правды, чем в целом томе, отослать вас к той трепотне на предыдущих страницах письма, то есть как я хочу кончить писать так, чтобы кончилась и страница, и все перелезаю и ничего с этим поделать не могу. Вот так и пишу, вот такие чувства и испытываю. И еще дано мне тогда, погасив свет и ложась в полной темноте в отсыревший свой гробик, почувствовать, что рубашка моя пахнет грозой и той пылью, которую прибивают к дороге первые гвозди дождя. Страница кончилась наконец-то там, где я и собирался кончить.

4 октября (Дом)

Пионерское начинается времечко! Молодею на глазах. Надо заняться делом: две пионерские организации хотят получить пионерские сочинения. В загадке спрашивается: при чем тут я? И оказывается, что это я же эти пионерские сочинения поставляю. Впрочем, туманить нечего, прятаться некуда: поставляю так поставляю, не маленький — понимаю, что делаю.

Если писатель пошире открывает глаза, он ловит себя на проституции. Поэтому он их не открывает. Жмурится советский писатель. Говорит жене, потупляясь, разглядывая носок: пойду пройдусь, продышусь, невского ветерка хвачу... а сам шасть — в дом свиданий. Синие вывески, прошептанные коридоры, сквозняки из кабинета в кабинет, знакомые: с кем раскланяешься, кого не заметишь, а кого и смутишь. А вот и клиенты, редакторы по преимуществу. Встречают по-разному — и ты по-разному. Один любит тебя так, другой этак. Один бы и рад, да не может. Другой и может, да любит беленьких, а ты черненький. Один любит чистеньких, да молоденьких, да скромненьких, ты отведешь его в сторонку и в стороне таким себя предложишь. А другого — в другую сторонку, он с перцем любит, чтобы и в рот, и в ухо — по-всякому ты умел, ему это нравится, постараешься ему таким показаться. Помучишься, конечно: один слишком за девушку тебя принимает, другой слишком за б..., но делать нечего — профессия, — скрепляешься. Встретишь писателя-товарку в коридоре, пожалуешься: ты знаешь, я по-всякому готов, но уж этим способом извините... что ему — мало, что ли?

Тяжелая профессия, что и говорить!.. Но ведь сам знаешь, шел на что. Все ведь не просто так. Вот и цыгане, как только родятся цыганами, так все и крутятся и мучаются, как бы прожить не работая, и столько уходит энергии, чтобы по траектории этой проехать мимо труда, что любого труда оказывается потяжелее. Но цыган, может, и жалуется, но другой шкуры не захочет. Так и писатель, уж так ему невмоготу, а на все готов, чтобы только этой немоготы не лишиться.

И все жмурятся, и все как будто не продаются. Проститутка законно обижается, если так ее назвать. Под утро рассказывают писатели в постели: ты думаешь, я всегда такая была... роман у меня был, не читал? Жених у меня был, талантом звали, завел меня в дом один: хочешь, к друзьям пойдем? Завел в редакцию и там бросил, по рукам пошла, лишил меня, напечатал и бросил, пусть другие, сказал, теперь тобой пользуются, пусть печатают. Грустная история, что говорить... Но слишком уж их много, уж и слезы не выжмешь. Оставишь на столике три рубля, на прилавке тридцать копеек, что ж поделать, товар обратно не принимается — поставишь на полку. Девочка ужаснется, глядя на проститутку, обрадуется своей чистоте, а проститутка скажет: дурочка, и я такая была. Да никогда ты такая не была! — возмутится девочка-максималочка. Не может быть! И та права и эта.

Профессионал есть профессионал, он этим гордится.

В писательстве наоборот. Представьте себе огромный публичный дом, широкая нога, комбинат, производственный уровень — и дорожки на лестницах, и лифт, и низкая светлая мебель, и белые телефоны, и производственный отдел есть, и отдел доставки, и не без первого отдела — и люди ходят и в кабинеты уединяются, и все пришли за одним, и все, представьте себе, делают вид, что пришли не за этим. Казалось бы, смешно и глупо, но попробуйте в жесте отчаяния, в агонии невинности выкрикните, зачем пришли, — линчуют. Если открыть глаза, картина получится фантастическая: все делают свое дело и открыто и не стесняясь, и в коридорчике, и на подоконничке, и на батарее, и сидя, и стоя, и вдвоем, и втроем, и в одиночку — содом! — и все словно бы не видят, не замечают, отрицают, отказываются, никто ничего не сознает. Подумаешь — с ума сходишь, как вдруг поразишься: да ведь это же гениальная система! И действительно, будь ты семи пядей, что ты выдумаешь против данности? А если ты видишь данность, то и действовать волей-неволей приходится сообразно. А требуется иначе. Как тут быть? Все спасет декларация. Однажды кто-то понял, что против данности, которая, только увидь ее, все опрокинет, есть всего одно средство — объявить, что ее нет, этой данности. Нету, тю-тю. Вот два козла, редактор и критик, занимаются прямо на лестнице содомским грехом. Безобразие, свинство, как вы смеете! А мы тю-тю. И начинается, как в турецко-бушменском разговорнике: Что это? — Это публичный дом. — Это публичный дом? — Нет, это Большая Советская Медведица, а дом тю-тю. — Это кто? Это курьер? — Нет, это главный редактор. — А кто это его так распекает? — А это тю-тю из первого отдела. — Можно к вам? — Нет, нельзя. — Но вы же свободны? — А меня нет, я тю-тю. — Вы тю-тю? Но вот же вы, я вас вижу, я держу вас за лацкан! Это не лацкан? — Да вы что, русской речи не понимаете, я же сказал, что я тю-тю!!! И словно туман падает и покрывает все — есть или нету? Скажите, пожалуйста, черное — это ведь белое? Вы меня правильно поняли — вы не поняли ни черта. На все падает охлаждающий грамматический туман: не то настоящее в прошедшем, не то давно прошедшее в будущем. И таинство лондонских туманов роднится с таинством английской речи: паст перфект ин зе фьюче, перфект ин зе паст. И вдруг спадает пелена, вдруг становится легко, словно незримая многоопытная рука Филатова отрезала тебе бельмо, и ты бежишь по коридору со всеми вприпрыжку, зажав радостный крик в зубах: я тоже тютю! я тоже...

0 ч. 00 м.

Пора признаться себе: есть один дом, в который все мы вхожи. Ханжество — еще совсем недавно — не было русской чертой. Это оставалось за миром более свободным. И это же надо — окончательно потерять второе, чтобы вдобавок получить первое! Есть такой дом! — возвещаю я это не бог весть какое открытие. Но в грудь себя не бью. Есть такой дом, в него ходят всегда за одним и никогда не признаются себе в этом. Достаточно прийти туда пятого или двадцатого, в день распределения материальных благ, а еще лучше — сказаться, если тебе прифартило, в той очереди к окошку, из которого выкидывают кости, — Господи! если у вас только нос не окончательно заложен от ленинградских туманов, какой же вы ощутите запах!!! Как вкусно пахнет печатный лист, в переводе на печатные знаки, комбижиром и чесночными котлетами... Ах, черт, начинаю забывать этот запах, а до чего же хочется... А ведь гора не идет к Магомету. Все не идет.

Есть дом, в котором мы все сходимся. Мы в нем равны, как в бане. Кто еще стыдится, прикрывается шаечкой... А кто как забрался на верхнюю полочку, так и не слезает. Поддай, плесни еще, пару, пару! Ходят старые, истрепанные годами клячи, иные красятся, а иные не красятся уже. Ходят и ненавидят молодых. И молодые ходят, корчат из себя целок. Ходят к тем, кто их любит. Есть такие, любят ломать. Ишь выпендриваются, шипят клячи в спины молодым, все равно сломают вам... Взглянуть лишь чуть побеспощадней, чуть помаксимальней — и как ясно, что тут все равны, один помет, что, раз сюда попав... что этого вполне достаточно. Но нет, какая спесь, какое расслоение! Тот генерал, а этот штрафник. Да нет же, все мы голые!.. И на шайках нет знаков отличия. Но нет, каждая шайка особнячком, у каждой, как бы низко ни находилась шайка в глазах остальных шаек, есть свои корифеи и свои подонки, и каждый играет в благородство, в служение, и все возмущаются вещами обратными: подлостью и услужением — основным своим делом: накрылся шайкой тю-тю! И как легенда, и только принюхайся — поймешь ее вкус и глубокий смысл, бродят разговоры о двух инфернальных кастах, это божества, их и не видел никто, только имена выскакивают, как имена апостолов, это воплощение мечты, ее два полюса, тень без света и свет без тени: Кочетов и Солженицын, и Эренбург — потолочник — между ними. Я тру лоб, я отгоняю, это мираж, бред, так нельзя... но как мне мерещится временами, что это одно и то же. Конечно, это лестно для времени, это приятно — укутываться в плед романтики: черное и белое, ад и рай, добро и зло, — как мило видеть двоичный мир четко разделенным, с таким резким разграничением света и тени, как будто мы в безвоздушном пространстве, как лестно мерить нашу действительность по бесам Достоевского, а передо мной все кривляется мелкий бес Сологуба, все чиркает подметками по обоям, еще несколько измельчавший, распылившийся, растекшийся по миру, уже в окончательном усреднении и полном энергетическом равновесии...

Ходят мальчики и девочки и еще не знают, чем они торгуют; ходят демонические юноши, уже почувствовав свой горелый запах, давно решившие: бежать, бежать! — и все не бегут; ходят упитанные циники, машины, которым все равно; ходят либералы, держат в руке нежный прутик и все отмахиваются, отмахиваются, и все им кажется, как отмахнутся очередной раз, что зацветает их прутик: теория пятаков, теория малых дел, теория профессионализма, теория мыльных пузырей, — и обнимаются они с советской диалектикой: лучше меньше, да лучше, период легальный и период нелегальный, — все-то они носители, все-то они охоронятели, словно люди, не знающие спичек, словно жрецы, хранители огня, носят в корзинке, в полевой сумке, носят в портфелях Камю и Кафку, и все не поджигают, и опять лезут целоваться с классиками революции: момент не созрел, количество переходит в качество, — вот и копят, вот и потребляют, вот и жиреют — а качества нет как нет. И не будет. И не надо! — как говорит Г.Г. И все жмурятся, и все как будто не продаются.

Порядочная женщина спит десять раз с одним мужчиной, а непорядочная — по разу с десятью — так говорит Лакснесс. У нас же, диву даешься, все строится на таких тонких отличиях, что большая тренировка нужна различать их. Например, ты спишь с двадцатью, а я всего с пятнадцатью, я — порядочная, а ты — нет. Есть порядочный слой, и есть непорядочные слои. Но в каждом непорядочном слое есть свои порядочные и непорядочные, свои прогрессивные и свои реакционные. Вот оно, зажравшееся количество! Есть порядочный человек для общения, есть порядочный редактор, есть порядочный член правления, есть порядочный парторг, и есть порядочный стукач, и есть порядочный сукин сын. Мы пользуем их, попадая на дню из слоя в слой. И мы собираемся на своем Олимпе, пьем чай и беседуем с олимпийцами, уверенные в том, что на Олимпе нет магнитофона или микрофона, нет прямой связи с другим олимпом, и два олимпа стоят, взявшись за руки, и перемигиваются через Литейный. Мы снова выделяем себя в эталон честности и порядочности за этим чаепитием.

А в доме том запотели окна, и стоит над ним пар — это видно со стороны. И если есть люди, что обходят его стороной, то мы их не знаем.

И я сажусь завтра за пионерскую работу. Я садился и сегодня, но вот написал другое. Садился и вчера. Начинаются обычные уроки на дом. Их делать не хочется. Слоняешься между книжкой «Это было под Ровно» и пишущей машинкой, и хочется пойти по бабам. И что же? Свободу, маразм и духовный рост одному дорогому товарищу придется отложить на месяц. В течение месяца надо все это заместить и за отсутствием противопоставить. Надо самодисциплинироваться, надо взять себя в руки, надо заняться физкультурой, вегетарианством, воздержанием, нравственной гигиеной, изучением иностранных языков, постом, изнурением в труде, чтобы помочь себе справиться с этим и ничего не заметить.

5 ноября (Юбилей)

Начиная с рубашки, которая однажды запахла грозой, у меня словно бы желание появилось записывать немножко на следующий день по поводу того, что писал накануне. Вроде как утренние размышления на вечерние темы. Сегодня мне удалось хорошо открыть глаза, как давно не бывало, как открываешь их в детстве. Я спал крепко, я открыл глаза сразу, не ощущая в них неудобства, ни того похмелья, что отягощает утро неврастеника. Я обнаружил, что еще нет восьми и спал всего шесть часов, даже меньше, но и досыпать не хотелось. Я обнаружил в своем мозгу некий простор и ясность, потому что четко вспомнил ощущения и впечатления, посетившие меня, когда я бросил писать и стал укладываться спать и перед тем как уснул. Я ничего, понятно, не видел и не слышал, когда писал, хихикал над удачными словечками. Особенно, помню, хихикал над фразой: «Ходят молодые и корчат из себя целку». То ли оттого, что я на ней перехихикал, она мне сегодня почти ничего не говорит, эта фраза. Остальных я не помню. А вот как я встал из-за стола и что за этим последовало, я запомнил очень хорошо. Не силился, не перешептывал на сон грядущий, чтобы утром вспомнить, не записывал условными значками, чтобы расшифровать, морща лоб, а вот лишь открыл глаза, ясное, промытое встало передо мной вчерашнее мое ощущение, и необыкновенное удовлетворение почувствовал я от этого. И эта утренняя чистая память поразила меня еще больше, чем то, что так легко сегодня отворил свои глаза, и еще больше утвердила и усилила ощущение, что утро сегодня особое, когда-то бывшее со мной, но, увы, давно забытое: вроде пятилетний засыпает с мыслью, что завтра праздник, Новый год или день рождения, и как-то особенно остро чувствует и темноту комнаты, и прикосновение простынь, и вкус подушки, и всю свою кожу, еще такую ясную в каждой клеточке... и вдруг распахивает глаза, как распахивают решительным жестом окна, чтобы впустить свежий воздух, с охотой, поспешностью, каким-то сильным внутренним движением открывает он глаза — и видит утро в своей комнате и белое окно и сразу понимает: праздник!

Я встал вчера из-за машинки и опять ничего не увидел в ночном стекле, кроме слепого своего отражения с усиленными тенями, с провалившимися щеками и глазницами, мертво глядевшего на меня. Я расслышал тогда тишину и потом в ней звуки: за окном уже давно шел дождь. Он именно — шел, он ходил под моими окнами, он чавкал, вынимая медленные ноги из раскисшей земли, он скребся и сморкался. И я, с тем смешанным чувством детского страха, теперь, впрочем, легкого и ослабленного, и той уже взрослой усмешки над собой, рождающейся из боязни показаться наивным ли, смешным или глуповатым даже перед самим собой, не сразу поверил, что это дождь, а не кто-то ходит у меня под окнами, и он меня видит, а я его нет... и, уже совсем с замиранием, выключил свет и сначала ничего не видел и замирал еще больше, а потом разглядел кленовую ветку, припавшую к моему окну, потом начало дорожки, удаляющейся от моего окна, и даже небо обнаружил не ночным, а беловатым. Я располагал звуки в заоконном пространстве так, чтобы они стали конкретны и понятны, например, звук воды, льющейся с крыши в бочку: это он скребся в дверь, потому что бочка стояла у крыльца. Чавканья я так и не понял, но из привычки отрицать сверхъестественное в быту, из привычки убеждать себя, что живешь в мире причинных связей, которые так просты и нетаинственны, если известны, я объяснил себе так, что это только я не могу понять, в чем дело, а на самом деле все происходит, может, оттого, что чавкает воздух, который выжимает из земли вода, или что-нибудь в этом роде. Во всяком случае, сказал я себе, это дождь и ничто другое, что еще раз подтвердило мою в этом неуверенность. И больше всего успокаивало меня все-таки то, что небо было беловатое. И я уснул, как живой человек, ни разу не зафиксировав, не формулируя своего ощущения, так что не этим объясняется, что я запомнил его и, проснувшись, пережил снова.

Я вышел затем на крыльцо, чтобы облегчиться. Утро показалось мне удивительно теплым, может, оттого, что я слишком уж ожидал ледяного холода. Иначе это трудно объяснить, потому что не может быть тепло человеку, только что проснувшемуся и вылезшему из теплой постели в одних трусах на сырое крыльцо ранним октябрьским утром на шестидесятой параллели. Утро, беловато-сероватое, вылезало из кустов и травы клочьями тумана, казалось, кусты освобожденно дышали, и пар, может от этого, ощущался не промозглым, а теплым, как дыхание. Пар подбирался мягкими, тающими языками к крыльцу и, обессиленный, словно бы клал свою теплую собачью пасть на нижнюю ступеньку. Ощущение утра вдруг слилось, поражая меня непонятной общностью, с моим вечерним ощущением, так ясно воскресшим сегодня, и я, не желая и не пытаясь, словно мне это казалось ненужным и лишним, разобраться, в чем же эта общность, лишь принимал ее, воспринимал, и это делало меня еще счастливее. Счастливее, конечно, меня делало и другое — мое медленное облегчение. Я смотрел, как моя струйка падала с высоты крыльца на землю, выбивала в ней лунку, и над этой лункой тоже поднимался пар. Восторженно передернув плечами, я бросился назад, в дом, в тепло, нырнул под одеяло и с наслаждением оттаивал под ним.

Я обнаружил тот скребущийся звук, который так усиливается по ночам, когда за обоями оживают мыши. По утрам они обычно молчат. Преследуя этот звук, я вывел его источник из-за стен на улицу. Там, над моим окошком, я увидел птичку. У нее там, по-видимому, гнездо. Она шастала взад и вперед. Я никак не мог толком разглядеть ее из своей постели — мешал карниз, за которым она скрывалась, а подлетала и вылетала она слишком стремительно. Я подумал, что это ласточка, но не был уверен, что они еще бывают здесь в октябре, ведь это, кажется, перелетные птицы. Эта птичка тоже обрадовала меня. Вот, подумал я, не только мыши, но и птички...

А если говорить о празднике, то мне мерещится, если я правильно помню, что сегодня исполняется пять лет с тех пор, как я пишу прозу. В этот день я написал свой первый рассказ «Люди, побрившиеся в субботу». Я очень удивлен, почему вдруг сегодня моя голова вернула мне эту дату. Я их не помню, как правило, дат. Хотя с детства старался их запомнить, словно бы в наивной уверенности, что от этого не умрет в памяти событие, сегодня меня столь волнующее, потому что я имел еще слишком малый опыт, чтобы проследить, как обходится память с нашей жизнью и как воскрешение бывших с нами и дорогих нам событий происходит помимо наших сознательных усилий воскресить их и, может, несмотря на эти усилия. Я старался запомнить многие числа моей жизни: дни знакомств с любимыми и дни, когда я впервые владел ими, дни моих свершений и побед; я твердил эти числа и записывал их на многочисленные бумажки. Сначала пропадали бумажки, а потом число переставало говорить мне хоть что-либо, и я терял число. И теперь я мучительно вспоминаю года и устанавливаю в памяти дату ± года. А ведь я еще недалеко ушел по дорогам памяти. Эту дату, 5 октября 1958 года, я очень лелеял вначале, ведь это, как мне казалось, спасло меня, то, что я начал писать, ведь это сделало мое существование осмысленным и т.д. Дату-то я вспомнил сегодня вовремя — зафиксировал эти пять лет, которые еще так недавно казались мне столь далекими, и желание их отметить исходило из того понятного нетерпения перед течением жизни и от той любви к круглым цифрам, которые, как бы это ни было условно, создают в нашей психике иллюзию нормированной этапности нашей жизни. Так, читая слишком толстую книгу, как бы ни нравилась мне она, я подсчитываю время от времени, сколько же мне осталось еще читать, и определяю отношение уже прочитанного к еще не прочитанному, так мой отец всегда желает отметить круглую цифру на спидометре своей машины, так нам хочется отмечать, сколько времени мы заняты тем или иным делом. Но даже если нас еще может взволновать та или иная дата (а может, тем более, если она нас может взволновать), мы, как правило, пропускаем ее, забываем, как отец, следя за дорогой, каждый раз пропускает тот момент, когда на его спидометре сразу много девяток заменяется многими нулями. И мне кажется, что мой сегодняшний юбилей оставил бы меня равнодушным, если бы мне не повезло нынче утром так легко отворить свои глаза. Да и все равно он оставляет меня равнодушным, не имея ничего общего и не сливаясь с радостным открытием сегодняшнего молочного утра.

И вот, как я ни оговаривал свой юбилей, я по-своему отпраздновал его, написав эти страницы. Я словно бы кончил писать и побежал за молоком, которое давно обещал принести. Выбегая с бидоном из нашего сада на улицу, я вдруг обнаружил, что, может, больше всего во мне самом пугает меня возникновение рефлексов. Если раньше я, пытаясь подражать взрослым, радовался возникновению в себе навыков, привычек, умений, то теперь как бы боюсь их, потому что, сам перейдя в другое, взрослое качество, обнаружил в рефлексе качество, обратное радовавшему меня в детстве, тенденцию духовной старости и смерти. Вот что заметил я за собой, выбегая...

Когда идет дождь, калитка наша разбухает и расклинивается в своем проеме так, что открыть ее можно лишь сильным толчком. И с той и с другой стороны забора у калитки растут деревья, и после дождя на каждом листе скопляется большая капля воды, и когда я, пытаясь распахнуть калитку, с силой пихаю ее, я трясу забор, а с ним деревья, и тогда на меня выливается холодный душ, состоящий из капли на одном листе, помноженной на количество листьев. В этом есть своя эстетика, но, в общем, это неприятно, тем более что многое попадает за шиворот. Я всегда забываю о том, что, толкнув калитку, окажусь под внезапным дождем, и сегодня я тоже не помнил об этом, когда совершил целую серию внезапных для себя движений и прыжков, имевших тот смысл, чтобы и калитку отворить, и под дождь не попасть. Я проделал это успешно: дождь прошуршал мимо, но, проскочив, поймал себя на том, что во мне, независимо от моих сознательных усилий, возник свеженький рефлекс — и что бы это все значило?.. Это событие сразу стало в ряд с историей П., про старика с чайником, и с тем, как я обнаружил, что кладу на ночь рубашку рядом с собой, чтобы не тянуться за ней поутру, когда комната выстуживается за ночь почти до уличной температуры. Еще я вспомнил, что изображение засыпания сознания, замены сознания рефлексом, жизнь интеллигента без интеллекта, столь, как мне кажется, для нашего времени характерная, — все это уже давно преследует меня как тема, что видно и в «Пенелопе», и в «Саде», и в «Жизни в ветреную погоду».

Я посмотрел тогда еще раз на всю эту милую моему сердцу осеннюю погоду, окружившую меня на моем пути за молоком, в белое близкое небо, на расквашенную, расслабленную дорогу, на желтые листочки, слетающие к моим шагам и как бы обозначающие мои следы, мой путь, и мне стало жалко себя.

11 октября

Снова я в Токсове. Третий день. Отмякаю. Снова — записки. В той небывалой сытости, что овладевает мной здесь, пишутся самые взволнованные страницы: путь оседает в осадок. Жизнь в Токсове не приносит новизны — в этом счастье. Вернее, все знакомо, все не в первый, даже не во второй раз — и поэтому вся новизна — твоя, вся — в тебе, в чистом виде. Передо мной вид, описанный в записках, я сейчас пойду за молоком и писать ничегошеньки не хочу. Вчера понаехали родственники — все было, как описано в «Дачной местности». Один сосед построил дом, а у другого дом сгорел, у Федоровых родился пятый ребенок, а Глафира Борисовна померла — и ничего не изменилось. Все осмотрено, исхожено, описано — и уже незаметно моему глазу. Любовь кончается — начинается жалость и благодарность ко всему, что меня здесь окружило.

Вышел я с Аней копать песочек. Стою, смотрю: за забором ветки, уже не зеленые, сквозь эту штриховку вижу косую антенну над нашей крышей, а за антенной солнце, подернутое, как сквозь марлю, оттого расплывчатое, широкое и совершенно золотое. Красиво это и ничегошеньки абсолютно не значит. Прямо кадр из какой-нибудь нашей талантливой киноработы молодого режиссера. Красиво, тонко и ни к чему. Очень современно, правда. Вдруг сзади музыка заиграла, из открытого окошка, а мне плакать захотелось. Вот стою я с открытым ртом, и музыка играет, смотрю на антенну с солнцем, и смысла от этого ни на грамм не прибавилось. Человек на велосипеде проехал и тоже не прибавил смысла. Все красиво, удивительно и ни к чему — никакого подтекста, идеи в этом нет, просто так получается. Мне казалось, что молодой режиссер кадры свои отыскивает, подтасовывает и нет их на самом деле, одно лишь его желание быть в искусстве. И вот стою и вижу: есть и такой кадр в этой жизни, и музыка такая же играет. Все есть в нашей жизни, что ни наври. Я вот думал, думал, как быть с человеком, куда его поместить и как скоординировать. То так оказывалось правильно, то наоборот. И вдруг понял: что ни скажи о человеке — все будет верно. Потому что все, что есть, — это человек. Вот выйдешь из кинотеатра — все там неправда было: одни попытки, талантливые или нет; выйдешь, а тут двор, поленницы, люди — толпою, это кино смотревшие, разные, а одно кино смотрели, плакали; пройдешь подворотню, выйдешь на ули-

95

цу — все то же, что и в кино. Думал в зале, морщился: это они от бездарности, а вышел из зала, и оказывается, что и жизнь такая, только ты ее в кино побоялся признать за свою, такая уж бедная. И может, фильм-то — просто замечательный.

Вчера папа мой приезжал. Наш сюжет. Не выдержал одного дня без внучки. Глядя на него, начинаешь понимать затертое выражение: жизнь его заключалась в том-то. Действительно, он и жить будет и не помрет, пока есть внучка. И та его сумасшедшая любовь к ней, видно, и означает, как мало у него уже оставалось жизни, если любви этой как основной цели пришлось принять формы столь гиперболические. Отец мой может вообразить опасность там, где ее невозможно вообразить. Живость его фантазии в этом смысле необычайна. Он приехал, чтобы построить заборчик к нашей речке, чтобы не свалилась туда внучка. Он ходил и не обращал внимания на насмешливые взгляды родственников, съехавшихся на очередной воскресник по обработке участка (вообще-то, он очень обращает внимание, даже слишком, на то, как смотрят другие, но тут его страхи были сильнее), он ходил и подстригал веточки, чтобы они не попали внучке в глаз. Этот уже абстракционизм чувства поразил меня. Вот сюжет материалиста: мир враждебен ему. Можно выколоть глаз, можно свалиться в речку, можно прищемить в двери пальцы — но жить, постоянно представляя себе это и борясь с этими еще не состоявшимися представлениями, кажется мне уже таким отрывом от жизни, что именно материалисты — совершенно нереалисты в нашей жизни. И борьба с ветряными мельницами кажется мне в этом смысле символом судьбы материалиста. А Дон Кихот — основоположником (как всякий основоположник, наиболее искренний и чистый от своих последователей) нового мировоззрения.

Вот я и снова хожу за молоком. Смеркается. Голые ветки в сумерках, словно что-то с ними случилось и они сами не знают что. Дорога начинает таять впереди и сливаться, а где-то на горе — костер красной точкой, и в застывшем воздухе запах грелых листьев... Я иду и посасываю молоко из чайника на ходу. Мы решили ужинать теперь молоком. Для здоровья. На всю жизнь смешные эти попытки к здоровью и порядку. Раньше меня мучило, что никогда-то их не выдержать в последовательности. А теперь понятно, что так и необходимо: регуляция. Из этих колебаний разгула и режима и выведется средняя линия моей жизни, близкая к норме, площадь моей жизни, как площадь трапеции: полусумма оснований — на высоту. Это-то все просто: сэкономить на завтраке, на такси не поедешь, а на метро, заменишь сливочное масло подсолнечным, а вечером выпьешь бутылку водки, и она поглотит выгаданные копейки в море своих копеек. Мы решили ужинать молоком за счет масла. Я пил молоко по дороге тайком из носика чайника. Я пришел домой налить его в свой законный стакан, а в стакане — таракан, и я продолжаю пить из носика.

27 октября 1963 (Молитва)

Я писал о том жестоком, смертельном моменте, когда обольщения и утилитарные идеи вдруг начинают слетать, как шелуха, когда мир открывается тебе в своем извечном и неумолимом равновесии, когда всякое дело оказывается тебе бессмысленным и ненужным, относительность и преходящесть идеи леденят сердце, опадают руки, как листья, и ты стоишь голый на осеннем ветру, пытаясь удержать последний свой жухлый лист, и умираешь в этот момент умудрения: последний лист слетит — и тебя нет больше. Много лет спасаешь себя надеждой на будущую весну, пока однажды не сможешь спрятаться от мысли, что за весной обязательно приходит осень, — и тогда отчаяние, и тогда уже не надежда на будущую весну, которая, как ты уже знаешь, ничем не отличится от прочих и не утвердится навек, а лишь надежда на надежду слабо утешает тебя, то есть ты еще надеешься, что умудренность твоя пройдет, воскреснет глупость, жизнь, и ты еще раз, несмотря на весь свой опыт, поверишь в ту же самую весну. Еще и так проживешь некоторое недолгое время с надеждой на надежду, потом поймешь и этот автообман и не сможешь, даже притягивая к себе обман, желая поверить в него, убедить себя в том, что еще раз способен поверить в него. Ну ладно, когда тебе станет ясна и относительность относительности, что же останется тогда? Тогда окончательно — мудрость, смерть, небытие? Какая поляна открывается за этим очередным и, кажется, последним холмиком на твоем пути? Что будет, когда ты уже не сможешь в очередной раз отбежать назад, чтобы снова пройти тот же отрезок и опять же не дойти до вершины, опасаясь, что там пропасть, небытие и, только ступишь на вершину, даже со всех сторон — пропасть? Что же последует за окончательно понятой системой вещей? И все еще боязно сделать последний шаг, все еще хочется выгадать, все еще думается: а неужели никак не узнать предварительно, перед тем как сделать этот последний шаг, что же за этим, закрывающим тебе взгляд, холмиком? — а узнав, может, и не делать шага... Это страшно, и никто тебе не подскажет: провалишься ты или полетишь? И действительно, кто подскажет тебе? — некому. Они либо провалились, либо летают, и не может быть сообщения между вами. Надо решиться, надо заносить ногу и ставить ее на вершину. Что же за поляна, что за простор, что за таинственный пейзаж откроется перед тобой, если откроется?

Кто-то сказал, что все великое рождалось при размышлении о смерти. Что же такое размышление как не приближение того, о чем думаешь? Это все произойдет с тобой сегодня, завтра, сию секунду. И в этом — ты, в этом — Бог. Бога обретаешь, когда теряешь его. До поры я мог не думать о нем: он был во мне. Я и не подозревал об том. Его убила жизнь, его убило общение. Нет, не то чтобы варвары-люди напали на невинную душу и растоптали ее, и они не хотели этого, этого и не было. Просто много их попадалось на пути, и появился взгляд на себя, а не в себя, и сравнение с ними, а не связь. Соревнование, желание формального равенства, разобщение. И пропал твой Бог, которого ты не замечал. И такая возникла пустыня и смерть, что оставалась лишь слабость, при которой общение — счеты, любовь — похоть, дружба — желание утвердить себя, творчество — потуги, и даже застрелить-то себя можно разве из пальца.

В последний раз я сказал себе сегодня, и это было уже по-новому: пусть поперхнется тот, кто судит меня. После этого впервые сегодня я молился. Это было в метро, в новом храме. Я сказал: Господи, помоги мне. Я говорил это и раньше, но это было вроде «черт возьми». Я сказал это иначе. И вдруг мне стало легче. Раньше это называлось:

Бог услышал меня. Я сам услышал себя, и меня не стало. Я вдруг почувствовал, что могу услышать соседа.

Когда меня вез вниз эскалатор, я ощущал такую смерть! Она была физическая, от пупа до сердца все было заполнено ею, клеточки, сосудики. Подходил поезд, раздвигал двери, и я почти бесчувственно поражался, что еще делаю шаг и прохожу в вагон. Я думал: это так, стесненьице, и пройдет, но не проходило. В этом чувстве была уже не приблизительность, не только похожесть, а конкретность, непреходящесть. И такое было ощущение, что если смерть и пройдет, то не потому и не так, как проходит болезнь, и не так, как забываются чувства, а лишь в случае чуда, если поможет то, о чем я еще и представления не имел. И я сказал: помоги, Господи.

Теперь можно жить. Можно, оказывается, жить так, что любовь твоя будет любовью, дело — делом. И ничего не изменится в твоей жизни, кроме смысла каждого шага и поступка. Так же это будет похоже на обычнейшую жизнь, и на обычнейшую слабость, и на обыкновенный грех. Я словно бы могу сейчас проделать то же самое, что было раньше слабостью и падением, но это не будет ни тем, ни другим и произойдет от любви. Больше не может быть обид, и счетов, и суда, мерзкого стыда за ближнего и за себя лишь оттого, что рядом люди.

И тот путь, при котором осознание оказывается успокоением и лишь символом нового, а на самом деле внутренним разрешением все тех же постыдных вещей себе самому.

1964

Моя зависть

Он был первая и последняя моя зависть, самый непохожий на меня человек.

...У него был жук-носорог. У меня жука-носорога не было. У него был самый большой жук с самым большим рогом, жук-чемпион, жук чемпиона. Ему было мало, что у него жук, — так он еще всем говорил, что ему привез его из Афганистана папа-летчик. Хотя и у нас, в Ташкенте, таких жуков предостаточно. Только у меня его не было. Мне бы хоть самочку безрогую, как у идиотика Ромы. Но у меня и самочки безрогой тоже не было. Ему он был и не нужен, жук-носорог, он ничего в нем не смыслил. Просто раз у всех — жук, то и у него — жук, причем самый крупный. «Он у меня любого жука забодает, одного как поддел — тот кверху тормашками и вон туда улетел», — показывал он на дальний арык, за которым кончалась территория нашего садика. «Врешь...» — говорил я и тут же ему верил. Этот бесчувственный человек не понимал, каким чудом он владел, он просто — владел, милостиво разрешая мне кормить его моими крошками. «Он ест только белые, — говорил он при этом. Или даже: — Он ест только из моих рук», — и забирал у меня крошки. Я мечтал украсть у него жука, но не знал, как это делается. Я украл наконец, но не жука, а иголки-буры у нашей хозяйки, зубной врачихи. Они напоминали холодное оружие лилипутов, палицы или булавы, какие я видел на картинке, и очень нравились мне. Хозяйка, затворив ставни от жары, ходила голая по пустому сумрачному дому. Она лениво носила свое белевшее расплавленное тело из комнаты в комнату и нехотя била мух или проходила к буфету и, голая, ела варенье прямо из банки. Когда она пошла есть варенье, я и схватил из белой ванночки горсть иголок и, зажав их в кулаке с неоправданной силой, с ухающим сердцем выскочил на ослепительный свет.

Я обменял иголки на жука. Он был МОЙ, коричневый, полированный, с необыкновенным рогом. Я утаил одну иголку и положил ее в коробку. «Это твоя палица», — сказал я ему. Я был настолько счастлив, что уже как бы страдал от неспособности чувств ко все более сильному выражению. Вечером кража обнаружилась, и был скандал. Утром я выпустил жука, не знаю, случайно или нарочно. А у Генки был уже новый жук, даже крупнее прежнего.

Я, может, и не помню этого. А помню большую цементную чашку недействующего фонтана и выбитую обширную площадку вокруг — все это очень сухое и пропитанное солнцем, перенасыщенное. А мы сидим на краю фонтана, свесив ноги, и Генка приоткрывает коробку с жуком. И то чувство томящего восхищения, какого с такой силой мне уже не переживать после.

...Мы играем в коллективные игры на бывшей волейбольной площадке. На ней уцелел лишь один столб, и тот сломан наполовину. «Ласточка летает?» — «Летает!» И мы все машем руками, как крыльями. «Бегемот летает?» — «Летает!» — увлеченно кричу я и один машу крыльями. «Эвакуированный, а глупый!» — говорит воспитательница. И обидный смех до сих пор в моих ушах... Воспитательница объясняет следующую игру. Она спрячет предмет на видное место, а мы будем его искать. А кто найдет, подойдет к воспитательнице и тихо скажет ей на ушко, где он увидел этот предмет. И вот все разбредаются по площадке в поисках. Как мне надо обнаружить этот предмет первым! Выбраться из моего падения и позора. Но первый, как всегда, Генка. Он подходит важно к воспитательнице, он шепчет ей на ушко. Они далеко от меня, но я слышу, будто мне громко шепчут в ухо: «Молодец, молодец». Я даже забываю искать и вспоминаю об этом, когда еще сразу двое подбегают к воспитательнице и шепчут. Я бросаюсь искать. Я обшариваю каждый сантиметр земли. Хотя бы одним из первых, хотя бы в первой половине! А они все быстрей, все чаще подходят к воспитательнице и шепчут. И вот уже нас едва трое, самых тупых. Я хожу и вовсе бессмысленно вожу по земле глазами в скучном и безразличном отчаянии. Ребята, уже нашедшие, скучились вокруг воспитательницы и нетерпеливо переминаются — надо начинать следующую игру, а мы все возимся. Предмета же нет как нет. Я не мог его не увидеть, в сотый раз я проверяю себя, разглядывая до отвращения заученную местность волейбольной площадки. Это колдовство, не иначе. Все, например, видят предмет, а я на его месте — голую землю. Мне хочется сбежать куда-нибудь и пропасть навсегда. Я поднимаю голову от земли — и вдруг вижу. Открыто, у всех на виду, на сломанном волейбольном столбе, лежит этот предмет. Надо только поднять голову. Восторг ослепляет меня. «Вот он!!» — кричу я и показываю пальцем. Два оставшихся со мной идиотика, Рома и Кира, смотрят на мой палец, расстегнув рты. «Что же ты, — презрительно говорит воспитательница, — ведь надо на ушко! Ты только о себе подумал, а о них, о Роме и Кире, не подумал, испортил им игру». И если я вынес и это и выжил, то, очевидно, умру естественной смертью и в глубокой старости.

...У нас слишком длинный мертвый час. Это из-за азиатской жары. Хотя мы, по правде, ее не чувствуем. Но ведь надо же дать отдохнуть и воспитателям на такой-то жаре. Нам-то что. Генка, например, дает подносить спички к своим пяткам — и то ничего, не больно — такие пятки, как подметки, только горелым пахнет, а ему хоть бы что. И спички воспитательница отобрала. Слишком длинный час и слишком мертвый — часа три в нем. Мы лежим под простынями, матрацы наши на полу, и воспитательница, как назло, не уходит, сидит читает, за шепот — без компота. От тишины звенит в ушах, от скуки сводит внутри. Генка говорит: «Марьстепанна, а Марьстепанна!» — «Ну чего тебе?» — «Можно выйти?» — «Выходи», — недовольно говорит Марьстепанна. Всегда-то он первый догадается! — прямо завидно. Лежи тут, а он будет по двору гулять! Злость берет. Все-то ему можно — меня бы еще фиг выпустила. А Генка встает, важный, и, чтобы выйти, ему надо через меня перешагнуть. А он не перешагивает, а наступает своей замечательной пяткой на мой голый живот, как на землю, и идет себе дальше. Больно мне не было ни капельки, но от скуки я все равно заорал. «Что такое?» — взвилась Марьстепанна. «Он мне на пузо наступил». — «Не на пузо, а на живот». — «Он мне и на живот тоже наступил». — «Так, — говорит Марьстепанна. — Вернись!» — кричит она Генке. Генка возвращается, презирая меня взором. «Ложись», — говорит она ему. Он ложится. «А ты встань», — говорит она мне. Я встаю. Жду, не понимаю. «Поступи с ним так же, как он с тобой». Я не понимаю. «Ну, наступи на него и перешагни!» — сердится Марьстепанна. Я наконец понимаю и исполняю все это с наслаждением. «Ну вот, теперь вы квиты», — говорит Марьстепанна и садится в свой угол читать. И мертвый этот час проскочил как живой в потайных пинках и щипках между Генкой и мной.

Так я впервые узнал, что такое соломонов суд. Так я понял, что главное — тоже наступить на живот и перешагнуть лежащего. С тех пор мне никогда не приходилось делать это столь чисто и откровенно, а как правило — мысленно, по внутреннему счету, но перешагнул я многих. С этим ли связано, что друзей остается все меньше?

Мы сидим и поем. Это мне очень нравится. Все поют — и я пою. Так я наконец чувствую себя в коллективе — это сладкое и обеспеченное чувство. Мы поем «Варяга». «НАВЕРХВЫ, товарищи...» Это мне не совсем понятно, но я никогда не спрошу об этом — мне неловко, потому что я убежден, что остальные это очень хорошо знают. Я не спросил об этом до сего дня. Я попадал в бездну глупых и обидных положений, потому что стыдился спрашивать разъяснений. Мне часто стоило сложнейших и долгих умозаключений добраться до простых, всем известных вещей. Теперь-то я с легкостью не стыжусь спросить что угодно: и дорогу у прохожего, и у соседа слева, как зовут моего соседа справа, с которым я давно знаком, могу даже сказать в магазине: «Нарежьте мне сыру не от корки, пожалуйста, а от серединки...» Я теперь могу спросить что угодно.

Да, мы поем. И от первого же слова «НАВЕРХВЫ» у меня начинаются спазмы в горле. До чего красиво мы поем! Я увлекаюсь, я разеваю все шире свой глупый рот, а когда мы доходим до «врагу не сдается наш гордый "Варяг"...», у меня уже першит в горле, застилает глаза, а Марьстепанна говорит: «Ты опять орешь, не мешай всем петь». Это не может относиться ко мне — я так прекрасно пою, я сильнее всех чувствую эту песню, я озираюсь возмущенно по сторонам: кто там орет и портит песню? Но это относится ко мне: «Да, да, нечего головой крутить, это я тебе говорю».

Так я впервые ощутил несоответствие, несовпадение внутреннего чувства и его выражения, столь сильное в жизни. И когда потом, в старших классах, мы заучивали, что мысль и слово — одно, что мыслит человек словами и что чем правильнее мысль, тем точнее она выражена, — я заучивал урок со всеми, но мне было не вполне понятно и даже неприятно: я же думаю гораздо лучше, чем могу сказать об этом! Так и до сих пор для меня самое большое мучение, что еще ни разу, ни единого, не выразил я что-либо точно, на том пределе, который ощущал, и где-то глубоко у подножия мысли барахтаются мои слова... Мне слишком хорошо помнится, как мы пели хором, шестилетние, и как это было здорово, хотя, может, это я и сейчас додумал. Но отчего же только одна — и никакая другая — комната стоит сейчас перед моими глазами — темная, прохладная, и мы на лавках, в сумраке, по четырем ее стенам, а в середине что-то большое в белом халате машет руками, и лица не разглядеть. И никогда мне не удавалось спеть «Раскинулось море широко», которое мы обычно пели после «Варяга», и самую мою любимую «Когда я на почте», которая была третьей. После «Варяга» мне запрещали петь, и я мучился от огромного и разрывающего чувства: как прекрасно я мог бы петь — и не пел. Тут бы в самый раз сказать, что рядом со мной опять треклятый Генка пел прекрасно и был запевалой, но тут был бы уже пережим и неправда: у него не было ни голоса, ни слуха, но он не страдал от этого, потому что в нем не было и чувства песни — он просто открывал со всеми рот и не издавал ни звука, и воспитательница говорила мне: «Вот у Гены тоже нет больших способностей, но поет он с каждым разом все лучше — я его теперь даже не слышу». Хоть петь Гена не умел...

Впрочем, теперь мне кажется, что я должен быть благодарен природе за печальную в детстве способность не задавать вопросов и за эту несчастную неспособность выразиться в пении ли, в игре... И я никому не завидую.

Вот и пишу теперь потихоньку. Пишу про наше военное детство. И как про него еще написать можно — не подозреваю. Потому что и так и еще так — мне уже нельзя про него писать. Например, что оно страшное и полно тяжелых переживаний... Потому что, как ни крути, о нем все равно получается радостней, чем об обычном и даже занимательном ожидании самолета в хабаровском, к примеру, аэропорту. Потому что между военным детством и тем, как я сижу в аэропорту, писатель, летящий на Ту-114 в страну вулканов по командировке толстого журнала, — лежит двадцать лет. И мое пребывание в этом аэропорту в тыщу раз грустнее моего военного детства.

Газета трехлетней давности... Что делал я три года назад, зимой, в этот же день? Пожалуй что, я сдавал дела и оборудование новому старшему буровому мастеру. Был он человек опытный и дотошный, Иван Ильич. Он ходил с длинным свитком акта передачи вокруг буровой и подсчитывал каждую гайку и, какую не находил, из акта вычеркивал. А я-то, болван, в свое время принял все не глядя, — такой мне показался славный человек мой предшественник, что просто неприлично было не доверять ему. И потом тоже не утруждал себя писанием лишних, обеспечивающих меня бумажек, верил на слово. И теперь у меня не хватало: трех одеял, двух спальных мешков и одного матраца; одного радиоприемника, которого я в глаза не видел, двух мисок и трех ложек; был фантастический перерасход рукавиц, а главное, не хватало насоса-лягушки, который я отправил на склад как недействующий, а накладной не выписал —

не иголка же, насос! — и теперь его не находили на складе.

А также не хватало 50 метров обсадных труб, которые, как это явствовало из моего акта приема, я в свое время принял, в чем и расписался. Все это составляло фантастическую сумму денег, которой у меня, конечно, не было. Насос все-таки нашли, трубы как-то списали, остальное из зарплаты высчитали... Генрих в это время подносил термометр к вишнево-красной скале.

Я тоже было вступился за женщину на улице. Тоже были три хулигана. Поднакидали они мне изрядно. Тут и милиция подоспела, а хулиганы убежали. И женщина сказала, что это я сам пристал ни с того ни с сего к совершенно посторонним людям. Женщина направилась к хулиганам, поджидавшим за углом, а меня забрали в милицию, как учинившего драку на улице.

И буран был в моей жизни. Только меня не заметало и меня не искали с вертолетом. А был я в это время на Севере. И поставили меня на узкоколейке слесарем-смазчиком. И ходил я с крючком, проверял буксы и стукал по колесу молоточком. И думал, что никогда бы в жизни не мог представить себе, что буду этим заниматься. И все вспоминал, как ехал летом с мамой на юг, и на каждой станции появлялся этот таинственный чумазый человек, поднимал крючком крышки и стукал по колесу молоточком, и я уезжал, а он оставался, с крючком и молоточком, потому что вряд ли он ехал вместе с нашим поездом. А на следующей станции — точно такой же. А может, он и едет вместе с нами и слезает на остановках?.. Я иду, проверяю, мороз чуть ли не за сорок, и метет. Поднимаю крышку и молюсь каждый раз, чтобы все в порядке было, чтобы не пришлось сейчас менять подшипник или, упаси Боже, даже скат на таком-то ветру и морозе. А платформы, как назло, все старые, подшипники все горят, и оси горят. И я кричу в будку — выходит вся бригада, и мы начинаем подсовывать под ось палки-елки — вываживать, а ветер свистит, руки, как клешни у вареных раков... И только бы этот чертов скат был единственным в этом составе — тогда в нашу конуру, к красной печке...

Моя коза

А когда Генрих попал в извержение, у меня на буровой в утреннем тумане в зумпф с глинистым раствором упала **1961** и утонула коза... Сбегали мои работяги за мной. И вот стою и смотрю, как неловко они эту козу извлекают и дотронуться до нее боятся, и думаю, что мне теперь с этой козой делать, как быть с ее хозяйкой? Денег уже вторую неделю нет, нечем мне с ней расплачиваться... Или просто зарыть эту козу, будто ее и не было? Тоже нехорошо... И чем мне теперь работяг кормить, раз артельные и вообще все деньги вышли? Разве у куркуля Петра занять? У него должны быть, только он разве даст, сам с голоду подохнет, а не даст. И лучше бы, думаю, прибили мы эту козу в свое время, раз уж все равно ей суждено было, да ели бы теперь ее мясо.

И что общего у нас с Генрихом? Ничего. Он в команде мастеров играл, а я даже в детстве футболом не увлекался. Он два факультета кончил, самых сложных, а я в том же институте — один, самый легкий, и то с трудом, в три приема: между первым и вторым курсом поместив завод, а между вторым и третьим — армию... И ни разу не попадал я на передний край — все какие-то задворки: ни почета, ни перспектив, ни даже выполнения плана, ни в газетах не напишут, ни даже благодарности в приказе не дождешься. Только вот люди мне всегда исключительные попадались. Или очень хорошие...

В то время, когда Генрих попал в свою первую переделку с вулканами: угодил в камнепад и получил четыре перелома конечностей, не считая сотен ушибов, — я служил в армии на Севере, и обстоятельства мои были очень будничны, прозаичны и лишены романтики. Как раз в то приблизительно время, осенью, мне удалось сменить работу на лесоповале на непыльную, как считалось, работенку. Наша машинистка в штабе ушла внезапно в декрет, а вольных, тем более незамужних, тем более умеющих на машинке, в поселке, бедном на женщин, не было. И вот тут высунулся я, потому что на машинке-то кое-как умел печатать. И сел я в штабе. Надо сказать, что к тому времени у меня уже сложилась кое-какая дружба с ребятами, так что о подрыве своего авторитета тем, что стал «штабной крысой», я не беспокоился. И вот сижу я, значит, стукаю. Например, приказ по гарнизону, чтобы владельцы собак такого-то числа заперли своих псов дома, потому что ввиду излишнего количества бродячих собак будет проведено профилактическое их уничтожение. Я, значит, перепечатываю такую бумажку, а на следующий день славные псы валяются там и сям по поселку пристреленные и совершенно мертвые. Не нравится это мне.

1958

Дело о двух банках тушенки

Я сижу в штабе, стукаю и уже мечтаю снова о лесоповале. Конечно, тяжело и мошкара, но зато общество самое избранное, костер, чаек, воздух... И вот тут вваливается ко мне приятель и говорит: «Сунь куда-нибудь», — и подает мне две банки тушенки. Я человек нелюбопытный, я беру их и молча закатываю под сейф. Он мне что-то говорит о том, как с машины свалился ящик тушенки, и шофер не заметил, а ребята разобрали, а это, значит, моя доля. Моя так моя. Сижу, стукаю. Отстукал и пошел домой, в казарму то есть. Наутро прихожу в штаб, вызывает меня замполка по хозчасти, тот самый Николай Васильевич Бебешев, капитан, о котором я уже писал раньше. А с ним рядом следователь, подполковник, сегодня утром для разбирательства всяких наших поднакопившихся солдатских дел прибывший. Я-то спокоен, думаю, что-нибудь перепечатать надо. Совесть-то у меня чиста. «Прибыл, так и так», — говорю. «Выкладывай», — говорит капитан Бебешев и на меня не смотрит. «Что, — говорю, — выкладывать, товарищ капитан?» — «Про тушенку», — говорит. «Про какую тушенку?» — говорю. «Про такую, — говорит, — в банках». Меня даже пот прошиб, и вкус ее замечательный, какой вчера был, когда мы ее, разогрев в печке, ели, омерзительным вдруг показался. «Никак нет, — говорю, — не было у меня никакой тушенки!» — «Постойте, — говорит

108

подполковник, — вот вы говорите, что ее у вас не было... Значит, вы допускаете мысль, что она у вас могла быть, иначе вы бы не построили так фразу, значит... Я верю, что ее у вас не было, но что-то вы о ней знаете. Что вы о ней знаете? Вы ее у кого-то видели? У кого?» Ну и гусь, думаю я, это тебе не Бебешев. «Никак нет, — говорю, — не видел!» — «Как же, вот я записал, вы сказали: "Не было у меня никакой тушенки". Значит, вы допускаете мысль, что она...» и т.д. — все сначала. «Так я потому сказал, — говорю я ему в тон, — что меня так спросили. Спрашивают про тушенку — я про тушенку и отвечаю. В ответе по уставу должно быть повторено то, что сказал командир». — «Вы же образованный человек, — начинает капать следователь, — зачем вы простачком прикидываетесь?» — «Срам! — вдруг кричит Бебешев. — Я же сам у тебя эти банки видел!» — «Где?» — обомлел я. «Под сейфом!» — «Под сейфом?» — говорю я все еще удивленно, что естественно, когда подгибаются коленки. «Именно, — говорит Бебешев, — ты когда на обед пошел, я в сейф-то за бумагой одной полез, а банка-то и выкатилась, а я уже тогда, — говорит Бебешев, страшно довольный собой и своей проницательностью, — уже тогда знал про пропажу ящика тушенки. Я, не будь дурак, и закатил ее назад, как будто и не видел. Утром, думаю, поймаю с поличным. А ты ее, выходит, уволок». У меня отлегло. Ну и дурак же ты, думаю. «Никак нет», — говорю. «Что — никак нет?!» Бебешев наливается кровью. «Не может быть, — говорю, — не было у меня никакой тушенки». — «Да что я, с ума сошел, что ли! — кричит Бебешев, и вижу, действительно близок к этому. — Я же своими глазами видел». — «Вы, может, видели, — говорю я, — а я не видел. Сейф за моей спиной стоит, мало ли тут всякого народу шляется». — «В штабе не шляются! — кричит Бебешев. — Распустились!» — «Виноват, — говорю, — мало ли тут народу ходит». — «Так-то, — говорит Бебешев. — Так как же?» — «Что — как же?» — говорю. «Тушенка!!!» — орет он. «Не видал», — говорю. «Как же ты, паршивец! И не стыдно тебе! Ведь сам вчера небось ел ее! Банки пустые за казармой сегодня нашли...» — «Не ел», — говорю. «Ел!» — кричит Бебешев. «Не ел!» — говорю. «Ел!!» — «Перестаньте, — говорю, — меня мучить, я и сегодня-то не успел позавтракать — в штаб торопился. А если не верите — сделайте анализ». — «Что?! — Как его кондрашка не хватила, не знаю. — Анализ?!» — «Ладно, — вдруг обрывает его подполковник, — не кричите. — И смотрит на меня, а глаза его смеются. — Не знает он ничего. А если и знает, то все соображает, и нам его не сбить с толку. Правильно я говорю?» — доверительно обращается он ко мне. «Никак нет, тр-пп-п!» — говорю я. «То есть как?» — говорит он. «Не видел», — тупо говорю я. «Идите, Дрейфус», — устало махнул рукой подполковник.

Больше не работал я машинисткой — вернулся в свою бригаду. Лес валить. Мошкара, правда. Но зато костер, чаек, общество...

(Из «Путешествия к другу детства»)

1965

Перекличка
(Тошнота в прозе, или Ответ В.Марамзину)

Не дорого ценю я громкие слова...
Пушкин

Я хочу, чтоб к штыку приравняли перо...
Маяковский

И вот еще: берегите свое здоровье! Вы —
нужны...
Марамзин

Сарж?.. Я тебе сейчас такой сарж нарисую —
век будешь помнить!
Конферансье

Живу? Ничего живу. Работаю. Онанизмом занимаюсь не чаще раза в неделю.
Кухарский

30.XI.65
Заходил к Люсе — не дала.
Приходила Зоя — чуть не изнасиловала.
Ночью вспоминал Зою и трижды кончил.
Дневниковая запись

В доме Н.С.Лескова в г. Орле помещается го-
родская лаборатория по анализам кала и мочи.
Историческая справка

Прервем заседание. Слышите: ветерок? Повеяло?..
Довольно спорить. Встанем и постоим, затаив дыхание,
пять минут, прислушиваясь к шорохам. Что за литература

предстанет перед нами, выплывет, неясная, как кусты в утреннем тумане, и глухо завозится в неразличимых углах? Нечистыми пятнами начинает прорисовываться новое утро нашей литературы — не то день, не то ночь. То самое утро, ради которого...

Справедливости ради поговорим о суровой борьбе, о тех трудностях и невзгодах, которые выпали, о той миссии и роли, которые надо вынести... и это — как же! — выпало на нас. Нас немного, но ряды наши ширятся и растут. Мы разбухаем понемногу. Тихо посвистывает в бронхах — отмякают засушенные ткани за счет повышенной влажности балтийских берегов. Вздымается грудь.

Вот стоит перед нами последний призыв, бескорыстное ополчение. Вот они стоят, бравые, пошевеливая ребрышками. В неумело закрученных обмотках, в сапогах не по размеру, подслеповато и очумело щурятся из-под толстых очков, и последний мамин вязаный шарф все лезет из-под гимнастерки. Приравняли к лопате перо, крепко сжимают черенки — ать-два, последний оплот, ой-ой, врагу не сдается... Стоят, еще не вполне проснувшиеся, ежатся и стынут, топчутся, переминаются. Трепет, шепот, лепет... В бой, ребята! Половина играет марш, половина роет братскую могилу. Все обеспечены кооперативными могилами? Сложимся, но пай внесем. Запе-вай! По-прежнему вакантно место первого. Кто первый? Кто умер первым? Ло-жись! Сделайте ему голову повыше! Так... Кто следующий?

По порядку номеров рассчитайсь!

Бросим короткий и беглый взгляд, с легкой судорогой отметим каждого, ни на ком не задержимся.

Если армия состоит из взвода, то взводный — генерал...

Был Битов, гневливый п....страдалец, пьяница-неудачник, философствующий камень, он долго держался, но он уже покинул нас. Не будем говорить плохо о покойном, дадим ему последний шанс... Он и так очень занят: надо всех предупредить, что он еще не продался.

Команда! Не слышу команды!..

Вот новый вождь. Вот он, звонкий и сильный голос раннего П.....! Как отрывисты слова, как поблескивают кнопки и рычажки! Каждое поколение делает шаг вперед по сравнению с предыдущим. Сыновья делают шаг вперед отцов. Новое поколение, шаг впе-ред! Раз-два! Осторожней — тут ямка, могилка... Мы же сами ее только что вырыли!.. Прыгай! Ах, командир... Блестящ, хорош, таким и должен быть. В командире что самое главное? Четкость. Вот герметическая емкость для отбора беспроигрышных мыслей, а вот шкала трезвости, никелированный нуль отсчета, териленовая изоляция на рукоятках, все новейшие достижения промышленной эстетики и эстетической промышленности, телефон Ж 2-51-24. Можно позвонить при случае. Набираем, включаем... Ай-яй, короткое замечание! Не туда подсоединили. Не в ту сеть, не в ту дыть воткнули. По ошибке запрограммировали душевные атавизмы. Приступ духа — полетели предохранители. Душевное дилетантство — исключить за программы! Не выдержали пробки — поставим жучка. Искры сыпятся, трещит, но пока действует. Сгореть все равно не успеем — ладно.

А вот — ряды...

Кто же все-таки пишет за нас? Исключительно бабы. Может, это немножко стыдно? Ну и что ж. Не до мысли — была бы жизнь. Тут у них преимущество. За отсутствием органа для письма... карандашики у них не отточены, пишут пуговкой, зажав в кулачке, прикусив язычок. Елозят, ползут толстые буквы, неровные — о чем всё это? — но пишут, отдадим им должное. Слабость к женщинам — сохраним ее, нашу последнюю силу и достоинство! Так ползут с переехаными ногами, как они пишут. Оставляя месячные полосы крови и теряя тампоны. Ай-яй, опять попалась!.. Чей? Мой? Нет, нет и нет! Вот они, женский батальон, отчаянные, с черепами на рукавах... Да нет, не помада — ручной пулемет! почем брали? Как перекрутила их литература! Как отдыхает на них взор! Комсомолки наши, героини — Д......, П......., К........ — полюбим наших женщин! если сможем... Пожалеем их мужей, но отдадим должное мужеству — ползком, ничком, рачком, аборт за абортом — они пишут титьками, всем телом, катаются и воют. А мужчин все нет среди писателей, как нет писателей среди мужчин...

Потому что — что же? Вот еще М....... пишет... Но почему? Потому что тоже пишет п.....ю. Но, Боже, до чего же он как женщина непривлекателен! В добрые старые времена на нем можно было нажить состояние, возя по деревням как женщину с бородою... А он письма пишет... обнаруживается. Как заманчива вакансия! как легко быть у нас первым!..

Впрочем, оставим счеты — все друг с другом жили... У всех не очень получилось. Разработаем емкий жанр надгробных надписей. Не надо обойм... Кто еще не жил с вдовой командира? Кто еще не жил с П...........?

Вот он сидит в углу, неудовлетворенный, перебирая в ширинке свои два таланта... Посмотрите, ведь он горбун!

Вот И....., духовно исключивший из себя нежизнь, остался плоским сухим лепестком своего хохолка меж страниц толстой ненужной книги... Жизнь толщиной в микрон.

Вот Щ......., всеобщий баловень и любимец, духовно задавивший П......

В...., милый... Сережа, о Сережа!!.. Что же это ты? Чик-чирик! Ку-ку! Перышки... Привет Нине.

Р....., мягкий меховой Р....., крашеная собака, смотрит на всех печальным, почти человеческим взором — только что не говорит. Ай-яй, как бы написать не похуже, как бы не оторваться от ведущей двойки... четверки? семерки?

Г........, Олежка, милый! Ремеслуха, шпана, блудливый подмастерье... Не пробуй с козою — займись насекомоложеством. Так им и надо, Олежка, не обращай внимания. Все равно сгниешь. Прекрасный тухлый воротничок на шее, черное дымящееся мясо с зеленоватым отливом — смакуй, маленький! Пробуй...

Б........, Г....., важненькие и чистенькие, извините!..

Шеф, тихий гений... искренне жаль, очень нехорошо получилось, развожу руками, что поделаешь... Ну, ты-то хоть пиши! Попиши, попиши еще, сколько сможешь... Давайте не скажем ему злого слова. Да продлится счастье твоего тихого и гениального графоманства!

Кого еще не перечислили, не причислили? Обошли, обидели?

Вот они, цемент, сомкнутые ряды, обволакивают вас, отдельных, с собачьей преданностью и требовательностью заглядывают в глаза литературе, забегая, попискивая и потряхивая отдавленными лапками...

Что бы я хотел сказать молодежи, посвятившей себя литературе?

А пошли вы все на ...! Больше не прибавишь.

О Р..! Тыщу раз прав. Пускай пузыри в своей норе. Ты один торчишь на этой площадке, переросток и сирота. Ты-то хоть загнешься в человеческой последовательности.

Р.., Р..! Ужели больше ты не царь?..

Е.....! Е...... пропустили!! Где Е.....?!

Я! Расчет окончен.

Здорово, орлы!

Смир-но!

Ах, бесенята! Распрыгались... К ног-тю!

Так и будет.

Вот стоим мы на краю, опираясь на черенки, и слегка смотрим вдаль. Темный зев дрожит и дышит нам в лицо своим теплом, и последний лист, медленно кружа, тихо спускается туда. Мы провожаем его взглядом. А на свежие кучи земли ложится оторочкой, воротничком первый легкий снег, седина.

Чего разрылись?

Заройтесь!

Не смотрите на меня — я вся голая... Вон я корчусь червячком могильным на самом дне. Заройте. Дайте спать. И — видеть сны. Листок слетел на меня и прикрыл. И ладно.

Прервем заседание. Слышите: ветерок? Опять повеяло.

Не спорьте — все хороши. Встанем и постоим, затаив дыхание, пять минут, лицезрея этот дымящийся шмат. Гнойничок. Баночку с консервами ненависти, наконец вскрытую. Припишем это поношение короткому взгляду автора на жизнь, простим ему этот приступ остервенения, этот неуместный пафос гниения и не будем расспрашивать и уточнять.

Просто постоим молча и скорбно на краю.

Прокричит петух — ударит колокол.

Нет, о Боже!

Пробьют куранты, и прозвенит звонок.

30 ноября, Переделкино

Примечания

1. Автор был не совсем здоров. Он проснулся совершенно один в своей постели вдали от родного дома. Он проснулся внезапно и сразу, в шесть утра, чего с ним раньше никогда не бывало. Он проснулся, потому что ему приснился дурной сон. Ему приснилось собрание близких и дорогих ему друзей, похожее на многие подобные собрания, на которых прежде он часто бывал. Это было обычное собрание, и тем не менее во сне оно показалось ему страшным, и он проснулся в ужасе и холодном поту. В сомнамбулическом состоянии он написал этот текст, явно не отдавая себе отчета.

2. В эти дни в его родном городе проходила конференция молодых писателей, на которой были все его прежние друзья, но об этом он не знал, когда ему приснился сон. Тогда же он внезапно подумал с нежностью об одном человеке, с которым находился в долгой и серьезной размолвке, простил ему все и сам почувствовал себя виноватым, а в это время этот человек бился в метро головой о мрамор и кричал: «Люди!» — и его увозили в психиатрическую больницу. Таким образом, тут были телепатические моменты на расстоянии.

3. Автор поначалу был твердо намерен послать это письмо. Он хотел послать его убежденно анонимно. «Пусть узнают по стилю», — думал он. Потом он решил, что анонимно — нехорошо, но посылать, подписавшись, тоже не хотелось. Тогда он придумал, что этот текст будет послан некоей женщиной, которой он принес много горя. Якобы она, сама настрадавшись от автора, как никто другой, хочет открыть глаза его друзьям на его истинное лицо и подлинное его к ним отношение. Якобы она случайно прочла, и у нее волосы встали дыбом, и она стала искать адрес Марамзина, но не нашла. Но зато нашла адрес Ефимова. «И.Ефимову для В.Марамзина» — должно было быть написано на конверте. «Пусть знают. Пусть не подают руки...» — радостно думал автор. Но пока он искал соучастницу для того, чтобы та переписала заготовленный им сопроводительный текст, он, частично по тому, какими гла-

зами на него смотрели женщины, которым он пытался изложить суть своей затеи, стал задумываться над характером своего действия. Ему стало ясно, что он находится в нездоровом состоянии и не вполне отвечает за свои поступки. Иначе как бы он додумался до всего этого и стал бы писать на себя анонимки? От этого сознания ему стало страшно и весело. И ему уже было не до письма, и он подзабыл о нем.

4. Теперь он его обнаружил. Теперь он снова дома. И ему вдруг показалось, что он имеет основание ознакомить с этим документом людей, в нем упомянутых. Он решил ничего не менять в этом тексте и ничего не добавил из дополнительных соображений и наблюдений, возникших за последние месяцы.

5. Автор надеется, что значительная часть этих имен останется в истории литературы. Иначе это письмо бессмысленно. Иначе оно мелко и даже незло*.

---

* Много лет спустя решившись на публикацию этого текста, в самую последнюю минуту автор все же заменил фамилии точками. Кому надо — те узнают. И себя, и других. — А.Б.

1966

Япония

(Московский роман)

...Утро было прекрасное. Солнце сияло. Мы ехали по широкому лугу, по густой зеленой траве, орошенной росою и каплями вчерашнего дождя. Перед нами блистала речка, через которую должны мы были переправиться. «Вот и Арпачай», — сказал мне казак. Арпачай! наша граница! <...> Я поскакал к реке с чувством неизъяснимым. Никогда еще не видал я чужой земли. Граница имела для меня что-то таинственное; с детских лет путешествия были моею любимою мечтою. Долго вел я потом жизнь кочующую, скитаясь то по югу, то по северу, и никогда еще не вырывался из пределов необъятной России. Я весело въехал в заветную реку, и добрый конь вынес меня на турецкий берег. Но этот берег был уже завоеван: я все еще находился в России.

А.Пушкин. «Путешествие в Арзрум во время похода 1829 года», глава вторая

ТОЙО-АСИ-ВАРА-НО-СИ-АКИ-НО-НАГА-И-ХО-АКИ-НО-МИЗУ-ХО-НО-КУКИ*

Русские писатели о Японии

По улице шел сын моих родителей, но не мой брат. Увидел маленькую лошадку. И понял, кто он. (*Шарада*)

* Первая и последняя страница романа. — *А.Б.*

Соответственно небольшому росту, не велик и средний вес японца — всего 3 пуда 17 фунтов, тогда как средний вес немца составляет 4 пуда 3 фунта (с.27).

В японце мы находим малопонятное для нас сочетание артистичности натуры с отсутствием чувства личности. У нас артистическая натура неразрывно связана с сознанием своей индивидуальности, своей личной особности и своей личной самоценности, но у японцев сознание особности и мерило ценности прилагаются, по-видимому, к индивидуальности не личной, а собирательной, каковою является нация. И это чувство национального самосознания обостряется до болезненности, так как его гложет червь сомнения: в глубине души своей японцы не могут не сознавать, что культура их всегда питалась чужими соками, что при своеобразной физиономии она не имеет самобытной основы.

Г.Востоков (359—360)

Пока Япония действует сама по себе, она представляется просто честолюбивою и воинственною нациею, похожею на Англию... (361)

Во всех других странах государь вышел из народа, тогда как в Японии, напротив того, народ имеет честь происходить от государя, который непосредственно происходит от богов... Поэтому, хотя в других странах небезызвестны чувства благоговейной любви к родителям и к отчизне, но чувства эти все же не достигают такого высокого уровня, как в Японии... (256)

Профессор философии в Токийском ун-те
Инуйе-Тецуджиро, 1898

АЗ-БУКА

Блекнут краски, исчезают ароматы,
Что вечно, что прочно в этом мире?
День тонет в глубине бытия
Как смутная греза оцепенелой мысли.
И-ро ва ни-во-ве-то абвггдее

119

...смешение костюма европейского с японским. Женщины в этом почти неповинны, но встретить на улице японца в пиджаке с голыми ногами и в блестящем цилиндре — явление нередкое, особенно в тех городах, где европейское влияние сказалось резче обыкновенного: в Токио, в Кобе. Один только предмет удостоился внимания японских дам: это наши зонтики, которые почти совершенно вытесняют в городах зонтики японские.

Востоков (323)

Первичным, сигнальным фактором, осуществляющим приход птицы в миграционное состояние, является продолжительность светлой части суток (длина дня). По длине дня организм животного точно устанавливает ту или иную дату. Такая фотопериодическая регуляция может быть проверена в простейшем опыте: если птицам, содержащимся зимой в клетке, регулярно продлевать длину естественного дня искусственным освещением, они задолго до наступления весны придут в состояние подготовки к миграции.

В чем же заключается такая подготовка? Ведь птицам предстоит пролететь громадные расстояния, причем, в ряде случаев, делать броски через местности, непригодные для кормления: пустыни, моря. Разумеется, в организме должны произойти изменения, обеспечивающие его энергией особого рода. Эти изменения происходят в углеводном и жировом обмене и приводят к тому, что в теле птиц откладываются энергетические запасы в виде жира. У очень многих птиц вес тела во время миграции на 20—40 процентов выше обычного, почти треть и даже половина веса приходится на жир. В последнее время подсчитано, что в полете птица тратит в 2—4 раза больше энергии, чем обычно<...>

Однако само по себе накопление жира — не причина возникновения перелетного состояния.

<...> Сообщения о находках колец в других странах дали нам возможность обрисовать районы зимовок улетающих от нас птиц. Так, зяблики зимуют в юго-западной Европе, от Парижа до Гибралтара, чижи — в основном в Италии и по берегам Средиземного моря, скворцы — преимущественно в Англии, желтые трясогузки и чеканы — в

тропической Африке. Оказалось, что и самые маленькие птички наших лесов — корольки, многих из которых всю жизнь можно встретить в наших краях, также улетают: окольцованные нами корольки найдены в юго-восточной Франции.

Обычно скорость перелета мелких птиц — от 60 до 150 км в сутки. Однако отдельные особи совершают миграционные броски очень большой протяженности. Так, один певчий дрозд на второй день после нашего кольцевания был пойман в Бельгии, а один зяблик за двое суток достиг северной Франции.

В.А.Паевский? «?.. ?..»

...И сейчас же просыпаются чувства, каких «за границей» не бывает.

Вот, например, что бы ни сделал человек в России, его всегда прежде всего жалко. Жалко, когда человек с аппетитом ест; жалко, когда растерявшийся немец с экземой на лице присутствует при жаргонной ругани своего носильщика с чужим; жалко, когда таможенный чиновник, всю жизнь видящий проезжающих за границу и обратно, но сам за границей не побывавший, любезно и снисходительно спрашивает, нет ли чего, откуда и куда едут...

Все это — бедняги и жалкие люди, и нечего с них спросить, остается только их пожалеть...

А.Блок. «Молнии искусства» (Wirballen)

ЛЕНИН О ЯПОНИИ

...чтобы в цензурной форме пояснить читателю, как бесстыдно лгут капиталисты <...> по вопросу об аннексиях, <...> я вынужден был взять пример... Японии! Внимательный читатель легко подставит вместо Японии Россию... (22/176)

(«*Империализм как высшая стадия капитализма*»)

То же самое относится — и еще в гораздо более сильной степени — к России, Англии, Франции, Японии. (21/264)

...ибо всякий не сошедший с ума человек видит, что Япония не отдаст Киао-Чао... (24/479)

...при помощи Англии и Франции разбить Германию в Европе, чтобы ограбить Австрию (отнять Галицию) и Турцию (отнять Армению и особенно Константинополь). А затем при помощи Японии и *той же* Германии разбить Англию в Азии, чтобы отнять *всю* Персию, довести до конца раздел Китая и т.д. (23/115—116)

...французы <...> говорят то же самое, лишь помягче, золотя пилюли, но по существу все-таки отказываясь больше давать взаймы, советуя <...> заключить мир и с Японией и с русскими <...> либералами. (8/243)

Европа нисколько не закрывает глаз на то, что мир с Японией может быть куплен теперь лишь очень дорогой ценой, <...> что каждый новый месяц <...> неизбежно повышает эту цену и увеличивает опасность... (8/450)

Не только японцев не может догнать «обновляемая» таким *способом* Россия, но даже и от Китая, пожалуй, она начинает отставать. (17/21)

Да, сейчас Япония не может решиться наступать целиком, хотя она, имея миллионную армию, заведомо слабую Россию взять бы могла. Когда это будет, я не знаю, и никто не может знать. (27/333)

ЛЕВ ТОЛСТОЙ О ЯПОНИИ

Пытался писать, не идет. Получил от Ал. письмо нехорошее. <...> Носил, носил записочку с мыслями и потерял. Помню только, что записано было: 1) то, <что> когда видишь много людей новых, таких, каких никогда не видал, хоть где-нибудь <в Африке>, в Японии: человек, другой, третий, еще, еще и конца нет, всё новые, новые, такие, каких я никогда мог не видать, не увижу, а они живут такой же <эгоистичной> своей отдельной жизнью, как и я, то прихо-

122

дишь в ужас, недоумение, что это значит, зачем столько? Какое мое отношение к ним? <Неужели я не видал их, и они мне чужие? Не может быть. И один ответ: они и я одно. Одно и те, которые живут и жили, и будут жить, и я живу ими, и они живут мною.>

Л.Толстой. Дневник, 3 февр. 1892 (Т.52, с.62)

Европейские народы, забыв Христа во имя своего патриотизма, все больше и больше раздражали и научали патриотизму и войне эти мирные народы и теперь раздразнили их так, что действительно, если только Япония и Китай так же вполне забудут учение Будды и Конфуция, как мы забыли учение Христа, то скоро выучатся искусству убивать людей (этому скоро научаются, как и показала Япония) и, будучи бесстрашны, ловки, сильны и многочисленны, неизбежно очень скоро сделают из стран Европы, если только Европа не сумеет противопоставить чего-нибудь более сильного, чем оружие и выдумки Эдиссона, то, что страны Европы делают из Африки. «Ученик не бывает выше своего учителя; но, и усовершенствовавшись, будет всякий, как учитель его» (Лука, VI, 40).

Л.Толстой. «Патриотизм или мир?» (Т.90, с.52)

Японец читал gospel in brief и пишет, что она объяснила ему смысл жизни и что он теперь едет домой в Японию с тем, чтобы там провести в жизнь свою и других свои убеждения <...>. Всем, очевидно, доступна и нужна одна и та же истина.

(Т.88, с.46. *Письмо к В.Г.Черткову от 8 авг. 1897*)

Жалею, что не мог соединить в статье отношения к Японии такого же, как и России. Не мог одолеть этого.

(Т.88, с.321. *Черткову 17 апр. 1904*)
(О войне — Одумайтесь!)

Папа велит благодарить вас за книги и сказать, что книга об Японии очень интересна.

(*Приписка Т.Л.Сухотиной к письму Черткову от 4 сент. 1905. Т.89, с.22*)

...Посол Резанов, уполномоченный заключить торговый союз с Японией, <...> вел себя крайне бестактно. «В рассуждение нетерпимости японцами христианской веры», он запретил экипажу креститься и приказал отобрать у всех без изъятия кресты, образа, молитвенники и «все, что только изображает христианство и имеет на себе крестное знамение». <...> Резанову на аудиенции было отказано даже в стуле, не позволили ему иметь при себе шпагу и «в рассуждение нетерпимости» он был даже без обуви. И это — посол, русский вельможа! Кажется, трудно меньше проявить достоинства. Потерпевши полное фиаско, Резанов захотел мстить японцам. Он приказал морскому офицеру Хвостову попугать сахалинских японцев, и приказ этот был отдан не совсем в обычном порядке, как-то криво: в запечатанном конверте, с непременным условием вскрыть и прочитать лишь по прибытии на место.

...Кстати, это письмо может дать понятие о тех успехах, какие делают в короткое время молодые японские секретари при изучении русского языка. Германские офицеры, изучающие русский язык, и иностранцы, занимающиеся переводом русских литературных произведений, пишут несравненно хуже.

Как-то утром, когда дул норд-ост, а в квартире было так холодно, что я кутался в одеяло, ко мне пришли с визитом японский консул г. Кузе и его секретарь г. Сугиама. Первым долгом я стал извиняться, что у меня очень холодно.

— О нет, — отвечали мои гости, — у вас чрезвычайно тепло!

И они на лицах и в тоне голоса старались показать, что у меня не только очень тепло, но даже жарко, и что моя квартира — во всех отношениях рай земной.

...в апреле, когда шла сельдь и от необычайного множества рыбы, китов и тюленей вода, казалось, кипела, между тем сетей и неводов у японцев не было и они черпали рыбу ведрами... По всей вероятности, эти первые японские колонисты были беглые преступники или же побывавшие на чужой земле и за это изгнанные из отечества.

Японская вежливость не приторна и потому симпатична, и как бы много ее ни было перепущено, она не вредит, по пословице — масло каши не портит. Один токарь-японец в Нагасаки, у которого наши моряки офицеры покупали разные безделушки, из вежливости всегда хвалил все русское. Увидит у офицера брелок или кошелек и ну восхищаться: «Какая замечательная вещь! какая изящная вещь!» Один из офицеров как-то привез из Сахалина деревянный портсигар грубой топорной работы. «Ну, теперь, — думает, — подведу я токаря. Увидим, что он теперь скажет». Но когда японцу показали портсигар, то он не потерялся. Он потряс им в воздухе и сказал с восторгом: «Какая прочная вещь!»

ВАН ГОГ О ЯПОНИИ

На юге следует оставаться, даже если жизнь здесь дороже, и следует вот почему: кто любит японское искусство <кто ощутил на себе его влияние> — тому есть смысл отправиться в Японию, вернее сказать, в места, равнозначные Японии. (500)

Поэтому произведения японского искусства в собственном смысле слова, которые уже разошлись по коллекциям и которых теперь не найдешь и в самой Японии, интересуют нас лишь во вторую очередь. (511)

Скажи я какому-нибудь *серьезному* любителю японцев: «Ничего не могу поделать, сударь, меня восхищают эти оттиски за 5 су», — он, более чем вероятно, был бы немного шокирован и пожалел бы о том, что я так невежествен и что у меня такой дурной вкус. (542)

ПУШКИН О ЯПОНИИ

...Кыргызова с главными сообщниками казнили смертию, других кнутом <...> Козыревского с 55 казаками и двумя

пушками послал Колесов на Большую реку строить суда <...> *проведывая новых островов и Японского царства.*
(«*Заметки при чтении "Описания Земли Камчатки"*»)

В том же <...> году пятидесятник Штинников взят под стражу за убиение японцев, бурею занесенных на камчатские берега. (Смотри пространную повесть о том IV—222 в примеч.)

Там же

Казнь оная была еще первая в мире и в своем роде, и неслыханная в человечестве по лютости своей и коварству, и потомство едва ли поверит сему событию, ибо никакому дикому и самому свирепому японцу не придет в голову ее изобретение; а произведение в действо устрашило бы самых зверей и чудовищ.

Статья «Собрание сочинений Г.Кониского»

Япония
(Московский роман)

> Когда все движется одинаковым образом,
> тогда ничто, по-видимому, не движется: как,
> например, на корабле. Когда все стремятся к
> беззаконию, это стремление не заметно ни в
> ком. Кто останавливается, тот дает заметить
> *заносчивость* прочих, как неподвижная точ-
> ка.
>
> *Паскаль*

1966 — 19??

В Японии книги читаются в ином, чем у нас, порядке, и наша последняя страница
в Японии будет первой. — *А.Б.*

1967

Попугайчики

(Антитезис)

Я завираюсь. Я ловлю себя на том... Я все время ловлю себя за руку, однако продолжаю писать, как непойманный. Я ворую у самого себя невозможность каждой следующей страницы, с тем чтобы написать ее. И тут же ловлю себя на слове. Ловлю и отпускаю, кошки-мышки... Пиша, как не солгать? Обнаружив ложь, как не отшвырнуть перо? (Вот опять... Откуда же перо взялось? Когда машинка...)

Однако я забиваюсь в узкую щель...

Эта глава вся состоит из ряда путаных и непереваренных впечатлений, непереваренных в буквальном смысле, потому что не может человек переварить столько мяса и травы — даже зубы постоянно ныли от усталости... А пищеварение, от кого-то я слышал, тесно связано с головой. Это к вопросу о «богатстве», недавно затронутому.

К тому же и грипп, привезенный с Севана. Кому не приходилось простужаться на юге, тому этого не объяснишь. Жара, озноб; острый как бритва свет и скрежет чужой речи... Что может быть унизительней, чем неудержимо чихать на залитом солнцем, заваленном солнечными плодами, иноязыком и горячем \базаре? Где моя национальная гордость, наконец?..

Она как насквозь мокрый носовой платок в кармане.

Всего этого более чем достаточно, чтобы ощутить себя несчастным.

Ничто, наверно, так не будит чувства родины, как обык-

128

новенный насморк на чужбине. «Ностальгия аллергика» — непристойный, чувственный, пышно распускающийся бутон...

Мы приглашены на арбуз. Об этом, кажется, была речь еще позавчера, так что это мероприятие. Для проверки ряда размышлений и догадок мне бы очень хотелось знать, имело ли бы место это мероприятие, если бы не мой приезд в Армению? То есть собрались ли бы все эти люди есть арбуз и без меня или они собрались все вместе за арбузом исключительно ради меня, точнее, благодаря мне? Со мною, из-за меня, ради меня или благодаря мне? Но этого я, по-видимому, никогда не узнаю... Целый день мы катались по Еревану из конца в конец, прибавляясь по одному, чтобы осесть всем вместе у нашего общего, еще одного, друга вот на этой верандочке, выходящей во дворик-садик. А в садике перед самой верандочкой стоит огромная клетка с волнистыми попугайчиками, этими странными разноцветными птичками, выведенными людьми по каким-то их сокровенным представлениям о безоблачном счастье и радости...

И вот мы сидим. Мы сидим тут уже целую вечность — мы сидим тут всегда. Нарды, арбуз, попугайчики!.. Не знаю, в какой последовательности о вас поведать и какую извлечь из последовательности мысль.

Мой друг играет с хозяином в нарды, а их друзья смотрят, как они играют. Это им никогда не надоест... Я не могу сказать, что никому нет до меня дела, но, если бы и было, никто не знает, что со мной делать. От попытки понять игру в нарды я отказался, вернее, отчаялся понять, и меня остается только кормить арбузом. Как всегда — кормить... Что со мной еще делать?

Арбузами до потолка завалена соседняя комната, и у меня такое впечатление, что мы призваны все их съесть прежде, чем уйти, потому что игру в нарды нечем остановить, как отсутствием арбузов. А их еще много. Арбуз — это не плод, как все считают, и не ягода, как его объяснили в школе, арбуз — это мера времени, приблизительно полчаса. В соседней комнате гора высотой с неделю... Как бой часов с репетицией — кто-нибудь роется в этой горе и долго выбирает два арбуза, один час, потом выносит их и заряжает ими холодильник взамен съеденных.

Значит, мы играем в нарды и едим арбуз. Рассказано это по очереди, но происходит одновременно. Арбузы выбираются, остужаются, разрезаются и съедаются. То есть съедаются уже давно остывшие арбузы, так что последовательность иная: арбузы разрезаются, съедаются и остужаются. Опять не так. Расставьте сами.

В одной руке у меня доля арбуза, в другую интеллигентно сплевываю косточки, и тогда я чихаю... Я кладу ломоть на перильца так, чтобы он не перевернулся, и он переворачивается, а зерна сую в карман, чтобы достать платок... О, этот платок с налипшими арбузными зернышками! Мне хочется плоско-плоско лечь на полу и чтобы по мне пустили петушка поклевать мою прорастающую травку...

Все-таки очень многого не знал я еще в этой жизни!

Например, такого количества попугайчиков. Вряд ли это характеризует страну Армению. Но что я могу с ними поделать? Их было пятьдесят, не меньше. И все они галдели, и разноцветный их шум рябил в глазах, бесподобный по яркости, громкости, наглости и великой отрешенности от всего прочего мира, до которого им не было никакого дела. И все они целовались с какой-то непристойной торопливостью и деловитостью. Их разноцветные любовные треугольники и многоугольники, не обремененные моралью и не отягченные Фрейдом, создавались и распадались с такой же мгновенностью и легкостью, как в калейдоскопе: любовь их была воздушна и геометрична. Они были деятельны в любви, какая-то направленность была в их вращении: по-видимому, каждому перецеловаться со всеми, чтобы всем перецеловаться с каждым и поскорее начать все сначала, по следующему кругу. По времени, измеренному моей злостью, один их круг совпадал с одной партией в нарды. И пока расставлялись шашки для следующей игры, хозяин уходил к холодильнику, доставал остывший арбуз, вскрывал его с поразительным изяществом и проворством и раздавал зрителям ровные и красные доли, симметричные, как витринные муляжи... «Как галдят!..» — ласково улыбаясь и принимая арбуз, кивнул я в сторону попугайчиков. Я сказал это просто так, из вежливости, чтобы он не думал, что мне чего-нибудь не хватает... Но — не следует быть дипломатом! Хозяин понял меня по-своему. «А... — сказал он сокрушенно и виновато, словно извиняясь за неприличное их поведение. — Очень глупые птицы!» С этими словами он взял здоровую палку и треснул по перильцам рядом с клеткой. Удар получился звонкий, как выстрел. Хозяин улыбнулся мне сконфуженно — мол, всё с этим безобразием — и отошел к нардам. «Вот и о попугайчиках не поговоришь...»

Это было, конечно, эффектно: одним движением обрезать столько натянутых в разные стороны разноцветных ниточек их голосов и столько же прозрачных ленточек их движений! Это казалось невозможным — так мгновенно, одновременно и поголовно замереть и замолчать. Попугайчики остановились во времени, не только в пространстве — так казалось. Шок, летаргия, соляной столб, сомнамбула, седьмая печать... не знаю, с чем сравнить чистоту и абсолютность их остановки. Впрочем, и я ведь настолько не ожидал этого удара, что замер, как попугайчик.

Господи! Мир! Чем мы лучше? Не так ли и мы замрем, когда очередной ангел снимет с книги очередную печать! Не висит ли наш покрашенный в синее, желтое и зеленое глобус где-нибудь на ниточке в твоем саду? Может, земля — арбуз с какого-нибудь твоего райского древа? Не забыл ли Ты о нас, задумавшись над очередным ходом в свои галактические нарды? А мы разгалделись... Лучше не вспоминай. Люблю Тебя, Господи, и надеюсь, что это взаимно, как поется в песенке...

Попугайчики все еще не опомнились. Они замерли так искренне, что, наверно, забыли, что они живые, и решили, что умерли... Милые глупые птицы! Как же им не подумать, что они совсем исчезли, если самих себя они не видят, а в движении и любви перестали себя обнаруживать? (Даже не моргают... Какое большое размытое пятно видят они вместо нас перед собой?) Пятьдесят маленьких чучелок — только сейчас их и можно разглядеть. У них не наблюдается внутренних противоречий, но наблюдаются внешние: стройные тельца — и непонятная щекастость и толстомордость; солидность и благопристойность, даже чиновность, чичиковщина какая-то в лице — и такое легкомыслие!.. Как с такой благочинной внешностью столь открыто предаются они люб-

131

ви? Даже непонятно. Словно это их служба. Любовь в мундирчиках...

Но вот ожил первый — Адам, — покрутил головой: ничего, а главное — можно! позволено жить. Затем другой... И вся клетка начала медленно просыпаться с той же постепенностью, как делаются в нарды первые стандартные ходы, прежде чем определится отличие и начнется партия. А через несколько секунд Адам уже возродил новое человечество: крик, любовь, измены — содом! А партия подходит к концу, хозяин достает новый арбуз, потом берет в руки палку, заодно пользуется случаем улыбнуться гостю, то есть мне, и... Ах, не могу!

Я решительно не понимаю, кто с кем проводит время: я — с ними? они — со мной?

Нарды, арбуз, попугайчики. Час, другой, третий... Расстановка шашек, первые ходы, игра. Разрезать арбуз, раздать доли, съесть арбуз. Рождение попугайчиков, жизнь попугайчиков, смерть попугайчиков. Четвертый, пятый, шестой. Арбуз, улыбка, удар. Мысль о нардах, мысль об арбузе, мысль о попугайчиках. Время, где ты?

Я заперт, я в клетке. Каждый день меня переводят из камеры в камеру. Питание хорошее, не бьют. Сколько времени сижу, не знаю. По-видимому, скоро придет приговор. Не знаю, увижу ли тебя, родная...

Я в клетке — на меня все смотрят. Нет, это они все смотрят на меня из клетки! А я-то как раз снаружи! Всех обманул...

Меня посадили в яму времени. Девочка с пением уже сбегает с гор, несет мне свой кувшин... Кавказский пленник. Узник находит однажды в кармане затерявшееся арбузное зернышко... Сажает. Ждет ростка. Росток — это те же часы: он распустит листья и затикает вверх, вверх.

Безвременье мое проросло наконец. И что́ бы я понял, что́ увидел, если бы не сумел тогда, в одной клетке с попугайчиками, постичь, что кроме моего существует иное, их время? Если бы тогда я не сумел отказаться от своего времени, не махнул бы на него рукой, не было бы у меня времени в Армении, а были бы часы, сутки, килограммы, километры непрожитого, пропущенного, действительно по-

терянного времени, взвешенного на браслетках, будильниках и курантах.

Только потеряв свой будильник, мог я прожить в настоящем времени несколько дней на чужой земле, а если непрерывно прожить в настоящем времени хотя бы несколько дней, то вспоминать их можно годы. Настоящее время относится к тикающему, по-видимому, так же, как время в космосе при скорости, близкой к скорости света (что-то из Эйнштейна), — к земному. Настоящее время мчится с субсветовой скоростью, оставляя глубоко под собою прошлое и будущее, навсегда привязанные, стыкованные, притянутые друг к другу до полной остановки.

Я хотел посвятить эту главку оговоркам. На полях моей рукописи, по краям моих славословий скопились стаи птичек, галок, нотабене. Они были черноваты и вытеснены из текста. Мне вдруг показалось, что они не помещаются, потому что я начал лгать. Потому что на самом деле все отнюдь не было так прекрасно, как я пишу. Мне казалось, что, совместив восторги с неудовольствием, я добьюсь правды повествования.

Куцая, козья мысль! Слава Богу, другая правда, из свиты истины, вынесла меня в настоящее время, подсказала мне то, что я не знал, и утвердила себя помимо моей неуклюжей воли.

И мне не надо тяжко потеть над реализмом черных страниц.

Оговорки оговаривают прежде всего того, кто их делает.

Да, у меня насморк, несварение, ностальгия, и я в плену собственных впечатлений. Самостоятельной правды нет ни в восторге, ни в неудовольствии. Также не добьешься ее, играя в диалектику и примитивно прикладывая их друг к другу.

Правда же и диктуется только правдой. И правда этой книги в том, что, дописав ее до середины, я обнаруживаю, что уже не в Армении и не в России, а в этой вот своей книге я путешествую. Пусть это даже некая фантастическая страна, домысленная мною из нескольких впечатлений по сравнению. Страна гуингнмов... И сам я новый Гулливер, лилипут, великан и сопливый йеху одновременно...

Я испугался, что забираю все более высокий и уверенный тон лишь для того, чтобы убедить хотя бы себя в том, что продолжаю следовать действительным событиям, когда я им уже не следую. Опыт подсказывал мне, что приблизительность речи может скрасться за модуляциями голоса, незнание — за интонированием, неуверенность — за апломбом... Что убедительным тоном говорят именно лжецы. О, как трудно быть объективным своими нищими силами!

Да нужно ли?

Эта книга — все-таки акт любви... Со всей неумелостью любви, со всей неточностью любви же... Кто сказал, что любовь точна?

Так пусть же все и остается, как написано.

Любовь не лжет. Лжет желание любви.

Любовь не взвешивает своих признаний на весах объективности, у нее нет ни колебаний, ни выбора между «да» и «нет», а есть граница между ними, как между верой и безверием. Это нелюбви принадлежат тяжкие усилия быть честной, справедливой и объективной, у любви нет этих затруднений. Итак:

«Радуйтесь, праведные, о Господе: правым прилично славословить».

(Из «Уроков Армении»)

1968

Виньетка*

Как же я напился в первый свой день на родине! Помню, что встретил на Арбате Рогожина, а дальше ничего не помню...

Проснулся, думаю, в Армении. Но смотрю: сарай какой-то странный, сам я одет и обут, а вместо чистой и тщательной постели, приготовленной руками жены друга или ее сестры, лежу это я на раскладушке, обернутый в тюремное одеяло. Глянул в окно: лужок, березы... Дома! Слава Богу!.. И напиться-то можно только на родине! — такова была моя первая, вполне патриотическая мысль.

Разулся я, побродил по мокрой траве, такой свежей, — какое счастье! Голова чуть меньше болеть стала. Кто бы мог подумать, что и пятки с головой связаны?.. Разыскал друзей, сразу двух, — они в другом сарае спали, — но Рогожина среди них не было. Бочаров и Чудаков были их фамилии... Как вы сюда попали? А ты как сюда попал? — ответили они мне. Где мы? Ладно, чего спорить, похмелиться бы...

Тут и Рогожин — как из-под земли. Все объяснил, хороший человек. Что мы не где-нибудь, а у него на даче. Это мы в сараях, а он в доме спал, с женой и дочкой. Тут же поскребли мы по сусекам: копейка да копейка — рупь. Рогожин, тот пустой стеклотары еще насобирал... Нагрузили это мы Чудакова, как самого молодого, и на велосипед посадили. Выехал это он по кривой из ворот на большую дорогу и уехал, казалось, навсегда.

---

* Этот текст из «Уроков Армении» публикуется впервые. Почему-то в издательствах его изымали — как до гласности, так и после. — А.Б.

Увидел я жену Рогожина — вышла она с дочкой на руках на крыльцо. Обрадовался я ей, заулыбался и руками замахал.

— Глаза бы мои тебя не видели! — сказала она, но дала мне полную кастрюлю щей. А щи, вчерашние, еще трезвые, — утром единственная возможная еда.

Тут и Чудаков, к счастью, припетлял на своем велосипеде. Правда, фару разбил, но сам цел и бутылки целые.

Фара же ни к чему — и так светло.

И вот сидим мы вчетвером, утро такое хорошее, пьем «Розовое крепкое» и щами из кастрюли поварешкой захлебываем. Понемножку и разговор пошел. У меня на душе — Армения, как ссадина. Смотрю на друзей и от любви плачу:

— Как же это — где русские? А мы кто такие? А вот мы где!

И действительно, сидят передо мной Бочаров, Чудаков и Рогожин — уж такие русские, дальше некуда. Волос — русый, нечесаный, глаза — все голубые, как на подбор, немножко красные с перепою, как у кроликов, и носы все — курносые, щетина же — рыжая. Такие красивые, не темные — светлые, и лица, как у детей, в точь такие. И вдруг слово забытое поражает меня — отрок! Это же все отроки сидят, кому за тридцать, кому за сорок, а лица-то — отроков. Нетронутые совсем. Никакой мужской побежалости на лицах их нет. Даже щетина кажется первым пушком.

— Отроки мы! — кричу. — Нет и не было на Руси мужчин. Одни пришлые. Псы-рыцари, да варяги, да французишки! Старцы еще были, а теперь нет, теперь старики... Раньше, значит, отроки и старцы, а теперь отроки и старики. Вот оно в чем дело-то!

Смотрят тогда они друг другу в лица, как в зеркала...

— А ведь верно! — говорят.

Тут Рогожин и гитару взял.

> Затерялась Русь в Мордве и Чуди,
> Нипочем ей страх.
> И идут по той дороге люди,
> Люди в кандалах.

И вот уже нет меня — счастье одно. Это я — «в кандалах», это я «кого-нибудь зарежу», а «сердцем — чист». Роняю слезы в щи.

Или:

> В горнице моей светло,
> Это от ночной звезды.
> Матушка возьмет ведро,
> Молча принесет воды...

Какое же поразительное уродилось на этой сырой земле слово! Русский человек — он весь в слове. Весь в слово вышел. В слове великое утешение и великая беда — слушаешь песню, гениальное слово — и растешь, и ширишься, и это уже твой гений, и словно из тебя исходит великое слово, и ты велик, действительно — велик! Оборвалась песня — шлеп на землю. Тупой, глупой, варежка. Выпить, что ли? Разве есть еще хоть один такой язык! Этот язык и есть наша родина, что за глупые вопросы!

> Но безмолвствует, пышно чиста,
> Молодая владычица сада:
> Только песне нужна красота,
> Красоте же и песен не надо.

До чего же хорошо поет сегодня Рогожин!

— Дудки! — кричу. — Есть мы, нет нас — какое кому дело! Мы всегда возникнем! — кричу я. — Просто у них нет больше истории. А у нас все еще история! Большая переменка между уроками истории, как сказал великий Юз...

И прочее безобразие.

До чего же удивительно русское слово — безобразие. Без образа. Образа нет.

Так и живу я в этом утре по сей день. На коленях кастрюля щей, слезы в щи капают. Передо мной три отрока русых и белокурых — летят три пичужки через три пусты избушки, за окном лужок и березы, белейшие, высоченные; небо над этим самое высокое, и патриаршая церковь на пригорке горит от ранних лучей, как печатный пряник... Гениаль-

137

ная песня, гениальные слова, гениальный певец и гениальные слушатели...

Слово — моя родина.

После уроков

Перемена

Все написал. Даже виньетку в конце пририсовал в виде первого русского впечатления. Так сказать, приехали... Думал — конец. Как раз нет. Тут-то все и начинается.

Пришлось мне мою «виньетку» вычеркнуть...

А ведь все так и было! Только прилетел — попал в объятия, и выпили мы славно, и поговорили на родном языке наконец. И со своим восклицанием о родине русской — слове — я до сих пор согласен. Но не стоило мне рисовать эту виньетку, не надо было ввязываться!

Ничего не сказать о возвращении — было бы неправильно, но сказать мало оказалось еще хуже, а если больше сказать — то сколько? И почему именно столько? Всего — не напишешь. И при чем тут тогда Армения окажется?..

Сразу же потребовалось оговориться даже по поводу этой сценки, потом уточнить оговорку и приписать еще сценку, чтобы объяснить уточнение... Подправить, добавить, уточнить. И снова объясняться, оговариваться, оправдываться. Все, как в «безумном чаепитии»: «Хочешь еще чаю?» — «Больше не хочу». — «А меньше хочешь?» — «Нет». — «Значит, хочешь больше?»

А потом вдруг, сразу же — взглядом не охватить, мыслью не обнять — так много... С чего начать? С этого? С того? Почему же с того?!

И мало — плохо, а много — еще меньше.

Наступает немота. Это — родина...

Даже описывать события, лишь как они происходили, лишь в естественной последовательности времени, — нельзя, оказалось, на родной земле, неправильно... И чуть ли не ложь. Словно все, что вокруг и сейчас, — это случайная и бессмысленная цепь, будто, может быть, и нет этого ничего,

138

что видится, а есть нечто главное, глубинное, чего так не видно, а надо *увидеть*. И вот когда увидишь — это и будет правда, только ее пиши! Родина. Немота.

Слишком уж был я опьянен естественной точностью и логикой нарастания впечатлений в Армении, слишком уж уверовал в метод. Казалось, продолжай так, день за днем, только бы не терять высоты, по инерции набранного чувства и мысли — и будешь забираться все выше и выше, и стройная твоя линия затеряется в облаках, так нигде и не погнувшись, не сломавшись... Но нет, тут была остановка и обрыв, а на краю обрыва стоял отчий дом. И это было уже не путешествие, где цельность и точность картин связана именно с их мимолетностью, а прозрение — с неведением... Сама твоя жизнь пододвинулась вплотную — и ничего не видно. Хочешь не хочешь — гляди ей в родное и вечное, опостылевшее и любимое лицо. И вид из окна не передвинется, и имя твое не переменится, мать и отец у тебя всегда будут те же и твоим именем тебя назовут, а лет тебе на этой земле не убавится, а прибавится. Тут другая логика, другой метод, иное течение речи. В движении — откуда взяться фантазии? Впечатления... А тут и фантазия заработает, как только приостановишься и постоишь с минутку на родном дворе. Ибо что может быть фантастичнее обыденности и банальнее новых впечатлений? Ибо тут уже иное качество любви и боли, иное качество знания — и как поведаешь в мимолетных картинках о том, что есть твоя земля, твой дом, твой язык — что есть ты? Тут и споткнешься, и замолчишь, и замычишь, крутя головой от бычьей бессловесной муки, с глазами, красными и кроткими от любви. Упрешься в забор. Родина. Немота.

А может, метод счастливо-легкий тот неверен и в отношении Армении, раз неверен он в отношении родины? Я пробыл в Армении десять дней — и написал книгу, а за десять тысяч дней пребывания в России — ничего подобного не написал.

Но это уже попытка точности с перебором, 101%, так сказать. Я не армянин, чтобы испытывать его немоту. Это первая оговорка, их — тьма...

Вот — другая.

Новая книга

Живая проза прорывает твое личное время и во многом предвосхищает твой опыт. Новая книга — это не только твоя жизнь, пока ты ее пишешь, и не только опыт предыдущей жизни, входящей в нее, но и — твоя судьба, твое будущее. Если бы автор только повествовал для читателя, ему было бы просто скучно, а скучая что напишешь? Дело в том, что если человек пишет, то он сам познает то, чего до этого не знал. Это его метод познания — писать. Гении, быть может, познают то, чего до них никто не знал. Прочие — заново открывают: для себя, для таких, как они, для времени. Человек, собственно, не дарит миру ничего нового, он считает новыми те вещи, которых раньше не знал и вдруг обнаружил в этом мире... Но они уже были до него, раз он их нашел. Это только он не знал об их существовании. А в мире нет нового и старого, потому что в нем *все есть сейчас*.

Так вот, написав книгу, автор неизбежно попадает в открытый мир. В процессе написания, пока он его еще открывает, ему кажется, что мир этот — более продукт его авторской воли, проницательности и фантазии, то есть личности, нежели реальный сколок заоконного мира. Этот обман называется вдохновением и существует для того, чтобы книга была дописана. Но как только поставлена точка, как только распахнута дверь — автор оказывается именно в том мире, который описал (раз уж это автор и если это — книга).

Сначала это ему льстит, потом всеобщность и распространенность «открытых» им законов его подавляет, и ему приходится учиться существовать в открытом им, поначалу таком сокровенном, мире и по его законам. Тут кончается романтика и начинается страх. Человек оказывается окруженным и блокированным созданиями собственного разума, и если про часть явлений, событий и героев он знал, что они есть в этом мире, и его поражает то, что их развелось больно много, пока он писал, то реальное существование другой и вымышленной им части потрясает его. Ему приходится убедиться воочию, что все так и есть, и заподозрить, что так оно и было, потому что иначе он может впасть в мистицизм.

И когда автор перезнакомится со всеми, кого сотворил, когда с ним начнут происходить события, которые имели место лишь в его книге, а не в его жизни, он замечется в поисках выхода — и это будет новая его книга.

(Слава Богу, я давно это заметил и старался без надобности не прибегать к острым сюжетным поворотам, как-то: тюрьме, войне, смерти близких и прочим литературным убийствам.)

Что-то похожее произошло и с этой книгой. В Армении я прожил десять дней, почти исключительно в настоящем времени, не вспоминая прошлого и не заглядывая в будущее, а это оказалось очень много, потому что дома нам редко удается пожить минутой. Я нагло оседлал эти десять дней и погнал их впереди себя, как вечность. И сначала не хотел слезать, а потом и не мог слезть. Мне отворился целый мир картинок и проблем, поначалу достаточно далекий от моей личной муки, и я мог с удовольствием погрузиться в него — именно как в ванну. Я усмотрел в Армении пример подлинно национального существования, проникся понятиями родины и рода, традиции и наследства. (Это поддерживает некоторое время.) С болью обнаруживал я, что в России часто забывают об этом. Что надо посвятить себя напоминаниям. Я мчался, я «предвосхищал»...

Наскуча или слыть Мельмотом,
Иль маской щеголять иной,
Проснулся раз он патриотом
Дождливой, скучною порой.

И вот стоило мне приблизиться к концу книги, довольно потирая руки, не успел я дописать последнюю главу, а именно то место, где старец говорит: «Где русские?» (курьезно, но это было в ночь под Рождество), — как в дверь постучали и вошел русский... мой московский знакомый Щ... и с порога спросил, русский ли я. Несколько опешив от столь буквальной материализации моих образов, я успел ему ответить, что да. Он с сомнением покачал головой: «А почему?» — «Что — почему?» — удивился я. «Почему ты русский?» — «По крови», — ответил я, начиная злиться.

Ответ мой, надо сказать, поразил Щ... «По крови... Надо же! Мне никто еще так не отвечал». — «А ты что, всех спрашивал?» — «Все говорят: березки, язык, родина...» — сказал он.

Через два дня я оказался окруженным толпою заинтересованных национальными проблемами людей, то ли потому, что, в результате писания этой книги, начал замечать их, то ли потому, что Щ. им обо мне рассказал... То есть то и оказалось, что отворил я дверь в давным-давно населенный мир и, несколько ошалев от того, что мир, казавшийся таким «моим», принадлежит всем, пережив небольшое разочарование от потери приоритета, стал знакомиться с аборигенами этого мира, поначалу просто за руку...

Ах, я много пожал лишних рук!

Но — стоп! Я не успеваю здесь поведать об этом... Об этом опять надо сказать либо слишком много, либо ничего. Лучше ряд пока закончить и не продолжать. Лучше я отложу, пообещаю, непременно, потом, отдельно... Нет, нельзя больше прямодушно следовать фактам — надо либо их не заметить, либо осмыслить. А осмысления хватит на всю жизнь. И немота обеспечена.

К тому же все эти встречи, люди, разговоры, факты — весь этот конкретный мир, в который я неизбежно окунулся, написав про Армению, сейчас уже так разросся, так ее заслонил, настолько уничтожил все мои предвосхищения и стал копиться столь тяжким горбом опыта, что справиться со всем этим можно лишь в новой книге.

(Из «Уроков Армении»)

1969

Пятый угол

Памяти Анатолия Иванова (Гапсека)

В последний год войны и сразу после мы образовали шайку, шаечку под красивым названием «Пятый угол». Собственно, ничего страшного, при моем участии, мы не успели сделать: мы курили, закладывали руки в карманы, пытались плеваться подальше, кривили рот, будто у нас там фикса; выменивали бляхи на кепки и кепки на бляхи; играли в пристенок и в «маялку»; воровали обеспеченно и по мелочи — у соседей и родителей; надув из соски большой водяной пузырь, гасили тоненькими струйками примуса в студенческом общежитии; лазили по подвалам, сараям и руинам; писали учителям гангстерские записки квадратными буквами и считали свою жизнь пропащей. Старшему было одиннадцать, младшему (мне) семь. Я был корешом старшего. Одному мне удалось, с активной и болезненной помощью отца, «завязать», и я бездарно прекратил карьеру, свернув с пути, так точно намеченного на всю жизнь. Остальные пошли далеко, погрязли в рецидивизме, и все реже встречаю я их в промежутках, в качестве остепенившихся отцов своих детей, у пивного ларька, который стоит теперь на том самом углу, который мы по неграмотности называли Пятый, где мы когда-то собирались всей бандой к назначенному часу. На отпечатки наших детских ступней мы сдуваем пивную пену, остренько взглядываем друг на друга, признавая что-то знакомое, и выглядим мы друг для друга немолодо. Один из нас стал чемпионом Ленинграда по боксу и погиб, поскользнувшись в бане, другой сидит до сих пор, третий — зампредкомитета по радиовещанию и пива не пьет, четвертым буду я, у пятого скоро родится пятый. Судьбы.

Вот вылетает из моего двора на собственном мотоцикле, эффектной дугой, из подворотни к ларьку — призрак Гапсека.

— Здравствуй! — говорит. — Ни-ни! За рулем не пью.

Вообще-то он Толя Иванов. Это он учил меня курить в первом классе. Входил в наш «Пятый угол». Гапсеком он стал после того, как весь наш двор посмотрел картину «Гобсек», а Толька как раз унес откуда-то моток серебряной ленты (были в наше время такие поразительные плотные рулоны: фольга, прослоенная папиросной бумагой, как бы чуть маслянистая и душно пахнущая, — теперь таких не бывает!). Мы, конечно, хотели поделить, он не дал, все закричали: «Гапсек! Гапсек!» Толька страшно обиделся, погнался, никого не догнал и с тех пор остался Гапсеком. На лестничных площадках Гобсек поменял свою транскрипцию: «Гапсек — дурак», «Гапсек — жук», «Гапсек + Валя» и т.д. Он имел бурные годы и не сворачивал с намеченного пути пропащей жизни, пока я учился и кончал. Но вот и он остепенился, женился, обзавелся, родил и осуществил свою давнишнюю мечту — мотоцикл. Возит теперь на нем кроватки и коляски, достает... Вот он отъехал эффектной дугой от ларька... Нашли его через два дня в канаве. Он выехал со двора верхом на своей судьбе, навстречу своей судьбе, на встречу со своей судьбой и врезался в свою судьбу. Судьбой был придорожный столб.

(Из «Колеса»)

1970

Записки гоя

Две жизни, два достоинства, две смерти, две прозы...

Роясь в дедовых бумагах (их, кстати, сохранилось не так много), набрел Лева на текст своеобразной рукописи, оставшейся незаконченной. Это не был еще зрелый и великий Модест Одоевцев (зрелым ему быть всего несколько лет, а «великим» — для нас, потом...); заметки носили личный, как бы дневниковый характер — «для себя»... Однако сочинение это не было дневниково-беспорядочным, у него явно намеревалось общее строение, свидетельствовавшее о конечности замысла, но в чем он состоял, по этим страницам судить было рано. Называлась рукопись «Путешествие в Израиль* (Записки гоя**)» и была разбита на главы с чередующимися названиями «Бога нет» и «Бог есть». И опять: «Бога нет» и «Бог есть»... Глав сохранилось не то шесть, не то семь.

Шансов на опубликование такой рукописи не было, однако Леве она так же понравилась, как деду ее писать... «для себя». И Лева кое-что из нее выписывал, для себя. Вот одна из его выписок, помеченная им: «Из "Бога нет"»:

«Вот отечественная иррадиация: вполне имея от чего страдать, страдать не от того. Как нас, однако, уже успели воспитать (то ли еще будет!..): что что-нибудь непременно у тебя *должно быть*, чтобы как-нибудь *именно так*

---

* В 1913 году М.П.Одоевцев путешествовал по Ближнему Востоку. — *А.Б.*
** Слово «гой» не было знакомо Леве, как и те слова, о которых мы уже говорили. Но «тем» он уже обучился, а с этим у него возникла единственная ассоциация: «Ой ты гой еси, добрый молодец». — *А.Б.*

должно быть, кроме как *есть*, что как-нибудь *надо*, чтоб было. С чего бы, казалось? Откуда пример? С чего взять, что именно тебе должно даться то, что никому не удалось? Откуда взялась эта толпа ложных идеалов, которая сообщает нашему, и действительно несчастному, человеку еще и чувство необоснованной неполноценности (ибо есть повод для обоснованной...)? Эта постоянная российская озабоченность судьбой Пизанской башни... Как, однако, надо было подтасовать общественную жизнь, чтобы добиться такого эффекта! Что надо сделать еще, чтобы окончательно в нем утвердиться? За отсутствием маломальской жизни, ввести в сознание доступность категорий и идеалов, смутить души возможностью материализации абсолютных понятий, заменить способность к чему-нибудь на право на что-нибудь — что проще? — назвать усталое супружеское соитие "простым человеческим счастьем"... и — готов новый человек! Однако как это близко: свербит упущенное счастье, ноет первородный обман. "А счастье было так возможно, так близко..." Кажется, совсем недавно под "счастьем" и понимался только миг (сей-час, счас, счастье... настаиваю на этимологии!), мотыльковый век счастья никого не смущал, подразумевалось, что счастье — только *есть* (или нет), но не продолжается, не экстраполируется, не *будет*. Пообещаем его впереди, но зато уж навсегда, навек. Обмануть инстинкт несложно — это называется "развратить". Незаметно внушить, что может иметь место поллюция длиною в год, каких и у слонов не бывает... и тут же получится, что лишь случайное и злое стечение обстоятельств помешало именно тебе (потому что кто и рожден для того, как не ты?) достичь упомянутого эффекта. А для того чтобы не было обиды на судьбу (раз было тебе единственному предназначено, значит, единственному и не удалось...), то к судьбе-то как раз и следует привить материалистическое, вульгарное отношение, как к предрассудку, необъективному фактору, просто — *как всего лишь к слову*. Вот к Слову-то и надо, прежде всего, привить новое отношение, переставить его в конец житейского ряда, а "В начале было Слово..." — отдать поэтам, под метафоры. Короче говоря, надо передать пошлость в вечное и безвозмездное пользование народу, благо — не земля, пошлость удобрять не надо, она сама себя удобрит. Пошлость — это, впрочем, не сама по себе "доступность", а отношение к "доступному", как, скажем, к воде и воздуху у нас пошлое отношение (то есть что они — даром). Счесть законы природы оскорбительными для Человека с большой буквы (или дороги...): победить Природу с ее тяготением... Вести материальное отношение к абстрактным категориям, с одновременным привитием романтического взгляда на реальность — вот методология Пошлости. Основа уже заложена, русло под ее поток распахали борцы с нею, пророки "новой жизни" — "милый Чехов", "сложная фигура Горький".

Что-то, однако, ноет, что именно твоя жизнь прошла... что именно ты провалился в промежуток... что именно тебе не повезло с веком... Вот это-то Она и есть».

Странное это чувство — время! То ли мы это уже писали, то ли кто-то уже читал... Тот же Лева уже читал. Было, стало, сбылось... Какой смысл — про то, что познал, узнать, что это было известно давно? В чем пафос?.. Эта радость нам не понятна... Пусть независимо, пусть даже раньше нас, пусть в 19-м году, пусть до революции даже... Приоритет — вот что нас уже не тронет.

Другое соображение задевает нас: какими бы разрушительными ни казались изменения, происшедшие с человеком, личность в нем, коли она была, остается тою же на всем протяжении, может быть, даже за счет искажения, деформации, даже обезображивания всех прочих обнимающих ее параметров. Поздний дед, ранний дед — нам это уже без разницы: он — был, был — он.

Другое дело — Лева. Что именно в этом отрывке так особенно понравилось ему, трудно сказать. Деду было 27 лет, когда он писал то; Леве — 27, когда он это читал. Но это еще не означает, что прочитано было именно то, что написано. Скорее, наоборот. Слишком уж с большим подъемом переписал Лева этот текст. Радостное поддакивание устремило почерк. Против слова «Горький» стоит Sic! переписчика. Однако именно на инерции этого подъема прорвался Лева дальше, в главу «Бог есть»:

«Господи! каким молчанием бываю я наказан! шарю в темноте, пустоте, слепоте и звука шороха не слышу. Вот уж доказательство, что ничего-то вокруг нет. Когда тебя — нет. Поиски вне себя — тщетны. Мир невидим в твое отсутствие. Наказание Божье, награда Божья миром, существованием вокруг тебя...

Когда совесть говорит — уста молчат. О чем?..

"Служу Богу или дьяволу?

Борясь, не признаю ли за действительное то, с чем борюсь?

Враждуя с прогрессом, не служу ли ему, совершенствуя и оттачивая его механизм?

Изгоняя дьявола, не искушаюсь ли?

Доводя до сведения людей на живом языке то, что не было им доступно, проводя в жизнь идеи, быть может, самые благородные и, как мне вдруг покажется, Богу угодные, — не выступаю ли слугой прогресса, расширяя Сферу Потребления еще одним Новым Наименованием? Чем и из Духа извлекать "прок и пользу", так не лучше ли — не просвещать потребителя?

То есть угодно ли Богу то, что я делаю? или я пользуюсь Им, ворую у Него и сбываю?

Богу, людям, себе? своему богу?

Ответ: одному лишь Богу — не расширит "сферы потребления".

Но знаю ли я, что Ему угодно? могу ли я знать? могу ли я знать, что — есть, а что приписал Ему в искушении?.."

Вот молитва молчания.

Если человек не может создавать, он может подать пример. Но — Господи, погоди! — я не готов.

Господи! дай мне слова! У меня куриная слепота слова. Дай договорить! У меня в глазах темно, словно я долго смотрел на солнце. Так пусто, так немо сердце мое, Господи! как небо...»

Сфинкс*

...говорил и не слышал своих слов. Даже не сразу понял, что уже молчу, что ВСЕ сказал. И все молчали. Ах, как долго и стремительно шел я к выходу в этом молчании!

Вышел на набережную — какой вздох!.. У меня уже не осталось ненависти — свобода! Ну, теперь-то, кажется, всё. Больше они не станут со мной цацкаться. «Утек, подлец! Ужо, постой, расправлюсь завтра я с тобой!» Еще бы... Испуганно озираясь, за мной вышмыгнул доцент И-лев. Он упрекал и журил. «Вам и не надо было ни от чего отрекаться... Вы же знали, что на заседании Комиссии будет сам З.!.. Сказали бы, что это, прежде всего, великий памятник литературы, что Екклесиаст — первый в мире материалист и диалектик, — они бы и успокоились. Они совершенно не хотели растоптать вас до конца, Модест Платонович. Вы сами...» Я утешил эту заячью душу, как мог. Мы дошли до Академии художеств и простились. Он побежал «дозаседать».

Я спустился у сфинксов к воде. Было странно тихо, плыла Нева, а по небу неслись, как именно в сером Петербурге бывает, цветные, острые облака. Неслось — над, неслось — под, а я замер между сфинксами в безветрии и тишине — какое-то прощальное чувство... как в детстве, когда не знаешь, какой из поездов тронулся, твой или напротив. Или, может, Васильевский остров оторвался и уплыл?.. Раз уж сфинксы в Петербурге, чему удивляться? Им было это одинаково все равно: тем же взглядом смотрят они — как в пустыню... И впрямь: не росли ли до них в пустыне леса, не было ли под Петербургом болота?.. Странный Петербург — как сон... Будто его уже нет. Декорация... Нет, это не напротив — это мой поезд отходит.

Я, видите ли, для И-лева загадка... Что я, если и в этих сфинксах нет ничего загадочного! И в Петербурге — тоже нет! И в Петре, и в Пушкине, и в России... Все это загадочно лишь в силу утраты назначения. Связи прерваны, сек-

---

* Из главы «Бог есть». Последнее возвращение М.П.Одоевцева к «Запискам». Можно датировать по стихотворению Блока не ранее 1921 г. — Л.О. (Примечание Левы. — А.Б.).

рет навсегда утерян... тайна — рождена! Культура остается только в виде памятников, контурами которых служит разрушение. Памятнику суждена вечная жизнь, он бессмертен лишь потому, что погибло все, что его окружало. В этом смысле я спокоен за нашу культуру — она уже *была*. Ее — нет. Как бессмысленная, она еще долго просуществует без меня. Ее будут охранять. То ли чтобы ничего после нее не было, то ли на необъяснимый «всякий» случай. И-лев будет охранять. И-лев — вот загадка!

Либеральный безумец! Ты сокрушаешься, что культуру вокруг недостаточно понимают, являясь главным разносчиком непонимания. Непонимание и есть единственная твоя культурная роль. Целую тебя за это в твой высокий лобик! Господи, слава Богу! Ведь это единственное условие ее существования — быть непонятой. Ты думаешь, цель — признание, а признание — подтверждение того, что тебя поняли?.. Болван. Цель жизни — выполнить назначение. Быть непонятой или понятой не в том смысле, то есть именно быть непризнанной, — только и убережет культуру от прямого разрушения и убийства. То, что погибло при жизни, — погибло навсегда. А храм — стоит! Он все еще годен под картошку — вот благословение! Великая хитрость живого.

Ты твердишь о гибели русской культуры. Наоборот! Она только что возникла. Революция не разрушит прошлое, она остановит его за своими плечами. Все погибло — именно сейчас родилась великая русская культура, теперь уже навсегда, потому что не разовьется в твое продолжение. Каким мычанием разразится следующий гений? А ведь еще вчера казалось, что она только-только начинается... Теперь она камнем летит в прошлое. Пройдет небольшое время, и она приобретет легендарный вкус, как какой-нибудь желток в фреске, свинец в кирпиче, серебро в стекле, душа раба в бальзаме, — секрет! Русская культура будет тем же сфинксом для потомков, как Пушкин был сфинксом русской культуры. Гибель есть слава живого! Она есть граница между культурой и жизнью. Она есть гений-смотритель истории человека. Народный художник Дантес отлил Пушкина из своей пули. И вот когда уже не в кого стрелять, мы отливаем последнюю пулю в виде памятника. Его будут разгадывать мильон академиков — и не разгадают. Пушкин! как ты всех надул! После тебя все думали, что — возможно, раз ты мог... А это был один только ты.

Что — Пушкина... Блока не понимают! Тот же И-лев с восторгом, подмигивая и пенясь, совал мне его последние стихи:

> Пушкин! Тайную свободу
> Пели мы вослед тебе!
> Дай нам руку в непогоду,
> Помоги в немой борьбе!

И-лев способен понять лишь намек — так уж тонок; слов он — не понимает. Он воспаляется от звуков «тайная свобода—непогода—немая борьба», понимая их как запрещенные и произнесенные вслух. А тут еще «пели мы» — значит, и он... Он, видите ли, не Пушкин лишь потому, что ему рот заткнули... Во-первых, никто не затыкал, а во-вторых, вынь ему кляп изо рта — окажется пустая дырка. Господи! прости мне этот жалкий гнев. Значит, это все-таки стихи, раз их можно настолько не понимать, как И-лев. Значит, эти стихи еще будут жить в списках И-левых.

То и вселяет, и именно нынче (Блок все-таки царь, назвав это лишь «непогодой»), что связь обрублена навсегда. Если бы последняя ниточка — какое отчаяние! — пуля в лоб. А тут: сзади — пропасть, впереди — небытие, слева-справа — под локотки ведут... зато небо над головой — свободно! Они в него не посмотрят, они живут на поверхности и вряд ли на ней что упустят, все щелки кровью зальют... Зато я, может, в иных условиях головы бы не поднял и не узнал, что *свободен*. Я бы рыскал во все свободные стороны от Площади имени Свободы в свободно мечущейся толпе...

> Ты царь: живи один. Дорогою свободной
> Иди, куда влечет тебя свободный ум...

Ведь не «дорога свободы», а дорога — свободна!.. Дорогою свободной — иди! Иди — один! Иди той дорогой, которая всегда свободна, — иди свободной дорогой. Я так понимаю, и Блок то же имел в виду, и Пушкин... Куда больше. Понять — можно. Немота нам обеспечена. Она именно затем, чтоб было время понять. Молчание — это тоже слово... Пора и помолчать.

Нереальность — условие жизни. Все сдвинуто и существует рядом, по иному поводу, чем названо. На уровне реальности жив только Бог. Он и есть реальность. Все остальное делится, множится, сокращается, кратное аннигилируется. Существование на честности подлинных причин непосильно теперь человеку. Оно отменяет его жизнь, поскольку жизнь его существует лишь по заблуждению.

Уровень судит об уровне. Люди рядят о Боге, пушкиноведы — о Пушкине. Популярные неспециалисты ни в чем — *понимают* жизнь... Какая каша! Какая удача, что все это так мимо!..

Объясняться не надо — не с кем. Слова тоже утратили назначение. И пророчить не стоит — сбудется... И последние слова онемеют от того, что сумели назвать собою, что — накликали. Они могут снова что-то значить, лишь когда канет то, с чем они полностью совпали. Кто скажет, достаточно ли они хороши, чтобы пережить свое *значение?* А тем более — признание. Признание — возмездие либо за нечестность, либо за неточность. Вот «немая борьба». Какое же должно быть Слово, чтобы не истереть свое звучание в неправом употреблении? чтобы все снаряды ложных значений ложились рядом с заколдованным истинным смыслом!.. Но даже если слово точно произнесено и может пережить собственную немоту вплоть до возрождения феникса-смысла, то значит ли это, что его отыщут в бумажной пыли, что его вообще станут искать в его прежнем, хотя бы и истинном, значении, а не просто произнесут заново?..

(*Из «Пушкинского дома»*)

1971

Мужик

Я иду в магазин, на почту и просто так... Не забыть купить масло, стиральный порошок, не забыть позвонить в город редактору, а если его нет, то... забыть купить шоколадку дочке и забыть опустить в ящик тещино письмо (я все еще потрагиваю его в кармане, чтобы не забыть, но потом выну руку из кармана); не забыть бы обдумать по дороге за маслом статью, чрезвычайно насущную, о состоянии современной критики, чтобы, вернувшись, сразу сесть за нее и завтра отослать в Москву, где ее (нет у них других дел жизни!) страстно почему-то ждут (я не отправлю ее и сейчас, через месяц, за что буду очень ругать себя, вместо того чтобы похвалить и поддержать в себе еще не до конца вымершую точность и принадлежность жизни).

Так я иду и что запомню, а что забуду из настоятельно подступивших ко мне дел. Я не забуду и забуду про масло, гвозди, молоко, стиральный порошок, керосин, про один звонок по телефону, два визита и три прощания... но я наверняка забуду о том, что вокруг меня происходит жизнь с погодой, прохожими и облаками, что сам я мчусь в этом потоке, подсвеченном солнцем во имя моих глаз, что мне будет «когда-нибудь мучительно больно за бесцельно прожитую» именно эту секунду, — потому что, забуду или не забуду я ту или иную завитушку своего долга (кем предъявленного?), я все равно занят *незабыванием*, а не настоящим мгновением, которое тем временем неотвратимо прошло мимо, и это уже не восстановишь — навсегда.

Мозг мой — насыщенный раствор. Яды и соли памяти проточили в нем ноздреватые ходы, туда с легкой видимостью уходит трепетная влага жизни, поверхность коры — дырчата и суха. Но я еще жив. У меня еще шевелится хоть пальчик на ноге, свободный от некроза, и на нем еще болит мозоль. И, раз я еще жив, я не могу пройти совсем уж мимо жизни. Нет, нет! Она коснется меня. Пусть не прильнет, не обнимет; но так, в своей живой задумчивости, где нет еще язвы, сформулированной мысли, она, не заметив меня, как девушка, направляющаяся на свидание не со мной, а с другим, счастливчиком, красивым и прочным, в автобусном проходе заденет тебя краем своего облака здоровья и отмытой молодости. И хотя я уже не прямой родственник жизни, и я попадаю иногда, безымянный, на ее именины, и мне находится приставное местечко с периферийной закуской. Так что не всегда прохожу я мимо жизни, неся в руках неудобный, в постыдно рвущейся газетной обертке, пакет из каких-то поручений, похожих на невыкинутые крышки из-под майонеза, и долгов, напоминающих нестираные носки и неопубликованные рукописи, и хотя я не выкидываю этот пакетик с двумя фото на паспорт, несколькими пуговицами, пробирками, и дореформенными копейками, и множеством мотков бумажной бечевки, там еще и гвоздик один есть... там еще, сверху, телефончик, забыл чей, записан... но газета треплется и рвется, а мне тридцать три без недели года, не доехать до дому и не забыть его никак, не потерять ни дом, ни пакет... что-то все больше сыплется из него. И вот когда просыпается еще разок, я вдруг испытываю, за ужасом потери, — расслабление свободы; и тогда вижу уголок рта, край воды, клочок неба; а там сразу цветущее поле, и никто не заметил, что ты туда (не туда) пошел, не окликнул, не окликнет... вот тогда на свободное место в пакетике, на место всего лишь гвоздика, кривого и ржавого, или высохшей пробки — вот на это место лес, утес, птица... Все-таки нельзя пройти мимо жизни, поднять на нее ненароком глаза и не забыть сразу хоть что-нибудь! Да будет благословенно все то, чего я не совершил, пропустил, обронил, потерял, отпустил, простил и простился. Да будет благословенна моя лень. Да будет проклята жадность, что ничего не выбросил, не отшвырнул, а все ждал этой милости случая потерять что-либо.

Так и вваливаюсь я в это повествование, раскрасневшийся, потный, в руках сверток, я его прижимаю к животу, в шею мне втыкается проволока от шампанской пробки (почему-то именно она проделала верхнюю дырочку), к штанинам пристали фантики и чуждое конфетти, счастливые трамвайные и лотерейные билеты, беспроигрышные магазинные чеки по 2.87 каждый для ровного счета, а вот билет на американскую «Порги и Бесс», что давали на, пятнадцать лет назад, новый Новый год, и гардеробный номерок в часовом кармане, без стрелок точно показывающий не то день, не то год, не то час, когда все это было... В руке держу несколько экзаменационных билетов по ботанике, конституции и взрывному делу; лифт не работает, ноги горят, сердце бухает в пакет; еще умудряюсь достать из заднего кармана ржавую связку ключей от давно исчезнувших замков, чтобы открыть ими окно в летящем с моста автобусе... Вот в таком виде встречаю я любовь мою, и, как назло, не на что положить пакет, чтобы броситься к ней на шею, к тому же положить его нельзя, даже если бы было на что, потому что я еле удерживаю его, и он сразу развернется у любимой на глазах, что стало бы уж совсем некрасиво. Да и как бросишься на шею, если перед тем аккуратно отложить в сторону сверток? Нечестно. Я бросаюсь на колени — передо мной сверток, свежая царапина от шампанского кровоточит на шее, и я бью земные поклоны помойному ведру... А хотел я сказать то, что если жизнь и заходит по недоразумению в мою клетку, то это значит, что я обеспамятел еще на какой-то отрезок прошлой жизни, ибо, как в насыщенном растворе, добавление соли, даже при постоянном помешивании, ведет к выпадению в осадок такого же количества соли, тут же выкристаллизовавшейся.

И вот такое нереальное существо бредет, как призрак, среди реальных кустов и трав, где щебечут реальные птички и ползают реальные букашки, чтобы купить в сельпо масло и стиральный порошок, но оно, собственно, не делает и этого не только потому, что скрепки и кнопки поручений не дают ему возможности поозираться и оказаться во внезапной для него, но всегда продолжающейся без него реальности, но и потому, что и масло, и, что там?.. мыло — тоже не являются реальностью для него: наоборот, это что-то чужое и грубое, отторгаемое его душой и тоже не осознаваемое как реальность. В таком разрыве реальности, и самом разрыве, где справа и слева окажутся края его: ворсинки и лохматые ниточки, — в этой мертвой зоне бредет тень моего существа, переходит гнилой ручеек, чуть подымается в гору и оказывается в таком светлом коридоре из заборчиков и берез, в конце которого, уже меж соснами, голубеет провал... мыло и масло выскальзывают из головы его, и я вдруг ощущаю острую боль счастья: небо опрокидывается на меня, редкой голубизны и светлости, — давно не было такого денька! — зашелестели листья, закричал ребенок, ласточка чиркнула под ногами, и на палец села божья коровка...

Божья коровка улетела в небо, с неба упало три яблока: мне, тебе и рассказчику... То есть тут же, едва успев совпасть с жизнью, в ту же секунду меня посетило озарение (его я забыл), но зато некая служба нереальности тотчас, вдогонку, послала обольстительный новый замысел, от которого суждено мне было, наряду с другими неисполнимыми, страдать годы по сей день... Вместо зеленого, свежего, кудрявого и живого, как веточка, озарения, которое и мыслью-то не было, а лишь контактом и слиянием с миром, — к концу этого светлого коридора, в котором едва каких-то сто метров-то, уже готов был замысел новой книги, веточка была обстругана, и мысль стройная, как шпицрутен, опустилась мне на голову.

Это была некая совершенно новая «Автобиография», как бы единственно честная и искренняя, единственно подлинная, вовсе не о том, что считается обществом свершениями и событиями жизни; не отчет об исполнении некоего, каждому выданного на жизнь социального наряд-заказа; не воспоминания о детстве, школе, университете, женитьбе и тех исторических событиях, которым был свидетелем; не о том, что ты жил с людьми, и не о людях — истинно о себе. Ведь отличается же чем-то «Автобиография» от биографии, биография от мемуаров... Ведь не просто же вариантом, хотя бы и единственным, отличается твоя жизнь от прочих, а неповторимостью твоей, тем, что именно ты — один жил на этой земле. И только это может иметь общее значение.

Такими косвенными, неблизкими словами сказал я потом

себе о том чистом, правильном и точном, что пронеслось во мне в одну секунду, в момент касания... Голубой провал отворился меж двух бесконечных сосен — там было озеро. Меня выплеснуло из этого узкого и напряженного коридора сознания, и я расплылся на берегу. Расслабленный, припоминал я потускневшие слова: вынутые по случайности, поодиночке, они ничего уже не значили, они высыхали и серели, как камушки из моря... да и как уловить эту тоненькую рвущуюся ниточку поэтического кайфа и не унизить предмет, который, надо сказать, прекрасно обходится и без тебя?

Я сидел на берегу своего озера. Это было именно *мое* озеро, не лучше других, виданных и не виданных мною, потому что именно оно возникает всегда перед моим мысленным взором при слове «озеро», озеро вообще. С лодками, черными, полузатонувшими, и легкими, цветными, чуть качавшимися передо мной, как поплавки удочек. С песчаным обрывом справа, над которым, пришивая его к лесу, мелькал меж сосен стежком железнодорожный состав, и болотным ковром слева; с еловым мысом, который обычно уподобляют медведю на водопое, и холмами, там, вдали, на том берегу, где на самом верху, на небесном уже фоне, стоит неотличимая и слитная в деревьях роща, похожая на разрушенный замок. Впереди плавал островок с редкими кривыми сосенками, к нему вплотную подходил тот болотный ковер, и на нем, все более сливаясь вдали в сплошной белый цвет, светились декадентскими фонариками какие-то особые болотные цветки-коробочки. Солнце падало в болото, все более пунцовея, и вода, серенькая у ног, чуть впереди уже вспыхивала перламутром, потом лиловела, потом золотела, алела и синела, а там, совсем вдали, у противоположного берега (где «замок»), вдруг — чернела. Взгляду было не на чем остановиться — это была невесомость взгляда, — он устанавливал такую прямую и ненапряженную связь, что — где ты, где озеро, где тем более дом, где вообще *все*, чего здесь нет, не было.

Где бы мне и смотреть на него, и не быть собою, и быть этим озером хотя бы столько, сколько позволял закат? Но отчаяние перед ускользающим замыслом (словно показали и отняли, а я вцепился и тяну к себе, но очень плохо, жалко, за какую-то нищую складочку лишь уцепился, и силы в пальцах нет...) заставило меня, слегка стыдясь и прикрываясь рукой, хотя никого на берегу не было, записать на папиросной коробке (для памяти), как бы лишь для того, чтобы в ту секунду, сейчас, не насиловать и отпустить, но с тем в то же время, чтобы потом, вдруг, натолкнувшись, все воскресить, когда я буду более готов: однажды... вот и коробка передо мной, я сейчас перепишу вот что:

АВТОБИОГРАФИЯ (Апология реальности)

(Заглавие расположилось крупно и щедро, а потом строки стали укладываться все мельче и теснее, как бы под «могучим давлением» верхних, и, наконец, не выдержав, выдавились, как из тюбика, вверх, окружив заглавие испарением замысла, масштаб которого был заранее определен площадью коробки. Для даты, однако, нашлось место: «май, 1970».)

Без дат. Только то, что было. Тогда получится очень коротко. Только реальные моменты бытия. Даже к воспоминаниям детства следует отнестись таким образом, чтобы отсеять восстановленные с чьей-то помощью (как бы свои). И даже *свои*, но понятые позже, следует излагать не тогда, когда они были, а когда осознаны. Таким образом, многое из детства перейдет в сейчас. Нереальность дается лишь в моменты ее осознания, то есть в реальные моменты, — в той постепенности и последовательности, с какой эта нереальность осознается (биография в биографии). То есть написать наконец, что же было реального в этой жизни, написать, даже не вспоминая, срисовывая картинки. Испробовать метод и тем измерить отклонение истинной картины от принятых к употреблению норм, то есть всех тех наведенных представлений о реальности, которые существуют в обществе.

Поди сейчас знай, что я имел тогда в виду?

Перпетуум-замысел.

Меньше всего вспоминал я об этой биографии, обдумывая эти вот, объединенные разве что солнцем, «Деньки», что пишу сейчас, — и вот, на тебе, вдруг обнаруживаю, что проба пера, проба...

Надо же столько гнаться и преследовать замысел, чтобы он тебя догнал?..

Вот что, наверное, думал я на берегу:

«Я никогда не думал о смерти (не боялся?), но не есть

158

ли это ежесекундное страдание от желания и неспособности слиться с реальностью, существующей лишь в настоящем времени — мое активное (врожденное?) желание небытия?? Я бы мог быть счастлив (не знать) и в своей нереальности, гамаке между прошлым и будущим, если бы принял эту нереальность как свою. В конце концов, я всегда был такой и никогда не пребывал сознательно в своем «программно-желанно-реальном» смысле — так на кой мне окружающий мир? Но если любовь и счастье — это, в опыте, только те мгновения, когда меня не бывало: не было — младенчества, не было — не помню, не было — акт, не было — смерть, — то, значит, прежде всего именно желание исчезнуть владело мною всю мою «сознательную жизнь».

Молчание слова

> Если вы спрашиваете, то совершаете ошибку, а если не спрашиваете, то поступаете вопреки.

Общая договоренность между людьми не посягать на недоговоренность гораздо выше в процентах желания договориться. В этом, собственно, и заключен главный договор, сговор. Мне совсем неинтересно в данном случае намекать на тему «что можно, а что нельзя», на то, «что все знают, а молчат». Людям, которые так думают, только разреши то, о чем они знают, как они не смогут. По-настоящему-то люди не знают только одно: что забыли.

Я говорю об иной общей договоренности, так сказать, методологии общей жизни. Муж и жена, ученик и учитель, ребенок и взрослый, начальник и подчиненный, читатель и писатель — все они всегда будут молчать о чем-то, прекрасно известном им обоим. Они прежде всего будут молчать вот о чем: о том, что они мужчина и женщина, ученик и учитель и т. д. Они будут молчать *о своем положении*. Они будут молчать о том, что он знает, о том, что тот о нем знает, и знает, что молчит-то тот именно об этом.

Писатель молчит о том, что он знает, что знает о нем читатель. Например, что читатель знает, что пишет-то он (писатель) плохо. Читатель молчит о том, что знает, что писатель знает об этом. Кажется, этот сговор называется авторским самолюбием. Так.

Хотел ведь начать более нежно, издалека, окольно... Но вместо ухаживания вышло насилие. Не предполагай, значит, там, где нет.

Я хотел начать как бы с самой жизни и в ней выявить природный сюжет, ниточку, чтобы потом перейти к литературе как некоему частному ее (жизни) подобию, соответственно обнаружив и тут тот же сюжет.

Сюжет такой: я, ты, он, она, они. Мы. Все мы разные люди. Так. Живем. Живя, обнаруживаем разнообразие характеров, программ, целей и средств. Испытываем множество подходов к задаче жизни и, развиваясь в этой разности подходов, обнаруживаем несходство меж собой все более разительное. Один суетлив, другой удачлив, один деятелен, другой празден, один необщителен, другой легкомыслен, один верен, другой уступчив, жаден и бескорыстен, расточителен и расчетлив, щедр и зол, любопытен и замкнут, вспыльчив и коварен и т.д. до бесконечности — один и другой. Сначала врожденные данные, потом черты характера и среды, потом те самые жена, сослуживец, сосед, что окружили тебя, — разные люди. Никто, как говорится, не хочет себе зла. Все начинают как-то сообразовываться с возможностями, окружением, даже самими собой. Люди привыкают к себе, и их черты становятся уже способом жить, очерчивая каждому *образ* жизни. Даже такие черты, как серость, подлость, жалкость, слабость, вялость, пьянство, развратность, — казалось бы, лишние, обременяющие, удручающие, от которых бы лишь избавиться, — становятся со временем не только неискоренимыми недостатками, но — качествами, годными к эксплуатации, то есть способом жить, даже ловким и удобным обладателю способом. Все эти люди *устроились* жить так, как они живут и какие есть, мирятся и *живут с собой* даже со сноровкой, ловкостью, удобством и мастерством, по-своему удовлетворяя жизнь и довольствуясь жизнью. Есть своя грация и у неуклюжего, ловкость рук у безрукого и т.д. Приспособление к себе, потом приспособление себя...

И вот вам результат. Тринадцать негритят. Один из них утоп. Ему купили гроб.

В редакцию пришло письмо. «Уважаемая редакция! Меня интересует один вопрос. Даже два. Потому что второй вопрос, почему мне никто не может ответить на первый. Вопрос такой: почему в прошлом веке были гении, а сейчас нет? и почему хорошие наши писатели так мало написали? не только хуже, чем гении, но и меньше? почему даже плохие писатели, которые пишут как попало, не могут написать столько же, сколько написал гений? Все это мне кажется одним вопросом... Когда я его задаю, все мне отвечают одним и тем же: "Но ведь это же всем известно". — "Но я ни разу не слышал, чтобы кто-нибудь, кроме меня, задавал подобный вопрос", — говорю я. "Потому и не задают, что нечего и задавать, раз всем известно", — отвечают мне. Тогда я говорю: "Что, известно??" Тут меня обычно посылают. И тогда возникает даже третий вопрос: почему, если это всем известно, никто никогда никому не объясняет этого в первый раз? Извините, пожалуйста. Жду ответа. И.И.Иванов из Козлова».

— Как соловей лета... — хмыкнул сотрудник. Он зачитал письмо вслух, и все посмеялись наивности автора.

— Чего только не пишут...

— Дурачок какой-то...

— Просто дурак.

— Почему же дурак?! — обиделся я. Обиделся прежде, чем понял, почему обиделся.

А обиделся я вот почему: потому что сам много лет был таким дураком, прежде чем забыл; только я был не такой смелый дурак, никому не задавал этого вопроса: инстинктивно, может, знал, что мне на это скажут так, что обидно будет. Я очень обидчив тогда был.

Я задавал себе этот вопрос чуть ли не прежде, чем сам начал читать, а именно, почему слово «великий» и слово «гений» употребляются (за одним, правда, исключением, к литературе отношения не имеющим) по отношению только к мертвым и даже давно мертвым. Это было такое детское кладбищенское слово — «гений» — для обозначения того времени, когда меня не было. Это, правда, чуть другой вопрос, чем в письме Иванова, но я, кажется, даже и тогда его не задал, когда меня просто потрепали бы по головке, ласково улыбнувшись: «Философ ты мой...» И вот когда его не задал в столь нежном еще возрасте, с этого самого момента я уже *знал*, что в мое время гениев и великих не бывает, как не бывает волшебников, или Змея Горыныча, или Бабы Яги. Как нет Бога... (Про Бога не совсем так: по-детски, как боятся темноты, приблизительно так я не был про себя в этом уверен, но — тоже не признавался...) А потом, начав читать, проходя в школе, я задавал себе все те же вопросы, что и Иванов, с той разницей, что не задавал их другим. Пожалуй, лишь сам взявшись за перо, перестал его приравнивать — на себя легко ли... И вот когда сотрудник зачитал его письмо для общего смеха, уж так меня перенесло по времени в давно забытое, что я почувствовал запах тряпки, которой с доски стирают... защемило, зажмурилось во мне от стремительности перелета... и я был там, когда вдруг услышал смех этих больших, незнакомых дядей надо мной и обнаружил, что я совсем не в классе.

— Почему же дурак?! — обиделся я, и тут вдруг какой-то большой необлазанный чулан моей головы... вроде бы я удивился, что никогда этой дверцы не видел, столько лет тут у себя (в голове) живу, вот на тебе, под носом, не замечал... какая-то идея цвета подлинности выскользнула оттуда, как змея, и ускользнула, но я еще надеялся... Они на меня смотрели с удивлением. — Дурак-то дурак, да Иван-дурак, — как-то с сожалением провожая взглядом ускользающую идею, глупо сказал я, рискуя прослыть славянофилом.

Тут я им немножко рассказал свои вмиг побледневшие и потускневшие ассоциации, и со всеми произошел задумчивый вид, из уважения ко мне...

— Кто же позволит на эту правду ответить? — сказал сотрудник тем сочувственным, взаимоизвестным голосом насчет общего зла, про которое здесь (в комнате) все знают и которому не принадлежат лишь потому, что страдают от него.

— Кто ж это не позволит? — стал заедаться я.

— Никто не позволит.

— Ты не позволишь?

162

— Я-то позволю, да от меня-то, ты сам знаешь, ничего не зависит...

— А понять ее — от тебя зависит??? — злился я.

— Кого?..

— Правду! О чем же мы говорим... — махнул я рукой.

— Так ее ж все знают!

— Приехали, — сказал я. — Перечитай письмо Иванова!

В общем, я неприлично разозлился. Наверно, больше на себя, что завел весь этот совершенно бесполезный разговор. Задел зря милых, ни в чем не повинных людей... Стоп! Какое же это кромешное неуважение к человеку — считать его неповинным!

Разозлился я, конечно, на себя, но это — одной, обидной злостью, другой же — подлинной — был я зол именно на то, с чего начал, — на сговор. Что их рассмешило, разве письмо? Им стало смешно, чтобы не нарушить договор о недоговоренности — сговор. Почему они похолодели, насторожились ко мне, когда я стал отстаивать? Потому что я нарушил еще один сговор профессионального понимания насчет «можно и нельзя». Почему я вел себя неприлично в их глазах, тем более даже сам чувствовал, что веду себя невоспитанно, безвкусно, провинциально? Потому что я ничем не лучше их, чтобы иметь право на это. На что — на это? На нарушение.

Так уходил я, опозоренный, неприличный, сам себе противный, по лестнице, и каждая ступень была словом, которое я не сказал им.

— Правду-то как раз и можно. Правда — ведь это не то, что можно или нельзя. Правда — это то, что есть. Вы думаете, что правда — это противоположное тому, что разрешено. Может, и плохо, что противоположное тому, что разрешено, — запрещено. Так оно будет однажды разрешено. И исчезнет в качестве правды для вас. Запрещенное и разрешенное, в этом противостоящем-то смысле, — одно и то же, единство. Вы не сможете их разъединить — запрещенное сразу разрешится пустотой. Допустим, разрешенное — бедно, мало, лживо, так ведь и противоположное ему будет правдиво лишь настолько, насколько ложно разрешенное, но так же бедно и мало, как оно. Это, товарищи, слишком легкий способ ориентации в мире. Ложное и противо-по-ложное — чувствуете язык?.. Все это вы от лени, чтобы не подумать ни разу, не напрягаться... Мир как-то побольше этого будет, товарищи!

Столько было ступенек, сколько здесь слов.

«Не читатель должен был задавать себе такой вопрос, а писатель хоть раз себе самому его хотя бы поставить, не то что ответить... — подумал я, выйдя на свежий воздух. — Не так уж он прост, Иванов и его вопрос. Стихи получаются, басня...»

Где-нибудь, может, и пишут много. Хоть я в этом и не уверен. Я не хочу сказать ничего плохого о нашем времени, но что-то, по-видимому, случилось с ним самим в наше время. Что-то случилось с физическим временем. Его требуется все больше, спрос, так сказать, на время растет, помещается же в него все меньше, оно судорожно сжалось, туда не лезет. Воспроизводство времени не налажено, и мы встаем в невыгодное положение, наблюдая личные достижения на фоне происходящих огромностей мира. По-видимому, во времени движется либо мир, либо личность. В идиллические времена, от которых нас отделяет менее сотни лет, масштабы личностей и измеряли собою время, прорывая и подвигая его. Сейчас бы не отстать... но не от кого-нибудь — тщеславие захлебывается, — от чего-нибудь. Именно наш, высокопроизводительный, казалось бы, век оказывает сопротивление производительности индивидуального художника. Чудесное понятие ремесла исчезло, уступив понятию профессии, не выдержало «высоких» профессиональных требований. Если из вещей исчезла душа, уступив в лучшем случае функциональному удобству, то то же грозит слову — профессиональная литература.

В ссылке на «время» есть, конечно, нечто непорядочное. Нетребовательное, ленивое, попустительское. Слишком легкое. Слишком легко на него сослаться: нет времени или такое время... И этого не стоит позволять себе. Но ты не можешь упрекнуть в этом всех. Все никогда не бывают виноваты. И что-то объективное в такой ссылке, если она не служит самооправданием, таки есть.

Каждый писатель, ответственный в слове, наверно, знает этот потрясающий эффект уменьшения при сложении написанного в книгу: писал, писал, еще написал — все звучало и было крупно по отдельности, и вот сложил — мало. Я вглядываюсь в этажи своих книжных полок. Вот этаж однотомников, томиков — это мои современники, и все неплохие. Десять лет пишет — однотомник, и двадцать лет — тоже однотомник. Двухтомник — на склоне дней, и то второй в половину первого. Конечно, не всё включил — понятно. Ответственно отнесся.

Исчезло рыхлое многотомье. Писем мы друг другу не пишем. Дневники пишут подозрительные люди. Практически нечем будет заполнять последние тома. Сумма современных однотомников равна одному собранию сочинений — значит, и вместе не много.

Начинаю про них думать в отдельности: этот, известно, что пьяница, губит свой талант и мало работает; этот слишком тщателен, слишком работает над словом, потому мало; этот — прелесть, просто лентяй; но про этого-то точно известно, как много он работает, не пьет, не курит, бегает каждый день и зарядку делает и каждый день пишет — опять однотомник. Что за эффект такой, думаю? Что-то тут зарыто.

Ну, все мы сообща делаем большое общее дело, большой отряд — одну общую литературу... Но вот что и любопытно: что чувство Общего Дела как раз и исчезает при массовости его. Зачем нам писать другу письма? О чем? Мы так скажем.

Так мало писали разве разночинцы. Помяловский хорошо встает к нам на полку. Конечно, контейнер, который надо отвести под Толстого, страшен в качестве современного примера. Но вот и Гончаров слыл лодырем, и Куприн... Пьяницы были тоже.

Написать не хуже, написать лучше, показать кому-то пример. И пройти. Вот эффект однотомника. Конечно, все упирается в качество. Говоря об однотомниках, я имею в виду только отличное качество. Отличное качество — уже производственный принцип. Ведь как часто, в каком-то смысле,

165

те великие писали плохо. Не в этом было дело. Допускали небрежность. Немножко морщились — и допускали. Не до того — еще следующее не поспело.

Можно, конечно, сказать, что они были не только великие таланты, но и великие труженики, вот что в трудолюбии мы им уступаем, если уж не в таланте. Но если только предложить современному лучшему выполнить хотя бы объем работы прежнего лучшего, то он как машина должен писать с утра до вечера, отказывая себе во всем, однако не уверен, что справится.

Вряд ли *они* (назовем их ревниво «они») отказывали, однако, себе в жизни. То и прекрасно в их литературе, что она и трудом-то не была. Ни в чем они себе не отказывали-то — легенда средней школы. У них, кстати, к тому было больше возможностей. Мы от своих-то возможностей отказаться не в силах, не то что от их. Люди всегда люди. И даже тем более. Так вот и следует сказать, что они это написали между прочим, в самой своей жизни, внутри нее, а не между жизнью. Жизнь у них еще не делилась на жизнь и работу. Поэтому и много.

И в этом существенное превосходство количества перед работой над словом. Если уж такие слова «количество» и «качество», то, рассуждая даже диалектически, не может быть самостоятельного качества на фоне отсутствующего количества — нечему перерастать. Если нет количества, это будет подскакивание, а не скачок. Вечное упражнение со скакалкой, раздевалки и душ — и ни одного боя.

В этом сравнении меня слишком мало интересует упрек своему времени — он глуп. Время и время. Было их — стало наше. Меня не интересует эта пошлость — упрек, меня интересует *урок*.

Поскольку те же «они» отнюдь не отказывали себе «в жизни» по сравнению с нами и даже, наоборот, обнаружили свойственную русской душе ширь (будем считать, что она была), то дело заключается в том, что у них было больше времени, чем у нас. У них было время. У нас его нет. Что-то нам постоянно, раздражительно мешает, повергая нас в сослагательное наклонение. Нравственный человек должен сказать себе, что он сам прежде всего мешает себе — это его способ. Безнравственный упрекнет кого-нибудь. Глупый упрекнет что-то. Но дело-то в том, что нам *все* мешает. У нас нет времени писать. Мы не мало пишем. Это подвиг — сколько мы написали по сравнению с ними, исписавшими десятки томов. Это и отказ от жизни, и воля к победе, и качества бойца — весь набор. Нет, мы не мало пишем. Мы пишем даже больше, чем можем. Мы *не можем* писать. В этом все дело. У них было время писать, и они могли. У нас его нет, и мы не можем.

И не надо. В искусстве не ценен ни труд, ни подвиг. Это ценно в человеке. И никогда не бесследно, даже если он ни строки не напишет. Мы понукаем и понуждаем себя оттого, что неправильно понимаем задачу, поставленную перед нами временем. Нас слишком задавили блистательные образцы. Но мы никогда не сможем как они. Потому что они — это они, а мы — это мы. Мы хотим научиться, а надо *быть*. Вот и вся задача. *Быть*. Позволили ли мы для начала себе это? Потому что без этого, справедливо, нельзя, незачем, праздно и темно брать перо в руки. Надо попробовать осуществить те ценности, которые мы хотим на бумаге, в себе. То, что у нас не получается на бумаге то, чего и нет, немудрено. В том, что не получается, и заключен *урок* времени. Но мы не хотим этого усвоить.

Итак, для тех, кто меня неправильно понял, я заявляю: во всех и всяческих обстоятельствах я снимаю упрек с нашего времени. Это глупо упрекать там, где надо понять. Нет правильного пути в неправильных обстоятельствах. Обстоятельства всегда правильны — это те, которые даны. Есть неправильный путь. Он всегда доставляет страдание сознанию. У нас нет времени, потому что мы в нем *не живем*.

Время само по себе, мы сами по себе. Время непонято. Писать же совсем необязательно. Никто не заставляет. Не можешь — не пиши. Что-то есть поважнее, что тем временем неотвратимо, необратимо проходит, пока ты занят тем, что не пишешь. Не пишешь потому, что тот, кто пишет, отсутствует.

Остановился. Перечитал. Такие решительные слова. Что-то между ними просы́палось. Недолет-перелет. Что-то есть даже в том, что цель находится между ними.

167

Магнитная сила слова несколько выше моей. Оно меня перетягивает, но — Боже! — как бы неправильно оно (слово) стояло, если бы я сдюжился и подтянул его к себе... Право, я кое-чего не знал из того, что здесь написано. Например, того, что не мочь — это значит немочь. Очень, казалось бы, просто.

Лучшие — глупое слово! — лучших не существует — просто те, кто из множества *были*, написали немного, скажем по книге. Они сделали все, что могли. Человек не может сделать того, чего не может. Они сделали столько, сколько успели, сколько у них было времени во времени, сколько они и время были одним. Я хочу поговорить о качестве их молчания в остальное время, ибо прежде всего туда поместилась их жизнь. Это молчание — не бессмысленно, это-то как раз и есть та огромная работа времени с нами, над нами, школа его. В этом молчании заключено много больше для будущего, чем в том, что можно подержать и полистать. Только идиот может считать его непроизводительным. Или, как еще говорят, *пропущенным*. Что же вы такое пропустили?

Как раз и не пропустили, а помолчали (не «про», а «по»!).

Невежество — это отнюдь не недостаточные знания, а недостаточное отношение к Знанию. Так, именно XX век — невежествен. Это то невежество, что подкрадывается и к тем, теперь редким, людям, что знают греческий и латынь и Канта с Контом читали. Они теперь — «специалисты». Что как-то можно воспользоваться знанием кроме как для развития души — вот ход невежды. Что оно — для чего-то применимо, полезное и бесполезное знание... и т.д. Начинаются рецепты, советы, рекомендации... Даже Толстой нет-нет, а вдруг скажет в XX веке что-нибудь «под Хемингуэя» о том, как следует и как не следует писать. Его уже незаметно Чехов заразил. Подселили. А мы, по отсутствию опыта в ИХ пространстве, приняли за равного, приняли за жизнь, стали извлекать урок из чуждого... началось обучение на дурном примере, распространенная форма современного просвещения. Карамзин, навещающий Канта, которого никогда не читал, выписывающий под его диктовку на специальную карточку названия его трудов, с тем чтобы не забыть и почитать их потом, — гораздо просвещеннее современного поклонника, создавшего фетиш и добивающегося приобщения себя к кумиру, хоть бы он и наизусть усвоил какого-нибудь свеженького Канта.

Не следует путать соображения с мыслью, просвещенность с образованием, опытность с опытом, мастерство с умелостью, творчество с работой, причины со следствием, природу с Богом, Бога с нравственностью, нравственность с принципами, принципы с правилами, правила со способами, способы со средствами, средства с целью, ибо нравственность и есть цель... Да поможет нам Бог освобождаться лишь от того, от чего следует освободиться! Невежда освобождается всегда не от того... Даже если он страдает высшими прогрессивными побуждениями. Ноты — все-таки больше музыка, чем музыкальный инструмент, хотя звучать-то может именно он, а не лист партитуры. Человек неграмотный, но просвещенный, может, не разъяснит вам некоторых из этих, будто бы филологических, тонкостей, зато никогда не перепутает их в практике жизни. Быть просвещенным и быть нравственным — синонимы.

Писать надо молча.

Это все мне, право, трудно говорить. Я хочу окружить молчание говорливым потоком, с тем чтобы оно обозначилось бурунчиком над подводным камнем. Я хочу сказать о молчании словами. Задача напоминает желание упасть в обморок. Обморок слова. Не падается.

Но равно невозможно не упасть в обморок, когда уже падаешь в него. Не тогда человек отваливается от письменного стола, когда написал что хотел, а когда дошел наконец, через столько слов, до цели и не в силах выдержать ее. На пределе возможностей — опять невозможность.

Нет, нельзя о молчании — словами!..

1972

<Я любил, я был любим...>

Я любил, я был любим... Невиданное счастье! Оно — не длилось. В ту же секунду я оказался охвачен тревогой, как пожаром. Нет, никаких видимых туч... Но чем неосновательней, тем тревожней. Не может быть более неустойчивого и необеспеченного положения, чем когда все хорошо.

Раньше я был так легок на подъем!.. В любое время, в любую точку, в любую погоду — только предложите. «От Москвы до самых до окраин...» А теперь — страх. Я словно застыл в позе, в которой меня настигло несчастье, и теперь боюсь шевельнуться, лишь бы ее не переменить.

И вот что я теперь себе скажу, прожив свои годы: чему стоило бы научиться, так это — отказываться. Не был я легок на подъем — просто ни разу не отказался.

— Если ты чувствуешь, как что-то сопротивляется в тебе, топорщится и не хочет никуда ехать, а хочет оставаться вот здесь, подле, что в крови гудит беспричинная тревога, хотя душа еще зрит, а не подозревает, — не думай, что глупо тревожиться без причины: есть тревога — будет и причина, а вот будет причина — то это уже и не тревога... Не думай, что не по-мужски принимать преждевременные меры, — оставайся-ка, брат, дома. — Так я себе сказал. Бесполезно!

Нет, ревность не бывает без причины! Хотя бы потому, что она и есть причина.

И нелепо думать, что конкурентов нет. Есть небо, погода, облачко какое-нибудь; есть внезапное, ни с того ни с сего, прекрасное самочувствие инотелесного, чем ты, человека; есть и другие соперники: например, повязанный дивным черным фартуком сапожник с прозрачными серыми глазами, с цыганщиной в кудрях и опасной улыбкой, который не возьмет с девочки денег за набойки; есть грузины, обучившиеся отсутствию наших недостатков; есть удачники, обучившиеся опыту твоих неудач и на фоне достижений так удивившиеся своему неполному телесному исчезновению, тому, что они еще что-то хотят и могут, что перед ними не устоять... потому что — стой или не стой перед ними — они поймут только так, что вы НЕ устояли, и пропрут пространство, всегда остающееся для них пустым, как некая новинка бесконкурентно-опьяневшей техники — самодвижущийся забор.

Ах, этот тип! унизительно с ним бороться... Все-то он зовет стыкнуться в дворовом подвале, кажущемся ему дворцовым залом из-за отсутствия опыта в открытом мире и тупой принадлежности себе. Но — при чем тут гордость? Пока ты ждешь достойного противника, тебя, высокомерно не придав тебе значения, победит недостойный. Да, любя женщину, не забывай о ней, не забывай того, что ты именно и полюбил в свое время: мало ли что произведет впечатление живого на живого? И твое время может стать не твоим... Ах, какой симптом! — и небо, и самочувствие, и облачко — весь тот мир, что прислуживал твоей любви, да и был ею, вдруг обретает отвратительную самостоятельность, твердую и неприкосновенную, неподвластную отдельность, и ровно то, что прислуживало любви, прислуживает и ревности!

Вот еще одно рыцарское соображение: не слишком ли хорошо мы о себе думаем? Получается, что мы лучше всех. Но раз уж мы так полюбили, то не достоин ли наш предмет более достойной участи?..

Бес статистики нанесет последний удар по моей личности: а вдруг я пишу раз в год, люблю раз в семь лет и помираю один раз в жизни? По статистике жизнь дается человеку один раз — стоит ли так серьезно относиться к столь редкостному случаю?

«Хлопочешь ты, все хлопочешь, все к той бубновой рвешься, а между вами король трефовый, в ее сторону смотрит, вроде как отец, но не отец, начальник, по-видимому, препятствует он тебе, расстраивает какой-то твой план, какие-то у тебя тут дела, да, впрочем, все для тебя пустяки, ты семеришь, а мысли — о другом, ждет тебя дорога, сначала маленькая — к ней, потом долгая — от нее; письмо видишь? будет тебе письмо, удар то ли уже был, но ты о нем не знаешь, то ли будет, но так, не удар, а болезнь неопасная, вот если бы вниз острием пика была, то совсем плохо, а так — вверх, ну а потом — денежки получишь, правда небольшие...»

Все так, все правда. Любопытно смотреть на людей, которым гадают... Такая выдавленная из себя снисходительная усмешечка, надутость, окаменелость, а внутри что-то голенькое и беззащитное мечется: у каждого, оказывается, есть, что болит, и есть, что никому нельзя показать, и то, что всем видно.

Вот и моя очередь подошла — мне гадают... Я сам себя так вижу! словно это я же, небрежно прислонившись, застрял в дверном проеме — я уже прошел это испытание, меня отгадали — и теперь на себя же быстроватыми взглядами посматриваю и мстительно помечаю неподвластные выражения своего надоевшего лица. Смотрите, как этот «я» все-таки усмехнулся, зная, что сейчас усмехнется! — и не избежал усмешки. Еще бы! «Ждет тебя дорога» — тоже мне проницательность...

Да не ждет она меня — езжу я по ней!

Ах, какой милый, какой утерянный мир встает за устаревшим словарем гадалки! Так и видишь зимнее оконце, освещенное девичьим пением про догорай-лучину; кружево сумерек; теплоту времени, где проезжий — событие, случайный взгляд вызывает румянец, а ожидание есть обещание счастья, письмо — поворот судьбы, а дорога — потрясение жизни. Ах, в те времена маятник у ходиков болтался просто так, для окончательного довольства жизнью: мол, все у нас есть, даже время.

С временем сейчас хуже. Его нет. Время сейчас бывает разве в аэропорту. Когда самолет не летит. А он опять не летит.

И как это я ничего не боюсь? Летать хотя бы... Обнаглел... Какой-то защитной заслонки в сознании не хватает. Ничего не боюсь, кроме, надо сказать, того, что со мной обязательно произойдет. Вот другие люди... Когда я слышу, как они обсуждают свои намерения и замыслы: купить не купить, пойти не пойти, сказать не сказать, — прежде всего становится ясно, как они боятся предпринять то, о чем говорят. Инстинктивный страх перед любым начинанием — признак нормального человека. Иногда я боюсь опоздать — но тогда начинаю поспевать и успеваю; возможно, еще немножко, и я стану бояться подниматься в воздух — но никогда не буду я бояться самолета потому, что на него можно опоздать. В этом моя ошибка, и в этом же мое несчастье. Я создан начинать и не продолжать ничего — это ли не бесстрашие? То ли дело люди — страх для них и есть соблазн.

Время, что ли, такое? Надо бы его понять... Потрясающее во всем сопротивление. Уж если вы попросите, даже самое простое, — это уж точно нет. Зато то, о чем вы даже помечтать не могли, — это пожалуйста. Как сказала одна милая женщина-африкановед: «Если вдруг в кондитерском отделе *дают* сапоги, можете быть уверены, что это замечательные сапоги! И пироги в обувном — даже не спрашивайте, берите». Вот ведь: и лететь не хочется — все вещество мое воет, и самолет всю ночь не летит, — где бы понять, что все это намек судьбы, и не лететь, раз уж все так само мне подсказывает. Но тут-то, где надо, мне и изменяет фатализм, заменяется чистой неврастенией, и я оказываюсь не способен истолковать эти водяные знаки пространства, принимая мелочность неудач за чистую монету.

Потому что я, не заметив, как и когда это произошло, вдруг *уже* испытал поражение, даже если ему еще только предстоит материализоваться. Иначе почему бы такая тоскливая бездарность снизошла на меня, такая образцовость, такое тупое и короткое следование правилам, а не жизни? Я сбился с ноги, потерял пульс, не улавливаю биение судьбы. И то, что я зарегистрировал билет, является уже приговором. И хотя сдать билет, вернуть командировку, сказаться больным — все это такие доступные, такие осуществимые вещи, я ничего не произведу из этих правильных и естественных, ничем мне не угрожающих действий. Откуда такое рабство? Что дороже и что дешевле: мое обещание безразличному человеку что-то о чем-то написать или моя любовь, авиабилет или жизнь? Получается, что жизнь и любовь дешевле сорока пяти рублей по безналичному расчету, — потрясающая невоспитанность! Очень плохое отношение к себе.

Плохое отношение к себе — совсем не хорошо. Оно попустительствует. Оно распущенно. Оно разрешает не относиться к другим практически. Оно — очень плохо.

Так я мог себе говорить — это ничего не стоило. Самолеты не летели, зал ожидания — эта торба времени — переполнялся черненькими личинками времени, бескрылыми еще пассажирами. У них на пульсе тикали часы и что-то тикало в области сердца. Их личное время буксовало в нише замеревшего общего. Я это столько раз уже наблюдал и описывал — до полной потери непосредственности. Теперь я за это платил, разглядывая эти цитаты ожидания из самого себя, покрывался слоем позора, прозрачного для всех. Была тут, правда, и некая новинка для меня — телевизор. Был он периодически подвешен в бесконечности зала на недоступной для рук терпеливых неврастеников высоте. В нем вяло плавало расползшееся изображение какого-то всеобщего танца. Но этот телевизор не обновлял мне аэропорт. Печальное чувство повторного круга жизни, кратной ее дробности все полнее овладевало мной. А там, всего в часе езды, дремало единственное мое повторение, никогда не кратное, никогда не дробное, — моя жизнь.

Я набирал этот код разлуки, будил. «Бедненький! приезжай...» Лучше не представлять себе этого надреманного тепла — я не приезжал, всего лишь за пять рублей на такси — не приезжал, так же, как когда мне сказали: «Не уезжай...» — уезжал всего лишь за сорок пять. Нищета — это ведь еще и бедность... У меня не было никаких оснований беспокоиться или подвергнуть сомнению возможность неистребимой любви к себе. Невыгодно показывать, как я теряю голову... Господи, в остальное от людей время я так бездарен! я такой *их* человек, они так нашептывают мне свои кошмарные формулы; сам-то по себе я в такой *их* власти, что миф о моей индивидуальности и самостоятельности — лишь форма оплаты моей зависимости. Мое самодовольное несчастье вешало трубку и отходило от телефона упругой походкой.

Сейчас мне кажется забавным, что растущее чувство тревоги и унижения казалось мне немужественным и постыдным, свидетельством бесхарактерности и слабости, а тупой идеал собранного и образцового человека, глухого к голосу своего сердца, — достойным подражания и следования. И я подражал. Да в одном том, что этот мой телефонный голос был терпеливо, без брезгливости выслушан, есть такая вера, такое ожидание и такая надежда, что остается только удивляться благосклонности моей судьбы!

Спинки кресел, специально укороченные, чтобы не спать, чтобы голова отрывалась от безвольной шеи... так было и так будет! потому что удлинить спинки на недостающие сантиметры — значит признать саму возможность нелетной погоды, а она, товарищи, явление исключительное и нежелательное, с которым мы не можем посчитаться так же, как не считаемся с жизнью. Жизнь есть исключение. Допустимость нелетной погоды — это оппортунизм в деле Аэрофлота, этого так же не должно быть, как в жизни не должно быть измены и смерти. Не должно быть — значит, и не бывает. Вот почему не уснуть никак... К пяти утра, когда даже самого нервного и капризного сморил неудобный сон, были пущены в ход поломоечные машины: с остервенением и опаской, если не с ненавистью, накренясь, как бурлаки, катали по залу тяжкие бомбежновоющие тележки пожилые матери-одиночки. Легкие и тихие швабры, мирные мягкие опилки — мечта простая и недоступная, как старые добрые времена, проступала за героическими складками их окаменевших лиц. Пассажиры поднимали ноги.

Ах, эти средства связи, эта чрезвычайная возможность контактов, коммуникаций-информаций! Не говоря о государственных задачах — сколь расширили они возможности личной жизни! Телефон, телеграф, самолет — это же слуги любви и ревности!.. Как обезврежена разлука? Вы можете, находясь в разных уголках нашей необъятной родины, позвонить по автомату за пятнадцать копеек, так что, в случае секретности, можно развеять подозрения ревнивцев и скрыть, что вам звонят из другого города. Да что говорить! Можно, не поскупившись, сесть в самолет и даже прилететь на субботу и воскресенье, помиловаться и назад поспеть к станку, к звонку. Как бы вы раньше, в другие-то, докоммуникабельные, времена умудрились бы поддерживать связь со своей любимой, если вас судьба поселила в разных уголках? Это непрободимый довод в пользу. Но только вот судьбы бы такой у вас не было, вы бы не встретились, а если бы и встретились, то толковали по справедливости невозможность как судьбу и смирялись с нею. Только вот если б уж вы встретились, то, за отсутствием современных средств коммуникаций, просто схватили бы за руку и не отпускали, вы бы не разлучались — вот коммуникация, вот связь! — не отпустить свое счастье, потому что — как потом его найти? — затеряешься: семь пар железных башмаков и такое же количество тех же посохов... Так что современные средства коммуникации — это пособники не связи, а разлуки, и информация — ложь, поскольку надо посмотреть в глаза.

Ах, все это мне напоминает рассуждение о том, что сейчас обыватель живет лучше средневекового короля, потому что пользуется санузлом.

(*Из повести «Наш человек в Хиве»*)

Баллада 7 августа

Однажды, поссорясь с женою,
Я вышел в сердцах на крыльцо
И долгою рыжей струею
Рыл землю, подъявши лицо.

Во время ж, пока я мочился,
Меж сосенкою и столбом
Пронзительный знак мне явился
На фоне небес голубом.

Увидел я зарево в клетку,
В небо когда взглянул:
Паук свою рваную сетку
На уровне глаз натянул.

Солнце садилось меж сосен...
Медленно я понимал...
Рыцарь! монах! крестоносец!..
Как он ее обнимал!

Серою лапкой за шею...
(Слабеет любительский стих...)
Плечистый, головкой своею
В груди ее страстно затих.

Толстая, нежная... С лепетом
Сник ее робкий протест.
И вот покорилась с трепетом.
И вот он ее уже ест.

Пускай недостойно поэта...
Но с подлинною тоской
Была их песенка спета
Про женский род и мужской.

И на краю паутины
(Рифмуется «кровь» и «любовь»...)
Будет болтаться хитиновый
Прозрачный мушиный покров.

В этом известном явленье
Увидев особый знак
И не поняв значенья,
Я толковал его так:

Высасыванью причины
Кружением точных слов
Ткачество паутины —
Близкое ремесло.

Наружное пищеварение
Даром нам не пройдет:
Напишется стихотворение —
А время его не ждет.

Путаясь именно с мухами,
Блохами и комарьем,
Наружными, злыми муками
Мы постепенно умрем.

И по законам катарсиса
Пулю себе не отлив,
Максимова или Тарсиса
Судебность не разделив,

В ко'перативной банке
Писатель-паук умрет.
Даже в швейцарском банке
«Время идет вперед!»

Стряхнув предпоследнюю каплю,
В последний раз дернув плечом,
Как в сказке «Лиса и цапля»,
Я молча вернулся в дом.

И молвил: «Не хлопай дверью!
Не хлопай зря дверью, жена!
Каким бы я ни был зверем,
С тобою — одна сатана.

Я наблюдал науку:
Каждый несет свой крест,
И если паук ест муху,
То муха, в конце, его съест.

Я видел: воскресла из мертвых,
Паук же висел недвижим,
И толстая, сильная жертва
Победно жужжала над ним.

И нету в сравненье обиды,
Пусть муха ему не жена,
Пускай они разные виды,
Но все же — он и она».

И тихо жена отвечала,
Молча склонясь над шитьем:
«Пойди, вымой руки сначала,
И будем обедать вдвоем».

Рыбачий

Гранту

Друг мой первый, друг мой черный, за горой...
Наступает час последний, час второй.

За грядой Кавказской новая гряда:
Люди, бляди, годы, моды, города.

А за той грядой чужая полоса:
Звезды, слава, заграница, голоса.

А за той границей гладь да тишина:
Чей-то холод, голод, смерть, ничья война.

А за этой тишью-гладью череда:
Никого и ничего и никогда.

А за этой чередою наш черед:
Слово, дело, крах, молчание и лед.

...Твоя мама, моя мама — вот друзья!
Если верить им, то мы с тобой князья.

Если верить им, то мы с тобой цари*,
Как деревья: срубят и — гори!

Теплый Стан

_____

* Царр — дерево (арм.).

\<Вы приходите — вас не ждали...\>

Вы приходите — вас не ждали...

Зато окажется, что когда вас позавчера познакомили на улице, а вы не запомнили имени, то «заходите» — было сказано всерьез, а ваше «да, да, конечно» стало обещанием. Окажется, что это очень трудно — выкроить время в своем полном безделье на этот внезапный вечер — целая деятельность. Суета подымает случай на уровень мероприятия. Вы идете «в один дом, послушать музыку»...

Вы ничем не обладаете, кроме доверия к вашему спутнику, — ни временем, ни представлением. Эта система доверия и неведения будит воображение. Вы не можете вспомнить какой-то воздух, какую-то оскомину: что-то напоминает вам ваше ощущение с великой степенью неопределенности, с неподтвержденной конкретностью... Вы погружаетесь в детство. Вас за руку ведут. Вы идете «в один дом» — перед вашими глазами встает такой «вообще дом», почему-то с маленькими колоннами, балконом, деревом, черт знает почему — не такие дома выстроены в вашем опыте, а представляете вы себе всю жизнь именно такой; он уцелел в одном лишь вашем мысленном взоре, на грани сна... Эта инфантильная неопределенность романтична, даже романична, то есть откуда-то вычитана или вычтена. В вас выделяется позитивизм. Но вы подходите наконец к вашей цели — и это именно такой дом и есть, даже какое-то подобие колонн... не то чтобы колонны, но все-таки... Напротив, за забором, и ночью строят: там рев бульдозера, слепой луч прожектора, как в зоне, растворяющийся в небесной черноте недостроенный небоскреб, грузинский СЭВ. Значит, по соседству с вашим огромным недостроенным современным опытом все же уцелел и этот домик, как младенческое воспоминание: то ли вы сами его помните, то ли вам мама рассказала. Вы идете «в один дом», «в одно славное семейство», и в вашем голом, вычитанном воображении — гостиная, картина, скатерть, вишневое варенье и размытые лица хозяев вокруг стола, выражающие сердечность и достоинство, свидетельствующие почему-то о любви именно к вам, — с чего бы это? И во всей этой приятной приблизительности на вопрос: «Куда же мы все-таки идем?» — особенно сладко увязает: «Нана — замечательная девушка». Это мнение подтверждает и встреченный по дороге еще один приятель: он присоединяется к нам. И хотя «замечательной» можно лишь стать, а девушкой — надо быть, эта невеста заждалась именно вас.

Чего вы ждете?

Все оказывается таким. И даже еще более таким, чем вы себе несознательно воображали. Вас впускают. Неужто горничная?..

По маленькой лесенке вас проводят и оставляют в маленькой промежуточной комнате, где есть большое зеркало, и мягкие кресла, и прикрыты двери, ведущие вглубь. Комнатка не вполне ясного мне назначения — для прихожей слишком обставленная, для комнаты — нежилая. Сюда вынесено кое-что лишнее из дальнейших неведомых мне комнат: рояль, на котором нам будут играть, шкафы со случайными книгами, старинный письменный столик на трепетных ножках, на котором только и можно написать что три строки на четвертушке бумаги — стол выдержит еще один почтовый поцелуй, и будто случайно лежащий именно здесь фотоальбом.

Мои друзья стоят, держась за тяжелые портьеры, курят в темное высокое окно, будто после тяжелого для них разговора, обо всем, однако, договорившись: им-то что. Я пересидел во всех креслах, много раз отразился в зеркале. Со жгучим интересом и небольшим стыдом пролистал фотоальбом... Вот бабушка, бывшая бабушкой еще до революции, в чем-то вроде фаты, прижатой круглой черной шапочкой, напоминающей бубен из ансамбля пляски; но что-то неуловимо другое есть в том, что этот убор для нее естествен, это ее одежда, а не национальный наряд. Она смотрит на вас с неосуждающим неузнаванием, и можно незаметно смутиться под взглядом этих молодых глаз на старом и мудром, как земля, лице. Удивляет этот взгляд — словно только чистота, выдержавшая век, все знает. Вот — горный орел, выпятив грудь, не спутав темляк с аксельбантом, смотрит на вас, за роскошными усами скрывая необязательный для мужчины ум. Дедушка? Папа? Может, это на него глянула так весело и прямо, будто ее окликнули внезапно, но пугаться было нечего: ничто не таилось в засвеченных выжелтевших кустах и деревьях сада, чего бы могла она бояться, — молодая женщина в длинном платье с высокой, неряшливой прической, с огромной брошкой на высокой груди?.. Чего ей было бояться в своем саду, склонившись над стоящей в траве плетеной корзиной, в которой лежал еще не обиженный будущим, насосавшийся ее младенец, сын фотографа, не иначе. Ибо на кого же еще можно с такой открытостью посмотреть? Он отстегнул аксельбант, сдвинул саблю, поборолся с треногой и, улыбаясь, в неудобной позе... Птичка выпорхнула, женщина с дикарским любопытством и сознанием, что все у нее навсегда в порядке, взглянула, бесстыдница, прямо в глаза мужчине-фотографу, да так и осталась, так и смотрит до сих пор, сквозь разлучившую их страницу, на того, усатого... Чтобы, спустя несколько пустых страниц, этим же круглым взглядом смотрела на вас девочка, встав на пенек, прижимая к выпяченному пузу неловко висящего длинного котенка, смотрел бы и котенок... Носик у хозяйки дома бабушкин, да взгляд — дедушкин... Нет, она положительно больше похожа на бабушку, чем на девочку, хотя девочка эта спустя еще несколько страниц, скорее всего, именно она и есть.

Куда подевались эти лица? Никто никогда больше не взглянет настолько в аппарат, так прямо, всему радуясь, ничего не стесняясь. Надо же, чтобы неуклюжий треногий посланец прогресса мог так рассмешить молодую мать! — она совсем не испугалась, не дичилась, диким было только любопытство...

Однако мы уже поселились в этой гостиной; миновал час, еще полчаса. Хозяйка давно должна была бы войти в платье, не иначе как до полу, и переиграть всю эту желтую стопку сонатин и вальсов, проявив поразительную способность читать по нотам... Мое воображение зашло уже так далеко, что разговор со мной мог зайти только о Пушкине; мои друзья вздевали очи и говорили: «Пушкин, о!» — я должен был немедленно прочесть им вслух «Рыцаря бедного». Я взял томик — как раз эта страничка была вырвана. Но и это восхитило меня.

Потому что, с немалым удивлением и внезапностью, я

осознал, что именно, ну, может быть, не совсем так, но именно в таком качестве околачивались в гостиных в те незабвенные времена и отнюдь не считали свое время потерянным, пока я извелся от одной мысли, что время зря идет, а я ничего не делаю. Хотя ничего не делал я, по сути, задолго до этого часа... А они не спеша провели лучшие годы в гостиных, именно те, кто исписал тома и вошел в школьную программу! Это они написали собрания сочинений, которые служат теперь образцом труда, это они написали бездну писем своим друзьям, а я, как солдат Иванов, строчки матери написать не могу... Это они вот так просидели свою жизнь, не считая ее пропущенной, и в жизни их случилось так мало лишнего, что все запомнить и рассказать можно было, и оттого читаются в наш век их биографии — как сказки.

Мне самому покажется, что я преувеличиваю, населяя собою XIX век, но, в подтверждение своего рода точности этих моих чувств, войдет, наконец, часа через два хозяйка, милейшим образом улыбаясь, но уж никак не извиняясь за то, что заставила нас ждать. Взгляд ее обласкает меня, представленного и шаркнувшего, отразится в зеркале, откуда совершенно тем же круглым и ясным взглядом выглянет ее бабушка или она сама, взгляд ее скользнет по нотам, переворошенным мною, упадет на альбом, и, подавив легкий вздох, Нана поцелуется с моими друзьями, и мы пройдем в столовую... Но — круглый стол, но скатерть, но живопись в раме, но сама рама!.. Все будет точно таким, как неразвращенная мечта, а именно тем, что и представлялось в детстве под словом «стол», «чай», «варенье», словно его сварили Ларины за кулисами, — все не разойдется с таким представлением, а подтвердит его, и вы вспомните, как с самого начала должно было быть так, прежде чем вы забыли как, прежде чем стало не так.

Как в детстве, с удивляющей необратимостью мгновения катили в прошлое. Только что вы ждали, воображали, а это наступило, сбылось, а вот и прошло, как Новый год.

После такого ожидания мы уже сели за круглый, тот самый стол. И опять не все сразу вам станет понятно: что после чего, что за чем следует. Нана сама испекла пирог (вот что ее держало все эти два часа), пирог у нее очень мило подгорел, это ей особенно сегодня шло, то, что он подгорел. Как блузка, как прическа... Потому что пирог подгорел специально для вас, иначе бы его домработница пекла и он бы не подгорел; а уж если Нана взялась его почему-то сегодня печь, то это означает такую готовность, такое обещание! Почему-то именно этот уголь на зубах — гарантия неунывного счастья, бесконечного утра, розового, как пеньюар, как бесстыдно-смущенная улыбка. Вы погружаетесь в эти бездны неразоблачимого кокетства, имеющего тот секрет, что обладательнице его все пойдет, все станет к лицу, даже, например, если бы пирог замечательно удался. И такое долгое ухаживание впереди...

Тут появляются, вовремя запоздав, жены моих друзей: щебет, поцелуи... — школьные подруги, выравнивающие возраст прекрасной Наны, которая, становясь неожиданно старше своих лет, так замечательно сохранилась. Это начинает ей с подчеркнутой силой льстить, как тот же пирог. Словно ожидание вычло из ее лет тот срок, на который вы запоздали, и она застряла в каком-то одном вытянутом многолетнем дне, с тем чтобы вы пришли сюда завтра. Она обещает подругам продиктовать рецепт этого пирога...

Вот женщина! Во что я в ней поверю — то она мне и даст. Особая пластика — все движения не окончательны, каждое томит, обещает, содержа в себе тот конечный обман высокой воспитанности, когда вы до самого конца не будете знать, с чем столкнетесь, пока не пойдете на все ради утоления этого раскаленного любопытства. Но такое любопытство можно утолить один раз, а там станет трогательно ясно завершение, окончательность всех этих неокончательностей, этой плавности, по которой вы приплыли, ибо когда она будет истощена, то, словно повторяя именно этот шевелящийся рисунок, чуть дышит фата — вы уже под венцом. И если займется костер, то это именно вы его разожгли, если он и не затлеет, то, значит, ради вас она пошла на все, на то даже, без чего обходится так же легко, как дышит. Ах, как вы будете растроганы этой холодной готовностью и покорностью, сочтя ее за чистоту или застенчивость... И вдруг вспомните хруст угля на зубах.

Нет, нет и нет! Я уже проделал это дважды. Я ничего

еще не делал такого, после чего был бы обязан как всякий порядочный человек... Но именно в этот момент я капаю вареньем на скатерть. И это такая мелочь, я так должен не обращать на это внимания, что, Господи! не расплачусь по гроб жизни. «Да нет же, я совсем не женился, — рассказывал мне как-то грузинский приятель, — просто однажды я обнаружил, что сижу на кухне и ем суп...»

Но, проживя так стремительно всю свою жизнь, примерив столь же не постаревшей Нане траур, который ей был так же необыкновенно к лицу, как и фата, проводив взглядом небольшое шествие за гробом этого огрузинившегося русского, состоявшее из двух моих друзей и их жен, так искренне плакавших... я возродился к новой жизни, поняв, что совсем ее не за ту принял, что это не Нана, а Нина, а Нана — вот она! она входит посреди нашего чаепития с пальцами, измазанными чернилами, так и не разрешив задачи о двух поездах. И пока они, по вине прелестного математика, мчатся на всех парах навстречу неизбежному столкновению, я с умилением рассматриваю свою ошибку...

Что-то произвело на меня однажды крайне сильное впечатление, а я и не заметил... С годами все чаще ищешь причину в прошлом и не находишь. В разреженном просторе детства тогда покажется, что все на виду. Впервые я был в Тбилиси еще в эпоху раздельного обучения. Мне было пятнадцать, то есть эта раздельность имела уже принципиальное значение. С большим волнением стоял я перед могилой Грибоедова. Пытаясь быть честным, могу признаться, что к «Горю от ума» это мало относилось — чувство мое было к могиле, и оно было сродни зависти. «Ум и дела твои бессмертны в памяти русской, но для чего пережила тебя любовь моя!» Изящно коленопреклоненная плакальщица прижалась чугунным лбом к кресту. Гид сказал, что моделью скульптору послужила сама вдова. Я тут же поверил его акценту. И никак не мог заглянуть ей в лицо, за крест, потому что грот был заперт решеткой. «Счастливчик!» — наверно, думал я, мечтая о юной красавице жене, всю жизнь после меня провдовевшей. Это ли значит, что «юность витает в облаках»: быть похороненным и оплаканным на чужой земле могло показаться мне счастьем!.. Я был влюблен в соседнюю, более скромную могилу — самой Нины. Еще не любив, я грезил у могилы о верности юной вдовы... Как сказал один великий русский писатель, только русский мальчик способен, засыпая в мягкой постели, мечтать о страдании, о заточении в тюрьму, о каторге. Не уверен, что он прав во всех словах этого утверждения, но я — мечтал. На этой могиле я хотел умереть от любви. Я вспоминаю об этом здесь, как сказал другой великий писатель, исключительно «для венской делегации» (подразумеваются друзья Фрейда).

Я не вспоминаю об этом, когда сижу с сестрами за столом. Но возможно, что именно Нина, то есть Нана, должна с блеском сыграть мне своими чернильными пальчиками грибоедовский вальс... Во всяком случае, почему-то именно эта, неряшливая и неуклюжая, подростковая миловидность не исключает абсолютного слуха. Так мне кажется, пока я наблюдаю, как ее корежит за столом, как она обсыпается пирогом и обливается чаем, не то презирая, не то обыкновенно тоскуя от нашей стариковской беседы. Я ловлю досадливый взгляд старшей сестры, будто извиняющийся за младшую: да, она совершенно не умеет вести себя за столом, но вы бы видели, как она преображается, когда садится за рояль, — словно ее подменили, осанка королевы... откуда что берется?.. Старшая вполне могла бы сказать такой текст, но не сказала. Я же мысленно соглашаюсь с этим предположением, киваю и уже верю в поразительные способности девочки. И единственный, внезапный, показавшийся мне необычайно понятливым взгляд, выстреливающий из глубины ее (для меня уже «напускного») равнодушия, свидетельствует теперь для меня не иначе как об остром чувстве юмора, характерной черте неведомой мне следующей поросли. Пошлый страх отстать от грядущего поколения толкает меня стараться. И продолжая обращаться ко всем, в частности к ее старшей сестре, которая в это время прибавляет к своим достоинствам столь редкую способность слушать, что необязательно и понимать... я ловлю себя на том, что уже жду этого проблеска внимания в ее мальчишечьем презрении, заискиваю перед поколением и жду поощрения, как старый пес... За этим-то недостойным занятием и застает меня их достойная бабушка, вплывая в столовую величественно и скромно, высоко неся свою чуть трясущуюся большую седую голову и, на пределе приличия, рассмотрев меня длинным выпуклым взглядом. Ах, много ожидания было скрыто на дне этого взгляда, какое-то количество обманутых надежд, какая-то надежда на необман. Все это было так скрыто, что величественный и гордый, исполненный прежде всего чувства собственного достоинства взгляд этот не выразил ничего, кроме того, что скрыл. Испугавшись меня, бабушка села и позволила налить себе чашку чаю со всей внучатой почтительностью, пить его не стала, лишь освятив чашку поднесением к чуть дрогнувшей навстречу голове. Она еще недолго посмотрела вперед, мимо меня, выпуклым прозрачным взглядом, великолепно не осудив никого, и, успокоившись то ли насчет угроз, то ли насчет надежд, собралась покинуть нас, и как раз вовремя, потому что младшая наконец прыснула всем чаем и пирогом, увенчав мои старания. (Она оставила меня в некотором недоумении, потому что, все утончая и усовременивая свой юмор, окончательного успеха достиг я без всякой шутки, просто так, употребив не то слово «попугай», не то «дурак».)

Итак, искреннее огорчение, смущение за столь неприличное поведение любимицы чуть осветит лицо почтенной женщины, и она поспешит удалиться. «Она не обиделась?» — спрошу я у Нины, приблизившись на расстояние родственника. «Мама? С чего вы взяли?.. Нет, совсем нет. Вы ей очень понравились». — «Мама?!» — с недоумением восклицаю я, глядя на Нану. — Такая молодая у нее дочь...» — «Фу, Нана! — скажет тут же Нина. — Всю меня заплевала». — «Я не хотела, мама», — скажет Нана. Мама? Такая взрослая уже у Нины дочь?.. И пока в моей голове разлучаются сестры, перевернутся и встанут на место бабушки и внучки, поменявшись на матерей и дочерей, я буду с недоумением думать, что это решение и с самого начала было наиболее подразумевающимся. «Нана нам сыграет?» — осмелев, спрошу я, потому что фырканье Наны утвердит меня в том, что я добился дружбы. «Я?» — удивится Нана. «Нана?!» — воскликнет Нина, теперь ее мама. — Да она чижика-пыжика верно сыграть не может! У нее ге-

188

ниальное отсутствие слуха». Я захохочу — и это станет самой удачной моей шуткой. Потому что засмеются все. Нам станет так вдруг, так беспричинно и бесконечно весело, что я окончательно позабуду, в какой век мне предстоит выйти на улицу. Потому что так весело было лишь на тех выцветших, прожелтевших насквозь фотографиях, среди которых моей-то уж нет...

Нина прогонит развеселившуюся дочь доделывать уроки, что вызовет на лице девицы такую неподдельную печаль, которую я приму за нежелание расставаться с нами. Чашки соберут со стола. Мы с друзьями вернемся в гостиную покурить. Три подруги — Нина и жены моих приятелей — ссядутся поближе, коснутся плечами, сблизятся головами и застрекочут по-родному, как птицы. Я буду их видеть из гостиной... Чувство близости пронижет меня настолько, что я начну прикуривать от сигареты друга, скрыв, что спички — у меня в кармане. «Вот смешно... — скажу я. — Чужой язык. Только что мы сидели все вместе, говорили... И вдруг — раз! — не понимаю ни слова. О чем они говорят?» — «Как о чем? — скажет друг, не прислушиваясь. — О чем они могут говорить... О нас».

Обо мне...

> И может быть, на мой закат печальный
> Блеснет любовь улыбкою прощальной.

(Из «Грузинского альбома»)

1974

Дом поэта

У меня есть воспоминание, которому я не верю. То есть сомненья нет, но — не верю. Кончилась война, мне было девять лет, мама повезла мои гланды в Ялту. Я в первый раз летел на самолете. Чему тут верить — что я лечу на самолете? что кончилась война? она была всегда, до нее ничего у меня не было... что мне было когда-то девять лет? что сегодня я могу вспоминать события тридцати-сорокалетней давности? Но еще менее вероятно следующее, не явившееся в те мои девять лет никаким фактом ни осмысления, ни переживания.

Калитку нам отворила старушка и пропустила нас в садик. Она подала маме руку, но, как я понял, не была маминой знакомой. Мама объяснила, что мы из Ленинграда и очень бы хотели осмотреть... Строгая старушка, с долей сомнения измерив меня, без слов пропустила нас и прикрыла калитку. В домике было похоже на нашу квартиру — ничего меня не поразило. К старенькому автору «Каштанки» я еще не испытывал ни любви, ни неприязни.

Потом мы пили на кухоньке в пристроечке чай, совсем как дома, даже буфет был в точности такой. Мама рассказала про петербургскую гимназию и Ленинградскую консерваторию, старушка — про своего брата, но не Антон Палыча, а другого... Ничего я не помню из того, что рассказывала Мария Павловна. Помню черепашку, выползшую на дорожку сада, когда мы, благодарные, прощались.

(Было это в тот год, когда со смерти Чехова прошло столько же лет, сколько он прожил, столько лет, сколько было тогда маме, и столько, сколько мне сейчас. В задаче спрашивается, какое сегодня число и что мы за это время написали?)

Мама меня возила в отпуска за собой, и я много посетил еще домиков кроме чеховского. Был я и в Грузии, в доме Казбеги, и в доме Пшавела, и еще как-то в Гори... Запомнил в каждом — железную кроватку и узкогорлый позеленевший кувшин в углу.

Уже тридцатилетним человеком начал я попадать в эти домики по второму разу. Меня — водили. В домик Чехова попал с известным кинорежиссером, которому мы особенно обязаны экранизациями чеховских вещей («Дама с собачкой» была уже снята, а замечательная «Дуэль» еще нет...). Естественно, нам распахнули все двери. Отцепляли для нас бархатный барьерчик, отгораживавший экспонаты от посетителей, подпускали вплотную. На тумбочке, рядом с чеховской кроваткой, лежала французская книжка по пасьянсам, на отрывном календаре навсегда осталась дата — 27 мая... Я ничего не узнавал из того, что уже видел. «Уже старушки нет...» Директор сетовал на миллион посетителей в год, на план и хозрасчет, и мы разделяли: деревянные лесенки, рассчитанные на поступь немногочисленной семьи, не были рассчитаны на всеобщий духовный водопой.

...Я много посетил с мамой домиков — я стараюсь их больше не посещать. Что-нибудь да порвется каждый раз в душе: то ли боль за поэта, то ли за себя. Чего-нибудь обязательно не простишь времени или, опять же, все тому же себе. Нелегкое это — посещать... Ненавидеть экскурсантов, отделять их мысленно от себя и убеждаться, что ничем-то ты не лучше их, если не хуже.

Да и посетить их бывает почему-то не так просто: специально — не соберешься, а когда выпадает естественный, как бы сам по себе, случай, который тут же захочется истолковать как знак или судьбу, то и тут... То ли выходной, то ли еще хуже.

Я возвращался на машине с юга и втянулся уже в среднюю полосу, которую и стремился поскорее преодолеть, утомленный долгой гонкой и однообразием представавшего предо мной вида, как вдруг... Что это? Так обрадовался взор!.. Пейзаж поражал культурой и свободой. Разгадка последовала: на указателе было написано: «Спасское-Луто-

191

виново». Сама судьба распорядилась — когда бы я еще так счастливо туда попал?.. Но та же судьба распорядилась и мною: мне нечем было заплатить и скромную входную плату: я не обнаружил бумажника — ни денег, ни документов! — видно, лишился его на последней заправочной, от которой отъехал почти на пятьсот километров... Не навестил я Ивана Сергеевича! А может, и кстати. С чего бы вдруг? Может, я бы еще больше расстроился, чем от бумажника...

Из всех функций поэта для своего народа, из всех заслуг не отмечается и еще одна — бесспорная: природоохранная. Сколько истории, сколько памятников культуры сохранили они нам одним своим именем... Но и — сколько пейзажей! Не охраненные их священным именем, рассосались бы и эти: вырубили бы рощу, растащили бы усадебку, будь она просто так. Ничья. Право собственности остается за поэтом, оно священно; оно освящено, впрочем, нашим правом собственности НА поэта. Оттого до сих пор можем мы не только вычитывать в прекрасных их произведениях, но отчасти и собственными глазами видеть, как жил человек и что его тогда окружало, когда он еще был. Чернильница, беседка, аллея... тросточка в углу, дуб на бережку, единственно столетний на всю округу... «Вновь я посетил...», «Я помню чудное мгновенье...» и «Нет, весь я не умру...». В наш век природа — такое же камерное, культурное пространство, как и стихи о ней. И если вдруг, проезжая по российскому шоссе, на смену бесконечным выродившимся, беспородным рощицам и порубкам, сплывающимся в общую просеку, на смену вываливающимся прямо на «проезжую часть» обветшавшим избам и заборам вдруг изящно изогнется дорога, входя в широкогрудый, чистый лес, и даже рельеф облагородится, откуда-то возьмутся живописные холмы и поляны, блеснет чистая вода, природа задышит культурой (ибо и дикая природа, без вмешательства, приходит к своей культуре...), даже до того, как вы увидите уже и впрямь культурный, насажденный и не вырубленный впоследствии парк или сад, прежде, чем мелькнет чистая церквушка с необломанным или непогнутым крестом, прежде, чем увидите на скромном и самом удачном месте уютный особнячок... — можете быть уверены, что вы приближаетесь к дому поэта, покопайтесь в своей эрудиции, какого... Поэт — последний крестьянин. Хозяйство его не только цельно, но и цело.

Может, не надо туда ездить на автомобиле?.. Нам предстояло путешествие — мой друг хотел показать город, где он родился. По дороге могли бы и заехать, куда захотим. Свернуть. Но — куда? Скажем, в Гори. Или еще раньше — в Сагурамо. В Гори или в Сагурамо? Не хотел я в музеи — куда милее мне был в тот момент простор. И в Гори я был... Когда? Неужто тридцать лет назад?.. Ужаснуло меня. Но все хотели. Все хотели того, что я хочу. То есть все хотели, чтобы я хотел. Тогда уж в Сагурамо. Там я хотя бы не знал что́. Туда я чуть меньше не хотел. Мы свернули с трассы с непонятным облегчением, которое рождает поворот: ехать совсем не туда, куда собрался...

Что я там мог не видеть? Машина заскребла по щебенке, круто в гору. Средиземноморская сухость камней и кустарников весело цепляла глаз. И вот любопытно: всегда-то мы себе что-то представляем, собираясь увидеть нечто в первый раз! Какой-то расплывчатый монстр из уже виденного и того, чего никогда не увидим, заслоняет взор: там в тундре прыгает кенгуру, и петербургский дождик идет на Монмартре... Растоптанный чеховский домик вставал перед моими глазами на том подъеме, санаторные толпы восходили по рыдающим шатким его лесенкам, светлая память не запомненной мною Марии Павловны печально витала над цементной гробницей, в которой был захоронен живой при ее жизни дом. Но дом этот перед моими глазами был и чеховский, и не совсем чеховский — лесенка, по которой я взбирался в памяти, завела меня совсем на другой этаж дровяной дачи в Сестрорецке, и не Мария Павловна, а все еще живая Вера Владимировна пропускала меня по той крутой лесенке наверх: «Осторожнее! Видите плакатик на притолоке? Его еще сам Михаил Михалыч написал. Чтобы гости не стукались...» «Береги лоб», — тщательно на тщательной же фанерочке начертано было рукой мастера. Покорный его воле, невольно склонился я, входя... Так, рассказывают, устроен вход в гробницу Наполеона, что каждый поневоле склонит голову. Но какая разница была в этих двух величиях и величинах!

Это был самый живой писательский музей из всех мною посещенных. Живой, как последний вздох, как осенняя паутина, как комната, из которой вышли, но еще слышны шаги. Он был жив и легок, как воздушная поступь старушки, как серебряный пух, нимбом светившийся над ее головой, как непрерывный девичий ее щебет, несмышленому мне пояснявший... Я сел за его стол. «Вот эти две колобашечки он тоже сам сделал, чтобы ставни не хлопали... — И она вставила колобашечку между окладом и рамой, распахнув окно. — Очень удобно». За окном был нехитрый садик, где дрова поддержали заборчик; с косым сортирчиком, опиравшимся плечом на ветви вросшей в него бузины... Я, робея и наглея, поднял со стола очочки, сложившие лапки, как кузнечик: две пыльные ватки были прилажены для переносицы... Их тоже «сделал» сам Михаил Михалыч, как мне пояснили; очки — натирали! Но натирали они живую переносицу! Ватка касалась! Касалась носа!.. Нет, я не мог больше... Продолжатель Гоголя и наследник Чехова!.. Я крутил в руках бумажку, этакий бланк на пол-листе, размером в командировку, предписание или повестку, за подписью инспектора по учету кадров. В бумажке извещалось, что решением... ему (Михаилу Михайловичу...) присвоена? присуждена? установлена (вот!) персональная пенсия размером в наши сто двадцать рублей. «Вы не представляете, как он обрадовался! — поясняла Вера Владимировна. — Теперь я хоть уверен, сказал он, что ты не умрешь с голоду. Тебе положена после меня половина...» Она его уговаривала не ехать (он плохо себя чувствовал): успеешь еще оформить-то, дело-то уже решенное. Он страдал нервным заболеванием — не мог есть... (разве как Гоголь, что вы говорите! я не знала...) он сказал: «Ты меня знаешь, я не успокоюсь, пока все это...» — и поехал, как я ни уговаривала, вернулся совсем плохой... То есть он ее не успел получить, первую свою пенсию, — тень Акакия Акакиевича накрыла полой своей шубы великого сатирика... А старушка так же звонко (у нее поразительно отсутствовала в речи пауза) рассказывала мне, как они познакомились, какой он был красивый, как он вернулся с фронта, еще в шинели, и носил башлык, а они возвращались из гимназии, и подруга ей говорит: «Смотри, какой башлык!» Мы так «башлыком» его и звали; потом он однажды к нам подошел. Именно гимназисткой была и оставалась замечательная старушка, все еще более гордясь своим личным знакомством с пресловутой Чарской (она ей написала читательское письмо, и вы можете себе представить! ответила!..), чем тем, что стала женой великого писателя...

Так вот же ведь, вот! Она не за писателя и выходила, а за красивого двадцатилетнего офицера, бледного, отравленного немецкими газами, в башлыке, с Георгиевским крестом и темляком на сабле!.. Серебряный ее голосок витал и витал, и была она все еще той самой, в которую он влюбился, и не видел я более трепетной и живой памяти о великом писателе, чем такая!.. Влюбленный в ее колокольчик, расшаркиваясь и не находя внятных слов, покидал я этот никогда не открытый музей, живой ее жизнью настолько, что и Михаил Михалыч оставался жив: вышел в садик или на террасу, пока мы болтали, не утомляя его... И спускаясь по той же лесенке, расшибал я таки лоб, искры сыпались, и смех ее рассыпался: что ж это вы, ведь сам Михал Михалыч предупреждал меня об этом... Растроганный, покидал я, бредя вдоль глухого зеленого забора соседней ведомственной дачи, за которым не знаю кто бы еще мог жить... И вдоль того же забора, так долго отгораживающего взор от дивных парковых берез, где всюду знак «остановка запрещена», а японцы, не понимая, просят остановиться, им хочется фотографировать березы, им хочется в рашн-лес, они не хотят в музей, а мы им ласково, более, чем они, по-японски, улыбаемся и провозим все мимо и мимо, успокаивая, как малых детей, что уже скоро и сейчас приедем... И впрямь, меж двух сузившихся заборов, как скот в загон, втягивается наш делегационный кортеж, и попадаем мы опять, куда я никак не ждал, —

великий отворяется простор и взор и вздох в этой прославленной усадьбе, где природа уже исполнена человеком в той же мере, как музыка, в том же, впрочем, камзольном веке. Нет, усадьба принадлежала не поэту, а вельможе, но поэты здесь бывали, и одна из их возлюбленных погребена вот под этим памятником...

В этом дворце как-то получалось, что недоступное разуму богатство не подавляло роскошью, а поражало жизнью, интимностью пространства, точным ощущением живого человека, здесь ходившего и дворец собою населявшего. С подавленным ностальгическим вздохом расслышал я в соседнем зале шарканье шитых туфель моего прапрапрадедушки, которого, признаться, я не по праву себе приписывал... Не знаю, с чего это меня так перекосило именно в Архангельском от японцев, которые так много и так вежливо улыбались, что не хотелось верить, что они способны почувствовать хоть что-нибудь из того, что обязан почувствовать здесь каждый русский человек, а может, злясь на их недоступную фототехнику, которой они непрерывно вспыхивали и стрекотали, запечатлеваясь, а может... Только с чего я взял, что я испепелюсь от зрелища их императорского дворца или сумею испытать их чувства от японского садика или вазы, которых здесь, в нашем дворце, было предостаточно и которые они (с каким чувством...) трогали своим японским пальцем... с чего это я взял, что способен? потому ли, что собрался к ним и, по этой именно причине, что сам буду вскоре их гостем, сопровождал своих японских гостей по месту, которое, кстати сказать, и сам-то впервые в жизни видел, как впервые видели его и они... с чего это я взял, что именно я — настоящий русский, когда особенно возмутился живому хихиканью за спиной, а обернувшись, застал своего кинорежиссера (не менее меня русского, из северной деревни родом...), в ту же Японию со мною намеревавшегося, то есть в Архангельском оказавшегося никак не по менее святой причине... я застал их, японца и русского, любознательно удовлетворявших свои филологические потребности в радостной попытке нахождения общего языка: они тыкали в мраморные частицы тела амурчика, японец называл их по-русски, а наш режиссер, по-видимому, по-японски; они повторяли эти, столь непохожие по звучанию на родные, слова и смеялись с истинно детской веселостью, окончательно забыв про пенаты, про памятник культуры и т.п. Я тогда чудовищно возмутился,

сейчас думаю: славные ребята, по существу... лучше, чем воевать... славные ребята! Но вот что же я так зарыдал ни с того ни с сего тогда, на выходе?.. Я случайно почти попал, несколько раз не попадал туда: то с дочкой, то с грузинским другом, то с иноземцем... всегда он бывал для нас закрыт, этот миленький домик, особнячок, даже особнячочек, выходящий своим красным узким бочком на Садово-Кудринскую... то перерыв, то выходной день, то санитарный... а тут, иду себе и не собираюсь, и час у меня нечем занять (это в Москве-то!), а домик-то и открыт! Я раздумывал в него войти — слишком неожиданно, решил все-таки не идти даже; Чехов такое чувство вызывает, что как-то то ли себя неловко, то ли людей стыдно, а теперь уже — перед ним самим, этот стыд воспевшим и воплотившим «с такою чудной силой»... Не пойду, думаю, а уже — вошел, а уже подымаюсь, гордо не присоединяясь к экскурсии и свое, хоть и скромное, инкогнито не приоткрывая... мне ли объяснять про Чехова!.. фланирую, с миной скромности и величия, по прекрасно, надо сказать, спланированной экспозиции, нравится мне и симпатизирую Антон Павловичу во всю меру своего знания и понимания, проникаюсь, так сказать...

и, в самом конце, вдруг на подушечке, под стеклом, в крошечной, как пишущая машинка, витринке, вдруг, на подушечке, просто так, безо всякого пояснения — на бархатной... под незалапанным стеклышком... пенсне и визитная карточка «Докторъ Чеховъ»... постоял я, постоял над ними, оцепенел тупо... а когда встрепенулся, очнувшись (за спиной уже стояла старушка — подозревала...), то и решил, что ничего больше смотреть нельзя, а надо уйти... Я-то решил, но так и оказалось, что другого — ничего и нет: на выход. Вот и выхожу я, про себя похваливая такт и вкус устроителей, на улицу... и улыбаюсь еще какое-то мгновение на внезапный уличный свет удовлетворенной, расслабленной улыбкой, и что-то все щурюсь и щурюсь, никак не привыкнуть, щурюсь, Садовое кольцо, щиплет, машины, машины, щиплет сильнее, сегодня!! сейчас... и рыдания без мысли, без идеи, от одного лишь этого чувства немого, начинают, как писали когда-то, «душить» меня. И я не в силах ни понять этого, ни сдержаться, ни скрыться, ни провалиться... Мне некуда деться посреди этого рычащего и дымящего бездревесного Садового, безлиственного Кудринского, знакомые вполне могут... рядом... что же это рядом-то?.. Союз писателей рядом... сорокалетний, трехдетный, стою посреди, и бессмысленные, непокорные, не пьяные ни в коем случае, потому что не было этого, слезы не просто текут, а льются, откуда столько?.. и отчего? никаких во мне слов, объясняющих, и сейчас не найдется. Просто это я, сейчас, в нашем времени, на Садово-Кудринской, что в Москве, со всей своей... со всем своим... разве так можно?..

Вот как было дело. С чего бы только было им просохнуть, как им было кончиться? не пойму. Нет, никогда я не поеду в Михайловское! Не хочу видеть дуб, вокруг которого ходил кот, и прялку Арины Родионовны — не хочу. Не хочу в недействующий храм, так замечательно отреставрированный для посещения... Приблизительно это сказал мне монах, которого подвозил я из деревни Небылое, что во Владимирской области. Едем мы, мчимся. «Инспектор!» — предупредил меня внимательный батюшка. Машина приседает со ста двадцати до шестидесяти прямо под носом засевшего в кустах гаишника, и успеваю я, тормозя, прочесть неправдоподобную своею внезапностью вывеску села Болдино. Отчего же так прыгнуло сердце? От боязни компостера в правах? от чудовищной той его осени?.. И гаишник не остановил почему-то, и я не остановился. Понял я это, лишь пересекая, как финиш, противоположную границу, прочитав слово «Болдино» в зеркале заднего вида... Нет, не мог я здесь остановиться! И я не остановился. Какими глазами смотрел я на пролетавший, улетавший от меня пейзаж. Какие проплывали те же самые, что и над ним, облака! Знал бы я, что другое Болдино это было, другой области, однофамильное село... И пронесся я, минуя, как однофамилец самому себе. Так и гримируюсь под Гамлета, а пора бы уже репетировать Лира. И только мы миновали пост ГАИ,

только мой друг изо всех сил тормознул перед ним, встряхнув всех нас, как поросят в мешке, как мы и оказались там, куда ехали, в Сагурамо мы и оказались. Представления невиданного тут же распались, чтобы все обернулось той самой стороной и условием счастья, когда ты — не предполагал. Экскурсий никаких не было, мы были первые и одни; не было и никакой преувеличенной надстройки над святыней; не осталось ни сестры, ни вдовы... Все здесь было вполне нормально, недоразвалившись и непереобновившись, в той норме, когда можно бы и продолжать жить, как жили... Для нас одних выбегали навстречу дворняги, неожиданно, для такой удаленности, породистые; от нас одних отвернулся в маленьком прудике черный лебедь; для нас одних оторвали от свежей непочатой тетрадки входные билеты... Билетерша же, конечно, была не одна: несколько женщин сидели уютным и праздным кружком на музейном крыльце, оживляя его. Кто они были? сотрудницы, родственницы, а может, и то и другое... Одна из собеседниц крутила в руках кофейную чашечку, явно прервавшись на полуслове, другая все еще не потеряла той заинтересованности в своей судьбе, которая бывает на лице каждого, кому гадают, и еще чашечка, перевернутая, ждала своей очереди на столе билетерши... И мы прошли.

Там было тихо, чисто, по-крестьянски был как-то не то намыт, не то неровен пол, плетеные же, деревенские, лоскутные половички... Уютно было, будто мы собирались то ли пожить здесь, то ли все-таки дальше поехать, то ли нас приглашали, а хозяин ждал-ждал и отлучился, буквально перед нашим приходом, и, как всегда, мне здесь, приезжему, неясно: хозяин? он что, сейчас будет или через неделю? — другая жизнь у времени здесь... Память о великом человеке не прервала тут жизни здесь живущих. И вот еще от чего мне стало хорошо: трепета у меня не было перед великим Ильей; у друга, наверно, был, а я был не обязан. То есть я относился к нему и с искренним, и с подобающим почтением, но и только. Не стояла для меня за ним судьба моего народа. И слава Богу. Отдохнем и от этого. Все здесь располагало к отдыху некой тенистостью в принципе, не только под деревом она бывает... Да и человек хороший. Вот то, что хозяин наш Илья — человек хороший, мне было очевидно ясно и без страстных пояснений моего друга. Быт человека не врет.

Поднявшись на бельэтаж, на лестничной площадке, в большой витрине, осмотрели мы личные вещи: трость, саквояж, белый жилет — на солидного, как в прошлом говорили, статного, человека... будто он все-таки вернулся, нас догнал, а сейчас поспешил переодеться... а нас пока пропустили прямо к нему в кабинет, поспешно спрятав за спину малиновый бархатный барьерчик... Так и выглядела настигшая нас экскурсоводша, с которой любезно объяснялся мой друг, а я не понимал... так она выглядела, как дальняя, возможно, и бедная родственница, помогающая здесь по хозяйству... Илья ей нас пока поручил... Она спрятала за своей спиной эту малиновую анаконду с крючком на конце, и мы прошли в его кабинет, таким он и представлялся — и мужской и интеллигентный; почитали корешки на книжной полке — не так и много, но все — по делу, осмотрели не замученный непосильной работой письменный стол и вполне хорошо вытертый ковер и мутаки на узеньком диванчике для внезапной дремы... Вышли на балкон: прекрасный парк спадал некруто вниз, деревья стояли просторно, так, что особенно трепетали меж стволов, по сухой приземистой травке, солнечные пятна; пятна эти вольно разгуливали по парку, предоставляя то тень, то свет так, что ни свет нигде не палил, ни тень нигде не сгущалась... И деревья все были такие породистые, как и выбежавшие нам навстречу при входе собаки. «Вот здесь, — мечтательно и ласково пояснял мне друг, — обычно ставили стол...» И взгляд его ушел за деревья, будто кого-то там вдали провожая... Или, может, кто-то уже приближается, кого мы ждем?.. «Вот так... — говорил он с мягкой расстановкой, с круглым жестом. — Прямо здесь, где мы стоим, однажды Илья и Акакий и не заметили, беседуя о судьбах, что съели всего поросенка...» И снова его взгляд пошел кого-то там, вдалеке, встретить.

А потом мы и сами съели то, что у нас с собой было, там, под балконом, в тенисто-золотистом парке; поели, запили водой из источника; поиграли с Леванчиком, сыном друга, в бадминтон; никто не проиграл никому... только солнце вдруг стало торопиться к закату, и Илья так и не вернулся. Что с ним могло случиться?..

Могила поэта

«За что?» — вот вопрос. За что — Илью? за что — Галактиона? Александра Сергеевича — за что??

«Александра Сергеевича жальчее», — сказал некий крестьянин про смерть Льва Толстого.

За что — они нам? За что — мы их? Им — за что??
Где правильнее похоронить поэта: где он родился? где
он писал? где он погиб?

А где он, например, писал? Когда было ему?.. Ему было
некогда и негде.

Это теперь мы возводим им дома, в которых они жили.
Храмы. И молимся на них. В киотах — фотографии, пер-
воиздания, черновики... портреты отцов и детей, возлюбленных... чернильницы, стулья, зонты... печатки, перчатки, пистолеты... фрак, сюртук... Архалук!

Сюртук мальчика с модной вытачкой. Тоньше пальчика
в фалде дырочка. В эту дырочку мы глядим на свет: нам на
выручку кто идет иль нет? Жил один Сверчок... Господи,
прости! Наступил молчок на Всея Руси.

Вещи — доказательство того, что поэт был. Будто мы
не верим, будто себя убеждаем. Лишь экспонаты — не-
оспоримы. Будто нам мало текстов... Нужна еще биография. Приятно то, что точно знаешь; приятно то, что всем
известно...

...Родился на Украине. Жил в Петербурге и Италии.
Не был женат. Путешествовал в Иерусалим. Получил
письмо от Белинского. Просил не хоронить. Перехоронен.

...Родился в Таганроге. По образованию врач. Жил в
Москве, в Мелихове, в Ялте. Путешествовал на Сахалин.
Умер в Германии. Похоронен на Новодевичьем...

Кто такие?.. Хором: Пушкин! Правильно, дети, Горький.
Заполним разом все клеточки в кроссворде:

Родился в 1796 — 1828 гг. в небогатой помещичьей
семье старинного рода, умер в 1829 — 1910, прожив 26 —
82 года. Знал от двух до шести языков. Рисовал. Писал
вальсы. Служил в министерстве иностранных дел. Воевал.
Был разжалован в солдаты, сослан на Кавказ, в Сибирь и
родовое имение. Путешествовал, не был выпущен за границу,
прожил 10, 20, 30 лет в Италии, Франции и Англии, где и
умер. Погиб на дуэли, был убит, простудился, погиб... Прах
его покоится на родине, перенесен из чужеземья, могила утрачена. Написал «Горе от ума», «Медного всадника», «Героя
нашего времени», «Мертвые души», «Войну и мир», «Идио-
та» и некоторые другие произведения. Сто томов писем.

С признанием при жизни у русских писателей обстояло не так плохо, как, скажем, в Америке. У нас не открывали через сто лет Стендаля, По, Потоцкого или Мелвилла. И читатели и власти более или менее сразу знали, с кем имеют дело. С биографиями похуже, но все-таки лучше, чем в следующем веке. Что поэты сохранили, так это исключительный патриотизм.

Да, биография налицо. Но где же тогда дом, который мы только что посетили? Когда же поэт в нем жил? Он в нем или родился, или умер. Приезжал в гости. Один Лев Толстой... да и тот в конце концов не выдержал и умер в дороге.

Скоро кончится тревога. Верный путник хвалит Бога.
Необманчива дорога, и уж близко светит цель.

Нет никакого дома — одна дорога. Путь. И если начало пути, место рождения, имело меньше всего шансов сохраниться для благодарных потомков, потому что новорожденный гений — такой же младенец, как все, не различишь (как поражает доска на одной из московских «высоток»: здесь родился Лермонтов!), то место смерти и могила должны быть куда более отчетливы у человека, столь свершившего... Казалось бы.

«Эти люди обо мне не вспомнят...» «Эти люди вспомнят обо мне...» Между фразами как раз и пролегает поколение, которое все забудет.

И скитания их не прекращаются за гробом.

Как могло так случиться, что пошел дождь, жена слегла, за гробом шли всего четыре человека (один из них Сальери), а до кладбища дошел один, могила была не готова, захоронили в общей, для бедных, а когда вдова пришла через день, смотритель не мог ей указать могилу? И это был человек, с раннего детства известный царствующим особам главных дворов Европы!.. Не говоря, что — гений, какого не носила земля, причем при жизни признанный гением. «И Моцарт в птичьем гаме...» — там, в листве — его могила.

И сколько бы ни ссылались на интриги III отделения, опасавшегося народных волнений, никак до конца не понять, зачем все-таки с такой таинственностью, ночью, в сопровождении жандармов, гнать сани с гробом поэта в Михайловское? Могила, правда, на этот раз известна. Зато с местом дуэли, при жизни ее прямых свидетелей и участников, происходят таинственные смещения... даже слева или справа от дороги, через двадцать лет они не могли установить. Так что, стоя у обелиска на месте дуэли, возможно, вы совсем не в том месте, где пролилась его кровь.

А беспокойный прах Гоголя?.. Он ведь так просил, предупреждал. Чего стоило его завещание в глазах людей, не сомневавшихся, что хоронят гения? Сочли бредом.

И уходит путь-дорога. Хоть людей на свете много,
Необманчива дорога, и уж близко светит цель.

Прах поэта беспокоят через сотни лет, находя ему более почетные или более символические места для захоронения. Кости ли не могут успокоиться, мы ли не можем? Прах Колумба и после смерти дважды пересекает океан, так и носится по волнам четыре сотни лет, Чаплина крадут...

Хлебников, вечный паломник, брел по степи со своим другом, и тот начал помирать. Хлебников не остановился помочь: «Степь отпоет...» — сказал он умирающему. И его самого отпела степь. Как отпела она, ледяная, и Цветаеву, и Мандельштама. Она же, скалистая, отпела и Пиросмани. Нет, тут не одна лишь наша неблагодарность! Тут что-то еще, не поймем что...

Великие изгнанники и скитальцы, у которых место рождения равно месту смерти... Кто они такие? Откуда взялись и куда ушли? Что это прочертило нашу земную жизнь, как небосвод?..

Я все стоял и стоял спиной к турбазе. Вардзия погружалась в ночь, как в молчание. Ничего там было уже не различить, но что-то все тяжелело и тяжелело во мраке — присутствовало. За спиной разгорались танцы. И музыка, и свет турбазы, бившие мне в спину, туда не достигали. Я стоял на границе того и другого. Вспыхнула и коротко пролетела звезда.

«Коль в живых мне оставаться, нужно с разумом расстаться. Птицы к душам вверх стремятся, — так и тело ждет конца».

Руставели ушел в Иерусалим. Все они уходили в свой Иерусалим. И не возвращались. И когда я вглядывался в ночное молчание Вардзии, этого памятника людям-птицам, когда-то ее населявшим, и сам немел перед этой сверхмогилой истории и родины, то чем больше я верил в самого Руставели, тем меньше в его могилу. Не в то, что ее нет или что ее так и не нашли... А в само то, что он там, под камнем, есть. Его могила была здесь. Родина — его могила. Он — ее звезда.

Жизнь лишь беглое мгновенье.
К миру только отвращенье.
Мне с землей соединенье.
В ночь ведет меня тоска.

Поэты — одни и те же люди. Столетия спустя не знавший Руставели русский поэт повторит:

Не жизни жаль с томительным дыханьем,
Что жизнь и смерть? А жаль того огня,
Что просиял над целым мирозданьем,
И в ночь идет, и плачет, уходя.

(Из *«Грузинского альбома»*)

1975

<...Я виноват...>

...Я виноват в этой, как теперь модно говорить, «аллюзии»...

Это и впрямь стало редакционным словом. Я его часто слышу, означает оно (как я его понимаю по употреблению — толкового, словарного смысла я так и не узнал): различное восприятие одного и того же. Скажем, вы хотели сказать и думаете, что сказали одно, а вас поняли (или можно понять) иначе, может, даже в противоположном смысле, во всяком случае, не так, как вы бы хотели, и т.д. Вы не намекали, а получился у вас намек, вы и не думали сказать что-нибудь против, а вот получилось... Думаю, что новая жизнь этого слова обеспечена не столько возможным многомыслием сказанного, сколько его дву-смыслием, и поскольку у нас сейчас очень вежливое мнение, то, чтобы не оскорбить честного человека неоправданным подозрением, а тем более не обвинить, и родилась эта удобная редакционная форма — словечко «аллюзия». Вместо недавнего, прямодушного: ну, это, батенька, не пойдет, это вы загнули, да понимаете ли вы, где вы собираетесь печататься?.. — через промежуточно-грозное: понимаете ли вы, что вы написали?! — к мягкой форме: вы не то написали... вы, конечно, этого не имели в виду, я-то понимаю, что вы хотели сказать, но вот ведь вас легко можно понять и вот так... Но вы ведь так не хотели, не хотите?.. давайте снимем, заменим, изменим... При этом чаще всего и автор хотел сказать то, что сказал, и редактор его прекрасно понял, и именно в том, в его, смысле.

Чтобы не быть голословным, приведу два-три («двойкутройку», как говорят в отчетных докладах) примера «чистых» аллюзий из собственной практики, когда я впрямь не предполагал, что написал что-то, «чего нельзя», а оказалось... Например, в «Путешествии к другу детства» я лечу на Камчатку и подолгу торчу в промежуточных аэропортах из-за нелетной погоды. Этот прием мне был необходим, чтобы успеть все рассказать за время вынужденных остановок. Редактор был напуган: это что же получается? **1964** «Над всей страной кромешная нелетная погода»... У вас так и написано! это как же вас можно понять, что... и дальше началась такая политика, о которой я и впрямь не подозревал и сам испугался. «Но я имел в виду лишь метеорологические условия, никаких других! явление природы...» — «Я вам верю», — сказал редактор. Фразу эту мы «сняли».

Вообще про погоду — опасно... Мне не дали назвать **1967** книгу «Жизнь в ветреную погоду»: какой климат, где погода? откуда ветер дует?.. В повести «Колесо» у меня был пассаж о реальном месте спортивных страстей в окружающем мире. Для масштаба я взял газету и обнаружил в ней три и то перевранных строки о заполнившем все мои мысли и чувства событии. После возмущения по этому поводу я пошел вбок: а если бы я знал, какие действительные страсти, какие судьбы стоят за другими мимолетными соображениями, например, назначение и отзыв посла?.. а погода, далее восклицал я, вообще явление космическое, а о ней как меленько?.. В общем, крайне спокойный и умиротворенный вывод. А в конце пассажа следовал парадоксальный как бы вопрос: «Знаете ли вы, что самые быстрые мотоциклы производят сейчас в Японии и что, пока мы все пугаемся Китая, эти японцы куда-то вежливо и бесшумно торопятся?..» Что этот дурацкий вопрос мог вызвать аллюзию, я предполагал и был готов снять про Китай, ибо у нас его не положено поминать всуе, но я никак, никогда не мог предположить, как все обернется... «Здорово это ты... Лихо... метко...» — «О чем ты?» — спросил я, предполагая Китай. «Про посла ты едко... Сводишь счеты?» — «Помилуй, с кем??..» — недоумевал я. «С кем, с кем... Ишь! делает вид... С Толстиковым!» —

«С каким еще Толстиковым!..» Вот что оказалось. Как раз в день работы с редактором было опубликовано, что Толстиков, бывший первый секретарь Ленинградского обкома, назначается послом в Китай. Тогда и впрямь было много разговоров о том, что он каким-то образом проштрафился, прогневил и его снимут. Никто, конечно, не ожидал, что в **1971** Китай... И вот сняли, и, надо же, ни днем позже, чем в день редактирования «Колеса». Его сняли, но сняли и мой абзац про посла (и про Китай, конечно). Я предлагал только про Китай; мол, тогда не будет мостика, не станет и намека. Я говорил, что написал этот абзац больше года назад, когда Толстиков прочнейше сидел на месте, что, когда это будет напечатано (ведь не завтра же!), все о нем и думать забудут и он сам будет далеко... Бесполезно! Характерно для аллюзии, что она действует именно в момент редактирования, отдаленный как минимум на полгода от аллюзий, связанных со временем опубликования, которых никто предположить не может.

Названия вещей поражаются аллюзией в первую очередь. Вот пример, связанный уже с «Пушкинским домом». Опубликовав в розницу за пять лет усилий пять глав, в основном из второй части романа, я решил их объединить в книге под заглавием «Герой нашего времени». И весь цикл и каждая глава сопровождались эпиграфами из Лермонтова, что делало ясным прием. Категорически нет! Это что же **1976** можно подумать, что именно такой герой нашего времени, как ваш Одоевцев?? Споры были бесполезны. Цикл был назван «Молодой Одоевцев» и даже под эпиграфами стояли то «Бэла», то «Дневник Печорина» — названия глав, но ни в коем случае не того романа, из которого они взяты. Под запрет попал Лермонтов, а не Битов.

По-французски автор не знает, а «Поминки по Финнегану» не читал и не видел (не один он...). Здесь я воспользуюсь случаем объясниться по скользкому вопросу литературных влияний, по которому никогда не следует объясняться самому, чтобы не оказаться неизбежно заподозренным именно в том, от чего открещиваешься.

Конечно, я прекрасно сознаю, что вторичность — не

простое повторение, что быть вторичным можно и не ведая, что повторяешь, что влияние можно уловить и из воздуха, а не только из прочитанной книги, что изобрести по невежеству еще раз интегральное исчисление все равно легче и для этого не требуется гений Ньютона, что первооткрыватель — это качество, а не регистрационный номер. Слышать звон бывает более чем достаточно, не обязательно знать, откуда он. Упоминания имени, названия книги бывает достаточно, чтобы опалиться зноем открытия. Зная, что кто-то взял высоту, не будешь надеяться перепрыгнуть чемпиона, ставя планку пониже. Достаточно знать, что кто-то рискнул, пошел на подвиг, чтобы твое самостоятельное намерение совершить то же самое стало вторичным. Литература, слава Богу, не спорт и не наука — свершения в ней не принимают вид формул и рекордов, в ней могут иметь цену одни и те же сюжеты, поднятые разными индивидуальностями, в ней могут одновременно и разновременно самостоятельно зарождаться близкие формы — они будут ценны. Но и в ней первое, как правило, сильнее независимого от него рождения второго. С рождением и повторением новых форм обстоит сложнее: гении, как правило, не изобретали новых, а синтезировали накопленное до них. У Марлинского и Одоевского изобретений в слове больше, чем у Пушкина, Лермонтова и Гоголя, их изобретениями воспользовавшихся. У Ф.Сологуба мы найдем стихи, написанные «раньше» Блока. Но «Процесс» все-таки мощнее «Приглашения на казнь»; но как жаль бы было, если бы Набоков «вовремя прочитал» Кафку и не стал бы браться за «Приглашение...».

Все это автор как бы понимает... От влияний было бы глупо отказываться. Но мне все-таки хочется отвести некоторые упреки в прямых подражаниях, которые автор уже слышал и надеется еще услышать.

Наиболее существенны три: Достоевский, Пруст и Набоков.

Пруста мне легче всего отвести: он не русский, этот упрек меня не волнует. Не исключено, что я попал под его влияние, когда начал роман, когда писал «Фаину» и «Альбину». За год до этого как раз впервые его читал, читал

«Любовь Свана», и она мне многое напомнила в самом себе, была узнана, произвела впечатление и т.д. Но еще

1963 перед этим чтением я закончил «Сад», и мне кажется, что в «Фаине» гораздо больше именно этого автовлияния, я все еще не отошел от «Сада». В общем, Пруста я не отрицаю, это меня не волнует.

Сложнее с Достоевским, влияние которого вообще невозможно отрицать. Но тут есть два оттенка. Первый, что он один из самых «незапоминаемых» писателей и поэтому ему трудно было бы непосредственно подражать. И второй, что влияние Достоевского — вовсе необязательно литературное влияние. Он еще не изжит, он встречается в самой жизни, тем более в российской, и лишь для человека, узнающего жизнь преимущественно по литературе (каковы критики), тавро Достоевского поразит и существующую действительность. Описанность явления еще не означает его исчезновения из жизни (хотя должна бы... об этом в другой раз...). В Достоевского легко «попасть», именно забыв о нем и выйдя из-под его влияния, попасть по жизни, по личному опыту. У нас в России все еще так думают, так чувствуют, как у Достоевского, может, даже в большей степени, чем в его время. Тут сказалась та же пронзительность просвечивания, что и в социальных пророчествах «Бесов». Так что в «подражание» Достоевскому может столкнуть сама действительность, описанная, но не отмененная (а даже утвержденная) им, не он сам. Вот характерный эпизод из личного опыта... В 1965 году я попал на поминки Е. (без всякого правильного смысла; я с ним не был даже знаком, не был и на похоронах... — по-достоевски, по-русски...). Это был человек рекордно-страшной репутации, из главарей идеологических кампаний 49-го года. Но что-то и в нем было не просто так (черной краски не хватило, так он должен был бы быть черен...). По рассказам, под конец жизни он не мог читать ни одной строчки пропагандируемой им литературы, ушел в затвор, читал только Чехова и Достоевского, жена его истово вдарилась в религию, ходила в черном, как монашка, общался он только с ней (ее еще видели на людях, а его, годами, никто). Такой, значит, поворот. Умер. Я застал поминки в разгаре.

Общество, кроме одного человека, который меня позвал, было мне незнакомо, но и через пять минут стало видно, насколько разнообразно и своеобразно: они были пародийно похожи на героев Достоевского. Были тут и Свидригайлов, и Шатов, и пародия на Ставрогина, и копия Верховенский, и два-три Лебядкиных (это я сейчас так пишу — тогда мне эти аналогии почему-то не пришли в голову, может, как раз из-за очевидного сходства; к тому же с тех пор я многих из них узнал поближе и, по отдельности, удостоверился в каждом случае, а соединил сцену еще позже...). Пили, Верховенский не пил, остальные — много. Говорили речи. О покойниках плохо не говорят, и все начинали хорошо, отмечали размах и талант (к тому же и в ораторах было мало чего кристаллического), но потом как-то вдруг скатывались в глубокое «но» и, выкарабкиваясь из него, кончали прямым поношением. И так было с каждым. Народу было много, большинство просто пило, чокалось, ржало, гуляло по буфету, откровенно забыв о покойном, а те, кто пытался вправить (из лучших побуждений: как-никак смерть...) застолье в должное русло, сами же исправно Е. поносили. Но — пили и ели. В жизни не представлял себе таких поминок! Зрелище затягивало своею отвратительностью и как-то вязко не отпускало от себя, будто все это должно было еще, сверх всего, чем-то таким кончиться, что лучше бы и уйти вовремя, да никак невозможно. И разрядилось. И как раз тогда, когда я не выдержал и собрался уходить, а за мною еще трое... И тут Верховенский обнаружил пропажу тридцати рублей. Все только этого и ждали — что началось! какая изысканность предложений и предположений... Никому не выходить, всех по очереди обыскать... Все-таки такое оказалось невозможно. Единогласно нашли жертву — ею оказалась самая моленькая и смазливая (и бедная!) девушка, которую привел Шатов. Она — отрицать и в слезы. Они (актив, мигом сложившаяся звездочка, «пятерка»...) — шмонать. Обсудили технику. Удалились, волоча ее за собой. (Сам Шатов с выражением непреклонной образцовости подталкивал ее в спину, назидательно увещевая.) Верховенский в радостном комсомольском возбуждении был впереди и всюду вокруг. В общем, ее раздели в специально отведенной комнате — меня там не было, — ничего не нашли. Снова было предложено всех шмонать. Не помню, как я вырвался, унося эту сцену в зубах, трепеща от этого подарочка по линии опыта: уж куда-нибудь у меня эта сценочка войдет, не денется!.. И придумывать ничего не надо... Так целиком и плюхнется в роман, как в болото, разбрызгивая главы... Несколько лет держал я эту главу в запасе, да вот все романа подходящего не писалось... И — не пришлось. Перечитал-таки «Преступление и наказание», дошел до поминок Мармеладова — и глаза на лоб полезли: один к одному! Тоже своего рода аллюзия. Вот и я, описывая наспех этот эпизод, забыл о главном, о виновнике, о смерти, о самом Е., как забыли в момент шмона все участники. Это ли не возмездие — такие поминки! И отсюда единственный возможный тост в пользу покойного: значит, страдал, значит, недаром затвор, значит, светилась в этой черной дыре точечка совести, раз Господь успел покарать при жизни страданием и глумлением на похоронах, пока душа еще видела... Ведь кто ушел, избежав расплаты, на том окончательный крест, у того уже не было души, чтобы карать, того уже просто не бывало на этой Земле. А этот Е., может, уже по облачку под ручку с Антон Палычем беседует, и Антон Палыч, так, журит его слегка... Нет, от влияния Достоевского тоже никак не отказаться.

А от Набокова мне и не хочется отказываться. Но, с учетом всего выше и ниже сказанного, как раз и придется: имя я услышал впервые году в 60-м, а прочитал — в декабре 70-го. Как я изворачивался десять лет, чтобы не прочесть его, не знаю, — судьба. Плохо ли это, хорошо ли было, но «Пушкинского дома» бы не было, прочти я Набокова раньше, а что было бы вместо — ума не приложу. К моменту, когда раскрыл «Дар», роман у меня был окончательно дописан до 337-й страницы, а остальное, до конца, — в клочках и набросках. Я прочитал подряд, хотя и в английском переводе, «Дар» и «Приглашение на казнь» и — заткнулся, и еще прошло полгода, прежде чем я оправился, не скажу от впечатления — от удара, и приступил к отделке финала. С этого момента я уже не вправе отрицать не только воздушное влияние, но и прямое, хотя и стремился попасть в колею написанного до обезоружившего меня чтения. Всякую фразу, которая сворачивала к Набокову, я старательно изгонял, кроме двух, которые я оставил специально для упреков, потому что они были уже написаны на тех забежавших вперед клочках... Вот что написал по такому же поводу сам Набоков в 1959 году в предисловии к английскому переводу «Приглашения на казнь», вспоминая обстоятельства выхода этой книги по-русски в 1938-м:

«Эмигрантские критики, которых эта вещь весьма озадачила, хоть и понравилась, думали, что различили в ней "кафкианскую нить", не зная, что я не владел немецким и был полностью несведущ в современной немецкой литературе и еще не читал ни одного французского или английского перевода сочинений Кафки. Нет сомнения, существуют определенные стилистические связи между этой книгой и, скажем, моими более ранними рассказами (или более поздними...); но их нет между нею и "Замком" или "Процессом". В моей концепции литературного критицизма нет места категории "духовной близости", но если бы мне пришлось подыскивать себе родственную душу, то я выбрал бы, конечно, этого великого художника, а не Д.Оруэлла или иного популярного поставщика иллюстрированных идей и публицистической беллетристики. Между прочим, я никогда не мог уразуметь, почему любая моя, без различия, книга пускала критиков в суетливые бега на поиски более или менее прославленных имен для необузданных сравнений. За последние три десятилетия они навешали на меня...»

И далее следует список из двух десятков взаимоисключающих имен, охватывающих пять веков и столько же литератур, включая Чарли Чаплина и героя одного из романов Набокова, писателя по профессии...

И еще вот что. Литература есть непрерывный (и непрерванный) процесс. И если какое-то звено скрыто, опущено, как бы выпало, это не значит, что его нет, что цепь порвана, — ибо без него не может быть продолжения. Значит, там мы и стоим, где нам недостает звена. Значит, здесь конец, а не обрыв. Чтобы нанизать на цепь следующее (новое) звено, придется то, упущенное, открыть заново, восстановить, придумать, реконструировать по косточке, как Кювье. Тут повторения, изобретение велосипеда и открытие пороха не так страшны, как неизбежны. Набокова не может не быть в русской литературе, потому хотя бы, что он — есть. От этого уже не денешься. Его не вычесть, даже если не знать о его существовании. Другое дело, что такого рода палеонтология неизбежно слабее неизвестного оригинала. Набоков есть непрерванная русская литература, как будто ничего не произошло с ней после его отъезда; судьбе пришлось уникально извернуться, чтобы организовать персонально для него феномен внеисторичности. Набоков мог продолжать ТУ литературу. Такой она была, такой бы она была, такой бы она стала. Он ее продлил, он ее закрыл. ТУ. Но как бы ни была прекрасна ТА, проза еще будет писаться. Писали же после золотого века Пушкина, Лермонтова и Гоголя, хуже, но — писали. Отошел и серебряный, и бронзовый век. Но есть еще медный, оловянный, деревянный, глиняный, картофельный, наконец, говенный, и все это еще будет литература — прежде чем окончательно наступит век синтетический, бесконечный, как вечность.

Как видите, автор относится к собственной работе всерьез. Он полон веры. Ему все еще есть ЧТО ДЕЛАТЬ.

(Из комментариев к «Пушкинскому дому»)

<Явление>

Я проснулся от тяжкого грохота, разверзшегося прямо надо мной, чуть ли не в моей собственной голове. В кромешной темноте, от внезапности, я не только не понял и не вспомнил, где я, что со мной, но и — кто я. Проснулось в ужасе нечто живое, способное испытывать страх и не желающее погибать; оно не знало, что оно — я. Следом за грохотом и сотрясением наступила, как на горло, полная, черная тишина, в которой не было ничего, кроме протяжного страха и удушья. Раздался ослепительный белый свет, озарив спичечную коробку, в которой я спал, и меня, стоящего на четвереньках на кровати. Именно показалось, что я увидел и себя, свое тело, словно покинул его, пока еще на небольшое расстояние, в задумчивости: вернуться или нет? Следом на крышу обрушился удар, крыша ухнула, но, как ни странно, выдержала, пружиня и постанывая под сплошным потоком воды, лившимся на нее. В этом шорохе и гуде раздался новый, на этот раз будто красноватый свет, проникший сквозь толщу бежавшей по стеклу воды, и опять все замерло в полной черноте и ровном шуме потопа. Тут-то и вдарил, в такой близи, что опять будто в черепе, следующий гром. Сна не было ни в одном моем вытаращенном глазу, но от этого испуг мой только возрос. А дальше запалило и засверкало с такой частотою, что свет от вспышки до вспышки не успевал померкнуть в глазах — избушка моя была охвачена розово-белым пламенем. Я различал при этом свете карту над кроватью: все жилки рек и железных дорог и кружочки городов; пыхнуло — и я прочел бессмысленное слово «Амстердам». Такого города больше нет, равнодушно подумал я, Голландию уже смыло... Я не уверен, были ли у меня отчетливые представления о том, что происходит: столкновение с кометой, взрыв атомной бомбы, отрыв атмосферы, потоп или я схожу с ума, — одно мне было ясно: конец. Чтобы придать себе немножко бодрости, я повторил вслух его синоним. Этот висельный юмор не выручил меня. Я не знал, что обычно делают в таком единственном случае, как конец света, — опять одно мне стало ясно: я ни за что не хочу погибнуть именно здесь, на этой постели и в этой будке. На тех же четвереньках я сполз с кровати и, мыча от ужаса, лбом отворил дверь. Это было правильно, что я выполз на карачках: вода лила стеной, и в другой позе было бы невозможно дышать. Здесь было еще светлее, чем в домике, сверкала, гранясь, вода. Из-за черных стволов сосенок я понял, откуда свет. Теперь я не умру в этом домике!.. — одно было сделано. Но мне не хотелось погибать в этих тесных сосенках. Я деловито пополз на свет, желая — на открытое пространство. Быстро, как животное, я побежал на четвереньках, оставляя в сыром песке свой новый след. Так я выбрался на открытое место, к подножию дюн. Передо мною, над заливом, стояла огненная пульсирующая стена. Она была красно-желтого цвета. Грохот мощнее пушечного обнимал меня со всех сторон. Я остановился, завороженный зрелищем этого колеблющегося, плотного, гремящего занавеса. Больше у меня никаких решений не было, я не знал, что дальше делать, и я заплакал. Я захлебывался ливнем, а мне чудилось, что у меня стало столько слез. Я не хотел погибать. И не то чтобы мне так уж захотелось в эту минуту жить или не хотелось вот так погибнуть — мне не хотелось погибать *таким*. Я не был готов. В отчаянье я еще немного пополз вверх по дюне, волоча за собой как бы узелок с потрепанными и неизбытыми, как недвижимость, моими грехами: ненаписанное письмо матери, так и не подаренный дочке щенок, позор сегодняшнего многословия... не знаю, почему так мало и такие невинные припоминал я свои грехи, искренне готовый каяться во всем... наверно, подсознательно, хотел отойти для себя в лучшем виде. У меня не было намерения надуть Всевышнего, — самым большим и позорным, покрывающим всю эту мелочь, был грех моей неготовности предстать перед ним. Я вознес ему какую-то мычащую молитву без слов и перекрестился. Это изумило и даже отрезвило меня: неким несомненным чувством я понял, что сделал это *правильно*. А ведь раньше... я хорошо помню, что никогда толком не знал, как надо креститься: слева направо, справа налево? как начинать — по вертикали или по горизонтали? пуп — последним или вторым, сколько перстов сложить?.. Я не был религиозным, но относился к храму с достаточным почтением — но перекреститься в нем никогда не мог не только потому, что это было как бы недостаточно оправдано и обеспечено, но и потому, что толком не знал, как это. Я косился на молящихся, стараясь усвоить, но то ли они крестились так мелко и часто, то ли... В общем, хорошо помня свое постоянное недоумение по этому вопросу, стоя на коленях у подножия дюны, перед огненной стеной, как перед Явлением, я так по-детски обрадовался, что у меня все это получилось! И так ловко бил я поклоны, так истово крестился, что ужас покинул меня, и страх, этот бич человеческий, смыло с меня водою. И больше я не помню, что...

Я и проснулся, не помня. Вышел в раннее утро. Солнце сияло. Сверкали капельки на ветках. Курилась трава. Еще яростнее, чем обычно, щебетало птичье царство. Тащил мушью тушу муравей. Сотрудница Н. стаскивала клетки с чердака.

Все было на месте, прежний рай. Только словно еще голубее небо, еще желтее песок. Тем не менее утро показалось мне неискренним: оно прикинулось — утром. Я искал примет измены — не находил. Оно делало вид, что не помнило, посмеивалось над ревнивцем. С кривой усмешкой попробовал я так же правильно сложить персты и перекреститься — рука не поднялась, я опять не помнил как. «Пока гром не грянет, мужик не перекрестится». Хоть эта радость не изменила мне: в очередной раз обомлеть от точности языка.

(Из «Оглашенных»)

1976

Япония как она есть, или Путешествие из СССР*

(Ненаписанный роман)

> Между королевством Лаггнегг и великой Японской империей существуют постоянные торговые сношения, и весьма вероятно, что японские писатели упоминают о *струльдбругах*; но мое пребывание в Японии было настолько кратковременно и мне настолько непонятен японский язык, что я не имел возможности узнать что-нибудь по этому поводу.
>
> *Свифт. «Путешествия Лемюэля Гулливера»*

> Жалею, что не мог соединить в статье отношения к Японии такого же, как к России. Не мог одолеть этого.
>
> *Толстой. Письмо Черткову*

> ...Чтобы в цензурной форме пояснить читателю, как бесстыдно лгут капиталисты <...> по вопросу об аннексиях <...> я вынужден был взять пример... Японии! Внимательный читатель легко подставит вместо Японии — Россию...
>
> *Ленин. «Империализм как высшая стадия капитализма»*

> Автор заверяет читателя, что в этой повести придумано все, кроме фамилий действующих лиц.
>
> *А.Б.*

---

* Исповедь 1966 года с позднейшими примечаниями.

Квиток (Стук)

Сначала все вроде бы ничего. Некий человек просыпается в бодром расположении духа. Нам прямо-таки передается это его расположение — так он потягивается, похрустывает, пошагивает по с детства ему знакомой комнатке. Такое впечатление, что все, что и было плохого, уже позади, а стоит вот только так проснуться, чтобы жизнь с этого утра выстроилась последовательно и светло. Человек этот как бы старше своих лет, но и не на так уж много. Он, скажем, даже делает несколько упражнений зарядки — смущенная и в то же время поощрительная улыбка к самому себе на его отдельном лице. Стремление к реальной деятельности побеждает все: какая тут зарядка, или бритье, или даже чистка зубов!.. Человек роется в ящиках своего еще школьного стола — промокашки и кляксы — мусор, вызывающий счастливую снисходительную улыбку. «Мама! — кричит он в соседнюю комнату. — Смотри, что я нашел!» Тень мамы уютной мышкой объявляется тут же. Сын сует ей радостно бумажку — свою, скажем, ученическую ведомость за четвертый класс, но тут же его движение начинает укорачиваться и он как бы даже отнимает у мамы бумажку назад, которая кого еще, кроме нее, может в равной степени обрадовать... Там из этой бумажки, которая что-то вроде школьной ведомости, высовывается другая, пожелтевшая, с обтрепанными краями, а может, и не столько пожелтевшая бумага — на бланках еще была такая, как оберточная, со щепочками, древесная масса... Эта бумажка — то ли бельевая квитанция, то ли анализ крови, то ли повестка на выборы, то ли в суд из библиотеки за невозвращенную книжку, то ли отец все-таки не вернулся с войны... — ее надо спрятать, скрыть, запихнуть, засунуть поглубже. Это, еще неизвестно что, не обсуждается. Необходимость эта разрастается беспредельно. Мама, кажется, ее все-таки не заметила. Однако взгляд ее продолжает переходить с лица сына на ведомость в его руках, и уголок той, желтой, продолжает высовываться, словно сам выползает... «Что с тобой?» — совсем уж некстати говорит мама. «Что, что со мной?» — пугается сын, и виду нельзя показать... «На тебе лица нет». Сын проводит ладонью по лицу, как бы убеждаясь, что оно есть. «Ничего, что тебе, право, показалось...» — а сам все засовывает, все подпрятывает отовсюду вылезающую бумажку. «Ступай, — говорит он, смеясь, весело и нервно, — что может быть со мной? Я с тобой...» — «Не мешай», — наконец грубо говорит он. Больше всего на свете, страстно хочет он остаться сейчас наедине. И остается. От этого сразу легко и весело ему становится, словно пронесло. Однако надо спрятать. Поглубже. Отчего не уничтожить вообще? а зачем, собственно, уничтожать? что тут такого? какой-то анализ... и кто знает о нем? сколько лет прошло? десять? пятнадцать? двадцать? не за первородный же грех мы, право, в ответе... ха-ха! но вот и опять почему-то, вместо того чтобы спрятать, ведь уже засунул поглубже... снова выложил ее на самое видное место... Ну, ладно, успокойся, ведь ты даже не знаешь, что в ней, что такого страшного-то! вот возьми ее в руки и внимательно прочти, о чем она, и успокойся наконец. Уверенно и бесстрашно берет он бумажку, с ухмылкой пренебрежения к обуявшим его страхам... и что же? фамилия и имя вроде даже не его, о чем речь?.. следующая строка как-то ускользает от внимания, приходится возвращаться перечесть, а она опять ускользает. Текст расплывается, никак не сосредоточиться. Все равно все это чепуха. Бумажка небрежно отброшена в сторону, но только секунду и полежала — словно стол под ней задымился... Схватил ее снова. Да что же это, надо взять себя в руки, с ума сходишь от любой чепухи. Давай спокойно подсчитаем: сколько лет прошло, кто мог вообще об этом знать?.. О чем?? Ведь ты даже не знаешь, о чем, — чего разбегался-то! Совсем и не страшно. Как не знал никто, так и не знает никто. И ты не знаешь. Эвон какая подкорка наросла. Ну и не выковыривай. Да что, что, собственно, выковыривать!.. — возмущается человек. Так схлопывается время. Человек то лихорадочно подсаживается к столу, начиная некие подсчеты и выкладки, ведущие к окончательному его успокоению; ликует, потирает руки; вдруг спохватывается, ищет ошибку, нетерпеливо прерывает собственные расчеты. То сходится, то не сходится. И ошибка, показавшаяся ошибкой, оказалась вдруг вовсе не ошибкой — просто логический заворот такой, фокус, надо запомнить, показать кому-нибудь этот арифметический фокус. Но торжествующее хихиканье вдруг звучит чуть ли не всхлипом, потому что вдруг снова ясно: никакой ошибки нет и все сходится. Но что? Прошло каких-нибудь и сколько-то минут, но вдруг и день прошел. В окне серо-красная полоса, в комнате решительно стемнело. Стук в дверь. Человек подсовывает друг под друга свои бумажки и выкладки: как раз именно невинную детскую ведомость он и запихал поглубже, а проклятый квиток — опять наружу... Однако уже подозрительно так долго не отворять: человек устремляется к двери. Там оттаптывается от дождя незнакомец. «Мы к вам», — говорит он, проходя один. Человек застигнут врасплох, он изо всех сил берет себя в руки. «Знал же, что сегодня придут! — досадует он. — И опять не успел...» Он сосет палец. «Что это у вас, кровь? — участвует вошедший. — Да вы не переживайте, со всяким бывает... может, это еще не вы...» Человек верит незнакомцу, что это не он, и даже, успокоенный, выходит за ним следом. Там надо всего лишь что-то подтвердить, удостовериться, и все. Всего лишь. На крыльце их уже поджидает еще незнакомец, оказывающийся почему-то старше по положению, во всяком случае, тот, первый, как-то стушевывается. Сеется тепленький, мелкий, какой-то вольный дождь. На улице светлее, чем в комнате: сумерки лишь начинаются. Человек оглядывает пейзаж как незнакомый: все эти домики, и плетни, и глина под ногами, и сырая трава. «Тут совсем недалеко... — успокаивает и этот незнакомец. — Тут всего-то и ничего...» Человек следует с ним бок о бок, окрыленный и равный. «Вот, сейчас... Вот!» И они стоят на краю разрытой ямы, на дне которой уже набежало дождя... Сумерки и дождь — все это как-то сгустилось, опять не разобрать: что-то там, однако, на дне... Незнакомец смотрит выжидающе. Человек стареет с лица, лет эдак на пятьдесят. И такое отчаяние, такая очевидность... закрывает руками лицо — только и не увидеть, что там, в яме... И я так понимаю его, так переполняюсь его мукой и смертью, страхом и виной, что мне уже не скрыть от себя, что это я и есть.

Анкета

Это я. Это мой сон. Это не я. Я никого не убивал. Иначе я бы долго сейчас крутил перо над графой судимости. Иначе я бы не писал: *Я, Битов Андрей Георгиевич, родился в 1937 году в Ленинграде в семье служащих. Отец, Битов Георгий Леонидович, 1902 г.р., по профессии архитектор, ныне пенсионер. Мать, Кедрова Ольга Алексеевна, 1905 г.р., по профессии юрист, в настоящее время старший экономист п/я х/у-235. Первую блокадную зиму мы провели в Ленинграде, в марте 1942 года мать вывезла нас с братом по «Дороге жизни» в г. Ревду на Урал, где работал в это время отец.*

1966   Ложь набегала, перо скрипело, язык, правдивый и свободный, могуче сопротивлялся, текст впал в паралич. Автобиография почему-то обязательно должна была быть написана от руки — я снимал с пера волосок — гриппозная темень первых зимних уроков, чернильницы-непроливашки, ученик Никишкин, с эпилептическим криком вонзивший перо №86 в темя ученика Снегирева и равномерно долбящий уже обломанным пером в то же темя, — в двух экземплярах, причем от руки. В 1944-м, написал я (волосок продолжал волочиться за пером...), мы вернулись в Ленинград и я пошел в первый класс... Почерк мой выстраивался, тупел, и я вдруг написал «первый» по всем правилам прописи, не отрывая руки. Был-таки какой-то тайный смысл писания всего текста от руки — усугубление лжи, сознательная дача ложных показаний. Тонкое знание психологии творчества — написанное пером не вырубишь топором. Ага, нашел объяснение. Атмосфера следствия. Репетиция.

Доброжелательная кадровичка — бывшая алкоголичка.

— Вам необязательно повторять анкетные сведения, пишите то, что в ней не нашло отражения.

Знал ли Шекспир, что дорогу когда-нибудь пронесут мимо зеркала?

— Про дедушку, бабушку? — спросил я.

— Зачем же? — она немножко обиделась, будто я позволил себе лишнее. — Нет, теперь это не требуется. Напишите про общественную работу.

Про войну надо было написать, потому что в нынешних анкетах вопроса про оккупацию уже не было. Написать, что в четыре года я уже участвовал в блокаде — это было явно в мою пользу. Такого и в Японию можно пустить... Ибо и анкета, которую я заполнил, и автобиография, которую я писал, не веря собственной жизни, — все это было на предмет командировки в Японию Восходящего Солнца.

Все не расходилось с правдой, что я про себя писал, и все была заведомая ложь. Именно заведомая. Полное единомыслие устанавливалось между моим намерением ехать и их благожелательным решением выпустить. Это равновесно выражалось в стиле. Я не мог написать так: потомственный петербуржец... родился 27 (14 ст. ст.) мая, в памятный день основания С.-Петербурга, в клинике Снегирева напротив Куйбышевской больницы (б. Мариинской), на улице Маяковского (б. Надеждинской) в г. Ленинграде (б. Петрограде, б. С.-Петербурге) в результате закона о запрещении абортов; таким образом, Сталину я обязан жизнью именно в пресловутом 1937 году, что, по-видимому, и обусловило отсутствие либерального сознания, по этой же причине не крещен у православных родителей, в то же время происходя, по линии матери, из старого священнического рода. Мать хотела меня назвать одновременно Дмитрием и Андреем, отец — Ксенией или Кириллом. Поскольку отец с матерью спорили, чью фамилию я должен носить, то сошлись на том, что мать дала мне имя, а отец фамилию — традиционный вариант, но некоторое раздвоение жала наблюдалось, стало быть, и тут. Родители были далеки от уровня современных знаний, они понятия не имели, что я родился в год Вола под созвездием Близнецов, что союз родившихся в год Тигра под созвездием Весов и в год Змеи под созвездием Близнецов редко бывает удачным, и если созвездие потомка совпадает с созвездием одного из родителей, и без того осененных знаком раздвоенности, то во многом определит судьбу данного потомка, ибо раздвоение это утраивается в генном резонансе. Мы жили сначала на 8-й Советской (б. Рождественской). Итак, родившись в бывшем 1937 году, я был многочисленно определен к раздвоению еще и тем, что отец, как мог, вкладывал в меня душу нерожденной Ксении. Все это было закреплено последовательной системой воспитания, при которой сестры у меня так и не появилось, а в школе я учился в эпоху раздельного обучения, и когда **1948** эта эпоха начала кончаться, чуть раньше окончания порывающей ее эпохи, то накануне я был переведен в...

...в первую советскую английскую школу, — писал я облегченно, освободившись от волоска, имея в виду, что это тоже приближает меня к Японии — школа, из которой вышло определенное количество шпионов, то есть людей, безусловно выезжающих за границу, — в то же время испытывая некоторое сомнение, ибо мой опытный и уже ездивший за кордон соавтор рекомендовал мне ни в коем случае не указывать на знание английского языка, ибо таковое знание, необходимое шпиону, усугубляет мою анкету возможностью свободно изъясняться без переводчика во враждебном лагере. Однако — написал, не удержался, ибо наряду с участием в блокаде это была одна из немногих моих заслуг перед властью... где, в связи с набежавшею разностью программ, никак невозможно было слияние с женской школой, ибо они не смогли бы нагнать нас по языку, — таким образом, к семнадцати годам мать была единственной женщиной, которую я видел, не считая учительниц, не имевших целью задевать мою чувственность. Естественное отлучение на столь долгий срок от второй половины человечества послужило...

«За границу не выезжал», — следовало написать последней строкой в автобиографии. Оставалось теперь все это переписать, чтобы второй экземпляр не оставил сомнений в заведомой даче ложных показаний. Но эту фразу я не написал, руководствуясь тем, что она уже нашла свое отражение в анкете. В моей автобиографии не наблюдался факт невыезда, и факт выезда — не наблюдался. В моей автобиографии наблюдался такой непьющий мальчик, бедный и мужественный участник блокады, никогда не бывавший, однако, в оккупации, который впервые в Советском Союзе овладевал английским языком в специальной школе, а затем учился горному делу, но, почувствовав недостаток жизненной опытности, прервал обучение и пошел на завод и в солдаты, чтобы потом продолжить обучение (никто меня ниоткуда не исключал...).

Я, Лемюэль Гулливер, — начал я переписывать во второй экземпляр, неприлично подхихикивая, но это не нашло отражения на моем лице, как и факт исключения из института, выбытия из комсомола, тайного намерения креститься, крутого похмелья, вечернего беспамятства, разбитого сердца, творческого кризиса, раздвоения личности на две неличности, участия в ограблении со взломом и т.д. и т.п. Перед листом бумаги сидел с ясным скромным лицом морально устойчивый товарищ, который чисто случайно еще не бывал за границей, который еще может и в ряды партии вступить, из чистой скромности не упоминающий о всей ведомой им общественной работе и упомянувший в этом качестве лишь свою активную работу с молодыми авторами (это было вдохновенно найдено! когда-то я ходил в литературный кружок...). Я, Лемюэль Гулливер, за границей бывал, а именно: в Лапуте, Бальнибарби, Лаггнегг и многих других (в том числе в Японии); прошу разрешить мне путешествие из СССР; мною уже написана книга «Гулливер в Стране Советов»...

«Мой отец имел небольшое поместье в Ноттингемшире; я был третий из его пяти сыновей. Когда мне исполнилось четырнадцать лет, он послал меня в колледж Эммануила в Кембридже...»

Нет, дорогой товарищ Гулливер, так не пойдет! Как это — небольшое?.. Какое небольшое? недоговариваете, чем заняты остальные четыре сына? нет ли их за границей? не сидят ли по нарам? Значит, в Кембридже... Так, так.

Нет, дорогой Лемюэль, с такими данными не бывать вам в Великании! Никто вас туда не выпустит. У нас, как говаривал мне мой большой (в смысле — самый толстый) друг, с тобой, говаривал он, передавая мне «маленькую», которую мы пили из горлышка, сидя на краю пашни (мы только проснулись и еще понятия не имели, где это поле и как мы на нем оказались, но «маленькая» у мудрого человека на этот случай припасена была...), у нас с тобой, сказал он, всегда есть выход: переехать из СССР в РСФСР!

— НО Я НИКОГО НЕ УБИВАЛ!

Такого пункта в анкете не было. Таким образом, два пункта, которые я заполнил бы с чистой совестью, под которыми расписался бы следом, а именно:

«Не расстреливал несчастных по темницам»

и

«...братьев меньших никогда не бил по голове», — в анкете как раз и отсутствовали.

Невелика, впрочем, была бы и заслуга. Может, всего лишь не успел... Хотя вряд ли, хотя — никогда. Никогда бы я... Но с чего бы это мне сны такие снятся? И в чем это — так и не знаю в чем, — меня так и тянет сознаться? Так и раскололся бы до... а дальше сам развалился, кабы только знать — в чем? И сон этот, такой невспоминаемый, что и сейчас я его с таким писком, с такой неточностью выволок на поверхность бумаги, сон этот, такой всего лишь раз, ни с того ни с сего, виденный, хранил в своем ужасе залог многократности, будто я его еще увижу и опять не захочу ни его, ни себя в нем признать, и, что еще страшнее, судя по предварительному испугу, когда я еще не знал, как дело с этим анализом повернется, сон этот и домик несоответствующий были мне известны: то ли я все-таки уже видывал этот сон, да подзабыл старательно, то ли, если не видел, и впрямь кого-то когда-то умудрился убить. Преступление всегда мне было как-то ближе политики.

Видимо, заполнив лишь самую первую, недаром верхнюю, строку, написав свою Фамилию, Имя, Отчество, вы уже сознались во всем. Ибо в чем еще более ужасном можно сознаться?..

Я, Битов Андрей Георгиевич...

Графа 18 (Отношение к воинской повинности)

Судите сами, много ли у меня на душе было грехов, по крайней мере, к двадцати годам, предшествовавшим заполнению анкеты (хотя в последующие семь лет я их значительно приумножил...).

Рядовой, необученный, негодный к строевой службе, годный к нестроевой — в военное время... Нелегко далось мне это воинское звание!

Начать с того... Нет, пожалуй, не с этого. Уж коли начнешь признаваться, до начала-то и не доберешься. Так вот, в октябре 1956 года... Нет, еще раньше: за два года до этого я окончил школу. Нам потворствовали на выпускных экзаменах, выдавали лестные характеристики — счастливая пора обращения учителей из врагов в соумышленники! Однако моя собственная характеристика, преувеличивавшая целый ряд моих положительных свойств и общественных заслуг, возмутила меня своей предательской сущностью. Сергей Николаевич, школьный патриарх, преподававший математику со времен первой мировой войны, а нам — после второй мировой, наш классный наставник, развлекавший нас своим склерозом, путавший даже эти два эпохальных рубежа своей педагогической деятельности, а запомнившийся главным образом мерзким звуком шуршания бумаги, вызывавшим во мне конвульсии и аллергию (болезнь эта тогда не была известна, она объявилась спустя десятилетие: аллергия — болезнь свободных людей, — а тогда — подумаешь, кто-то чего-то не выносит: более чем подозрительное свойство...). Он входил в класс, ставил на стол свой бесформенный портфель и, не здороваясь, начинал протирать бумажкой коленкоровое сиденье стула, тщательно и даже яростно — лысина его, обращенная к нам, багровела. Бедный старик! Царствие ему Небесное. Сколько же за полвека было вылито ему на стул чернил, накрошено мела, подставлено кнопок... брюк за эту зарплату не напасешься. Это был безусловный рефлекс — компенсация склероза: лишь обработав поверхность, он садился, кровь медленно отливала от его головы, и тогда уже здоровался. С.Н., в функцию которого входило составить нам характеристики, наверно, долго старался, подбирая нам отличия друг от друга, давно слившимся для него в бесклассовое понятие класса, и умудрился вписать мне в характеристику «явные гуманитарные наклонности». Я же их к тому времени настойчиво отрицал, ибо собирался поступать в знаменитый Ленинградский Горный институт, гордо ощущая в себе именно это призвание, хотя в том, как я его ощущал, гуманитарность-то и сказалась: я любил слово «горный», потому что оно содержало в себе слово «горы», и горы я обожал, я был юный альпинист, значкист, а сам великий Виталий Абалаков учил меня в год

1953 смерти вождя вязать узлы и ходить в связке; думая о горах, я испытывал те чувства, которых еще не знал с девушками: глядя на грязный сугроб, ловко изменяя масштабу, воображал я себе скалы, ледники и снеговые шапки. И падая в эту безопасную пропасть, я полагал свою судьбу в том, чтобы находиться на краю гибели и быть в последний момент спасенным. Нравилась мне и форма Горного института, в конце жизни вождя возобновленная по дореволюционному образцу (Горный был до катастрофы привилегированным учебным заведением, приравненным по статусу к Пажескому корпусу, — Горный корпус...), позволявшая бедным студентам протянуть от стипендии до стипендии, участвуя в съемках массовых сцен в историко-революционных фильмах: горняков охотно брали — их не надо было переодевать. Итак, мечтая только о горах, узких тропах, камнепадах и лавинах, я решил подавать в Горный, а тут — «гуманитарные наклонности»!.. С.Н., надо полагать, хоть и не таил зла, имел к тому некоторые основания. Во-первых, я был чрезвычайно обидчив и до позднего возраста плаксив: еще пятнадцати лет я рыдал у доски от позора, что не мог постичь то ли квадратный трехчлен, то ли котангенс. Меня так заклинивало от видимости публичного позора, что С.Н. с полным основанием мог считать меня не способным к математике. (Хотя именно к этой Музе, к собственному удивлению, я проявил наклонности уже в вузовских стенах и теперь, все с большим основанием, сожалею, что изменил ей, предпочтя сочетания слов сочетанию чистых понятий...) И еще один случай подтверждал суждение С.Н. о моих возможностях — приходится сползти еще лет на пять в прошлое от пресловутой характеристики (хоть бы удержаться в этом сорок девятом и поползти вперед по повествованию!): в период борьбы с космополитизмом и возросшей всеобщей подозрительности я, не ведая, впрочем, о том, что такой период имел место, увлекся рифмовкой и сочинил две-три эпиграммы на наших учителей, в том числе и на С.Н.

1949 Я успел ознакомить с текстом немногих, как был вызван к завучу, который и учинил мне первый в моей жизни допрос. К счастью, эпиграммы на него у меня еще не было. И пока я скорбно рылся в памяти, изыскивая предателя среди своих друзей, вопрос разрешился достаточно благополучно: я просто забыл тетрадку с виршами в парте, а уборщица, специально инструктированная завучем насчет забытых в партах предметов, принесла крамольную тетрадь завучу. По-видимому, и сам завуч созвучной эпохе крамолы в моих строчках не нашел, потому что отпустил меня с миром и с первым заказом социальным: написать в стенгазету стихи о выведении великой породы белой украинской свиньи (завуч преподавал у нас биологию). От заказа я отказался с гордостью, делающей честь поэту: обещал вообще никогда не писать стихов (умолкни, Муза!), что, надо сказать, точно исполнил и, по крайней мере, в стенах школы более за стихи не брался. Все та же угроза публичного позора, достаточно проявившаяся в допросе и заказе, и впрямь навсегда отбила у меня подобную охоту. Надо полагать, что завуч использовал возможность ущемить своего подчиненного, и С.Н. об эпиграмме на себя знал... С дрожью в голосе заявил я С.Н., что Горный как-никак считается техническим вузом, выдавая еще раз свою гуманитарность этим «считается». С.Н., оставаясь при своем мнении, с готовностью переписал характеристику, убрав из нее единственное мое отличие из всего ряда остальных. Завуч же мне еще отомстил за отказ от заказа. Как-то, во время разбора письменного домашнего задания, он вызвал меня к доске и попросил написать на доске крупно слово «мгновение». Я же, уверенный в себе, никакого подвоха не ожидал: завуч был знаменит новыми методиками и вполне мог вызвать меня для технического исполнения какой-нибудь своей новой «задумки», и я уверенно начертал заданное мне слово, мысленно иронизируя над завучем, предугадывая некую схему, усиками соединявшую слова: человек и обезьяна, Мичурин и Дарвин, первобытное общество и коммунизм, Тимирязев и солнце, — но за мгновением последовала вечность: вечность подозрительного молчания за спиною, вечность взрыва этого молчания, и вечность хохота всего класса, и вечность «доброй» педагогической улыбки завуча, вечность поблескивания его тонких золотеньких очочков, приближавшихся видом к молотовскому пенсне (на чей портрет в молодости он и был, наш завуч, похож...). Недоуменно и возмущенно обернулся я к классу, осмотрел растерянно себя — все было на месте, все застегнуто, — класс ликовал. «Напиши, пожалуйста, это слово еще раз», — вкрадчиво попросил завуч. И я написал его еще раз, буква в букву, решив, что если весь мир сошел с ума, то последним буду я. Я не в силах далее живописать эту пытку — это был последний раз в жизни, что я плакал этими своими затянувшимися не по возрасту, пополам смешанными с половым созреванием слезами попранной гордости. Дело в том,

1953 что я выводил, еще и еще раз, в столбик, одно под одним и каждый раз так же: М-Н-Г-НОВЕНИЕ. Я был грамотным учеником, ошибок в правописании почти не делал, это был заскок в моем образовании. То ли такое «мнгновение» казалось мне более протяженным... остановить бы его я не хотел. И до сих пор, убежденный проверочным словом «миг», где, по всей видимости, не может завестись никакое «Н», я, начертывая правильно в очередной раз «мгновение» без лишнего в нем «н», испытываю своего рода спотыкновение пера, укол ностальгии по утраченному чувству времени, в котором это «н» таки содержалось. Так вот, закончив школу, в которой я навсегда завязал с поэзией, с характеристикой, из которой был изгнан ее позорный след, преодолев чудовищный конкурс, проявив настойчивость (в моем опыте, как правило, ошибочную), на второй год я таки поступил в Горный институт, и немного мне потребовалось времени, чтобы разочароваться в специальности. Я как бы еще не изменил горам в слове «горный» — остальному же всему изменил. Институт не только «считался» техническим, но и был техническим, технику же я не любил. И вот (наконец-то!) в октябре 1956 года...

...я выходил на улицу из кинотеатра «Великан» «вместе (как я писал впоследствии в одном из рассказов) с кое-какой толпою»... выходил я потрясенный, оглушенный, ничего не понимающий — каждому из этих штампов в этом случае было возвращено их первое, точное значение, и я искажу его, подыскав менее истрепанные слова. Была неделя итальянского кино, и я только что посмотрел «Дорогу» Феллини, в ушах звучала труба Джельсомины... Осень, пустырь, забор, безумная Мазина дует вместе с ветром и заморозком в дуду, сидя на обочине, пьяный Энтони Куин катается по мерзлому пляжу и воет под эту мелодию: та-ти-та-та... Кому-нибудь когда-нибудь это станет непонятно, как почти непонятно теперь и мне, — придется пояснить себе впрок. Фильм, конечно, замечательный, но вот ведь и он устарел: зачем-то я сходил на него еще раз — никакого потрясения. Значит, не искусством я был потрясен, не только им или не самим им — искусство было лишь условием потрясения. Во мне произошел, чего я, конечно, в тот миг не понимал, обвал — обрушение времени. Разное время протекало у НАС и у НИХ, и вот уже три года, как размывало перемычку (разъедало занавес), но ни смерть вождя, ни то письмо о нем, которое зачитывали нам, студентам, в актовом зале (почему-то свет в зале был потушен, мы не видели друг друга и не могли иметь общей реакции: каждый в зале был один, как один был чтец на освещенной сцене, как один был тот, кто осмелился все это вывалить на нас, как один был и тот, о котором в письме шла речь... все это был театр с отмененной реакцией публики: все понимали, что аплодисменты будут как-то некстати, нетактичны...) — так вот, ни то и ни другое и ни несколько третьих немаловажных факторов перемены эпохи не перевернули меня, а — вот эта картина про девочку, с головой, похожей на артишок. Позже я объяснил это себе так: впервые я увидел нечто своевременно, то есть одновременно, причем не выбранное кем-то для меня, а как бы сам и увидел, причем это своевременное и одновременное впечатляло не просто по контрасту с тем, что я мог здесь у себя знать, — нет! оно и ТАМ впечатляло, оно и там было, быть может, лучшей картиной все того же года, в котором и я — чудо! — ее видел. За полтора часа и в одну секунду постиг пропасть, пролегающую в понимании роли человека у Феллини и в моем мире, и то ли провалился в эту пропасть, то ли перепрыгнул ее: время стало одно у него и у меня, потому что разница в его и нашем времени, оказалось, человеку-то и равна. Равенство искусства человеку, наблюдавшееся для меня до этого момента лишь в XIX нашем веке, вдруг, оказалось, никуда не делось, потому что только оно и неоспоримо в искусстве, оно — было здесь и сейчас! какая боль, какое счастье... Меня окликнули. Это был Яша Виньковецкий, мой коллега по вольной борьбе в Горном институте, где я был уважаем за непомерные мускулы... О, вот когда они мне пригодились! я понятия не имел об истинной причине внимания к моим речам со стороны признанного (хотя у него и не было моих мышц) интеллектуала. Вот была причина его чуть удивленного взгляда, показавшегося мне пониманием: он не ожидал мыслей у этой машины... (он мне признался в этом значительно позднее). Не помню, что я ему говорил, но как это похоже на объяснение в любви первой встреченной тобою женщине: ты так искренен, а она так не верит тому, что это ты именно ее ни с того ни с сего полюбил... Соловьиные трели восторга! («Жрать хочет — вот и поет», как сказано у Зощенко.) Я хотел жрать. Ненасытный голод современного видения жизни обуял меня с первой же пробы. Я расчувствовал этот вкус навсегда. И Яша был послан мне судьбою. Мне очень легко ответить на вопрос, кто ввел меня в литературу. Меня ввел в нее Яша. Мы сидели на скамейке в парке, неподалеку от памятника «Стерегущему», и разговор наш коснулся почти всего, в том числе альманаха поэтов Горного института, отпечатанного на стеклографе в восхитительном количестве трехсот экземпляров, который мне накануне попался в руки, и пусть не так, как «Дорога», но все же поразил: по крайней мере, два поэта задели мое воображение именно тем, что писали о том, что и я знал, что и я чувствовал. Поразительная эта невстреча слова и опыта, выпестованная десятилетиями до того, что никто и не искал уже выражения своих чувств в стихах современных поэтов, в этом неквалифицированном любительском сборнике единственным для меня образом впервые не наблюдалась. Яша оказался польщенным: он знал этих поэтов, они и впрямь были лучшими, он сам состоял членом их литературного объединения. Он даже не спросил меня, пишу ли я стихи: может, это само собой разумелось по восторженному моему виду... но на следующий же день я сидел с ним в маленькой аудитории на очередном собрании литобъединения и впервые в жизни видел «живых» поэтов. Наивное это выражение «видеть живого» обретало свой настоящий смысл: они и были живыми. Это была СРЕДА. Это был единственный для меня способ ощутить ВРЕМЯ; однажды вдохнув этот воздух, я уже не мог более без него жить. Так вот, в литературу, выходит, ввел меня Яша, зато мой литературный путь начался с ПЛАГИАТА. Отсидев не шелохнувшись все заседание, вдвойне восторгнувшись стихами, исходившими из уст живых поэтов (ибо для меня уже не было сомнения, что именно они поэты, в отличие от всех тех, которые печатаются), я был застигнут врасплох вопросом нашего милого руководителя: «А вы что пишете? Почитайте...» Это было условие. Надо было стать ЧЛЕНОМ. ЧЛЕН — это когда принимают в. На меня смотрели выжидающе. Вот это было отчаяние! СРЕДА — ведь это когда не можешь существовать без нее. Я уже не мог. Но я ничего никогда не писал!.. Признаться в этом было нельзя. И зажмурившись, я прочитал стихи своего старшего брата, писанные под Северянина. Я прекрасно понимал, что они «ниже уровня», но не мог же я прочесть те две эпиграммы, я их забыл уже... Зато подлог был неизобличим: я мог ручаться, что творчество моего брата им незнакомо. «Мне говорят, что мой не нужен скепсис, что я напрасно с чувствами на "вы", что весь мой пессимизм — тяжелый сепсис каких-нибудь артерий головы...» Мне еще не было двадцати, я читал им, за два часа ставшим мне кумирами и братьями, и — такой позор!.. Я был уверен, что им стыдно за меня, что меня прогонят. Но они даже не стали смеяться надо мной — приняли! Не знаю, чем было объяснить их снисходительность: может, я польстил им своим восторгом. Это воровство сделало меня счастливым человеком, и смысл жизни, заплутавший в технологиях, эпюрах и сопроматах, был наконец обретен. Я полноправно посещал заседания ЛИТО, еле проживая неделю до следующего. Однако моя безоблачность вскоре затянулась. От вопроса, над чем я сейчас «работаю», я было отделался, правда, под легкую усмешку, тем, что заявил, что пишу поэму. Мне был назначен срок, и оставалась неделя. Готовясь к гибели, я утешал себя уже тем, что хотя бы месяц был счастлив, а теперь — пришла расплата, но — стоило того. День и ночь, однако, я писал

1956

поэму, выходило «под Маяковского», лесенкой об Эрмитаже на неосознанно-реакционную тему о том, чем обернулся лозунг «искусство — народу»: получалось, что неясно, против чего, но — ПРОТИВ. Этого оказалось достаточно: поэму приняли, стихи брата с облегчением изругали. Я хотел было выкрикнуть, что они не мои, не мои! оставив себе одни лавры, однако удержался, не раскололся. И был ПРИНЯТ. Стал полноправным ЧЛЕНОМ. Итак, Случай, Соблазн, Вынужденность, Спасение — я избежал Расплаты. Видимо, я ее еще не заслужил. Она была впереди. Вместе со СРЕДОЙ я получил и ВРЕМЯ: и вождь, и его разоблачение, и новый вождь, и Венгрия — все это, ужасное, было чистым праздником для меня (наверно, и для НАС) в атмосфере выпивки, дружбы, стихов и блатных песен. Счастливый этот распад моего отлитого в бронзу детства кончился ясно чем: я вылетел из института. «Там русское “Стой!” как немецкое “Хальт!”», — читала ведущая наша поэтесса. «“Аврора” устала скрипеть на причале — мертвящие зыби ее укачали», — читала она. Стихи эти попали ТУДА. Их передали по «волне». Наш следующий сборник, уже набранный, в котором было уже два и МОИХ стихотворения, был сожжен во дворе института. Не я был **1957** героем этих событий, но переживал я их самозабвенно. Тут я и встретил на улице свою рыжую «любовь на всю жизнь», тут я и забыл окончательно обязанности студента. У меня было уже столько «хвостов», что провал хотя бы еще одного экзамена влек за собой автоматическое отчисление из института. Им оказалось военное дело. Я понятия не имел о гаубице образца 1939 года, которую мы изучали целый год под грифом «совершенно секретно». Наводящие вопросы нашего майора в присутствии всей группы (от которой я неизмеримо отклонился, став «поэтом») ставили меня в то же положение, от которого я рыдал когда-то в школе, но теперь-то мне было наплевать... В окне сияло солнце и небо, я был поэт, готовый зарифмовать все на свете, кроме гаубицы (разве что «Не выйдет из меня убийцы — мне не стрелять из гаубицы»), там, во дворе, меня поджидала моя «колдунья» (тогда вошла в моду Марина Влади, и когда «моя» шла по улице с распущенной рыжей гривой и юбкой до колена, нам вслед свистели и плевались, а меня распирало от гордости...), она меня там поджидала, и мы сейчас лежали бы на пляже в Озерках, а здесь я не мог собрать затвор, получалось лишних как минимум две детали. «Ну, хорошо, — с усмешкой ума и превосходства спрашивал майор, — как хоть называется ваша "лишняя" деталь?» Я и этого не знал. «Ну, хорошо, вот вам наводящий вопрос: что есть у козла?» Доставляя прощальную радость своей группе, я перечислял: рога? копыта?.. Гогот стоял страшный. Сначала и майор веселился. А меня, естественно, так и подмывало сказать, что еще есть у козла... Он, по-видимому, это почувствовал и посуровел. «В последний раз спрашиваю, что есть у коз... то есть казенника?» Это был и впрямь последний раз. Я воспользовался им и ответил. И я вышел из аудитории и из института безвозвратно. Зато — на воздух, зато — под синее небо и молодое солнце, зато — в объятья... Честно, перечисляя детали козла, я не сумел вспомнить «бороду», а то бы не совершил своего геройского поступка и получил свои «три балла» в награду за посмешище. Вдогонку мне было послано письмо в военкомат с требованием моего немедленного призыва. Мы оплакивали с возлюбленной неизбежность нашей разлуки. «Разлука ты, разлука, чужая сторона...» — пели мы наши любимые песни. Или: «За кордоном — Россия, за кордоном — любовь...» Все это относилось прямо к нам. Но Венера помогла нам продлить наше счастье. И это еще история, которая согревает до сих пор мое сердце и какую-то из трещин склеивает... Странно, мне вовсе не неловко об этом писать, а как бы незачем. Я затеял исповедь, а мне не в чем признаваться. Выходит, как бы арифметически, что я буду писать за вычетом: как раз о том, о чем никогда бы не писал, и буду. Нынешняя моя попытка доказывает мне самому, что, прослыв исповедальным автором, я никогда еще не говорил о себе — я не знаю, как это делается, кому это надо, и даже кто я такой, и с каким таким мною происходила жизнь. Когда я писал как бы о себе, я никогда не был собой, я всегда был тем «я», которое мне было нужно для цели, и, Господи, как я всегда бывал уверен в своем избранном мною «я», как всегда знал что почем, как отчетлив бывал мой угол зрения, как я был несомненен! Теперь я не знаю, кто я, как не знал и в жизни, покинув единственный оплот моей ясности и цельности — мой письменный стол; нет, жизнь — никак не литература. Отдельность этого спасительного острова очевидна в мутном море признания. Признание — это тоже жанр. А мы-то верим, что нам выдают подноготную... Да ни в коем случае! Что там заманчивого-то, под ногтем? Когда я теперь уже сталкиваюсь с людьми, составившими представление о моей личности по тому, что я написал, я бываю застигнут врасплох, мне приходится вспоминать того себя, каким он мог себе меня представить, и без наводящих его вопросов я не могу его поддержать в его представлении. Я думаю, что не на бумаге меня вообще нет — так, облако, принимающее иной раз форму замысла, и если меня приметят в небе, то отметят сходство не то с верблюдом, не то с разрушенным замком. Меня это, признаться, стало занимать: кто я, если давно уже только выдаю себя за себя, все более повисая на плечиках собственной репутации (впрочем, весьма честно заслуженной)? Я вынужден пока счесть это за попытку с негодными средствами. То есть не столько с негодными, сколько без средств (что я и хотел), но без средств — это и получается, что негодные. Однако я еще буду истощать свое терпение, поскольку подобная попытка исключает заинтересованность во внимании вашем. Мне однажды показалось, что так называемое «честное» наше письмо как-то весьма выборочно, поскольку касается лишь смыслов, которые мы отыскали, и что среди этих разрозненных островков все более провисает жизнь как она есть, так что как бы и растет расстояние между нашими смыслами, и мы уже не отаукаемся от одного до другого, не то что до следующего, что, опираясь на осознанное, мы все больше пропускаем мимо, бредя вслепую и на ощупь по как бы избранному именно нами пути, так мы пропускаем, пока не обнаружим на периферии обретенных нами смыслов, собственно, всю жизнь и, что, быть может, обидно, именно всю собственную жизнь. Итак, в самый разгар моей свободы и любви (мы были уже все время вместе — подруга разделила мою судьбу, тоже бросив работу: она красила головные платки в Пассаже...) я получаю повестку в военкомат, и мы оплакиваем и обмываем слезами и вином нашу участь. Все стихи написаны про нас, и все песни про нас сложены... Мы гадаем по Корану (не потому, что мы такие изысканные, а потому, что он у нас оказался), и первое же место, в которое мы ткнули пальцем, было: «Вам предписали войну, и вы приняли ее с отвращением...» Да, все в этом мире было про нас, от «Песни песней» Соломона до «Трех товарищей» Ремарка, один лишь мир, такой наш, такой, каким его никто до нас не чувствовал, не был миром нашим и не нам принадлежал, нас из него гнали, в нем не было места нашему счастью. Наши матери рыдали над мелодрамами, но никак не хотели признать в нас таких же героев. Из солидарности со мною моя подруга на те же годы собралась отправиться в дальнее плавание, я же отговаривал ее от этой жертвы, честно говоря, при безусловной вере в ее любовь и верность, ревнуя к капитану и его помощникам. Странная была у нас мораль! Наша вера друг в друга простиралась до того, что мы могли позволить себе все, что угодно, ни при каких обстоятельствах не усомнившись друг в друге. Так, не имея, естественно, средств на нашу сладкую жизнь, мы «раскололи» двух или трех прежних поклонников моей колдуньи: по ее звонку он (этот презренный «он», настолько не достигавший ни одного из моих достоинств, что и крупицы ревности я не испытывал...) разбегался с выпивкой и закуской, а потом появлялся я в качестве разгневанного и ревнивого жениха, надувал свои бицепсы, и мы хохотали и пировали. Мысли мне в голову не приходило, как такие действия именуются (при нашей-то возвышенной любви!..), и если кто-либо осмелился бы назвать меня альфонсом, я бы, кажется, убил оскорбителя, уверенный в правоте и заслуженности подобной меры. Что говорить, мне и сейчас не стыдно! Любовь — это такое право на жизнь!.. Именно его у меня отнимали. Причем кто? Все ОНИ. Наша оппозиция была тотальной: не Сталину, не социализму, не агрессиям — всему миру мы противостояли. ВААБЩЕ. Никакие доводы не показались бы мне. Например, как бы я согласился с тем, что ВЕЗДЕ и ВСЕГДА мы бы ничего не значили, поскольку ничего еще не сделали и не добились; ничего не знающие, необразован-

ные, ничего не умеющие и неработающие, ничего не имеющие... и не имевшие. Мы имели молодость, здоровье, любовь; мы — БЫЛИ, и я с полным правом противопоставлял это любому призрачному заслуженному праву на жизнь.
Что это за право, которое уже не может быть осуществлено? Короче, я не задумывался, потому что естественный
спутник счастья — вера, что оно — навсегда, и одновременно знание, что оно — никогда не повторится. Это чувство так естественно, когда обречено: в руках у меня была
повестка. Я мог не явиться один и другой раз — за мной
бы пришли. И тут у меня объявляется прыщик бо-
1957 лезненный на самом дальнем и важном в то время
для меня краю — на самой крайней моей плоти. На следующий день он становится не одинок, и у меня вздуваются
железы под мышками и в паху. Обеспокоенный этим внезапным препятствием к радостям, но ни грамма не насторо-
женный, я все-таки обращаюсь к кожнику, дабы быстрее
справиться с досадной помехой. Он раскрыл мне объятия
как родному. Он меня уже так давно не видал!.. Не самого меня, конечно, а — мой прыщик, а — мои симптомы.
Это я навсегда запомню: как он скучно и вяло мылит руки
под краном, выпроводив очередной грибок между пальцами
ног, а перед тем еще фурункул на шее; как он оборачивает-
ся ко мне с ожиданием от меня в лучшем случае панари-
ция... и как он становится любезен и предупредителен,
предлагая мне стул, и потирая руки, и с возрастающим интересом расспрашивая меня все дальше, то есть с кем и
когда, и все еще не веря улыбнувшемуся ему счастью, этому
внезапному солнышку, сверкнувшему сквозь обложное небо...
и щупает, и успокаивает, и просит не волноваться, а радость
его все растет... Впервые в жизни я столкнулся с тем почтением, которого так добиваются люди и которого я ни
разу не знал, которое связано с положением в обществе.
Незнакомые лучи славы проливались им на меня. «Быть
знаменитым — некрасиво...» Лучшего доказательства не
сыскать — тогда я этого не понимал. Налюбовавшись
мною и составив свое впечатление, он начал стремительно,
вдохновенно и много писать и, уже окончательно — cito!
выписал мне направление в вендиспансер. Я был слишком

велик для него, он сразу выдвинул меня на повышение. «Что же у меня, доктор?» — спросил я дрожащим голосом. «Я подозреваю венерическую болезнь», — сказал он, как мог, мягко и в последний раз обласкал меня взором. Я должен был немедленно туда ехать (он мне назвал и номер трамвая, и где сесть, и где слезть), и, как бы даже с неохотой, он предупредил, что я это ДОЛЖЕН, что иначе за мной ПРИДУТ. В трамвае уже, осторожно, я разглядел направление. Leus primoris *(Лат.)?* — было в нем написано по-латыни для конспирации, с утешительным знаком вопроса. Но настолько-то я был эрудирован, чтобы прочесть и понять... Как описать вам мои чувства? Меньше всего я был обеспокоен болезнью. Я не хотел верить в измену. Я бы согласился изрубить соперника на кусочки на медном пятаке, выменяв на какой-нибудь редчайший, первый в мире вирус, от которого сначала отваливаются уши, а потом и все остальное, на какой-нибудь такой «испанский воротничок», о котором складывали легенды еще в пионерлагере, и, будь моя воля, из этой эпидемической лотереи я бы охотно выменял обыкновенный триппер на последнюю форму проказы... но это был даже не триппер! Приморис! — как это по-королевски звучало. Люэс Первый! Нет, триппер был бы мне значительно страшнее люэса: он не оставлял бы сомнений в измене. При скромности своих медицинских познаний, я выскребал со стенок памяти всю свою пионерскую информацию: нет, сифилис еще оставлял надежду! Как бы немедленно я простил, если бы она была больна еще ДО меня и просто не знала об этом. Но... Тут наши игры, наши безобидные розыгрыши за бутылку несли с собою возмездие (по быстроте своей свидетельствовавшие о самом пристальном внимании ко мне рока, еще родительском, еще до отпадения пуповины), сок возмездия протекал в меня мгновенно, я с ним еще сообщался, как сообщаются сосуды из школьной физики... В диспансере возник переполох. Врачиха уронила направление, как отравленное, и, надев резиновую перчатку, взяла его снова и выбежала. Вернулась она с делегацией. Казалось, они несли транспарант. Я должен был им всем показать. Я уже был утомлен славой. Случай свежего заражения (первая стадия) не наблюдался уже несколько лет. Однако на этой стадии сомнения еще упрочились: слишком много у меня оказалось язвочек, что оказалось нехарактерно. В случае действительного люэса я побивал мировой рекорд. Необходимо было проверить ИСТОЧНИК. Так именовалось теперь то, что было всем смыслом моей жизни. Врачихи (почему-то эта массовая манифестация — манус (лат.) — рука — была женского пола) смотрели теперь на меня сочувственно, матерински-сестринским взглядом: «мальчик» попался в руки «этой». В их взоре ЕЙ не было ни прощения, ни пощады. Выдать ее я был ОБЯЗАН. Это был мой долг гражданина. Долг гражданина, как я его понимаю в этом (впрочем, и в других случаях), находится как раз на границе с уголовной ответственностью. Эта триада: почтение-сочувствие-угроза, — разыгрывалась как часы. «Она придет сама», — убито сказал я. Лучше бы я не жил!.. Мне дали сроку 24 часа. Нет, я не привык к такой литературе. Вся моя русская традиция вопиет. То, что я прощаю другим, я не могу разрешить себе: высшая форма литературного самомнения. Не утешает меня и то, что я здесь принципиально литературою не занят. Я не могу писать «клубничку». Но она ведь входит в состав жизни (и еще как входит!), значит, и в состав правды... почему же она не входит в состав художественной правды? и что же это за правда такая, в которой и этого и того не скажи и не выразись по-человечески тогда, когда иначе бывает уже не выразиться. Я опускаю здесь наш с нею разговор. Я этого не в силах выволочь на поверхность. Кажется, я таки удержался на грани и сумел не оскорбить ее подозрением. И если я это в том своем состоянии сумел, то суждено мне было на следующий день сразу три изумительных приза, снова вознесших меня из бездны на еще более недосягаемые вершины... Во-первых, она была ЧИСТА. Каким диаметральным смыслом было наполнено это слово для врачей и для меня! Как странно было совпадение лабораторного смысла с божественным — вот пример омонима: как сосуд греха была она чиста... Следовало видеть перемену в тех же врачихах, готовых поначалу предать ее суду как сознательную отравительницу бедного, чистого, несмышленого мальчика (такого, надо сказать, милого), а потом оплакать ее бедную судьбу вечно обманутой девушки, которую я оклеветал, сам грязно нагуляв на стороне свою скверную болезнь. Окруженная коллегиальным женским сочувствием, она ушла на свободу, а я остался, презираемый, надо сказать, глубже, чем она накануне. Но — Боже! как я ликовал под их негодующими взглядами!.. Никто не скажет, где и когда нам дано испытать высшее счастье жизни! Вторым подарком оказалась консультация у заслуженного врача республики Гильбо. Не глядя на меня в свои толстые слоновьи глазки за толстенными луковицами очков, он взял в свою трясущуюся от старости, рыжую от веснушек руку нечто отдаленно напоминавшее мое мужское достоинство и сказал: «Вы ничем не больны, молодой человек. Это обычный ГЭРПЕС». — «А что же они говорят...» Человеку всегда мало: возликовав, я захотел справедливости... «Пусть они говорят... Запомните, что я вам сказал, и будьте спокойны. Я смотрю на эти вещи с 1913 года». Я обожал этого старика, его немощную руку, пятнистую плешь, его неповторимую дикцию, особенно в слове ГЭРПЕС. Да, раньше были врачи! — восклицал я про себя, с презрением глядя на новую формацию. Они обсуждали между собою существование герпеса. «Господи! да хоть ГОЭЛРО! — воскликнул я. — Отпустите меня, наконец!» Как я уже мчался к ней вымаливать прощение за невысказанные подозрения! Они посмотрели на меня, как на вещь: я их больше не интересовал ни как пациент, ни как преступник. Но нет — они меня не отпустили! Авторитет Гильбо был непререкаем и для них, но первым делом надо было снять с себя ответственность. И я был направлен в клинику на двухнедельное обследование. И это отдельный рассказ, который я пропущу, так как его уже трудно списать за счет свободы повествования: он просто не о том. Вот там я и впрямь боялся заразиться! Мне было так много возвращено — больше, чем отнято... Она приходила ко мне в больничный парк... Вот он, восхитительный ужас жизни! Каждое слово Гильбо было подтверждено. Как передовому юноше, дано было мне стать в ряды пионеров новой волны херпеса (как и аллергия, он мне кажется болезнью, разрешенной XX съездом) — соврачи новой формации о такой болезни могли и не знать. Но... Опять та же ответственность за меня не выпустила меня из когтей медицины даже после клинического обследования: мне был назначен диспансерный учет на три месяца. Три месяца каждую неделю из меня сосали кровь, чтобы убедиться, что она чиста. Но это был последний подарок и высшая награда нашей любви! Когда я под локотки был доставлен в военкомат как уклоняющийся от повинности, когда я выслушивал угрозы военкома о немедленном придании меня суду, когда я истощил его терпение своей невозмутимостью возмутительной, я обеспеченным жестом предъявил свой козырь: я был «венерический»... ужасные содрогания пробежали по телу майора, и три месяца были мои. Наши! Как не восславить тут Венеру, недаром входящую в корень слова... Но всякий дар Судьбы — это еще и испытание. Как ни трагично было расставание завтра, но оно легче обставляется страстью и клятвами, чем расставание через три месяца. Три месяца — это уже ЖИЗНЬ, но трех месяцев мало для жизни. Мы слишком окунулись уже в разлуку... Нет, мы не расстались, и любовь наша вроде бы никуда не делась, но три месяца праздника оказались практически невыполнимы. Я работал на заводе и, возвращаясь с ночной смены, умудрялся заснуть в самые решительные моменты нашей близости. Это все человеческое, это все прощалось, но это небесследно... И когда в ночную ночь, после ночной смены, кончились все поблажки Венеры, я предстал уже перед судьбою если не покорно, то без ропота. Интересно, а если бы меня вообще освободили от службы?.. Нет, испытание любви — время, никогда не обстоятельства. И я ушел в разлуку (не в армию, нет, это — потом...), все еще любимый. Это был уже глубокий декабрь, военкомат собирал последние крошки призыва, я оказался в команде весьма разношерстной и красочной. Это когда уже испечен пирог, дают из остатков ребенку слепить печеньице... такие же неровненькие и без начинки были и мы: кто убогий, кто судимый... Старшина от артиллерии сбивал нас в нестройную отару: для поднятия романтического духа нам было объявлено, что нас везут в береговую артиллерию на Север. Правда была — что на Север. Мы попали на территорию, освобожденную из-под лагеря, с еще не снятой проволокой и вышками, на которых удобно размещались уже наши часовые, хотя и с несколько другими функциями (скорее правами, потому что они не могли стрелять, а так делали то же — не выпускали), там старшина снял свои пушечки и заменил их на значок инженерных войск и повел нас в каптерку, где в изобилии еще сохранилось свежее лагерное х/б. Мы вырядились в з/к и вышли на построение. Мы были военнорабочие военно-строительного отряда. Работа наша была доставшийся нам в наследство лесоповал. Ропот, пробежавший по нашим рядам, мечтавшим о боевой службе и НАСТОЯЩЕМ оружии, был быстро смирен отправкой зачинщиков на «губу». Гауптвахта наша размещалась в БУРе. БУР находился в Кеми. Кемь находится на берегу Белого моря. Моря я не увидел — так ровно переходил заснеженный берег в заснеженный лед. Я не разделял отчаянья своих однополчан, мне нравилось отсутствие муштры. К, Е, М, — рассказали мне этимологию. Так, оказывается, расписывался на указах Петр. К такой-то, мол, матери... Это было соответствие, это меня если не веселило, то тешило. Об этом я писал своей возлюбленной, вызывая в ней жалость к себе. Не так все плохо... Но самым неполноценным в команде оказался неожиданно для себя именно я: готовый к лесоповалу, я не был к нему допущен, как слишком образованный. В те годы в армию попадали «неудачники», социальное неравенство не допускало еще туда людей даже со средним образованием, не то что недоучившихся студентов, каким был я. Своим пребыванием в высшем учебном заведении я смущал начальство. Поэтому при первой же возможности я был переправлен в другую часть. Новый военно-строительный отряд, организованный в Коми АССР, ждал своих рабочих. Старые отряды должны были выделить им солдат. И если попал в не самую стройную команду в военкомате, которая была обречена на стройбат, то представить трудно, в какую команду попал я на этот раз, когда уже не военкомат, а стройбат отбирал нас по принципу: на тебе, Боже... Этот новый отряд еще не успел отстроиться и поэтому «занял» два барака на территории лагеря, в то время еще действовавшего, и поскольку территория продолжала охраняться вся, то охранялись и мы. Разница теперь была ощутима лишь во внутрибарачном режиме: переклички и поверки устраивались в бараке. К тому же мы голосовали. Право голоса у нас было. Как раз в день выборов в Верховный Совет мы и **1958** прибыли. На воротах висел плакат «Добро пожаловать», что нас особенно тронуло. Зе-ка ржали над нами из-за условного заборчика, отделившего нас от них. Здесь я уже оказался годен по очереди ко всему, от сучкоруба до стрелочника, от стрелочника до машинистки... И вот я получаю от мамы посылку, а в ней письмо. Вернее так, что посылку получаю не я, а почтальон, почтальон вносит ее в барак, когда я еще на смене, посылку, естественно, раскулачивают, письмо остается. Письмо и витамины. Но с витаминами тоже вышла неувязка, потому что один опоздавший к дележу, но пришедший раньше меня, очень огорчается, что ему не досталось, и эти витамины находит, а по умственной отсталости, не зная, что это такое, съедает их разом и дочиста. Я прихожу как раз, когда он катается по проходу от болей в животе, ко всеобщему удовольствию барака. И вот я читаю матушкино письмо.

. . . .

Прервемся. Передышка.
Форма догадлива. Доверимся форме.

Очень трудно наколоть флажком ту точку моего маршрута, с которого началась для меня дорога в Японию. Казалось, в эту точку привело сразу несколько тропинок, будто я мог идти одновременно по нескольким. Во всяком случае, однажды они слились. Это оказалась проторенная дорожка.

После двадцати семи мои мечтания о дальних странах стали как-то локализовываться, суживаться, сводясь к чему-то одному, обещая, по-видимому, сойти однажды на нет. Я все еще не понимал, что мне уже не бывать чемпионом мира по слалому (хотя я все еще не умел стоять на горных лыжах), но, пожалуй, знал, что рекорда по прыжкам мне уже не поставить. Так и в странствиях своих я уже отринул саванны и сельвы, джунгли Амазонки и, отчасти в связи с положением в Китае, расхотел в Тибет. Реальность Северного и Южного полюсов таяла с возрастом: холодно... я запомнил на их месте стандартное отечественное Заполярье. Восточнее Камчатки — дальше некуда; Запада — вообще не существовало. Про Запад мне с пеленок было ясно, что его просто нет для меня, — это даже не было областью сожаления или возмущения: пути, ведущие на Запад, были, в моем крутом умозрении, еще более недоступны для меня, чем собственно Запад. Железный занавес свисал в моем сознании все еще в том значении, которого якобы больше не существовало. Коньяк еще не подорожал, но водка уже подорожала. Человек, которому мы обязаны, рвал трубку из рук конфетного наркома, чтобы поговорить с космосом, не замечая, что, пока он говорит с небом, из-под него вытягивают стул. Этот незамысловатый номер вызвал неизбежный смех. Слезы, однако, и от смеха не выступили. Единственный достойный сожаления случай был очередным образом пропущен. Слезы были невидимы, потому что их не было.

В этой исторической обстановке я начинаю осваивать Москву. Действительно, зачем Париж, когда я еще и в Москве толком не бывал?

Сталина вынесли, но не сожгли, а зарыли. Учебник географии по-прежнему оставался единственным средством передвижения по миру, но я уже не мог любить его с тою же непосредственностью, как в школе. Мне по-прежнему ничего не предстояло, хотя я давно уже миновал возрастные ограничения детства («вот вырастешь...»). Я не только вырос — мне казалось, начал стареть. Странно, что география с ее соблазном других миров, давно законченная, пройденная человечеством наука, как бы ожила для юного сознания эпохи культа. Наряду с XIX веком, пять частей света (за вычетом одной шестой) плавали в розовой романтике прошлого, словно там, в XIX, и плавали... И лишь у нас — шло, тянулось, простиралось хорошо вытоптанное время века XX. Европа уж точно отжила в прошлом веке, в нее и не простиралась мечта. Зачем-то мне мечтались лысые плоскогорья, недопосещенные Пржевальским, словно там еще что-нибудь оставалось дозавоевать (и впрямь — оставалось, но — для Мао). Но школа кончилась, какие-то

244

были переведены книжки с опозданием на тридцать — сорок, какие-то были показаны фильмы всего с десятилетним опозданием, в руки попал случайный журнальчик за прошлый год... Оказалось, все это время и за занавеской — жили. Старушка Европа жила все эти годы преступно-живой жизнью. А листая журнальчик — какой же немыслимой жизнью жила она сегодня! Внешняя граница вдруг обратилась внутренней. Этот оборотень смысла дразнил и язвил: обратился один лишь смысл — не жизнь. Эти мечты о Европе были быстры, остры и преходящи, как мечты о недоступных доступных женщинах в период полового созревания. Но с кем-то мы тем временем вступаем в первую и энную связь, на ком-то женимся. Какой временный характер начинает носить все единственное и непреходящее там, где отменяют право на жизнь! Будто и сегодня и завтра это не твоя жизнь проходит, а послезавтра — уже прошла. Так и небывшее становится прошлым. В прошлом оказались невиданные Рим и Париж, не состоявшиеся в твоей жизни; с ним — целый пучок стран, почему-то сразу отвергаемый мною как возможность: скажем, Австрия или Бельгия навевали на меня тоску — я туда «и не хотел». Страны отпадали целыми континентами («Не нужен мне берег турецкий, и Африка мне не нужна...»). Неизменными оставались — одна шестая и сознание, что этого пространства хватит на любой век. Странный патриотизм, состоявший из необходимости признать свою жизнь за свою, неизбежное за избранное, насилие за испытание, ограничение за судьбу, овладел мною. Жизнь, которая не могла стать моею, отвергалась мною как бы по моей воле. То, чего я не мог бы увидеть, если бы захотел, я будто бы и с самого начала не хотел видеть.

Однако я продолжал испытывать время от времени острые толчки желания увидеть хотя бы одну другую страну. Я ощущал эту возможность, как ощущают ненаписанную книгу. Возможности предоставлялись мне в пределах Империи. Испытать первый сюжет можно где угодно и с кем угодно — мы его не выбираем, мы на него набредаем. Наша первая женщина или наша первая страна... Рим и Париж оставались так же далеки, как были, время первого

Рима или Парижа уходило безвозвратно: не в семнадцать, и не в двадцать один, и не в двадцать пять... Уже в 1963 году потребность перестать быть девственником в этом смысле была остра; по-видимому, роль Франции должна была сыграть для меня Армения, роль Рима — Ереван. Мне было почти все равно, куда приложить мою страсть. И все же — не все равно. Ощутив жанр, я ехал только туда, где находилась моя следующая книга. Интуиция подсказывала мне форму и сюжет путешествия до самого путешествия, и только тогда я и ехал с готовой книгой в уме: так было и перед Средней Азией, и перед Камчаткой, книга моих путешествий по Империи («Имперский путешественник, или Гулливер в Стране Советов») тоже была готова в уме: два-три года, три-четыре «путешествия» — это казалось мне уже близким к завершению. Следующее — модель другой страны, эту книгу я сильно чувствовал, только не было одного — страны. Из всех имперских собратьев я избрал Армению. «Новый мир» приглашал меня поехать «куда захотите». Я и назвал. Но именно Армения (из-за Гроссмана) их не интересовала. Мне нужна была именно она, я рассердился на этого большого человека Гроссмана, читать его, конечно, не стал, двинулся с тем же предложением в другой журнал, где его охотно приняли, но тут-то мне и попался армянский цикл Мандельштама. Это было как раз то, что я предчувствовал, стремясь туда, — хребет моего замысла был сломлен. Другой страны в пределах Империи, способной оплодотворить сюжет другой страны, я для себя не находил. Они все находились за пределами. Замены не вышло.

1964

Итак, я никогда еще не был в другой стране. И в странах, в которых не был, расхотел быть по той одной причине, что не мог. Я пропускал эту книгу в себе — пусть. Однако я хочу отметить здесь одну вещь, имеющую уже сугубо частный интерес (то есть никакого), потому что впоследствии она долго изумляла меня своею как бы странностью: из всех отвергнутых мною стран оставались-таки две, куда бы я «все-таки поехал», — это Англия, родина Гулливера, и Япония. А если учесть общую тягу к Востоку, все еще инфантильно теплившуюся, то — в Японию и Англию. За-

246

родыш патриотизма — я говорил, что страны эти, столь раздвинутые, интересуют меня в своем общем смысле: единственных цивилизаций, держащихся на традиции национальной. Их опыт, полагал я, можно было бы учесть посередине (в России), где цивилизация еще не достигнута, а традиция уже утеряна, где можно

> ...даже позывы на рвоту
> Принять за призывы судьбы...

Об этом приходится упомянуть. Ибо именно это опережение смысла способствовало тому, что я принял случай за судьбу, а искушение — за назначение. Искус, впрочем, в этом и состоит. Мое падение мимикрировало под индивидуальный путь. Я выбился из колеи высокой судьбы, думая, что наконец в нее попал...

. . . .

Однако продолжим. Выберем одну из тех дорожек, что вели в Японию...

1965 С Катрин мы познакомились в ее доме на Садовом кольце, вернее сказать, в ее комнате. С Маней мы знакомились три или четыре раза, пожалуй, наиболее интересно протекало наше знакомство в котловане Дворца Советов, где теперь открытый бассейн «Москва». У Катрин была фамилия Петушкова (петух — в гербе Франции), у Мани — Фуэнте. Полное имя гражданки Петушковой было Елизавета, полное имя мадемуазель Фуэнте было Маня. Путь в Японию у нас всегда начинается в Москве, даже если вы из Владивостока; от Японии до Парижа — уже рукой подать. Когда от Чопа до Анадыря значительно ближе, чем до Парижа, то это, по-видимому, заставляет легче мириться с нашими немыслимыми просторами. Они становятся как бы теснее. Границы наши стягиваются центростремительными силами, а то наше пространство давно бы разлилось и залило: «Поезд прибывает в столицу ФССР город-герой Париж!»

Маня родилась в Париже, имея дедушку-испанца и бабушку русскую. Она была первая на земле настоящая парижанка, которую я увидел живьем. Это невыразительное зрелище жестко ударило по представлениям национально-принадлежным, то есть русским. В первую секунду нашей встречи я обнаружил это представление в самом чистом виде, вроде некоего абсурдного предмета без назначения и применения, который пришлось отбросить, чтобы освободить руку для рукопожатия. Миф, в котором нам довелось родиться, никогда не бывает разоблачен, ибо он есть черта: национальная, классовая, поколенческая, — черта, нам незаметная, потому что именно нам принадлежит, а вернее — мы принадлежим ей. Мне хватало и опыта, и ума заранее знать, что всюду те же люди и что крошечные их отличия даже и свойствами назвать нельзя. Маяковский ничем не помог, сделав открытие, что в Париже тоже есть туалетчица. Разоблачение это носило все равно однобокий характер: разоблачало самого Маяковского как человека, таки типично и характерно русского: его возмутило существование туалетчицы-парижанки, потому что существование туалетчицы-россиянки было для него нормой (если бы, впрочем, вообще было нормой существование в России не то что туалетчиц, но и самих туалетов...). Именно расшатываемый миф — живет. Как живо и до сих пор во мне при знакомстве с очередной парижанкой представление, что на этот раз она будет настоящей. Я узнаю этот укол разочарования каждый раз, как бы ни был он уже скомпрометирован и высмеян моим сознанием. Представляю, когда она мне покажется настоящей: когда я встречу копию отечественной шлюхи с иностранным паспортом. Все настоящие парижанки еще живут в Подольске.

Настоящая парижанка Маня подала узенькую, сухенькую, немнущуюся ладошку, и мы почему-то пошли налево, по менее людной улице. Она имела ко мне дело, как она мне объяснила в письме, от своего друга, моего переводчика. Книга моя, знаете ли, переводилась как раз в это время в Париже, и немудрено, что у Мани могло быть ко мне дело. Правда, книга эта не была лучшим из того, что я написал, но, выходит, и худшая годилась для перевода на ихний язык. Я подал Мане руку le grand ecrivan (большого писателя), и мы пошли налево.

По-видимому, должна миновать не одна эпоха, чтобы отойти на достаточное расстояние для достоверного описания того человека, который шел рядом с Маней Фуэнте в сторону от Центрального телеграфа. На этом расстоянии я различаю одну лишь Маню, равную самой себе, бредущую в своем иностранном одиночестве рядом с некоей мужской тенью, не поддающейся фокусировке. Может ли быть виден человек, который сам не видит ничего в свете хоть сколько-нибудь реальном? У него необратимо разбито сердце и в качестве осколков оставлено дома, на родине, в Ленинграде; здесь, в Москве, оно безнадежно ноет над утратой всею своею пустотою, и вся эта пустота до краев переполнена безоглядной курьерской влюбленностью в Катрин Петушкову, с которой он расстался — не прошло и часа (уже опаздывая, уже в плаще, еще раз прямо на сундуке в прихожей...) — ради вот этого свидания с неудавшейся француженкой, кажущегося ему с каждым шагом все более бессмысленным и ненужным, тем более что в пустоте с нерастраченной силой встает все еще заспанная Катрин...

Мы дошли до набережной, а я все еще не понимал, что ей от меня надо. От переводчика не последовало ничего, кроме привета. Изучением моих сочинений она тоже не занималась. Что же она изучает?.. «Двадцатые годы», — неуверенно отвечала мадемуазель Фуэнте. «Так много?? — я вскинул брови знатока. — Кто же именно?» — «Шкловский...» Она вспоминала еще кого-нибудь и не вспомнила. С возмущением к недостаточной информированности Запада я перечислил совсем другие имена (хотя, по совести, только имена и знал...). Ее это не задело. «Я могу вам помочь?» И в этом не было нужды — она скоро уже уезжает. «А сколько вы здесь уже?» — «Полгода».

— Полгода — это немало, — сказал я.

А с кем вы здесь общаетесь? Оказалось, ни с кем. Шкловский, выходит, безраздельно ею владел. С Шкловским она тоже так и не сумела встретиться.

Это уже не лезло ни в какие ворота! Приезжать в Россию на полгода и... зачем?? (Мне непременно казалось, что если уж приезжать в Россию — то зачем-то.) С реки невыносимо дуло. Была такая ранняя прозрачная весна с обманным солнцем. Я продрог, прозлился и покосился на парижанку. Она была синенькая, как цыпленок. Ей, по крайней мере, было тоже холодно. Допустим, великая русская литература нуждалась в более зрелых кадрах, тем более из-за рубежа, но холодно ей было, пожалуй, еще больше, чем русской литературе (в моем лице). Я почувствовал себя более высоким, сильным и закаленным, чем есть; взял ее за проволочный локоток, изолированный холодной плащевой тканью, — оттуда било электрической дрожью[*].

. . . .

Не знаю, кто это пережидает дождь в подворотне — я? авторское Я? он? герой ненаписанного романа? сам ли Чизмаджев? — но он там стоит, тварь дрожащая, — и уже никогда не сдвинется с места — ибо, нет! о Боже! нет! никогда не будет написан этот роман. Где-то за провалом непреодоленного прозаического времени — он уже в финале болтается на корабле, испытывая бесконечную тошноту, которую никто не прервет, — они никогда не встретятся, ни один из четырех уже не восстановит непрерывности своего бытия, заброшенные замыслом в разные точки несостоявшегося романа. Это — ад.

От намерения, от замысла осталось то, что осталось. Вот.

---

[*] Здесь последовательный текст романа безнадежно обрывается. — А.Б.

1977

Пальма первенства

На вопрос, есть ли у скифов флейты, он ответил: «Нет даже винограда».
Анахарсис-скиф, VI в. до н. э.

К холоду человек привыкнуть не может.
Роальд Амундсен

Мои пограничные впечатления

Издалека начинается это движение... С Петра! не то благодетеля, не то антихриста. Моя мама до сих пор опускает предлоги в телеграммах, «не любит» такси и в поезде едет лишь четвертым классом (так называемый «плацкарт»), носильщика не возьмет. Если бы она подсчитала, сколько при этом экономит, то разница ее бы рассмешила. А я помню, что после войны, еще года три-четыре, она непременно съедала и вторую тарелку супа, налитую до краев, с толстым хлебом и лишь после этого могла считать себя сытой — хрупкая интеллигентная красавица... В Европе и суп и хлеб стали пережитком: суп еще надо поискать, а хлеб вам принесут отдельно, когда вы удивитесь, что его нет. Не экономят — берегут фигуру, научно питаются — люди, которые давно сыты. Покупается (без очереди) 100 гр. того, 50 гр. сего — чтобы тут же съесть, свежее. Вчерашнее выбрасывается. Какой барьер надо перейти, чтобы мочь выбросить в помойное ведро! Голод и холод пронизали до костей. Холод и голод... Мы еще не пережили вторую тарелку супа, добавку. ДОБАВКА! — дополнительная порция, усиленное питание — представьте, что эти слова перевод с английского... Когда у моей мамы очередной приступ печени — я с уверенностью могу сказать, что она «пожалела» залежавшийся продукт. И фигуру ей так и не пришлось «сохранять»: всегда такая. Голодные люди не станут есть вкусно, да ведь и книги перестают читать во время книжного голода. Их *достают*.

1970 Голод и холод до костей... Был я в соцстране, завелись у меня местные, полувалютные деньги — решил купить шубу. Возникли волнения и проблемы — на что же они похожи? — да на покупку коровы, вот на что! Когда мой спутник, специалист по русской литературе (естественно, именно он таскается за мной по магазинам, расширяя свой профессиональный горизонт...), сказал: «Все-таки у русских писателей до сих пор комплекс гоголевской шинели», — я обиделся (тем более что комплекс у меня был — главным образом перед ним, таким предупредительным и воспитанным, что я, как русский, имперский человек, легко мог заподозрить его в иронии, насмешке, а там и в презрении...). Я сказал ему в сердцах, что он мог бы, как специалист, быть в курсе, что это сказал не Достоевский, а Тургенев, а во-вторых — не все (не все из нее вышли...). Однако потихоньку остынув, умерив комплекс пришельца (тем более что я не прервал свой поход и не отказался от его услуг), я понял, что и сам неоднократно так говорил, только не хотел бы слушать из иностранных уст. И впрямь, барская шуба... царская шуба... царский подарок... то есть с царского плеча... Гринев дарит Пугачеву заячий тулуп... наконец, «Шинель» — не поймешь, не истолкуешь его — гений!.. Мандельштам «в не по чину барственной шубе»... Конечно же, шуба переросла себя, стала символом благосостояния, удачи. Потом, что, как не шубу, продают и пропивают?.. И грабят, естественно. «...Силы, снявшие шинель с Акакия Акакиевича...» Или вот еще, один мой приятель, бывший московский прозаик, прикатил на гребне успеха в мой город, «знакомый до слез», заключить договор на «Ленфильме». Поселился в «Европейской» и, натурально, запил. Я познакомился с ним незадолго до этой славы: он был прекрасен, дрожаще обнажен, обуглен в своем дровяном московском домике, — теперь я его на-

1962

252

вещал в новом качестве: в номере люкс, при входе висела мандельштамовская шуба (бобровая, по неясному впечатлению), из реквизита Ленского. Может, я и напел ненароком «Паду ли я...», а может, мой приятель своим остропьяным глазом художника и выходца тут же подловил мой взгляд, может, я был зря с утра трезв, но беседа наша, против последней встречи, потекла спотыкливо и вкось. Он мрачно посмотрел на кнопку и с презрением ее нажал — официантка впорхнула с такой скоростью, будто ждала под дверью. Ее подобострастно-хищные глазки наводили на мысль, сколько он ей уже переплатил. Тут же была подана икра, бульон с яйцом, и не без бутылки, конечно. Он выпил, выбросил в угол мешавшееся яйцо, захлебал бульоном и, слегка расправившись, бросил взгляд на шубу (тут я и понял, что мой взгляд не прошел мимо его сознания). «Мы, скобари! — вдруг тонким голосом театрально вскричал он (в его сложной биографии была и бытность драматическим актером). — Всё “Войну и мир” написать хотим... А — не получается, не получается!!!» — закончил он на крайне пронзительной ноте. И ушел спать. Он был, безусловно, человек: шубы я у него больше не видел. Как была, мол, куплена — так была и спущена. «Жилетов много скопилось», — пожаловался он мне однажды. А имелось в виду вот что: каждый раз, выйдя из запоя, пошивал он себе дорогую тройку, а когда пропивал, то пиджак и брюки брали, а жилет — кому теперь нужен. Жилетов много скопилось... — люблю я его за эту фразу. Я не отвлекаюсь: жилет — тоже в лыку... Гоголь — тоже насчет жилетов... Было у него тяготение к жилету — об этом имеются разнообразные анекдоты, один из которых пересказан Буниным в каких-то воспоминаниях. Куда-то делись и калоши, куда жилеты и шубы — об этом свидетельствует Булгаков. Но шуба дамская — никогда у нас не умрет. Возможно, шуба и комплекс... Возможно, она в нашем ассортименте и есть роскошь и символ роскоши... Но ведь — холодно!! Этого забывать не надо. Когда я ничего не боюсь, уверен в себе, своей звезде и прухе, когда все несчастья происходят только с другими, но никак не со мной, даже тогда есть одна вещь, от которой я всегда поубавлю спесь и уверенность, — вос-

1957 поминание о работе с металлом на сорокаградусном морозе... Синий иней. Этот локальный в моей биографии эпизод червоточит в моем бесстрашии.

А я и сам не люблю расплачиваться в такси... И в поезде еду, правда, не четвертым, как мама, но третьим классом. Выше третьего у меня непроизвольный спазм. И я понимаю свое социальное положение, когда расплачиваюсь: когда неловко заплатить меньше, когда не хочется заплатить больше... Роскошь, видите ли, меня не привлекает. Яхта и вилла мне не нужны («берег турецкий и Африка...»). Мне нужны отдельная комната и джинсы, без кофе я не обхожусь. Не то нужно, что — может быть, а что — следующее. Ездить первым классом давно мне доступно, но никак не перепрыгнуть третий...

Как-то раз оказалось, что мой друг А. едет в Ленинград в тот же день, что и я. Решили ехать вместе, а я согласился взять билеты. Я волновался, что их не будет, а он почему-то нет. Он «всегда едет на вокзал прямо к поезду» и берет «международный» (1-й класс). Я не мог согласиться с таким риском и поехал за билетами заранее. Отстоял очередь — билетов не было. Ни на те поезда, которыми ездят «приличные» люди («Стрела», Хельсинки...), ни в купе, ни даже в международный... И тут мне подфартило: я купил два билета с рук, в купе, на дополнительный поезд. Мой друг остался недоволен моей деятельностью: приедем за полчаса и купим билет, утверждал он. Я прибыл за сорок минут, он опоздал: за двадцать. Он подошел к кассе и взял два билета, как привык: они почему-то были. Мы зашли в вагон, и поезд тронулся. Сдать билеты я не успел. Они вспотели у меня в кулаке. Так мы и поехали, на четырех билетах... Я стоял и потягивал в вагонном буфете коньячок, между двумя арабами и потертым контр-адмиралом, и привыкал к происшедшей со мною роскоши, убеждал себя, что мне это нравится. Это стоило мне усилий... Все-таки мне это не совсем нравилось. «Адмирал не обязан вызывать восхищение...» — сказал я. Мой друг повел меня в купе. И, раздеваясь, я понимал, что это он едет в международном, а не я: другие ботинки, другие носки, другое белье... Пишем мы, может, и не хуже друг друга, пили не меньше, любили...

254

Но вот надо же! Он — раньше. Раньше меня проскочил в первый класс. Был в Париже, в Японии (в Америке, правда, еще не был, но теперь ведь — будет...). Был в странах, в которых я активно не был. Был знаком с людьми, о которых я слышал, а они обо мне, скорее всего, нет... Я здесь, конечно, пережал в признаниях: моя оценка самого себя, по-видимому секретно от самого себя, чрезвычайно высока, и я никому не завидую... но не уверен, что вспышка комплекса — не сестричка зависти. Конечно, я провинциал, ленинградец; конечно, мысль о том, что бедность — это не отсутствие денег, а качество, мне понятна и близка; богач и в разорении тратит несравнимые средства... Но разорившийся — это не разоренный. Разориться можно несколько раз, быть разоренным кем-то, чем-то — необратимо. Нет, не быть мне богатым!

И чего я на себя наговариваю! Мне ведь нравится бедность. Я не люблю лишнего, правда, нелишнее хочу высшего качества. Домик мне нравится бедный, но там, где мне нравится; костюм мне нравится один, но по мне... Так ведь это и есть богатство, чтобы время свободно и никто не мешал!! Это же и стоит дороже всего. Оказывается, я достатка не люблю, а богатство — годится. Просто — либо богатство, либо уж нет. Паче гордости.

А ведь вагон этот мне с детства нравился! Я любил заглядывать с перрона на эти застекленные двери с медными надраенными веточками русского модерна. Мне нравилась его дореволюционность, этого вагона. И вот я еду впервые — что же я? А мне не нравится, кто в нем едет теперь. Себя я вычитаю. А. — тоже. ИХ из купе не вижу. Значит, все-таки это я себе не нравлюсь в новом социальном обличье «совбура».

Любопытно, что вагоны такого класса перестали производиться после революции. В этом была своя справедливость: некому ведь в них стало ездить. А когда стало кому, то все еще хватало старых. Хорошо, значит, их однажды сделали.

1969 Я утвердился в своем непроизвольном зароке не ездить первым классом, но вот и еще раз пришлось... Мы с женой возвращались из южных краев. Билетов, конечно, не было, а уехать было надо. И тут, ученый первым опытом с А., я осмелился спросить в «международный» — эти были. Заранее наслаждаясь комфортом, я шел по перрону с неподъемным чемоданом, перенапрягаясь в усилии показать пустым носильщикам, что несу его, как перышко. Наш вагон, конечно, был в конце перрона. Пять, четыре, три... вел я счет вагонам, которые мне предстояло еще пройти. Один... за ним не было вагона, а потом — снова были. На месте нашего вагона был обрыв, провал. Это показалось мне настолько странным, что я не успел построить никаких смелых предположений, как такое может быть, и понял, лишь подойдя вплотную. Наш вагон между вагонами — все-таки был, оказался. Просто он был значительно ниже и, заслоненный, пропадал для взгляда. Это был новый, новехонький вагон, я таких еще ни разу не видел...

Обсосанный, как леденец, он сверкал, как коронка в развалившемся рту, вмиг заставив устареть соседние вагоны, которые казались еще такими годными. Испещренный никелем иноязычных надписей на всех трех языках, кроме русского, такими фирменными, новенькими буквами, что их хотелось тут же украсть, свинтить и еще куда-нибудь такое приспособить. Деталь воспринималась игрушкой и не шла в сознании по назначению.

С робостью подходил я к дверям, вспотевший, с оттянутыми руками пассажир, который сейчас начнет рыться по карманам, забыв, в какое надежное место в очередной раз переложил свой билет... Чем я отличался от той бабки, которая лезет в чулок за узелком, куда это все наше достояние из нескольких купюр, железнодорожного билета и справки из сельсовета увязано? Я жалел, что не нанял носильщика. К этим дверям следовало подкатить в ином социальном обличье. Неприветливое лицо проводницы отчасти возвращало все на свои места — я остановился на нем с благодарностью. Тут как бы снова было все понятно. Эта милая аккуратная женщина, прославившаяся, по-видимому, более чистым вагоном и более крепкой заваркой, была приставлена к уникальному СВ в виде повышения. Вручая наконец найденный билет, я попробовал польстить ей, восхитившись ее новым хозяйством, и — задел за живое (почему-то живым именуется именно больное место?..).

Нисколько на нее не обидевшись, потому что тут же понял, что сказанное ею относилось более к вагону, чем ко мне, я уже смелее вошел внутрь цивилизации. Сначала нога моя ступила на череду щеточек, а с них на пухлую ковровую дорожку — это было «ах!» и «ах» — постичь я еще не был в силах. Мы отыскали свое купе. Тут была своя сложность в дверях, ибо открыть и пройти вы не могли, а могли лишь пройти и открыть; так же и разминуться с соседом в коридоре можно было, лишь вобрав себя назад в купе, как улитка в раковину, но это мы преодолели и оказались в купе, чуть стесняющиеся своим в нем пребыванием, но и чуть стесненные тоже. Все это посверкивало особым дорожным уютом, гарантированным нам уровнем дизайна. Казалось, тут продумано все до мелочей — так оно и было. Но сначала нас интересовали не мелочи, а как раз крупные вещи: два наших утяжеленных чемодана и мы сами. Мы не сразу нашли этому место.

Все здесь откидывалось, разворачивалось, складывалось, все превращалось в самое себя, минуя, кажется, именно назначение. Обеденный столик превращался в умывальник, умывальник утаивал в себе биде. Обидное это слово «биде», почти такое же, как и «кондиционер»! Когда они действуют, мы еще не умеем ими пользоваться; когда научимся — они уже не действуют. Биде, возможно, *еще* не действовало, но кондиционер, точно, не действовал *уже*. Фанерный этот апофеоз был раскален до предела. «Ничего, — отстаивал я цивилизацию перед женой, — он включится, когда мы тронемся...»

Я не был уже в этом уверен: какие-то ничтожные намеки я уже успел уловить в новеньком совершенстве этого осмысленного пространства. Оно было слишком освоено! Усвоено и переварено — оно исчезло. Да, все здесь было осмыслено, продумано и сосчитано дотла, до слов «рациональность», «экономичность» и «эффективность». По-видимому, здесь должно было ехать столь же разумное существо средних размеров, экономное в движениях и помыслах. Если бы наше повидавшее виды супружество вдруг пробудилось бы в столь романтическом железнодорожном интиме... одно лишь это соображение окончательно развеселило меня. Интересно, как бы здесь развернулась та пресловутая шпионка!.. из того, читанного под партой рассказа? Зато здесь много чего куда можно было спрятать: стена походила на соты чрезмерным количеством разных полочек и ящичков, по идее имевших таки свое назначение. Я не удержался положить на одну из них зубную щетку и поставить в бар бутылку пива. Далее моя фантазия иссякла. Хотя, при желании, я мог разложить, как в комоде, все содержимое чемоданов, с таким трудом уплотненных... там рубашка, здесь полотенце...

Тут меня осенило: я ощутил себя Гулливером, пересекающим границу Великании с Лилипутией, — холодок равенства самому себе пробежал по спине: когда я набивал чемоданы так, чтобы у нас было меньше «мест», втайне гордясь своим «умением укладывать» перед женою, не был ли я озабочен той же мыслью, какою и конструктор вагона в отношении меня?.. Немец встретился здесь с немцем: я его узнал. Пожалуй, гениальный этот конструктор сумел втиснуть в свой вагон еще одно купе против предыдущей конструкции, причем соблюдая все саннормы, «чтобы все было», вставил как раз то купе, из-за которого всем стало одинаково не по себе. О нет! — воскликнул я самому себе. — Только немец способен довести нищету до богатства, а богатство до нищеты!.. Это был третий класс, доведенный до первого, да как! — не отличишь... но куда же подевался тогда сам первый класс? Это был диалектический вопрос. Щеточка в начале ковровой дорожки стала мне вдруг понятна: никто не стесняет вашу свободу: никто не заставляет вас вытирать ноги, вы сами, «невольно», пройдя по щеточкам, свои ноги вытрете и ступите на дорожку уже поневоле чистыми ногами. Значит, экономится сразу и ковровая дорожка, а скорее — пылесос и труд проводника: один метр ковровой дорожки — на десять тысяч километров пробега, полкило пыли на сто пассажиров... Все это не шуточное, между прочим, дело, помноженное на все километры и все вагоны и деленное на всех пассажиров! Ах, хочется сложить руки, лечь к стенке и в очередной раз ничего не совершить полезного, а подумать понапрасну: кто это едет? и куда? и зачем?..

258

Кондиционирование в вагоне было продумано, по-видимому, безотказное, так как окна не были приспособлены к открыванию... Однако купе своею тщательностью все еще гипнотизировало нас, мы сидели на краешке как бедные родственники, — никак нам было не расположиться: в руках держали образовавшийся при распаковке мусор, не зная, куда приткнуть, хотя столько было пустых, хотя бы для мусора пригодных отделений... Я вышел в коридор в поисках мусорного ящика. В привычном для него месте топтался, вроде меня, пассажир с тем же мусором в руках. То ли этот ящик превращался в шахматный столик... мы не знали этого уже вдвоем. Тут, суровая, выглянула проводница. «Ведро в тамбуре!» — сказала она. Вот эта понятная вещь там была! Мы порадовались и, облегченные, стали допытываться о кондиционере. «Не знаю, ничего не знаю!.. — огрызнулась проводница. — Вот придет инженер...» — «Как инженер?.. — изумились мы оба. — В поезде есть инженер?» — «В вагоне», — отрезала проводница. «Инженер вагона??»

Но — жизнь наладилась. Приданный новому вагону инженер кондиционера не включил, так как тот был отключен в принципе, более главным инженером, чтобы не испортили. Зато наш инженер сумел включить титан: проводница подобострастно сторожила единственный освоенный ею вентиль, на всякий случай не подпуская вообще никого к титану. Дорожку она скатала в рулон и убрала в свое купе. Один из пассажиров, по складу бригадир и умелец («глаза боятся — руки делают»...), сумел не то открыть, не то взломать одно окно в коридоре — во всяком случае, закрыть его обратно инженеру не удалось, — в вагоне образовался сквозняк, мы вздохнули. Наконец на одной из станций подглядел я картину, окончательно меня умиротворившую: проводница открыла дверь на другую сторону и высыпала ведро с мусором на пути. Значит, приспособились, едем!

Обретаем возможность посмотреть в окно... Там только то, что мы видим. То, что мы уже видели, унеслось. И опять — только то, что мы видим. Будка, баба с флажком, дети с коленками, лошадь уперлась мордой в шлагбаум... — почетный караул путешественника. Переезд, перестук, перелесок... пошли щелкать. Какое вечное, тоскливое счастье! Невнятное, родное, не твое... Задержка в пути, остановка в поле. Раньше, в детской послевоенности, сколько их было, таких остановок! Пассажиры расползлись по насыпи, даже паровоз, пользуясь остановкой, будто щипал траву. Назад — бегом: кто с букетом, кто с ягодой, кто с грибом. Теперь такая остановка редкость, да и выскочить нельзя. Однако стоим. И вот что случай выбрал остановить теперь перед моим вытертым взором... Насыпь, распаханную под картошку. Не всю, впрочем, еще распаханную. Как раз сейчас ее и пашут. Два мужика, впрягшись в плуг, третий правит. Плуг, между прочим, деревянный. Деревянный легче. Лошадки, значит, нет. Неужто так легче, чем лопатой?.. Значит, легче. Мужики-то еще соображают. Упираются, как репинские бурлаки. Но лицо не несчастное; не несчастное лицо у мужиков, говорю. Не преувеличивал ли Илья Ефимович? Общее, спокойное, семейное у этих трех мужиков лицо. На себя, стало быть, пашут. Без угнетения. Поле на насыпи выкраивается узенькое, зато длинное. Два мотоцикла лежат себе на боку на краю пашни. Один «Ява», другой «Иж». Хорошие машины. В них двух — «лошадей» так под пятьдесят будет. Увидел-таки мужик, что я на него смотрю. Может, и не один я из вагонов глазел... Тпруу-у! Приостановились, на нас глянули вроде и без раздражения, но — выпряглись. И то правда — перекур, по закону. Сели степенно возле мотоциклов, достали бутылку «Камю». С молоком. Передали по кругу нам на зависть. Закурили. Полулежат они удобно на насыпи, в вольных позах, которые дарует лишь физическая нагрузка, и на нас изредка с равнодушием поглядывают. Добавить, что в это время Ту-144 как раз над всеми нами пролетел? Перебор?.. Но белая стрелочка истребителя ползла, как букашка, по небесному своду — это точно. И мы тронулись наконец. Мужики вслед за нами поднялись: мол, хватит разлеживаться, пора кончать. Тот, кто правил, теперь к лямке пошел. Его, стало быть, черед. Допашут, стало быть, это они друг на друге, сядут на своих стальных коней и помчатся к дому. Плуг, наверное, под кусочком замаскируют, чтобы завтра вернуться. А нет, так в коляску он вполне влезет... Помчатся эдак они, и пыль за ними хвостиком завьется, как старое за новым.

Даже просторно стало. Я к своей зубной щетке электробритву «Эра» приложил и в буфет сбегал. Вдруг, думаю, там, в буфете, «Камю» есть? Бывает же такое. Теперь реже, и все-таки бывает... Не было. Выпили мы только с попутными мужичками в тамбуре пива да портвешком отлакировали. Уютно в тамбуре! Площадка под ногами лязгает, плевки, окурки... Подавленное желание дернуть наконец за стоп-кран. Дверь хлопает, проходящие с пониманием и тактично взглядывают. И в вагонном оконце солнце сверкает, будто это Россия, и за окном свет белый мелькает, будто это Россия, и два грозных попутчика меня приласкали, будто это Россия, и я их обожаю, будто это Россия. Но это и есть Россия.

Другое дело Германия. Делают же немцы! Совсем в купе просторно стало, и даже пейзаж в окне стал помещаться. И покачивает меня уютно на моей полочке в этом шкафчике, в этом домике, и становлюсь я собранный, упакованный и знающий свое место, как моя зубная щетка, мне параллельная. И мысли у меня, в такт, складные и складны́е — о чемодане. Вроде бы известное дело — чемодан... Но если даже крохотную толику о нем, как об опыте, как об данном нам в ощущении, рассказать — безнадежно в сторону зайдет все повествование, застрянет на подъездных путях в ожидании встречного, а там как начнет их, встречных, пропускать одного за другим... Опоздаем. Впрочем, вот великое успокоение и разрешение! — УЖЕ опаздываем.

Итак, ЧЕ-МО-ДАН... Слово-то какое неожиданное, не менее, чем «бегемот». Или «крокодил». Крокодиловой кожи. А что, может, и крокодиловой! — радуюсь я воспоминаниям. Есть у меня и такой, в моем арсенале. От легендарной тети Фриды, Эльфриды Ивановны (Иоганновны), двоюродной моей бабушки. Лежала она у нас на кухне после войны, как вещь, и было про нее известно, что красавица была писаная и был у нее в Париже РОМАН, или роман в ПАРИЖЕ, не знаю, как уж и передать восхитительное и жуткое звучание этих слов в ослабленном блокадой воспаленном среднем ухе сорок девятого года. Себя мы любим. Сейчас меня более изумляет не то, что тетя Фрида там была со своим романом, а то, что я мог себе тогда под этим представить. А роман в Париже — это что. Теперь-то это что. Всех и делов. Сейчас это роман В париже. В — тут теперь с большой буквы, даже не Париж. Так вот, в те годы это был даже не чемодан, а огромный сундук тети Фриды, занимал у нас в квартире полпередней, как тетя Фрида на кухне полподоконника. Огромный кожаный сундук с двумя по бокам ручками. Кожа была НАСТОЯЩАЯ. В те годы кожа воспринималась не как там какая-нибудь кожа на лице, а как кожа на подметке. Настоящая кожа — это было такое цоканье языком и вздох и закатывание глаз. Потому что были еще КОЖИМИТ и ЛИМИТ. Лимит на кожимит. Златая цепь на чемодане том! Этакий бронзовенький замочек на цепочке запирал его, и ключ был у тети Фриды на шее. Я подкрадывался к кухонному окну и трогал тетю Фриду за ключик. Тогда она открывала глаза.

Я не знал, что в сундуке. Интересоваться чужими вещами считалось столь неприличным в нашем доме, что я так и не осмеливался на это вслух. Этот кожаный сундук был окован по углам толстой кожей, перетянут двумя могучими ремнями, медные шляпки гвоздей... Я гулял вокруг да около сундука, потрагивал да позвякивал то замочком, то цепочкой: «Тпр-ру! Но-о». Лошадь приходила мне на ум, тогда они еще в Ленинграде были. У лошади сбруя была тоже с медными шляпками. Да и как увезешь такой сундучище, не иначе как в санях... Крышка сундука была гофрированной, что, скорее всего, и могло быть «крокодиловой» кожей. Лошадь впряглась в ремни сундука, сундук летел по снегу, снег запорашивал спину крокодилу... Тпр-р-у! Ничего в том сундуке не оказалось: сломанный зонтик с заплесневелыми рюшами да связка писем, не по-русски писанных, да букетик со шляпки, — все это на дне: казалось, дно было усыпано измельченными крылышками бабочек. Тетю Фриду вынесли и положили на сундук. Раскрыли обе створки дверей, чтобы все это прошло, проехало. Я был уверен, что их, наконец соединившихся, так вместе и вынесут. Но вынесли одну тетю Фриду. Сундук остался. С парижской пылью. То, что старшие называли его чемоданом, было безусловно для меня шуткой, а поскольку чем люди старше, тем меньше у них остается шуток и тем чаще они повторяются, то шутка эта вызывала мое смущение как «несмешная». Какой же это чемодан! — это даже и не сундук, настолько он как бы уже и «мебель».

Через много лет один философ, грузчик из мебельного магазина, пролил мне свет... Это была потрясающая личность, самородок, недоучка, могучий провинциальный интеллект, он меня безусловно «подавил». Впрочем, такая была у него и цель. Как только он на меня взглянул, его уже ни мой гарнитур, ни его гонорар, ни я сам не интересовали, — он видел во мне «жертву» и дрожал от нетерпения. Этот его быстроватый, лукавоватый взгляд его выдавал. Конечно, он меня заинтриговал и «достал». Я тут же попал в комплекс и зависимость от этого самобытного человека «из народа». Беседовали мы за тем самым столом и на тех стульях, которые только что привезли. Он нашел во мне восторженного слушателя, думаю, что его даже разочаровывала легкость моей сдачи, без «борьбы». Я тут же признал его первенство. Теперь мне становится понятно, что в этом была-таки доля социального высокомерия, и она его задевала. Так что, внутри внешнеочевидной победы, он меня подозревал и теперь хотел добиться победы не снисходительной, не формальной, а действительной и полной. Ему надо было, чтобы я его не просто признал, а признал его выше себя — иначе, какое же признание?.. Я признал его и выше, пожалуйста... Он меня заподозрил еще больше и удвоил давление. Мы же еще и выпивали! Интеллект его рос и разрастался. Конца ему не было. Наконец эта бездонность смутила его самого, и он меня «добил», как бы сжалившись над поверженным. «Вот скажи, — сказал он, — что есть первомебель?» — «То есть?..» — «То есть от какого предмета произошла вся она и до сих пор обратно к нему же и сводится?» Я с недоумением обвел глазами вокруг — по гарнитуру, как бы для наглядности урока расставленному. Как двоечник, останавливал я затравленный собственной тупостью взгляд то на одном, то на другом предмете, а он снисходительно покачивал головой: нет, нет и нет. «Сундук! — наконец провозгласил он и, насладившись моим недоумением, разъяснил: — Сядь на него — будет лавка, накрой — будет стол. Приделай ножки — стул, поставь на попа — шкаф...»

Так пристрастие мое к чемодану обрело запоздалую теоретическую базу. А пристрастие, если проглядеть всю жизнь под этим чемоданным углом, таки было. Сначала мечтой был такой чемоданчик — кто его помнит, с ним даже дамы послевоенные как с сумочкой ходили: коленкоровый, с круглым зеркальцем внутри, на крышке, и кармашком, стянутым резинкой. Все такие вещи приходят к нам, конечно, необратимо поздно: после того, как мы о них первыми помечтали, после того, как они вошли в моду, даже после того, как они из нее вышли. Не будет у меня ни первых дубленок, ни первых джинсов! И все-таки они приближаются. Разрыв между воображением и обретением по-прежнему вмещает в себя и рождение и смерть моды, но в то же время и — сокращается. Правда, сокращается он лишь тогда, когда слабеет желание, которое эпитет «страстное» так точно когда-то отражал. Так, следующий мой чемоданчик, так называемый «тренировочный», появился у меня уже быстрее, не тогда, когда с ними еще никто не ходил, но и не тогда, когда с ними ходить перестали, а ровно тогда, когда с ними все ходили. Прогресс! Господи, в какие бездны ввергаешь Ты своим возвышением! Этот рыжий, с металлическими уголками, этот кирпич с ручкой, — как он пропах моим потом, пролитым во имя будущего, когда я стану стройным, сильным и красивым!.. когда я одним из первых пройдусь с так называемым «дипломатом».

Как быстро я перескочил! сколько пропустил еще чемоданчиков и чемоданов, мимолетной мечтою отметивших мой жизненный путь! Из всех них родился и вырос в моем ущербном... образ некоего суперчемодана, чемодана чемоданов, самого своего, самого удобного, самого персонального чемодана, заменяющего мне все. Недавно в бумагах наткнулся я на его многочисленные наброски, перерастающие в чертеж и проект. Он сочетал в себе идеи мольберта, кульмана, верстака — кабинета и типографии. Его можно было бы сложить в одну минуту, чтобы двинуться в любом, волею случая подсказанном, направлении, и там, в неведомом углу, единственным требованием которого являлась крыша, в ту же минуту этот чемодан раскладывался в столик с пишущей машинкой, собственной конструкции членистоногой лампой, пепельницей, кофеваркой и чуть ли не даже (спорная деталь проекта) таким небольшим скромным киотцем, в листик уместившим мою потребность в семье и даже Боге. (Зачем же я только что так возмущался немецкой конструкцией?..) И так, в минуту, сплетал я на любом чердаке свою творческую паутину и, изловив крупицу замысла, высасывал некий ТЕКСТ, присваивал его и, тут же сложившись, опять перемещался, имея в руке столь удобный чемоданчик, содержащий в себе все, без чего я якобы не мог обойтись. Означали ли подобные перемещения неумолимое стремление к цели, именуемой назначением, или очередное поражение в очередном жизненном пространстве — неизвестно, однако сама идея чемодана, столь быстро и необходимо уложенного, очень напоминает побег. Обидная эта идея, по счастливой лености автора, осталась в проекте. Да и могла ли быть окончательной столь совершенная идея? Представление о материале и исполнителе останавливало меня. Идея казалась мне слишком современной, чтобы быть выполненной на отсталом нашем уровне.

Это я-то полагал себя прогрессивным! Не мог я еще осознать, что современен-то как раз уровень исполнения, а идея — отстала. Устарела. Как понятие «умелец», «ремесло», «заказ»: нерукотворность теперь другая — не божественная, а машинная. Вещь может быть своей только как собственность, только как стоимость экземпляра — она никак не твоя, твои только были деньги. Возможность овеществить свой индивидуальный вкус подорвана прежде всего тем, что вещь перестала носить на себе печать индивидуальности того пирожника и сапожника, того чемоданных дел мастера, который был, да сплыл, едва побарахтавшись в волнах нового времени под кличкой кустаря-одиночки. Как не понять этого на собственном примере!

Вовсе не худшие вещи не выдержали конкуренции, а как раз отмеченные печатью неповторимого мастерства. Как и мамонт вымер не оттого, что стал слаб и плох (и самый последний мамонт — тем более был величайшим животным, раз всех пережил...). Мамонт вымер, так и не встретив последнюю мамонтиху. Два прекрасных и могучих зверя не нашли уже друг друга в пришедшей им на смену новенькой геологической эпохе. Миф об ущербности и вырождении уходящего — всего лишь лесть выживающих самим себе.

Прервем же эту жалобу пишущего кустаря реальным впечатлением жизни... В городе имени Петра I — Амстердаме — посетил я чемоданный магазин. Так он был доверху забит именно моими чемоданами, причем такого разнообразия индивидуальных назначений, такого «количества наименований» не рисовало мне и мое изголодавшееся воображение. Не могу сказать, что это меня восхитило, — это меня разочаровало. Моя личная, моя индивидуальная идея оказалась отнюдь не нова, а вполне серийна и даже модна. Ну, то-то ладно, что «они», особенно в области ширпотреба, нас перегнали; что то, о чем ты только еще подумал, что такое теоретически как бы может быть, — так оно у них уже есть и вот-вот уйдет в прошлое; это-то пусть, что любая идея находит себе форму товара, утилизируется и исчезает, как бабочка-однодневка, оставив после себя мертвую форму, как та же бабочка свой хитиновый покров; это-то ладно, что она уступает тут же место следующей форме и иному помыслу, тут же превращающемуся в промысел... Куда такая гонка?

Ведь вот что примечательно в российском увлечении импортом: он нам подменил кустарное производство. Обладание каким-нибудь магнитофончиком или джинсами выделяет нас из толпы как носителя вкуса и социальной привилегированности, как индивидуальность. Какою тоскою разочарования, каким бездушным могильным холодом может повеять от очевидного представления, что таких джинсов или таких магнитофонов, идентичных до пуговки и винтика, одинаковых до молекулы, — миллионы! В том-то и прелесть обладания западными вещами в России, что они нас отличают, что мы их одушевляем. Чудовищная спекулятивная цена за джинсы обеспечена этим одушевлением продукта: это стоимость подлинного рукодельного труда на том же Западе. Сколь патриархальна идея джинсов в России! столь же, сколь прогрессивно вырождение кустарничества и народных промыслов как отсталых форм производства.

Нет, не дикарское уподобление обмена золота на фальшивые бусы (хотя и оно имеет место) здесь у меня на языке, а — ностальгия, парадоксальная двойная ностальгия русского человека: одновременно по прогрессу и патриархальности, пожалуй, уже не один раз полностью продиффузировавших друг в друга. Никогда порознь и всегда одновременно, в ногу — эти две идеи, патриархальности и прогресса, так измучившие Россию своим непобедимым сосуществованием, преграждающим переход из состояния времени в состояние истории и из состояния пространства в состояние культуры. У нас и джинсы — это икона (причем буквально, в денежно-товарном выражении), и ракета — это ковер-самолет.

Великая страна! У нас сломают или употребят любую игрушку цивилизации без особого восторга или удивления. Сочетание «старого и нового», столь характерное для революции, не является моментом перехода из старого в новое. И старое само по себе, и новое само по себе. Слезая с мотоцикла последней марки, мы пашем обочину деревянным плугом и, отвалившись в очередной перекур, затягиваемся «Мальборо», которого нет в Москве, но которым раз в столетие оказывается завалено наше сельпо, с запылившимся на верхней полке «Наполеоном» и очередным отсутствием хозяйственного мыла и «Беломора» на полке нижней; а затянувшись «Мальборо», смотрим мы в небо, в наши стираные-перестираные небеса, где ткет свою смертельную нить сверхзвуковой истребитель, наш летающий в стратосферу плуг. И космический наш корабль не так далек в сознании от телеги, и затеяли его в свое время столь же хитрые и умелые мужики, что могли когда-то веревочкой подвязывать колесо, потому что ехать надо дальше... Потому-то и способны мы до сих пор, хотя и реже раз от разу, к небывалому-то как раз и подойти с чрезвычайною простотою, невзначай взяться и в одночасье сделать как само собой разумеющееся, а то вдруг такую фантазию вбок наворотить, что и самим по три столетия не разобраться.

И, переводя взгляд с нашего «отсталого» на их «передовое», с бурлачков на насыпи на безукоризненный интерьер купе, не так уж я бываю расстроен и смущён... Не приведи, Боже, нам этому научиться — какой будет кошмар в наших масштабах, какое исчезновение души... что не одушевить нам уже наше пространство вовек, как не удаётся же и мне за целые сутки одушевить вот это образцовое купе... Не то страшно, что мы ещё так не можем, а то, что уже так хотим.

1975   Кстати, об Амстердаме... (в смысле, что я там был...), то есть о Петре... То есть о них обоих (или о нас троих...). То есть что-то мне его напоминало в самом себе (я не сравниваю, естественно) — некое узнавание себя в нём. Надо сказать, Петра там и до сих пор хорошо помнят. И не то чтобы специально для нас, русских туристов. Помнят. Он произвёл сильное... Своими размерами, представлявшими, в масштабе, саму империю, о которой они понятия были тогда небольшого. Они и сейчас расскажут про потолок, в который он плевал, покажут и дерево, под которое он падал после «ассамблеи». Он произвёл, но и на него произвело... Впечатление было сильное, в мозгу гениальном, но как бы иногда немного расплывчатое. Чем-то схоже то, что он завернул в России по возвращении, и с моими воспоминаниями — с этим шоком сравнения — на фоне заграничных приёмов, с тем отличием, что у меня не появятся возможности и желание впечатление это воплотить и воспоминанье сделать явью.

Начав с Петра, Петром и кончим. Кстати, и о пальмах первенства... Мой друг В.С., из лучших ныне здравствующих русских поэтов, когда мы очнулись после новогодней ночи в какой-то новой местности и, колотясь от ранней утренней стужи, проведали пристанционный ресторан, где, однако, ни пива, ничего не оказалось, глядя на пустые прошлогодние скатерти и пальму в кадке, побеждавшую заоконный двадцатиградусный мороз, сказал так: «Пальмы, старик... Россия!»

Почему я ничего не смыслю в балете...

Смена исторических эпох на самом деле значительно круче смены геологических эпох, поражающей умозрение своей непоправимостью. Разница в том, что история происходит на наших глазах. Легкое сожаление по поводу мамонта и саблезубого тигра, по сути, не более торжества выживших: мы жизнеспособны, раз их нет. Всякого рода кладбище и пепелище демонстрируют нам прежде всего то, что мы-то целы. По этой причине так победоносен человек на Земле.

Мой дед родился еще при крепостном праве, моя дочь была зачата к столетию его отмены (1961), которое никак у нас отмечено не было. Психологическое основание было глубже идеологического: слишком это, оказывается, было недавно! еще твой дед вполне мог быть рабом. Для нас, родившихся при новом строе, понятие «до революции» было отодвинуто так же далеко, как и «до Рождества Христова». Между тем я родился, когда советской власти еще не исполнилось и двадцати лет. Тогда еще оставалось много вещей ТОЙ эпохи, еще больше людей, но я уже не мог воспринимать их: и вещи и люди уже доживали, а не жили, ибо жизнь — это именно воспроизведение, а не замкнутые жизненные процессы. К тому моменту, когда я стал способен об этом задуматься, из бывших вещей воспроизводились лишь папиросы «Герцеговина Флор» (их, как оказалось, курил дореволюционный человек), почему-то печенье «Мария» (правда, по новому правописанию) да еще балет (при мне происходило вытеснение привычного «Мариинский» новым «Кировский», теперь произошло)... не сразу я понял, что в подобном ряду наиболее значителен сам город, в котором я живу, — город, по-новому названный, новыми людьми населяемый, но все тот же — Петербург. В этом городе все соотнесено с чем-либо, до него бывшим: Северная Венеция, Северная Пальмира, второй Париж, но не вторая Москва... Тут я учился ходить по второй в Европе площади (Дворцовой), видеть самый большой собор после Св. Петра (Исаакиевский), наблюдать одну из самых больших мечетей (на этот раз почему-то не вторую, а третью в мире)... Если уж не первое, то самое большое. Да что говорить! напротив моего отчего дома росла, по нашим сведениям, самая большая в Европе пальма (из растущих в оранжереях), в нее, как и в единственного слона (наверно, тоже самого большого, по крайней мере из живущих на шестидесятой параллели), угодила во время блокады бомба... Пальма и слон погибли на периферии детского сознания, а Петербург опять уцелел — и Петропавловская крепость, и Зимний дворец, и Медный всадник, и Ростральные колонны, и Сфинксы (хотя и древнеегипетские, но уж безусловно самые северные)... — в общем, ПЕТЕРБУРГ, в котором, «может быть, родился и я», в котором жил и Пушкин, который основополагал и Петр, Петербург, в котором классицизм и барокко будут как бы чуть поточнее, чуть более классичны и чуть менее барочны, в котором стремление догнать означало подавленное «превзойти». И есть такое ощущение, что этот придуманный и навязанный России город — вечен, что с ним уже не вяжется его юный возраст (каких-нибудь двести — триста лет). (Кстати, из черного архитектурного юмора: «Что останется, если на Ленинград сбросить Н-бомбу?» — «Петербург».) Он вечен не древностью и жизнью, как Рим, — он был задуман как «вечный», вечным он был уже в голове Петра, до первого топора: он неподвижен в сознании. Оттого каждый в него приезжающий попадает не в город своих представлений — не в город Петра, Пушкина, Ленина, — он попадает именно в тот же Петербург, вечный, в котором и эти люди, составившие ему славу, лишь бывали, так же «блистали в нем и вы». С человеческой точки зрения Петербург не город Петра и Пушкина, а город Евгения и Акакия Акакиевича — те же чувства породят в вас эти великие декорации, какими волновались души этих героев, какими, надо полагать, хоть и не нам чета, были взволнованы умы их создателей. И в том Петербург, второй и третий в своих площадях и ансамблях, — наконец и навсегда первый и единственный город. Загадка его, заданная Петром, не разгадана от Пушкина до наших дней потому, что ее и нет, разгадки. Фантом, оптический эффект, камера-обскура, окно в Европу, в которое вместо стекла вставлен воображаемый европейский пейзаж... И тут все мои упоминания, столь бессвязные: о мамонте, крепостничестве, пальме и слоне, барокко и балете, — сходятся в одно: «Может ли быть материализован идеал?» Не может. Но вот же он! Петербург сам по себе произведение — возможно ли символизировать символ, абстрагировать абстракцию, идеализировать идеалы, фантазировать фантазию, допустить условность внутри условности? Окажитесь в Петербурге зимой, осенью, белой ночью (желательно в ясную и безлюдную погоду) — вы войдете в картину Кирико, вы окажетесь в положении литературного героя даже не читанного вами, даже не написанного никем произведения и, сами того не заметив, ощутите то ли на плечах пелерину, то ли на голове цилиндр, то ли ноги ваши обтянуты трико, и вы вылетаете из-за кулис на авансцену под углом героев Шагала, перебирая в полете ногами, ощущая на себе, как пастернаковский Гамлет, «тысячу биноклей на оси». Человек, родившийся в Петербурге, родился в балете — как же ему воспринять эту пыльную неуклюжую условность, когда его впервые поведут в знаменитый Кировский (б. Мариинский) театр? До сих пор в моем сознании это первое тошнотворное головокружение от условности внутри условности, от условности, подражающей условности... В те времена условность в декорациях была недопустима, они были «как настоящие»; зрители особенно охотно аплодировали смене декораций (теперь мне мерещится в этих аплодисментах искренность облегчения, род разрядки при встрече с понятным и доступным сознанию...): мы видели настоящую Петропавловскую крепость, которую уже сегодня видели настоящую, падал настоящий снег... под наши аплодисменты выпархивала под этот снег голая балерина, в белоснежной пачке... Своими прыжками через сцену она «выражала» горечь встречи с любимым человеком, о чем мы все успевали прочесть в программке в кратком изложении содержания во время антракта; так мы сидели не дыша, совмещая только что прочитанное с только что увиденным, и в нужном месте догадывались хлопать по выражению лица примадонны... так и не удалось мне отделаться от этого жгучего и непобедимого детского чувства стыда и неловкости, в котором еще и никому нельзя признаться, от этой заданности и обязательности восторга, от этой всеобщей повинности до нас рожденной славы... стул проваливался подо мной, и я снова и снова сидел, невидимо красный и потный, зудящий от стыда за себя, неравный в своем эстетическом развитии всему зрительному залу, так до сих пор никому в этом и не сознавшийся. Я и сейчас воспринимаю все это почти так же, слегка порастратив способность к стыду, слегка обучившись просвещенному виду: «Так называемая вторая позиция, столь неэстетичная, к несчастью, чаще всего встречается в балетном танце. Движение ног в сторону — это самое вульгарное движение. Что может быть некрасивее расставленных ног? Какое движение может быть при этом естественным? А ведь на этом строится большинство pas, например: глиссад, ассамбле, эшапе, все антраша и т.д.; отчего же к этому уродливейшему, плоскому телоположению сводится главным образом техника балета?» Или: «Самым типичным, самым балетным и самым любимым всеми почитателями "классицизма" считается знаменитое фуэте. Для меня это самая ненавистная, самая лживая выдумка балета. Балерина, вертясь в этом фуэте, выражает какой-то экстаз, стремительное движение должно выразить веселье, подъем... а что же выражает в это время поза балерины? Совершенно противоположное. Балерина ищет в своей позе равновесие, и к нему сводится весь смысл позы, корпус держится прямо, голова тоже, руки симметрично, глаза устремляются в одну точку. А что выражает лицо? Погоню за равновесием и страх потерять его». Уж в чем, в чем... в чем-то мы, может, и занимали второе и даже третье место, но в балете неоспоримо первое. Как петербургское, в чем-то более совершенное барокко, так и балет наш, позднее европейского выколоченный из крепостных актрис, был, наверно, в чем-то более совершенен; но почему же в мире, поменявшем и изгнавшем все прочие значения и знаки старого мира, один лишь балет уцелел на прежнем своем неискоренимом уровне? Крепостная природа актрисы, теперь недоступной и свободной богини новой жизни, сменилась новой природой зрителя, возвысившегося до того, что, «принадлежащая народу», она танцевала «для нас». Нет, нам никому не были известны закулисные тайны, отчасти позволившие именно этому искусству всегда выживать и выжить... — все эти уксусные соображения могли принадлежать лишь будущей эпохе. Но как же именно самое условное, самое господское, самое элитарное искусство стало и самым «народным», не подвергавшимся не только остракизму, но и сомнению, было мне и тогда непонятно. Я рожден любителем балета, и я его уже не полюблю. С той же грубостью и примитивностью я не выношу теперь всеобщее парное катание по телевизору — хотя это и впрямь примитивно. Теперь, в эпоху распределения, балет наконец занял более или менее свое место: и билетов в Большой театр вы не достанете (в Кировский — тоже), и бриллианты неплохо бы надеть... фигурное по телевидению — это то же, за что выдавался нам балет, но наконец-то для всех. «Нехороший я человек, злой...» Но и сейчас меня злит то же, и нам не понять друг друга. Запад быстро называет явления, находит до обидного краткие и точные слова... «Poor eating habits», «Poor look fashion», — по-английски это хорошо сказано и прекрасно выражено, но по-русски это до сих пор звучит возмутительно. Вот я там и сижу, все тех же семи своих лет, с недогрызенным сухарем в кармане и опережающе модно одетый. Мне и сейчас куда доступнее понятия, никогда не переводимые на английский: «дополнительная порция» и «усиленное питание»... и вот я там сижу, и **1946** мама, отстояв две морозные ночи, достала на гастроли Улановой, на непонятную ни уму, ни сердцу, ни желудку «Жизель», и я не даю маме смотреть, толкаю ее в бок и тереблю за рукав на каждом выходе: «Это она?» И мама досадует, и одергивает, и шикает. Я ее извел. И вдруг я забыл, чего жду... Больше я не спрашивал, Уланова ли это. Ничего более прекрасного я с тех пор не видел. Но, Господи, сколько же мне предстояло еще увидеть, узнать и понять! И ни в чем из того, что мне предстояло, Улановой больше не было.

(Из «Грузинского альбома»)

1978

Похороны доктора

Памяти Е.Ральбе

Солнечный день напоминает похороны. Не каждый, конечно, а тот, который мы и называем солнечным, — первый, внезапный, наконец-то. Он еще прозрачен. Может, солнце и ни при чем, а именно прозрачность. На похоронах, прежде всех, бывает погода.

1969 ...Умирала моя неродная тетя, жена моего родного дяди.

Она была «такой *живой человек*» (слова мамы), что в это трудно было поверить. Живой она действительно была, и поверить действительно было трудно, но на самом деле она давно готовилась, пусть втайне от себя.

Сначала она попробовала ногу. Нога вдруг разболелась, распухла и не лезла в обувь. Тетка, однако, не сдавалась, привязала к этой «слонихе» (ее слова) довоенную тапку и так выходила к нам на кухню мыть посуду, а потом приезжал Александр Николаевич, шофер, и она ехала в свой Институт (экспертизы трудоспособности), потом на заседание правления Общества (терапевтического), потом в какую-то инициативную группу выпускниц (она была бестужевка), потом на некий консилиум к какому-нибудь титулованному бандиту, потом сворачивала к своим еврейским родственникам, которые, по молчаливому, уже сорокалетнему, сговору, не бывали у нас дома, потом возвращалась на секунду домой, кормила мужа и тяжко решала, ехать ли ей на банкет по поводу защиты диссертации ассистентом Тбилисского филиала института Нектаром Бериташвили: она очень

274

устала (и это было больше, чем так) и не хочет ехать (а это было не совсем так). Втайне от себя она хотела ехать (повторив это «втайне от себя», я начинаю понимать, что сохранить до старости подобную эмоциональную возможность способны только люди, очень... живые? чистые? добрые? хорошие?.. — я пробормотываю это невнятное, не существующее уже слово — втайне от себя самого)... И она ехала, потому что принимала за чистую монету и любила все человеческие собрания, питала страсть к знакам внимания, ко всему этому глазету почета и уважения, и даже, опережая возможную иронию, обучила наше кичливое семейство еврейскому словечку «ковод», которое означает уважение, вовсе не обязательно идущее от души и сердца, а уважение по форме, по штату, уважение как проявление, как таковое. (У русских нет такого понятия и слова такого нет, и тут, с ласковой улыбкой тайного от самого себя антисемита, можно сказать, что евреи — другой народ. Нет в нашем языке этого неискреннего слова, но в жизни оно завелось, и, к тому же, почему все так убеждены в искренности хамства?..) Понимаешь, Дима, говорила она мужу, он ведь сын Вахтанга, ты помнишь Вахтанга? — и, сокрушенно вздохнув, она — ехала. Желания ее все еще были сильнее усталости. Мы теперь не поймем этого — раньше были другие люди.

Наконец она возвращалась, задерживалась она недолго, исключительно на торжественную часть, которую во всем очень трогательно любила, наполняя любую мишуру и фальшь своим щедрым смыслом и верой. (Интересно, что они искренне считали себя материалистами, эти люди, которыми мы не будем; надо обладать исключительно... (тоже невнятное слово...), чтобы исполнить этот парадокс.) Итак, она быстро возвращалась, потому что плюс к ноге страдала диабетом и не могла себе на банкете ничего позволить, но возвращалась она навеселе: речи торжественной части действовали на нее как шампанское, — помолодевшая, разрумянившаяся, бодро и счастливо рассказывала мужу, как все было хорошо, тепло... Постепенно прояснялось, что лучше всех сказала она сама... И если в это время смотреть ей в лицо, трудно было поверить, что ей вот-вот восемьдесят, что у нее — нога, но нога — была: она была привязана к тапке, стоило опустить глаза. И, отщебетав, напоив мужа чаем, когда он ложился, она наполняла таз горячей водой и долго сидела, опустив туда ногу, вдруг потухнув и оплыв, «как куча» (по ее же выражению). Долго так сидела, как куча, и смотрела на свою мертвую уже ногу.

Она была большой доктор.

Теперь таких докторов НЕ БЫВАЕТ. Я легко ловлю себя на том, что употребляю готовую формулу, с детства казавшуюся мне смешной: мол (с «трезвой» ухмылкой), всегда все было так же, одинаково, не лучше... Я себя легко ловлю и легко отпускаю: с высоты сегодняшнего опыта формула «теперь не бывает» кажется мне и справедливой и правильной — выражающей. Значит, не бывает... Не то чтобы она всех вылечивала... Как раз насчет медицины заблуждений у нее было всего меньше. Не столько она считала, что всем можно помочь, сколько — что всем нужно. Она хорошо знала, не в словах, не наукой, а вот тем самым... что помочь нечем, а тогда, если уж есть хоть немножко чем помочь, то вы могли быть уверены, что она сделает все. Вот эта неспособность сделать хотя бы и чуть-чуть НЕ ВСЕ и эта потребность сделать именно СОВСЕМ ВСЕ, что возможно, — этот императив и был сутью «старых докторов, каких теперь не бывает» и каким она, последняя, была. И было это вызывающе просто. Например, если ты простужен, она спросит, хорошо ли ты спишь; ты удивишься: при чем тут сон? — она скажет: кто плохо спит — тот зябнет, кто зябнет — тот простужается. Она даст тебе снотворное от простуды (аллергия все еще была выдумкой капиталистического мира), а тебе вдруг так ласково и счастливо станет от этого забытого темпа русской речи и русских слов: зя-бнет... что — все правильно, все в порядке, все впереди... померещится небывалое утро с серым небом и белым снегом, температурное счастье, кто-то под окном на лошадке проехал, кудрявится из трубы дым... Скажешь: нервы шалят, что-нибудь, тетя, от нервов бы... Она глянет ледяно и приговорит: возьми себя в руки, ничего от нервов нет. А однажды, ты и не попросишь ничего, сунет в руку справку об освобождении:

видела, ты вчера вечером курил на кухне — отдохнуть тебе надо.

И если бы некий наблюдательный интеллектуал сформулировал бы, хотя бы вот так, ей ее же — она не поймет: о чем это ты? — пожмет плечами. Она не знает механизмов опыта! Как она входит к больному!.. никаким самообладанием не совершишь над собой такой перемены! она — просто меняется, и все. Ничего, кроме легкости и ровности, — ни восьмидесяти лет, ни молодого красавца мужа, ни тысяч сопливых, синих, потных, жалких, дышащих в лицо больных — никакого опыта, ни профессионального, ни личного, ни тени налета ее самой, со своей жизнью, охотной жизнью. Ка́к она дает больному пожаловаться! как утвердительно спросит: очень болит? Именно — ОЧЕНЬ. Никаких «ничего» или «пройдет» она не скажет. В этот миг только двое во всем мире знают, ка́к болит: больной и она. Они — избранники боли. Чуть ли не гордится больной после ее ухода своею посвященностью. Никогда в жизни не видать мне больше такой способности к участию. Зачета по участию не сдают в медвузе. Тетка проявляла участие мгновенно, в ту же секунду отрешаясь навсегда от своей старости и боли: стоило ей обернуться и увидеть твое лицо, если ты и впрямь был болен, — со скоростью света на тебя проливалось ее участие, то есть полное отсутствие участвующего и полное чувство — как тебе, каково? Эта изумительная способность, лишенная чего бы то ни было, кроме самой себя, со-чувствие в чистом виде — стало для меня Суть доктора, Имя врача. И никакой фальши, ничего наигранного, никаких мхатовских «батенек» и «голубчиков» (хотя она свято верила во МХАТ и, когда его «давали» по телевизору, усаживалась в кресло с готовым выражением удовлетворения, которое, не правда ли, Димочка, ничто современное уже не может принести... ах, Качалов-Мачалов! Тарасова — идеал красоты... при слове «Анна» поправляется дрожащей рукой пышная прическа...)...

С прически я начинаю ее видеть. До конца дней носила она ту же прическу, что когда-то больше всех ей шла. Как застрял у девушки чей-то комплимент: волосы, мол, у нее прекрасные, — так и хватило ей убежденности в этом на полвека и на весь век, так и взбивалась каждое утро седоватая, чуть стрептоцидная волна и втыкался — руки у нее сильно дрожали, — втыкался в три приема: туда-сюда, выше-ниже и, наконец, точно в середину, всегда в одно и то же место, — черепаховый гребень. Очень у нее были ловкими ее неверные руки, и эта артиллерийская пристрелка тремора: недолет-перелет (узкая вилка) — попал — тоже у меня перед глазами. То есть перед глазами у меня еще и ее руки, ходящие ходуном, но всегда попадающие в цель, всегда что-то делающие... (Это сейчас не машинка у меня бренчит, а тетка моет посуду, это ее характерное позвякивание чашек о кран; если она била чашку, что случалось, а чашки у нее были дорогие, то ей, конечно, было очень жаль чашки, но с какой непередаваемой женственностью, остановившейся тоже во времена первой прически, она тотчас объявляла о случившемся всем кухонным свидетелям как о вечной своей милой оплошности: мол, опять, — даже фигура менялась у нее, когда она сбрасывала осколки в мусорное ведро, даже изгиб талии (какая уж там талия...) и наклон головы были снова девичьими... потому что самым запретным поведением свидетелей в таком случае могла быть лишь жалость, — замечать за ней возраст было нельзя.)

Мне и сейчас хочется поцеловать тетку (чего я никогда не делал, хотя и любил ее больше многих, кого целовал)... вот при этом позвякивании чашек о кран.

Она сбрасывала 50 или 100 рублей в ведро жестом очень богатого человека, опережая наш фальшивый хор сочувствия... а дальше было самое для нее трудное, но она была человек решительный — не мешкала, не откладывала: на мгновение замирала она перед своей дверью с разностью чашек в руках — становилась еще стройнее, даже круглая спина ее становилась прямой, трудно было не поверить в этот оптический обман... и тут же распахивала дверь и впархивала чуть ли не с летним щебетом серовского утра десятых годов той же своей юности: мытый солнечный свет сквозь мытую листву испещрил натертый паркет, букет рассветной сирени замер в капельках, чуть ли не пеньюар и этюд Скрябина... будто репродукция на стене и не репродукция, а зеркало: «Дима! такая жалость, я свою любимую китайскую чашку разбила!..»

Ах, нет! мы всю жизнь помним, как нас любили...

Дима же, мой родной-разлюбимый дядя, остается у меня в этих воспоминаниях за дверью, в тени, нога на ногу, рядом с букетом, род букета — барабанит музыкальными пальцами хирурга по скатерти, ждет чаю, улыбается внимательно и мягко, как хороший человек, которому нечего сказать.

Значит, сначала я вижу ее прическу (вернее, гребень), затем — руки (сейчас она помешивает варенье: медный начищенный старинный (до катастрофы) таз как солнце, в нем алый слой отборной, самой дорогой базарной клубники, а сверху по-голубому сверкают грубые и точные осколки большого старинного сахара (головы), — все это драгоценно: корона, скипетр, держава — все вместе (у нас в семействе любят сказать, что тетка величественна, как Екатерина), — и над всей этой империей властвует рука с золотою ложкой — ловит собственное дрожание и делает вид, что ровно такие движения и собиралась делать, какие получились (все это очень живописно: управление случайностью как художественный метод...).

Я вижу гребень, прическу, руки... и вдруг отчетливо, сразу — всю тетку: будто я тёр-тёр старательно переводную картинку и наконец, задержав дыхание, муча собственную руку плавностью и медленностью, отклеил, и вдруг — получилось! нигде пленочка не порвалась: проявились яркие крупные цветы ее малиновой китайской кофты (шелковой, стеганой), круглая спина с букетом между лопаток, и — нога с прибинтованной тапкой. Цветы на спине — пышные, кудрявые, китайский род хризантем; такие любит она получать к непроходящему своему юбилею (каждый день нам приносят корзину от благодарных, и комната тети всегда как у актрисы после бенефиса; каждый день выставляется взамен на лестницу очередная завядшая корзина...). Цветы на спине — такие же в гробу.

В нашем обширном, сообща живущем семействе был ряд узаконенных формул восхищения теткой, не знаю только вот, в виде какого коэффициента вводились в них анкетные данные — возраст, пол, семейное положение и национальность. Конечно, наше семейство было слишком интеллигентно, чтобы опускаться до уровня отдела кадров. О таких вещах никогда не говорилось, но стопроцентное молчание всегда говорит за себя: молчание говорило, что об этих вещах не говорилось, а — *зналось*. Она была на пятнадцать лет старше дядьки, у них не было детей, и она была еврейкой. Для меня, ребенка, подростка, юноши, у нее не было ни пола, ни возраста, ни национальности; в то время как у всех других родственников эти вещи были. Каким-то образом здесь не наблюдалось противоречия.

Мы все играли в эту игру: безусловно принимать все заявленные ею условности, — наша снисходительность поощрялась слишком щедро, а наша неуклюжая сцена имела благодарного зрителя. Неизвестно, кто кого превышал в благородстве, но переигрывали — все. Думаю, что все-таки она могла видеть кое-что сверху, — не мы. Не были ли ее вперед выдвинутые условности высокой реакцией на нашу безусловность?.. Не оттого ли единственным человеком, которого она боялась и задабривала сверх всякой меры, была Евдокимовна, наша кухарка: она могла и не играть в нашу игру, и уж она-то знала и то, что еврейка, и то, что старуха, и то, что муж... и то, что детей... что — смерть близка. Евдокимовна умела это свое знание, нехитрое, но беспощадно точное, с подчеркнутым подобострастием обнаруживать, так и не доходя до словесного выражения, и за это свое молчание, с суетливой благодарностью, брала сколько угодно и чем попало, хоть теми же чашками.

Мы и впрямь любили тетку, но любовь эта еще и декларировалась. Тетка была — Человек! Это звучит горько: как часто мы произносим с большой буквы, чтобы покрыть именно анкетные данные; автоматизм нашей собственной принадлежности к роду человеческому приводит к дискриминации. Чрезмерное восхищение чьими-либо достоинствами всегда пахнет. Либо подхалимством, либо апартеидом. Она была человек... большой, широкий, страстный, *очень* живой, щедрый и очень *заслуженный* (ЗДН — заслуженный деятель науки; у нее было и это звание). В общем, теперь я думаю, что все сорок лет своего замужества она *работала* у нас тетей со всеми своими замечательными качествами и стала *как родная*. (Еще и потому у них с Евдокимовной могло возникать особое взаимопонимание; та ведь тоже была — человек...) Думаю, что еврейкой для моих родных она все-таки была, хотя бы потому, что я об этом не знал, что и слова-то такого никто ни разу не произнес (слова «еврей»).

Мы имели все основания возвеличивать ее и боготворить: столько, сколько она для всех сделала, не сделал никто из нас даже для себя: она спасла от смерти меня, брата и трижды дядьку (своего мужа). А сколько она помогала так, просто (без угрозы для жизни), — не перечислить. Этот список рос и канонизировался с годами, по отступающим пунктам списка. Об этом, однако, полагалось напоминать, а не помнить, так что это вырвалось у меня сейчас правильно: как родная... И еще, что я узнал значительно позже, после ее смерти, она *была как жена*. Оказывается, все эти сорок лет они не были зарегистрированы. Эта старая новость сразу приобрела легендарный шик независимости истинно порядочных людей от формальных и несодержательных норм. Сами, однако, были зарегистрированы.

Сошло время — илистое дно. Ржаво торчат конструкции драмы. Это, оказывается, не жизнь, а — сюжет. Он — неживой от пересказа: годы спустя в нашем семействе прорастает информация, в форме над-гробия.

А я из него теперь сооружаю постамент...

Она была большой доктор, и мне никак не отделаться от недоумения: что же она сама знала о своей болезни?.. То кажется: не могла же не знать!.. то — ничего не знала.

Она попробовала ногу, а потом попробовала инфаркт.

От инфаркта у нее чуть не прошла нога. Так или эдак, но из инфаркта она себя вытянула. И от сознания, что на этот раз проскочила (это в данном случае она как врач могла сказать себе с уверенностью), — так приободрилась и помолодела, и даже ногу обратно уместила в туфлю, — что мы все не нарадовались. Снова пошли заседания, правления, защиты, консилиумы (вылечи убийцу! — безусловно святой принцип Врача... но нельзя же лечить их старательней и ответственней, чем потенциальных их жертв?..

однако можно: не забывайте, что именно Англия с парадоксами ее парламента...)... и вот я вижу ее снова на кухне, повелевающую сверкающим солнцем-тазом. Однако таз этот взошел ненадолго.

Тетка умирала. Это уже не было ни для кого... кроме нее самой. Но и она так обессилела, что, устав, забывшись, каждый день делала непроизвольный шажок к смерти. Но потом спохватывалась и снова не умирала. У нее совсем почернела нога, и она решительно настаивала на ампутации, хотя всем, кроме нее... что операция ей уже не по силам. Нога, инфаркт, нога, инсульт... И тут она вцепилась в жизнь с новыми силами, которых из всех встреченных мною людей только у нее и было столько.

Кровать! Она потребовала *другую* кровать. Почему-то она особенно рассчитывала на мою физическую помощь. Она вызывала меня для инструкций, я плохо понимал ее мычание, но со всем соглашался, не видя большой сложности в задании. «Повтори», — вдруг ясно произнесла она. И ах! — с какой же досадой отвернулась она от моего непарализованного лепета.

Мы внесли кровать. Это была специальная кровать, из больницы. Она была там неуклюжим образом осложнена, каким только могут осложнить люди, далекие от техники. Конечно, ни одно из этих приспособлений, меняющих положение тела, не могло действовать. Многократно перекрашенная тюремной масляной краской, она утратила не только форму, но и контур, — она стала в буквальном смысле нескладной. Мы внесли этого монстра в зеркально-хрустально-коврово-полированный теткин уют, и я не узнал комнату. Словно бы все вещи шарахнулись от кровати, забились по углам, сжались в предчувствии социальной перемены: на самом деле просто кровати было наспех подготовлено место. Я помню это нелепо-юное ощущение мышц и силы, преувеличенное, не соответствовавшее задаче грузчика: мускулы подчеркнуто, напоказ жили для старого, парализованного, умирающего человека, — оттого особая неловкость преследовала меня: я цеплял за углы, спотыкался, бился костяшкой, и словно кровать уподобляла меня себе.

Тетка сидела посреди комнаты и руководила вносом.

Это я так запомнил — она не могла сидеть посредине, она не могла сидеть, и середина была как раз очищена для кровати... Взор ее пылал каким-то угольным светом, у нее никогда не было таких глубоких глаз. Она страстно хотела перелечь со своего сорокалетнего ложа, она была *уже* в той кровати, которую мы еще только вносили, — так я ее и запомнил посредине. Мы не должны были повредить «аппарат», поскольку ничего в нем не смыслили, мы должны были «его» чуть развернуть и еще придвинуть и выше-ниже-выше установить его намертво-неподвижные плоскости, и все у нас получалось не так, нельзя было быть такой бестолочью, видно, ей придется самой... У меня и это впечатление осталось, что она сама наконец поднялась, расставила все как надо — видите, нехитрое дело, надо только взяться с умом — и, установив, легла назад в свой паралич, предоставив нам переброску подушек, перин и матрацев, более доступную нашему развитию, хотя и тут мы совершали вопиющие оплошности. Господи! за тридцать лет она не изменилась ни капли. Когда мы, в блокадную зиму, пилили с ней в паре дрова на той же кухне, она, пятидесятилетняя, точно так сердилась на меня, пятилетнего, как сейчас. Она обижалась на меня до слез в споре, кому в какую сторону тянуть, пила наша гнулась и стонала, пока мы спасали пальцы друг друга. «Ольга! — кричала она наконец моей матери. — Уйми своего хулигана! Он меня сознательно изводит. Он нарочно не в ту сторону пилит...» Я тоже на нее сильно обижался, даже не на окрик, а на то, что меня заподозрили в «нарочном», а я был совсем без задней мысли, никогда бы ничего не сделал назло или нарочно... я был тогда ничего, неплохой, мне теперь кажется, мальчик. Рыдая, мы бросали пилу в наполовину допиленном бревне. Минут через десять, веселая, приходила она со мной мириться, неся «последнее», что-то мышиное: не то корочку, не то крошку. Вот так, изменился, выходит, один я, а она все еще не могла свыкнуться с единственной предстоявшей ей за жизнь переменой: в тот мир она, конечно, не верила (нет! так я и не постигну их поколение: уверенные, что Бога нет, они выше всех несли христианские заповеди... а я, уверенный в Боге, пребываю в непролаз... а Аз — грешный).

Мы перенесли ее, она долго устраивалась с заведомым удовлетворением, никогда больше не глядя на покинутое супружеское ложе. Мне почудился сейчас великий вздох облегчения, когда мы отрывали ее от него: из всего, что она продолжала, несмотря на свой медицинский опыт, не понимать, вот это, видимо, она поняла необратимо: никогда больше она в ту кровать не вернется... Мы не понимали, мы, как идиоты, ничего не понимали из того, что она прекрасно, лучше всех знала: что такое больной, каково ему и что на самом деле ему нужно, — теперь она сама нуждалась, но никто не мог ей этого долга возвратить. И тогда, устроившись, она с глубоким, первым смыслом сказала нам «спасибо», будто мы и впрямь что-то сделали для нее, будто мы понимали... «Очень было тяжело?» — участливо спросила она меня. «Да нет, что ты, тетя!.. Легко». Я не так должен был ответить.

Кровать эта ей все-таки тоже не подошла: она была объективно неудобна. И тогда мы внесли последнюю, бабушкину, на которой мы все умирали... И вот уже на ней, с последний раз подправленной подушкой, разгладив дрожащей рукой ровненький отворот простыни на одеяле, прикрыв глаза, она с облегчением вздохнула: «Наконец-то мне удобно». Кровать стояла в центре комнаты, как гроб, и лицо ее было покойно.

Именно в этот день внезапно скончалась та, другая женщина, тот самый сюжет...

Тетка ее пережила. «Наконец-то мне удобно...» — повторила она.

Кровать стояла посреди странно опустевшей комнаты, где вещи покидают хозяина чуть поспешно, на мгновение раньше, чем хозяин покидает их. У них дешевые выражения лиц; эти с детства драгоценные грани и поверхности оказались просто старыми вещами. Они чураются этого железного в середине, они красные, они карельские... Тетке удобно.

Она их не возьмет с собою...

Но она их взяла.

В середине кургана стоит кровать с никелированными шишечками, повытертыми до медной изнанки; в ней удобно полусидит, прикрыв веки и подвязав челюсть, тетка в своей любимой китайской кофте с солнечным тазом, полным клубничного варенья на коленях; в одной руке у нее стетоскоп, в другой — американский термометр, напоминающий часовой механизм для бомбы; аппарат для измерения кровяного давления в ногах... не забыты и оставшиеся в целых чашки, диссертация, данная на отзыв, желтая Венера Милосская, с которой она (по рассказам) пришла к нам в дом... дядька, за ним шофер скромно стоят рядом, уже полузасыпанные летящей сверху землею... к ним бесшумно съезжает автомобиль со сверкающим оленем на капоте (она его регулярно пересаживает с модели на модель, игнорируя, что тот вышел из моды...), значит, и олень здесь... да и вся наша квартира уже здесь, под осыпающимся сверху рыхлым временем, прихватывающим и все мое прошлое с осколками блокадного льда, все то, кому я чем обязан, — погружается в курган, осыпается время с его человечностью, обезьяньим гуманитетом, с принципами и порядочностью, со всем тем, чего не снесли их носители, со всем, что сделало из меня то жалкое существо, которое называют, по общим признакам сходства, человеком, то есть со мною... но сам я успеваю, бросив последнюю лопату, мохнато обернуться в черновато-мерцающую теплоту честной животности...

Ибо с тех пор, как их не стало: сначала моей бабушки, которая была еще лучше, еще чище моей тетки, а затем тетки, эстафетно занявшей место моей бабушки, а теперь это место пустует для моей мамы... я им этого не прощу. Ибо с тех пор, как не стало этих последних людей, мир лучше не стал, а я стал хуже.

Господи! после смерти не будет памяти о Тебе! Я уже заглядывал в Твой люк... Если человек сидит в глубоком колодце, отчего бы ему не покажется, что он выглядывает ИЗ мира, а не В мир? А вдруг там, если из колодца-то выбраться, — на все четыре стороны ровно-ровно, пусто-пусто, ничего нет? Кроме дырки колодца, из которого ты вылез? Надеюсь, что у Тебя слегка пересеченная местность...

За что посажен пусть малоспособный, но старательный ученик на дно этого бездонного карцера и... позабыто о нем? Чтобы я всю жизнь наблюдал эту одну звезду, пусть и более далекую, чем видно не вооруженному колодцем глазу?! Я ее уже усвоил.

Господи! дядя! тетя! мама! плачу...

Я был у нее в институте один раз, как раз между «ногой» и «ногой», когда она выкарабкалась из инфаркта. Она избегала приглашать в свой институт, быть может, до сих пор стыдилась того понижения, которое постигло ее неизбежно, в последние годы вождя, под предлогом возраста, по пятому пункту. Действительно, институт со старушками и дебилами был не чета 1-му медицинскому. Она не пережила этого унижения, в том смысле, что продолжала его переживать. Однако после инфаркта что-то сместилось, она вернулась в заштатный свой институт как в дом родной. Поняла ли она, что и этот институт не навек?.. Меня подобострастно к ней провели. Просили подождать: на обходе. Сказали так, будто она служила мессу. Сравнение это кстати. Как раз такая она вошла, поразив меня молодостью и красотой. Она была облечена не только в этот памятник стирке и крахмалу со спущенным ошейником стетоскопа на груди, но сразу же надела на себя и свой кабинет, как вошла, — с оторочкой ординарцев по рукавам и шлейфом ассистентов, на плечи были небрежно накинуты стены клиники (кстати, превосходные — отголоски Смольного монастыря...), и все это ей было необыкновенно к лицу. С тех пор она является мне в снах неизменно молодой, такой, какой я ее уже не застал по причине позднего рождения.

Что-то мне было от тетки надо, не помню что, тотчас исполненное бесшумной свитой.

Однако ни на что, кроме поразившей меня тетки, я тогда не обратил внимания.

Солнце. То самое солнце, с которого я начал.

Бывают такие уголки в родном городе, в которых никогда не бывал. Особенно по соседству с достопримечательностью, подавившей собою окрестность. Смольный (с флагом и Ильичем), слева колокольня Смольного монастыря, — всегда знаешь, что они там, что приезжего приведут именно сюда, и отношение к ним уже не более как к открытке. Но вот приходится однажды разыскать адрес (оказывается, там есть еще и дома, и улицы, там живут...), и — левее колокольни, левее обкома комсомола, левее келейных сот... кривая улица (редкость в Ленинграде), столетние деревья, теткин институт (бывший Инвалидный дом, оттого такой красивый; не так уж много настроено медицинских учреждений — всегда наткнешься на старое здание...), и — так вдруг хорошо, что и глухой забор вдруг покажется красотою. Все здесь будто уцелело, в тени достопримечательности... Ну, проходная вместо сторожевой будки, забор вместо ликвидированной решетки... зато ворота еще целы, и старый инвалид-вахтер на месте у ворот Инвалидного дома (из своих, наверно). Кудрявые барочные створки предупредительно распахнуты, я наконец прочитываю на доске, как точно именуется теткино учреждение (Минздрав, облисполком... очень много слов заменило два — Инвалидный дом), мне приходится посторониться и пропустить черную «Волгу», в глубине которой сверкнул эполет; вскакивает на свою культю инвалид, отдает честь; приседая, с сытым шорохом на кирпичной дорожке удаляется генерал в шубе из черно-волги, я протягиваюсь следом, на «территорию». «Вы на похороны?» — спрашивает инвалид, не из строгости, а из посвященности. «Да».

Красный кирпич дорожки, в тон кленовому листу, который сметает набок тщательный дебил; он похож на самосшитую ватную игрушку нищего, военного образца; другой, посмышленее, гордящийся доверенным ему оружием, охотится на окурки и бумажки с острогой; с кирпичной мордой инвалид, уверенно встав на деревянную ногу с черной резиновой присоской на конце, толчет тяжким инструментом, напоминающим его же перевернутую деревянную ногу, кирпич для той же дорожки; серые стираные старушки витают там и сям по парку, как те же осенние паутинки, — выжившие Офелии с букетиками роскошных листьев... Трудотерапия на воздухе, солнечный денек. Воздух опустел, и солнечный свет распространился ровно и беспрепятственно, словно он и есть воздух; тени нет, она освещена изнутри излучением разгоревшихся листьев; и уже преждевременный дымок (не давайте детям играть со спичками!) собрал вокруг сосредоточенную дебильную группу... Старинный запах прелого листа, возрождающий — сжигаемого: осенняя приборка; все разбросано, но сквозь хаос намечается скорый порядок: убрано пространство, проветрен воздух, вот и дорожка наново раскраснелась; утренние, недопроснувшиеся дебилы, ранние (спозаранку, раны...) калеки, осенние старушки — выступили в большом согласии с осенью. «Вам туда», — с уважением сказал крайний дебил. Куда я шел?.. Я стоял в конце аллеи, упершись в больничный двор. Пришлось отступить за обочину, в кучу листьев, приятно провалившихся под ногой, дебил сошел на другую сторону: между нами проехали «Волги», сразу две. Ага, вон куда. Вон куда я иду.

Тетка выглядела хорошо. Лицо ее было в должной степени значительно, покойно и красиво, но как бы чуть настороженно. Она явно прислушивалась к тому, что говорилось, и не была вполне удовлетворена. Вяло перечислялись заслуги, громоздились трупы эпитетов — ни одного живого слова. «Светлый облик... никогда... вечно в сердцах...» Первый генерал, сказавший первым (хороший генерал, полный, три Звезды, озабоченно-мертвый...), уехал: сквозь отворенные в осень двери конференц-зала был слышен непочтительно-быстрый, удаляющийся стрекот его «Волги». «Спи спокойно...» — еще говорил он, потупясь над гробом, и уже хлопал дверцей: «В Смольный!» — успевал на заседание. Он успел остановиться главным образом на ее военных заслугах: никогда не забудем!.. — уже забыли, и войну, и блокаду, и живых, и мертвых. Тетку уже некогда было помнить: я понял, что она была списана задолго до смерти, тогда, в сорок девятом; изменившиеся исторические обстоятельства позволили им явиться на панихиду — и то славно: другие пошли времена, где старикам поспеть... и уж если, запыхавшись, еще поспевал генерал дотянуться до следующей Звезды, то при одном условии — не отлучаться ни на миг с ковровой беговой дорожки... После генерала робели говорить, будто он укатил, оставив свое седоволосое ухо с золотым отблеском погона... И следующий оратор бубнил вточь, и потом... никак им было не разгореться. Близкие покойной, раздвоенные гробом, как струи носом корабля, смотрелись бедными родственниками ораторов. Налево толпились мы, направо — еврейские родственники, не знал, что их так много. Ни одного знакомого лица, одного, кажется, видел мельком в передней... Он поймал мой взгляд и кивнул. Серые внимательно-растерянные, как близорукие, глаза. Отчего же я их никого... никогда... Я еще не понимал, но стало мне неловко, нехорошо — в общем, стыдно, — но я-то полагал, что мне не понравились ораторы, а не мы, не я сам. «Были по заслугам оценены... медалью...» Тетка была человек... ей невозможно по заслугам... у вас волос на ж... не хватит, чтобы ей по заслугам... будет металлургический кризис, если по заслугам... Смерть есть смерть: я что-то все-таки начинал понимать, культовский румянец сходил с ланит... Сталин умирал вторично, еще через пятнадцать лет. Кажется, окончательно. Потому что во всем том времени мне уже нечего вспомнить, кроме тетки, кристально честной представительницы, оказывается все-таки, сталинской эпохи...

Тетку все сильнее не удовлетворяло заупокойное бубнение ораторов. Поначалу она еще отнеслась неплохо: пришли все-таки и академики, и профессура, и генералы... — но потом — окончательно умерла с тоски. В какой-то момент мне отчетливо показалось, что она готова встать и сказать речь сама. Уж она нашла бы слова! Она умела произносить от сердца... Соблазн порадовать человека бывал для нее всегда силен, и она умудрялась произносить от души хвалу людям, которые и градуса ее теплоты не стоили. Это никакое не преувеличение, не образ: тетка была живее всех на собственной панихиде. Но и тут, точно так, как не могла она прийти себе на помощь, умирая, а никто другой так и не шел, хотя все тогда толпились у кровати, как теперь у гроба... и тут ей ничего не оставалось, как отвернуться в досаде. Тетка легла обратно в гроб, и мы вынесли ее вместе с кроватью, окончательно не удовлетворенную панихидой, на осеннее солнце больничного двора. И конечно, я опять подставлял свое могуче-упругое плечо бок о бок с тем внимательно-сероглазым, опять мне кивнувшим. «Что ты, тетя! Легко...»

Двор стал неузнаваем. Он был густо населён. Поближе к дверям рыдали сёстры и санитарки, рыдали с необыкновенным уважением к заслугам покойной, выразившимся в тех, кто пришёл... Сумрачные, неопохмелившиеся санитары, вперемежку с калеками, следующей шеренгой как бы оттесняли общим своим синим плечом толпу дебилов, оттеснивших в свою очередь старух, скромно выстаивавших за невидимой чертою. Ровным светом робкого восторга были освещены их лица. Кисти гроба, позументы, крышка, подушечка с медалью, рыдающие начальницы-сёстры... генерал!!. (был ещё один, который не так спешил)... автомобили с шофёрами, распахнувшими дверцы... осеннее золото духового оркестра, грохочущее солнце баса и тарелок... ещё бы! Они простаивали скромно-восторженно, ни в коем случае не срывая дисциплины, в заплатках, но чистенькие, опершись на грабли и лопаты, — эта антивосставшая толпа. Генерал уселся в машину, осветив их золотым погоном... они провожали его единым взглядом, не сморгнув. Гроб плыл как корабль, раздвигая носом человеческую волну на два человечества: дебилы обтекали справа, более чем нормальные, успешные и заслуженные — слева. За гробом вода не смыкалась, разделённая молом пограничных санитаров. Мы — из них! — вот что я прочёл на общем, неоформленном лице дебила. Они с восторгом смотрели на то, чем бы они стали, рискни они выйти в люди, как мы. Они — это было, откуда мы все вышли, чтобы сейчас, в конце трудового пути, посверкивать благородной сединой и позвякивать орденами. Они из нас, мы из них. Они не рискнули, убоявшись санитара; мы его подкупили, а потом подчинили. Труден и славен был наш путь в доктора и профессора, академики и генералы! многие из нас обладали незаурядными талантами и жизненными силами, и все эти силы и таланты ушли на продвижение, чтобы брякнула и услужливо хлопнула дверца престижного гроба на колёсах... Никогда, никогда бы не забыть, какими бы мы были, не пойди мы на всё это... вот мы стоим серой, почтительной чередою, недолюди против уженелюдей, с пограничными санитарами и гробом последнего живого человека между!.. вот мы бредём, отдавшие всё до капли, чтобы стать теми, кем вы заслуженно восторгаетесь; мертвые, хороним живого, слепим своим блеском живых!.. Ведь они живы, дебилы!! — вот что осенним холодком пробежало у меня между лопаток, между молодо напряженных мышц. Живы и безгрешны! ибо какой еще у них за душой грех, кроме как в кулачке в кармане... да и карман им предусмотрительно зашили. А вот и мы с гробами заслуг и опыта на плечах... И если вот так заглянуть сначала в душу дебила, увидеть близкое голубое донышко в его глазах, потом резко взглянуть в душу того же генерала, да и любого из нас, то — Боже! лучше бы не смотреть, чего мы стоим. А стоим мы дорого, столько, сколько за это уплатили. А уплатили мы всем. И я далек, ох как далек заглядывать в затхлые предательские тупички нашего жизненного пути, неизбежную перистальтику карьеры. Я заведомо считаю всю нашу процессию кристально чистыми, трудолюбивыми, талантливыми, отдавшими себя делу (хоть с большой буквы!..) людьми. И вот в такую, только незаподозренную, нашу душу и предлагаю заглянуть... и отворачиваюсь, испугавшись. То-то и они к нам не перебегают, замершие не только ведь от восторга, но и от ужаса! Не только дебилы, но и мы ведь с трудом отделим ужас от восторга, восторг от ужаса, да и не отделим, так и не разобравшись. Куда дебилу... он с самого начала, мудрец, испугался, он еще тогда, в колыбели, не пошел сюда, к нам... там он и стоит, в колыбели, с игрушечными грабельками и лопаткой и не плачет по своему доктору: доктор-то живой, вы — мертвые. Никто из нас и впрямь не мог заглянуть в глаза Смерти, и не потому, что страшно, а потому, что *уже*. Души, не родившиеся в Раю, души, умершие в Аду; тетка протекает между нами, как Стикс. Мы прошли неживой чередою по кровавой дорожке парка; он был уже окончательно прибран (когда успели?..); не пущенные санитарами, остались в конце дорожки дебилы, выстроившись серой стенкой, и вот — слились с забором, исчезли. Последний мой взгляд воспринял лишь окончательно опустевший мир: за остывшим, нарисованным парком возвышался могильный курган, куда по одному уходили пациенты к своему доктору...

Кто из нас двоих жив? Сам ли я, мое ли представление о себе?

Она была большой доктор, но я и сейчас не отделался всеми этими страницами от все того же банального недоумения: что же она как врач знала о своей болезни и смерти? То есть знать-то она, судя по написанным страницам, все-таки знала... а вот как обошлась с отношением к этому своему знанию?.. Я так и не ответил себе на вопрос, меня по-прежнему продолжает занимать, какими способами обходится профессионал со своим опытом, знанием и мастерством в том случае, когда может их обратить к самому себе? Как писатель пишет письма любимой? как гинеколог ложится с женою? как прокурор берет взятку? на какой замок запирается вор? как лакомится повар? как строитель живет в собственном доме? как сладострастник обходится в одиночестве?.. как Господь видит венец своего Творения?.. Когда я обо всем этом думаю, то, естественно, прихожу к выводу, что и большие специалисты — тоже люди. Ибо те узкие и тайные ходы, которыми движется в столь острых случаях их сознание, обходя собственное мастерство, разум и опыт, есть такая победа человеческого над человеком — всегда и в любом случае!.. — что можно лишь снова обратить свое вытянувшееся лицо к Нему, для пощады нашей состоящему из голубизны, звезд и облак, и спросить: Господи! сколько же в тебе веры, если Ты и это предусмотрел?!.

1979

Тургенев — 1979

«Ты один мне поддержка и опора...»
Словарь эпитетов русского литературного языка. Москва: Наука, 1979.

Трудно заподозрить составителей в чем-либо, кроме добросовестности. Не знаю, какие у них были методы подсчета употребимости тех или иных слов. Безусловно, какие-то были. По возможности точные. Научные. В длинном столбце эпитетов изредка попадаются в скобочках примечания типа: (поэт.) — поэтический, (шутл.) — шутливый или (устар.) — устаревший. Так вот — устар...

Из 28 эпитетов к слову ДОМ «устар» — три: отчий, добропорядочный и честный. Причем добропорядочный дом даже больше, чем «устар», — он «устар. и шутл.».

Из нескольких сот эпитетов к слову РАБОТА устар — два: духовная и изрядная.

Из 58 эпитетов к слову МЕСТО устар — одно лишь: живое.

Из 75 — к слову СМЫСЛ устар только — существенный.

Что за слово, однако, УСТАР — и устал, и умер!

Устар «горе отчаянное», и «лето плодоносное» — устар.

Устар «деньги трудные», и «страх Божий» — устар.

Устар «опыт фамильный», и «лоб возвышенный» — устар.

Устар «ум хладный», но и «ум мятежный» — устар.

Устар «мысль прекраснодушная», но и «мысль храбрая» — устар.

Устар «надежда вольнолюбивая», но и «надежда конечная» — устар.

РАДОСТЬ устарела и быстротечная, и забывчивая, и легкокрылая, и лучезарная, и лучистая, и нищенская, и святая.

Зато ПЫТКА не устарела и устаревшая: ни дьявольская, ни зверская, ни изуверская, ни инквизиторская, ни лютая, ни средневековая, ни чудовищная.

Может, потому, что устарело само слово ПЫТКА?.. Так, к слову СОВЕСТЬ вы не найдете ни одного эпитета, потому что слова этого нет в словаре вообще.

Устар МИР — благодатный, благодетельный, благополучный, блаженный.

Устар МИР — неправедный и святой.

Словарь открывается «авторитетом безграничным» и завершается «яростью удушливой и четкой».

Из цикла «Личный архив» (1962)
1. Музыка революции (1908—1918)

ВЕЩЬ

ПРИДВОРНАЯ ФОРТЕПИАННАЯ ФАБРИКА
ОФФЕНБАХЕР И К°
Санкт-Петербург, 20 августа 1908 г.
Господину Л.И.Битову
в г. Здесь.

Милостивый Государь.

Настоящим фабрика имеет честь подтвердить, что она ответствует за прочность металлической рамы купленного Вами у нея пианино за №4857 в течение десяти лет и принимает на себя обязательство заменить лопнувшую раму — новою в том только случае, если повреждение таковой произошло по вине самой фабрики. А также и за прочность всех поставленных материалов.

С совершенным почтением:

(В.Козырев)

С.-Петербург, 19 декабря 1909 г.
Г-ну Л.Битову

СЧЕТ №

Отправлено за Ваш счет и риск:
18 августа 1908 г. 1 пианино за № 4857. Ценою руб. 525.
Скидка — 25. Итого 500.

Деньги получены в разное время по отдельным выданным квитанциям.

Петроград, 18 июля 1918 г.
Гр-ну Петипа М.И.

РАСПИСКА

Дана настоящая в том, что мною, гр-ном Битовым Л.И., получена от гр-ки Петипа М.И. сумма 18 000 000 руб. (восемнадцать миллионов руб.) за проданное мною ей рояль фирмы Оффенбахер.

(Битов)

Подпись руки гр-на Битова Л.И.
удостоверяю —

Предсревдомком (Замков)

---

2. Не все удержалось в детской памяти (1941—1945)

МАМА — ПАПЕ

...последнее время вестей ни от Тебя, ни от мамы не имеем, потому, собственно, особенного стимула для писания — нет. Пишу больше для очистки совести, потому что, когда Ты получишь, уже это будет старовато. <...> Сможем ли мы приехать, сейчас сказать трудно. Если мы здесь останемся, будем соображать, как сюда переправить посылку — когда

это будет можно. Ты в какой-нибудь выходной сходи пооб-
следуй свой базар. Не придерживайся общепринятых дели-
катесных продуктов, поинтересуйся любым жиром (говяжий,
свиной), пшеничными отрубями (что покупают кормить ко-
ров — вполне съедобная штука), крестьянской мукой, суше-
ной картошкой. Еще меня беспокоит вопрос с деньгами.
<...> Дома пока тепло и топят, и опять функционирует
«буржуйка», которая чрезвычайно удобная штука. <...>
Брат твой переброшен в действующую армию... Твоя мама
не была у нас с 9 ноября, но Твоя сестра ее видит. Я не
бываю нигде, потому что детей таскать, без крайней необходимости, — нельзя. Андрюша был нездоров — простудился, но очень хорошо справился — без осложнений и сейчас здоров... Занимают они себя весьма недурно, ко мне относятся прекрасно. Олег не отходит от радио. Он так чудесно ориентируется в направлениях, местечках, знает всех
героев, награжденных и кто что сделал для своей страны, — что всех затыкает за пояс. Собирается быть летчиком (а Андрей — «писателем»?!). Дети — забавный народ, жизнь воспринимают совсем по-своему. Пока нас жизнь
милует, и нервная система их (чего я так боялась!) нисколько не страдает: они все принимают легко, как стараемся
и мы...

Ленинград, 30 ноября 1941 г.

АРМИЯ ГИТЛЕРА*

В бой идут войска.
Гитлер сам ведет.
Офицеров нет.
Два коня ведет.

    Танки, пушки — барахло.
    Роты, роты, роты...
    Лучше к жизни подошло —
    Это самолеты.

------

* Стихи, однако, не мои, а будущего летчика. — А.Б.

Самоварчик — будет танк,
А кофейник — пушка.
Мы сегодня по пятам
Будем бить мы русских.

А советских увидав,
Затряслись все разом.
Это, верно, был удав,
А теперь он (?) Хазе (?).

В мозгу у Гитлера застряв,
Шальная пуля полетела.
Упал удав и, тявкнув: тяф,
Упал в могилу телом.

КОЛХОЗНИКИ

СПРАВКА

26 июня 1942 г., г. Ревда Свердл. обл.

Дана настоящая гр. Кедровой О.А.* в том, что она действительно эвакуирована с 2 детьми из Ленинграда.

Справка дана для поступления в Ревдинский совхоз.

Уполномоченный по эвакуации:
(Герасимов)

ПОБЕДА

СПРАВКА

Дана БИТОВУ АНДРЕЮ в том, что в доме №6, кв. 34 по улице АПТЕКАРСКИЙ ПРОСПЕКТ заразных заболеваний не имеется. ПРОВЕРКА 25/VII. 26/VII 1945 г.

Уч. Эпидемиолог

---

* Моя мама.

МЕДИЦИНСКАЯ КАРТА

Район — Петроградский.
Школа — 83.
Класс — 16.
Ф. И. О. — Битов Андрей Георгиевич.
Год рождения — 1937.
Домашний адрес — Аптекарский проспект, 6, кв. 34.

Перенес болезни: коклюш, ветрянка, корь, свинка — 1944 г.
Прививки: оспа привита 1944 г., брюшной тиф — отвод по болезни, дифтерия привита 1944 г., дизентерия — иммунитет — 1945 г.
Состояние здоровья: здоров. Туберкулиновая проба: отрицательная (—). Кожные заболевания: отсутствуют. Наличие педикулеза: отсутствует.
Вес: 25,2 кг.
Отношение к физкультуре: допускается. В пионерлагерь: допускается.
« » июля 1945 г.

Врач: (подпись)

3. Гранит науки (1947—1957)

ПРИРОДА ЗИМОЙ

Природа зимой очень красива. Вся лиственная поросль потеряла листву, а голые сучья покрылись снегом. Но не все деревья зимой теряют листву, например, сосны и ели не теряют свои иглы, но очень часто ветви хвойных деревьев засыпает снегом, и их зеленых игл не видно. Все деревья будто оделись в шубы белоснежные, блистающие на солнце ослепительной белизной. Снег лег на огороды, на поля и на луга. Еще глубже его покров в лесу и в садах.

В большие морозы дым стоит столбом и не двигается, если же на небо взойдет солнце, то и дым, и солнце кажутся красными.

Очень красивую картину представляют из себя парки и дома, покрытые инеем.

В северных городах, деревнях и селах зимует мало птиц, только зимующие; перелетные же еще осенью улетают зимовать на юг.

Медведи зимой спят в своих берлогах.

Зимой очень приятно выйти на лыжах среди снежных убранств по глубокому рыхлому снегу.

У нас снег бывает только зимой. Но на высоких горах и зимой, и летом лежит снег. Снег лежит неподвижно, пока никто не нарушит его покой. Но иногда достаточно бывает сильно топнуть ногой, крикнуть — и все вокруг начинает двигаться. Целая снежная река сначала тихо, потом все быстрее обрушивается вниз. Бывают еще ледяные реки. В северных странах ледяные реки кончаются на берегу моря. Морские волны отламывают огромные куски льда и уносят вдаль. Покачиваясь, плывут по океану ледяные горы — айсберги, плывут, пока не растают.

Сочинение ученика 3-а класса Битова А.

КРЕПКАЯ ЧЕТВЕРКА

...Планы рассчитываются на годы и целые пятилетия. Все пятилетки с огромным воодушевлением исполнялись досрочно. Благодаря выполнению этих планов Советское государство смогло противостоять такому сильному врагу, как Германия. Фашисты просчитались в надеждах, что мы не сможем сделать этого. Наше социалистическое плановое хозяйство оказалось более жизнеспособным, чем капиталистическое. На это указывал товарищ Сталин.

Из контрольной работы по Конституции на тему «Социалистическое плановое хозяйство» ученика 7-а класса 213 мужской средней школы с преподаванием ряда предметов на английском языке Битова А.

ПОДПИСЧИКИ

Настоящий футляр является упаковочным материалом для предохранения книги от порчи.

Текст с картонного супера
Собрания сочинений И.Сталина, 1951.

ПЕРВОЕ УПОМИНАНИЕ В ПЕЧАТИ

На геологоразведочный факультет обычно принимаются с более высоким проходным баллом. Раз принят студент, значит, он серьезно подготовлен и умеет работать.

О чем же тогда говорят двойки в зачетных листах у второкурсников? А двоек у них многовато. Основная причина — отсутствие систематической работы в течение семестра, переоценка своих сил, недостаточный контроль и требовательность со стороны преподавателей.

Студент группы РТ-55-2 А.Битов потерял всякий авторитет у деканата и своих товарищей. За безделье, текущую неуспеваемость он не допущен к сессии.

Из передовицы «Неутешительные результаты»
(Горняцкая правда. 1957, 23 января)

4. Проблемы рода (1957)

КОЕ-ЧТО О МОЕМ ДЕДЕ И ПРАДЕДЕ С МАТЕРИНСКОЙ СТОРОНЫ

Уважаемый т. Кедров!*
Деньги получила, сердечно Вас благодарю.

Знаете, крест был починен, но его снова свалили, и разбился он так, что его нельзя починить, не знаю, что делать. Могилы в порядке, я за ними все время слежу. С сердечным приветом к Вам.

Иванова

---

* Кедров А.А. (р. 1906) — мой дядя.

МОЯ БУДУЩАЯ ТЕЩА — МОЕЙ БУДУЩЕЙ ЖЕНЕ

Убери свою комнату идеально, вымой окно, вытри стены, выколоти матрацы, вымой полы, потом будет некогда, довольно спать, от безделья человек разлагается, если ты комнату не уберешь, будешь жить на кухне

довольно тебе гнусавить, будь человеком наконец

5. Для биографии на суперобложке (1957—1958)

УЧЕНИК ТОКАРЯ

СМЕННЫЙ ЛИСТОК

Месяц — октябрь.
Цех — 9.
Фамилия — Битов.
Табельный — №1366.

Число	Приход	Уход	Дни
21			Понедельник
22	0.55	7.49	Вторник
23	0.30	7.58	Среда
24	0.54	8.06	Четверг
25	0.33	8.09	Пятница
26	0.47	8.03	Суббота
			Воскресенье

Начало смены — 1.00
Окончание смены — 8.00

ВОЕННОРАБОЧИЙ
ВЫПИСКА ИЗ ПРИКАЗА НАЧАЛЬНИКА
343 ВОЕННО-СТРОИТЕЛЬНОГО ОТРЯДА
№94

19 апреля 1958 г.   ст. Чикшино Печ. ж. д.

Подполковника БОБКИНА В.И. 20 апреля 1958 г. командировать в г. Вологду в Политотдел спецчастей гарнизона для принятия сверхсрочнослужащих на укомплектование отряда сроком на 8 суток с 20 апреля 1958 г.

п/п Начальник 343 ВСО

гвардии подполковник: (ХИМИЧ)

Верно: и. о. инсп. по уч. л/с   (Битов)

6. Литература и производство (1959—1962)

СУББОТНИК, ИЛИ ВОЗМЕЩЕНИЕ УБЫТКОВ

КВИТАНЦИЯ

к приходному ордеру №140

Принято от Битова А.Г. за изготовление разбитой им таблички кожного диспансера №22 по счету №522 от 19. IV руб. 66 (шестьдесят шесть)*.

22 апреля 1959 г.

Главный бухгалтер   (подпись)

КОЛЛЕГА

Несколько лет назад в окололитературных кругах Ленинграда появился молодой человек, именовавший себя стихотворцем. На нем были вельветовые штаны, в руках — неизменный портфель, набитый бумагами. Зимой он ходил без головного убора, и снежок беспрепятственно припудривал его рыжеватые волосы.

Приятели его звали запросто — Осей. В иных местах его величали полным именем — Иосиф Бродский.

Из фельетона «Окололитературный трутень»
(Вечерний Ленинград. 1963, 29 ноября)

---

* К счастью, в старых деньгах.

ЗАСЛУЖЕННАЯ КАРА

ВЫПИСКА ИЗ ПРОТОКОЛА
заседания бюро секции прозы от 4/II-64 года

Присутствовали: Воеводин, Васютина, Дружинин, Дар, Офин, Абрамов, Фарфель, Смолян, Гор.

СЛУШАЛИ: Дополнительное обсуждение рекомендации А.Битова в Союз писателей.

РЕШИЛИ: В связи с поступлением в Секретариат ЛО Союза писателей документов о нарушении Андреем Битовым общественного порядка (Письмо Петроградского отделения милиции от 23/I-64 г.) Бюро секции, считая, что поведение А.Битова и его поступки недопустимы и не достойны члена Союза советских писателей, решает задержать рекомендацию Битова А. в Союз писателей и вернуться к рассмотрению этого вопроса после того, как Андрей Битов своим поведением и творческой работой докажет, что он будет достоин быть принятым в члены Союза. О настоящем решении поставить в известность А.Битова и товарищей, давших ему рекомендации на прием в Союз писателей.

Председатель секции   (В.Воеводин)
Секретарь   (Е.Васютина)
Выписка верна
зав. секретариатом —   (Арямнова)

1980

Открытое окно, Переделкино,
3 часа пополуночи 25 января 1980 года
(Действительное происшествие)

> И он мне грудь рассек мечом...
> Свеча сгорела...

Мой друг сидел, не уходил,
бубнил, как эхо.
И не было взаимных сил,
чтоб он уехал.

А я сидел, а я кивал,
мне было плохо.
Пока он все-таки не встал —
простор для вздоха...

И я, с избытком широко,
раскрыл окошко:
мол, воздух зимний и покой —
не так, мол, тошно.

И отвратительный комок
из одеяла
в пододеяльнике, как мог,
расправил...
        Стало

мне легче, тише, я остыл...
И было небо

рассветно-красным и пустым.
Сон сном и не был.

Хотел я выскользнуть в окно
и, в одеяле,
взлетел как целое одно
на пьедестале.

Но воздух зимний охватил
нагое тело,
и я упал на пол без сил.
Такое дело.

Не узнавал себя в зеркаль-
ном отраженье...
Как труп я на полу лежал,
как в пораженье.

Тогда приблизилось Оно —
не черт, не ангел, —
как будто бы влетел в окно
пришелец наглый.

Он был невидим, ощутим,
брезглив, печален —
не шестикрылый серафим,
а так — начальник...

И Он за член меня схватил,
как для упора.
И потянул, но отпустил
довольно скоро.

К моей груди Он приложил
как будто руки,
проник между костей и жил
с чутьем хирурга.

И было мне в Его тисках
совсем не больно,
когда б не жалкий этот страх:
мной — недовольны...

Я перед Ним лежал как труп,
не в силах всхлипнуть...
И Он нащупал во мне куб,
паралле... пипед.

И Он шкатулочку извлек,
чуть-чуть натужась...
тогда пустой мой кошелек
заполнил ужас.

Как будто бы я сейфом был,
комодом, шкафом...
А Он мне дверцу отворил...
полез за шарфом

или за чем-нибудь еще,
понастоящей...
И вот — нашел иль не нашел?.. —
задвинул ящик.

И впечатленье таково,
по удаленье:
во мне лежала вещь Его
на сохраненье...

Поковырявшись, Он исчез,
как снявши мерку,
и за окном шуршал, как лес,
ища тарелку...

Ах, что же сделал Он со мной?.. —
догадка тщится. —
С моей единственной, родной,
Его вещицей?

Кто это был?! Проверка, сон,
предупрежденье?
профилактический ремонт?
Иль вновь рожденье?

Он удалил или принес?
вложил иль вынул?
вернул, почистив?.. — вот вопрос!
не только символ.

Лежал я, тая, не дыша, —
вершилось дело:
со мной творилася душа,
во мне болела.

Я гладил: Есть или не Есть?
в груди, за дыркой?..
И принимал Ее как Весть,
а не как пытку.

Я прижимал Ее, как тать...
И мы уснули.
Как будто бы хотели взять...
а нам — вернули.

Памяти Высоцкого

С дорожденья горечь хины
Я познал как жизни вкус:
Выжить — нам важнее кино-
И любых других искусств.

Начинал я — то, что надо! —
С глада, хлада и свинца,
Но на жизнь мою блокады
Не хватило до конца.

Недоумер и от водки,
Не свалился со стропил,
И не сделалась короткой
Та, где я страдал и пил.

И кирпич не откололся
Ни один мне промеж рог,
И на нож не напоролся —
В этом тоже виден рок.

Потрясет лишь лихоманка,
Да помучает прострел...
Не сгорел я вместе с танком
И без танка — не сгорел.

И хотя не ведал броду,
Изживал в себе раба,
Но не умер за Свободу —
Ждал Судьбы, но не судьба...

От разлуки, от печали,
Горя, боли и стыда —
Раз не умер я вначале,
Значит, больше никогда.

Горстка образного праха
Эти смерти... Знали б вы!
Как не умер я от страха...
Как не умер от любви!

В жизни, как звезда успеха,
Светит нам частица «не»:
Я не умер, не уехал
И не продался вполне.

Глубже истины не выдашь
И не превзойдешь умы:
«Раньше сядешь — раньше выйдешь»,
«От тюрьмы да от сумы...»

Дом казенный — свет в окошке —
Нас в обиду нам не даст.
Недомучит понарошке,
Через век переиздаст.

Я не умер, я не умер,
Я не умер... вот мотив!
Неужели это в сумме
Означает, что я жив?

28 июля

Рассеянный свет

Памяти отца

Как нечаянно ввергались они в разорение!
уничтожились, погибли от ужасов.

Сколько раз мы вздохнули и охнули, выйдя на опушку, взойдя на гору, повернув за поворот и увидев море... Множество ли пейзажей и видов открывалось моему взору за бродячую мою жизнь? Нет. Не много. Чем больше я перемещался, тем меньше. Чем дальше я углублялся, тем больше видел пыль под ногами и стоптанные ботинки. Я брел по нерасчленимому уже лесу, выходил из некоего сада... пересекал горы, углублялся в чащу... я шел по словам из самого бедного словаря.

Я оставался при том, что имел. При Токсовском дачном озере, пионерском финском соснячке, с видом на Петропавловскую крепость. Расстояние в полста километров между ними — несущественно, скрадено памятью; и будто все это друг у друга на фоне, совсем в одной местности. Теперь и это немало: озеро заросло, лесок облысел, вид на Неву высосан почтовыми открытками. Но это — мое. Кое-что сверх этого зацепил я описанием, сделал фактом своей... присвоил. Там, в рукописях, расположен некий армянский монастырь, грузинский городок, ташкентский базар... Я отметился, что что-то видел.

Навидавшись, я по-прежнему иду по улице, вхожу в дом, сажусь за стол — и улица вообще, и дом вообще, и стол вообще. Значит, не мое. Моего же — вот столько. Сколько есть. Хорошо, если столько, сколько было.

Я хочу это видеть. Я ничего больше не хочу. А то опять увижу...

...Возвращаюсь из Москвы, везу анекдотец. «Шаху отрезали ногу...»

Как сядешь, так и слезешь... Если бы не вывеска, что это ЛЕНИНГРАД, — никакой разницы. Чья-то идеальная идея, чтобы Московский вокзал равнялся Ленинградскому: одинаковые перроны, одинаковые залы, по одинаковой клумбочке-могилке в начале и конце пути. «Червячок, а червячок?..»

Не выходя из вокзала, погружаюсь в метро: я все еще в Москве.

Выхожу на Петроградской и... наконец-то! дома! и все понятно. Радостно топчу землю. Причем именно землю, потому что сначала — сквер. Это кратчайший путь. Не могу сказать: узнаю, — знаю! И даже «вижу» не могу сказать. Именно, что — НЕ вижу, а лишь убеждаюсь: на месте, все еще на месте...

Маршрут мой напоминает опыт Конрада Лоренца с землеройкой: этот недоразвитый зверек прокладывает свой путь лишь один раз, и если в этот первый раз ей поставить некое препятствие на пути, а потом его убрать, то она так и будет огибать его, уже не существующее, до конца дней. Сорок лет назад я переходил Карповку по деревянному мостику, а лет десять тому — метрах в пятидесяти — построили капитальный, каменный; некоторое время они еще оба стояли рядышком, и я все еще дохаживал по деревянненькому: он стремительно ветшал, сквозя провалившимися досками, поблескивая повытертыми до блеска шляпками гвоздей... потом — снесли. А я и сейчас, кратчайшим путем, выхожу сначала к нему, убеждаюсь, что его нет, и как бы ощупью добредаю до нового, совершаю крюк. Кратчайший путь теперь другой... Значит, я выразился достаточно точно, что НЕ вижу: чувствую я, а не вижу... чего я здесь не видел? Иду я, щурюсь, будто

310

на солнце, вдыхаю, будто и воздух-то здесь другой, чуть ли не улыбка бродит по моему... Однако, взгляни я на себя со стороны, мог бы отметить, что иду я как бы отчасти бочком, несколько одноглазо, если можно так выразиться, и под ноги не смотрю.

Иду я так, что в поле моего зрения может попасть лишь то, что было и раньше, а раньше — значит, до меня. Если налево не смотреть, более или менее получается: Карповка, Ботанический сад... а там можно и налево голову повернуть — там мой дом: как стоял, так и стоит. Но Карповка теперь одета в гранит, деревья, посаженные по ее берегу после войны, выглядят почти столетними, а те, столетние, что вдоль Ботанического, давно попадали — все клонились, клонились с берега, тогда еще не гранитного, да и попадали... и решетка вокруг сада теперь другая. И под ногами, конечно, уже не плиты, и мостовая уже не булыжная — это все асфальт. Но дом мой — прежний, если слишком голову не задирать: наверху пропали скошенные окна мансарды, выпрямленные в лишний этаж... Но от моего дома вид уже не менялся на всем моем протяжении: тот же Электротехнический с башенкой, те же часы на башенке и тот же двухсотлетний елизаветинский барак в углу Ботанического... И все это избирательное зрение дается без труда, без сознания, само собой — я все еще в прежнем, своем, неизмененном, неизменном пространстве, и времени никакого не прошло. И все ассоциации мои такие же заученные, как путь.

Как землеройка *видит* препятствие на пути, потому и огибает, так и я вижу сначала все того же человека в кальсонах, свесившего ноги с крыши семиэтажного дома, грозящего карабкающимся снизу пожарникам прыгнуть вниз, если они к нему приблизятся... вон я там внизу, мне из-за спин не все видно... три часа длится эта осада... Вот сейчас, когда я миную то место, сердце мое привычно опустится, как тогда, когда, не дождавшись, повлекся я наконец домой, опасаясь нагоняя за опоздание, и тут же за спиной услыхал общий вскрик толпы и, обернувшись, увидел остановившееся навсегда в полете тело, бессонно-белое и как бы пустое...

А на том берегу Карповки, где больница, увижу я впереди слово «морг». Нет, на нем нет вывески... просто я всегда боялся смотреть в ту сторону и так и не знал, какое же из этих сумрачных строений «оно» (я думал о морге в среднем роде), поэтому там расположено именно слово... Наверное, потому я завел тогда с мамой, именно на том повороте с Карповки на Аптекарский, один примечательный разговор... Я тогда в первый класс ходил... мама меня не поняла тогда... а я и теперь, сколько бы ни проходил это место, все тот же вопрос ей задаю и опять не имею ответа: «Мам, а когда я умру, я совсем умру?» Мама спешит, нам надо успеть отоварить карточку, ей надо успеть меня покормить и бежать на вторую службу. «Я тебя не понимаю, о чем ты?» — «Ну, кем я был, когда меня не было? — спрашиваю я иначе. — Я ведь был...» Голос мой дрожит. Но мама так и не понимает, что если я был до, значит, могу быть и после. С моими ужасными гландами мне надо поменьше разговаривать на морозе. Моя жизнь интересует мать именно в этом интервале от «до» до «после». Я каждый раз не плачу, огибая этот угол.

Я на Аптекарском. Карповка остается у меня за спиной; сад справа неизменно хорош, левый бок мой слеп — фабричная стена. До дома два шага, но и на этом расстоянии — отметина: худосочный дубок, с трудом набирающийся жизненных соков из-под заводской стены. Две неравноправные судьбы у деревьев: через улицу он наблюдает счастливую жизнь — там, за решеткой, в Ботаническом саду... Этому дубку спасли, однако, даже вот эту его, неудачную жизнь. На нем было поселилась тля, и мой отец, пока он еще выходил на улицу, надолго задерживался около, собирая эту мерзость палочкой с каждого листика. Прохожие смотрели на старика удивленно — он не смущался, а если кто спросит, пояснял охотно и наставительно. До какой степени казалось мне это его занятие бессмысленным! Однако вот так, поодиночке, за лето отец тлю победил. Ага, вот он, недомерок!.. Ремесленник 45-го года. Однако листом крепок, тли нет. Если обернусь, увижу отца: рукой он придерживает руку, чтобы она не опускалась, когда он дотягивается до очередного листика. Вид у него просветленно-сосредоточенный. Он и меня не заметил, как я прошел, и я его не окликнул. Там он остался, в заплечном пространстве, в том же, где никогда не упадет летящий в белом полотняном пузыре, где мне не ответят про «до» и «после».

А вот и Дерево. Дерево значит дом. Деревьев тут полно, но Дерево здесь одно. Оно растет у самого дома, и хоть оно тоже за границей ботанического царства, но — такое же могучее и древнее, из их рода, состоящее с теми в родстве, патриарх елизаветинских огородов. Оно нависло через всю улицу, дотянулось нижней гигантской ветвью до собратьев и последним хоть листиком, но нависло туда, за решетку, к своим, в сад... Эту ветвь обломил грузовик своим негабаритным грузом. Приятно было видеть свалившийся с него контейнер. И ветвь загородила всю улицу, сама как столетнее дерево. Очень я жалел эту ветвь. Но довольно скоро, точно так же могуче и низко, нависла через улицу следующая ветвь. Памятуя об аварии, ее вовремя спилили. Тогда все Дерево потянулось туда, к саду. Так и росло под углом... Приятно было, подъезжая на такси, в очередной раз произнести: «Вот под Деревом остановите, пожалуйста». И никогда шофер не переспрашивал, настолько было ясно, что значит «под Деревом». Три года, как его нет. И каждый раз взгляд мой спотыкается об эту пустоту, об эту возмутительную плешь, оголившую нашу подворотню. И ночью, подъезжая на такси, я до сих пор открываю рот, чтобы сказать шоферу, как следует остановиться, но спохватываюсь: шоферу Дерево невидимо. Нечего мне теперь ему сказать, на эту секунду выходят лишние двадцать метров прежде, чем я грубо говорю: здесь. Ну, возвращаюсь немного назад.

Дерево спилили — это было СОБЫТИЕ. Долго валялись во дворе его слоновые чурбаки. Отцу мы про Дерево не сказали. Отец уже не выходил на улицу и про Дерево так ничего и не знал. Я застал свое сорокалетие в Москве. Он успел меня поздравить по телефону... Через час... Когда я прилетел первым рейсом и стал одевать отца и просунул руку под поясницу... то было последнее его тепло.

Из обширной связки ключей от многочисленных чужих домов я достаю один. И прежде чем повернуть его в замке, просовываю руку в щель почтового ящика: шторка, приоткрывшись, звякает. По этому звуку все узнавали, что пришел отец. Я поворачиваю ключ.

— Здравствуй, мама.

С каким бы постоянством и настойчивостью ни жаловались мы на жизнь, в настоящую минуту мы не будем сознавать, насколько положение наше ужасно. У нас не рак, в нас не стреляют, все, слава Богу, живы. Чем хуже положение собственное, тем оно более и свое: ни с кем бы не поменялся. Другим как бы еще хуже. Настораживает только категорическая недопустимость дальнейшего ухудшения. В этом смысле хуже уже некуда. А так, вообще-то, ничего еще. Можно. Если не слишком долго.

1977 Зато смерть была мгновенна. Он о ней даже не подозревал. А он ведь так ее боялся. Последний день был даже какой-то легкий, хороший. Даже аппетит: котлетку попросил. Племяннице и сослуживице позвонил. Больше года никому не звонил, а тут позвонил: принял поздравления с моим сорокалетием.

Лицо у него было красивое, ясное. Кровоподтек на лбу — ударился, когда упал, — почти незаметен. Так ведь, оказывается, врач сказал, больно ему не было: падал он уже мертвый. Он умер даже прежде, чем встал. Мертвый встал и упал. Ну и что ж, что кремация. Это была и его воля. К тому же удалось похоронить на нашем кладбище. А там захоронения уже запрещены. Гроб бы не удалось...

Соображение, которое мне никогда не удается додумать: эти две бритвы, перерезающие жизнь отца... Как бы слабо она в нем ни теплилась, она не успела сойти на нет, не гасла последней точкой, а оборвалась, вся, какая в нем была, — фронтом, водопадом. Не его собственное существование, а весь мир, представавший перед ним, рухнул в эту пропасть. Вот особое качество времени и темноты, которое не могу осмыслить: мир, разрубленный, как яблоко.

И затем — печь... Куда наведывалась его душа на третий, девятый, сороковой?..

1978 Но через год он наведался лично, во сне. Будто на улице встретился. Был он как-то обтрепан и весел. Легок. На брюках бахрома. Я был с мамой, а он очень обрадовался именно мне. Потрепал по руке. Мама даже приревновала: «А меня?» Потом мы обедали в какой-то забегаловке: отец ел жадно и молодо, мы смотрели, как он ест. Он ел и разговаривал (манера, так раздражавшая когда-то мать), рассказывал матери с энтузиазмом о моих литературных успехах. Это было так удивительно и на него не похоже! Вот кто, слава Богу, полагал я, не дожил до этих «успехов»: он бы их не вынес. А тут, на тебе, убеждает мать в обратном... Обрадованный неожиданной поддержкой, я решил воспользоваться случаем порасспросить его о «тамошней» жизни (не американской, а загробной), он отмахнулся, жуя: «Да я там редко бываю...» Странная эта фраза поместилась на его вилке, как макаронина. Его голод и вид бродяги подтверждали мои христианские сомнения по поводу современного обряда... но, с другой стороны, неприкаянность эта была как бы только внешней, иначе откуда эти беспечность и свобода, которые никогда не были ему свойственны? Поэтому я не остановился и спросил его о главном: я склонился к нему, чтобы не слышала мама, и как свой своему: «Ну, а сколько мне осталось?» Отец глянул и зажевал более задумчиво. Я стал его убеждать, что знать мне надо не из чистого любопытства, что я готов ко всему, но должен, в таком случае, *успеть*. Имелось в виду мое Дело (с большой буквы), которое, как мне стало теперь ясно и, по-сыновьи, лестно, он вполне признавал. Отец слушал меня невнимательно, наконец, что-то окончательно взвесив, не переставая жевать, выкинул мне, даже небрежно, как бы не разделяя нашей смертной и праздной заинтересованности в жизни, — выкинул два пальца. На свободной от вилки руке. Как рога или заячьи уши. Или чтобы не поняла мать. Или это римское пять. С чего бы римское?.. Тогда уж мог выкинуть по-русски — пятерню. Или это означало латинское V — виктория? Конечно, мне сразу показалось мало — два. Я подозревал, что не-

315

много, но не два. 25 июля 1980-го... нетрудно было тут же подсчитать. Но уточнить мне не удалось. Сон распался.

Но впереди было по крайней мере два года...

В одном отец уже оказался прав: в той своей мине пренебрежения к моему интересу. Ничего я не успел за эти два года! Жизнь есть жизнь. Ее не поторопишь. Пятилетку в два года я не выполнил. И с предупреждением я прожил, как без него, и, в этом одном смысле, я собою доволен. В этом смысле я оказался свободен и лишней полочки к своему кресту не приколотил. Осталось три месяца.

Если не виктория, конечно...

Так что положение мое не кажется мне скверным. Потому что — куда тут хуже? Друзья покидают... Девушка не приезжает... Дела прикрылись, денег нет; развод, жить негде. И не пишется: плоды зацементировались в моей утробе, ни одного яичка не снес. Так и не снес... зачем было тогда отца выспрашивать? Правда, дети мои — не нарадуюсь. Вот только дочь не поступила и сын опять простужен. Правда, в отношении принятых на себя... до сих пор справляюсь: доедаю автомобиль. И живут они все еще, как будто я есть. Правда, есть еще несколько неполноценных читателей, для которых я свет в окошке. Убогие, неполноценные, но я им нужен и, слава Богу, с ними еще не знаком. Правда, есть еще несколько бывших и будущих красавиц, благосклонных ко мне. Но лучше бы я был хуже для них, чем для себя. Правда, матушка — дай ей Бог здоровья!

В общем, устроился...

Блудный сын, возвращаюсь домой. Сорок лет назад меня сюда привезли, и вот проходит каких-то сорок лет, и я опять здесь! Оплот! Мне все еще есть «куда прийти» — это ли не итог.

Мама у меня девочка. Говорит бойко и радостно, никогда не поддаваясь ни возрасту, ни настроению... говорит, и будто у нее за спиной две гимназические косички прыгают, или два пыльных бабочкиных крылышка трепещут... Обсыпает меня всеми семейными новостями, причем совсем последними, совсем мелкими, словно я всего вчера вышел и, следовательно, все еще хорошо помню и знаю. И вот я покрываюсь этой пыльцой, принимаю вспять форму кокона, спеленываюсь и готов больше никогда не родиться, а здесь с нею, с мамой, и пребыть...

1979 — А ты знаешь, нас выселяют! — весело прощебетала мать.

Подробности мне рассказывает сосед Никонович. Мне кажется, он слегка привирает, что ему уже 89. Но возможно. Паспорт он мне показывал. Возможно, Никонович вечен. За последние сорок лет он не только не изменился, но решительно помолодел. В Институте геронтологии он числится как объект. Он высок, строен, легок; на гладко выбритых щеках бодрый румянец; и седины у него не больше, чем у меня. Четыре войны упрочили его осанку и выправку, и сознательное холостячество пошло впрок. Начинал он с унтера, теперь по вызову «Ленфильма» соглашается выходить в мундире не ниже полковничьего, впадая уже в царскую фамилию, на уровне Великого Князя. К его бравому виду пристал зычный голос, грассирующий баритон. Но баритон у него удален по поводу рака гортани, операция прошла преуспешно, так что и в онкологическом отношении он теперь — объект. И надо сказать, таким разговорчивым, как после операции, он никогда не был. Сначала его было трудно понимать, и он писал бесконечные записки твердым гимназическим почерком. Теперь то ли он, то ли мы научились. Я перестаю себя слышать, что отвечаю, и мы беседуем, как две рыбы в аквариуме.

Кстати, наш обреченный, как оказалось, дом отчасти аквариум и напоминает — начало века, модерн: что-то есть в его линиях именно аквариумное. Никонович открывает и закрывает рот, и я вникаю: нас выселяют, теперь точно, раз есть решение горисполкома, теперь — в любой момент, но скорее все-таки после Олимпиады. «После Олимпиады» — это уже формула. Как «после войны». В шесть часов вечера, скорее всего. После дождичка, если то будет четверг. Радиоактивненького. Так и слышу его умиротворенный пепельный шепоток.

Аквариум, две большие старые рыбы, теперь еще и дождик сверху. У меня стремительно падает давление, втягиваются внутрь барабанные перепонки и височные кости, будто я сам себя высосал изнутри. А он все говорит и говорит. ЭНЕРГОТЯЖКОМРЕМСНАБСБЫТИЗДАТ пишет он мне на клочке непонятное мне в его произнесении слово. Это оно нас купило, это оно нас схавало, членистоногое. Так, значит, все это, что мы жили и умирали, есть ПРЫГСКОКБРЯКБРЫКСКОПЫТ. Нас уже нет, а он, сожравший уже половину Аптекарского острова, он — есть, и есть БРЯКРЫГРАККОМИСТДАС...

Комната у меня уже покачивается перед глазами; плывет, фокусничает пространство, как и положено в аквариуме, превращая, под определенным углом, толщу — в линзу, то сплющивая собеседника, как камбалу, то растягивая, как рыбу-иглу... Я жалуюсь Никоновичу наконец на головокружение и низкое давление, и лучше бы я этого не делал... Во-первых, по его примеру я должен пить перед обедом сухое вино (на десять минут удаляемся от темы, погружаясь в свойства витаминов и глюкозы...), но не много (то намек), а — всегда (и это тоже намек), результат, как вы видите, налицо... а во-вторых, курага (еще пять минут о свойствах и ценах на курагу)... а в-седьмых, бульон (но это уже шутка — Никоныч долго булькает). Шутка вот какая: Декарт (он мне покажет книгу...) советовал страдавшему анемией и тому подобными недомоганиями Паскалю пить крепчайший бульон (а как же холестерин и склероз!.. лучше бы я не уточнял...)... так вот, бульон, а во-вторых, по утрам как можно дольше не вставать с постели, до чувства полной усталости от лежания... Ха-ха-ха! Правда? Декарт?.. Я сейчас принесу вам книгу... Что вы, я вам верю. Спокойной ночи, Александр Никонович.

Утром я долго не хочу проснуться. Неслышная, с шорохом ночной бабочки, летает из кухни в комнату мать. Я не хочу проснуться, потом я не хочу просыпаться. Я не помню, я хочу не вспомнить, почему я этого не хочу. Я должен был проснуться от телефонного звонка. Если я свешу вниз руку, она упадет на телефонную трубку. Может, мать унесла? Не открывая глаз, опускаю руку — трубка хорошо покоится на рычаге, не соскочила, не съехала... Не позвонила! Я отворачиваюсь от жизни к стенке. Но сон уже нейдет. Я храню в себе эту последнюю утреннюю возможность ни о чем не подумать — странное напряжение! О чем же именно я не думаю? Как бы не могу вспомнить... Часы бьют раз. Сколько это? Половина чего? Если бы вспомнить хоть какую деталь последнего сновидения, можно было бы попытаться вжиться в него, вернуть. Но оно ушло, как видно, навсегда. Жалкие попытки самому смоделировать сновидение напоминают тошнотворные усилия письма... Часы бьют, и опять — один раз. Значит, полчаса я просопротивлялся в стенку... С облегчением переворачиваюсь на спину. Что с часами? Либо час, либо полвторого. Эта воскресшая логическая способность восхищает меня. Если бы позвонила, то не позже двенадцати с поправками на все географические осложнения, на все перекладные от ихнего Ленинграда до моего... — уже не дозвонилась... И это уже что-то, что уже... Голова моя абсолютно пуста. И тут — солнце.

Оно меня достало. Ему не было до меня, конечно, дела, как не было дела до меня и времени, которое я пытался перележать. Все тем временем продолжалось. Надо было открыть глаза на это.

Я открыл. То, что я увидел, стоило того. Я лежал, все еще тая в себе накопленную старательным лежанием неподвижность внутри и пустоту головы, и наблюдал один общеизвестный феномен — пылинки в солнечном луче. Сколько лет я этого не видывал? Десять? двадцать? все тридцать? Луч стоял высокой прямоугольной призмой, пробившись между оконной рамой и занавеской, снизу подрезанный высоким плечом моего роскошного письменного стола, за которым еще мой дед ни строки не написал, изготовив его по заказу и собственному проекту... Срезанная столом призма света оперлась на паркет и гранью врезалась мне в подушку. Пыли хватало, однако. Она клубилась, восходя и оседая, скручиваясь в галактические спирали, и даже сверкала, ловко находя в себе грани, любуясь тайной материи в себе. Она восставала из праха, демонстрируя некую космическую солидарность материи. Прах, пыль, пылинка, частица, тело... Непостижимое чудо. Да, будь сейчас

XVII век, совет Декарта пришелся бы кстати, и я вылежал бы сейчас, в позе интеграла на своем боку, два-три классических закона, будь я Паскаль, конечно... Что-нибудь о воздушных потоках, или дисперсии частиц, или непрозрачном теле... Интегральное исчисление, само собой, висело в воздухе, если оно еще не было открыто... Некий победный вихрь — торжество закономерностей — творился в солнечном луче и даже как бы ликовал по поводу собственной непостижимости: законы не таились, а демонстрировались беспомощному уму практически без риска, что я могу проникнуть хоть в какой завиток Творения. И как было ясно, что не стоило его, бедного (ум), напрягать, что не только в пыли той находилось все то, что составило славу классической, там, механике и математике, но и вообще — все, и то, что было потом, и все, что еще будет открыто, и все это будет ничтожно по отношению ко всему, что происходило в этом луче. Этот демонстративный танец, потому что и ритм и музыку я уже как бы и слышал, имел в себе и тот смысл, что не мне он вовсе предназначался и даже — не лежавшему в моей позе три века назад, по совету Декарта, Паскалю... «Торжествующая закономерность», — повторил я про себя, и мысль ускользала от меня в вихре остальных, мне недоступных, что меня как бы и радовало. И торжество это было не по отношению ко мне и нищему моему сознанию, кончившему страстным желанием никогда не поднимать головы хотя бы и с этой подушки, и даже не по отношению к человеческому сознанию вообще, от которого я в данный момент, как только мог, неполномочно представительствовал... торжество это было в постоянстве и нескончаемости своего дления: -ующее, -ующая, -ующий — что-то и кто-то. Так что можно было и не напрягаться: будто любой уловленный нами закон не только был ничтожной частью той мировой, все время обнимающей, все поглощающей в себя закономерности, но и как бы исчезал напрочь, как только бывал пойман и сформулирован, законишко этот; будто, вслед за нашим сознанием, исчезал наш закон и из мироздания, как ненужный, как умерший, без которого оно продолжало в своем -ующем длении обходиться так, как будто его и не было, а мы все перли с ним назад, примеряя к улетевшему от нас за время нашей нелепой мозговой остановки мирозданию, улетевшему на расстояние, не соизмеримое с тем, на котором мы находились в тот опьянивший нас момент, когда нам показалось, что мы что-то про что-то поняли и открыли... Вдохновенная радость охватила меня от зрения этого мечущегося перед взглядом праха — вдохновенная радость собственного перед ним ничтожества: на какой из этих пылинок проносился я мимо мириада остальных?.. И если бы надо было назвать мне мою вновь обретенную землю, назвал бы ее Гекубой... куда я, писарь, войду без цитаты?.. Рассеянный свет! Свет рассеялся на мерцающих пылинках — расселился. А был ли он меж них? Они ли рассеялись в свете? Мне ли сподобилось еще раз припасть, чтобы в очередной раз лишиться всего этого, запасливо стряхивая пыль с колен? Я ли увидел свет, меня ли осветили, чтобы я сверкнул своей пыльной гранью, проносясь навсегда? Господи, как не страшно на самом деле, что Ты есть. Ну и будь себе на здоровье. Мне-то что. Экое ликование, что дано мне было прокатиться на Твоей карусели! Рассеянный свет... куда он рассеялся, когда? Что он забыл или потерял, рассеянный какой... И какой бы ни был рассеянный, а свет! А свет, какой слабый бы ни был, — о! Свет — всегда *весь*. И частица его есть часть всего света. Никак не мало. Рассеянный свет — он все еще доходит до нас. И мы еще есть. Ибо куда нам деться, коли он все еще не рассеялся до конца. *Может, не заходит, а рассветает...*

Луч сдвинулся, оставив под собою, к моему удивлению, на редкость чистый и надраенный паркет, без пылинки на нем... осветил маму. Казалось, она выткалась из этой волшебной пыли и все еще немного просвечивала насквозь. Луч был преломлен ею, но она — всего лишь поглощала свет, как непрозрачное тело: как бы луч наткнулся на луч... интерференция, что ли?.. родив ее легкую святую тень, чтобы глаз мой мог различить ее в рассеянном свете. Мама!..

— Проснулся! Что хочешь на завтрак?..

— Я бы выпил бульону.

Ах, при чем тут Паскаль! Неизвестно, пробовал ли он советы Декарта... Бульон обжег мне нёбо и своим длинным вкусом отравил первую сигарету и все с таким трудом належанное одухотворение...

....

Я так хотел продолжить — и так не мог...

Срок миновал. Выжил... Рассеянный свет! Куда рассеялось все?! От какой нашей рассеянности... И какой свет мы имели в виду?.. Все густеет вокруг. Сужается. Теснина, туннель. Свет рассеялся и поглотился, но что-то, пятнышко какое-то... растет впереди. Впереди или в конце? Там — свет. Оттуда свет. Тот свет.

Когда-нибудь я все-таки напишу эту книгу! В ней время пойдет в своем подлинном направлении — вспять! Только — никаких ретроспекций!.. Просто сначала Дом наш выживет из стен своих то жутковатое учреждение, его поглотившее; затем, первым делом, воскреснет отец, потом и болезнь его уйдет в далекое будущее, восстанет Дерево и прирастет к нему ветвь, а там и самоубийца взлетит с асфальта на крышу в своей полотняной рубашке; помолодеет мать... Быстро, ускоренной съемкой, взлетят в небо бомбы, оттает блокадный лед, и не начнется война. Более ласково засверкает листва, как в детстве, как после слез, когда тебя несправедливо отшлепали. А вот тебя еще и не шлепали... Оживет бабушка. Небо взглянет все более незамутненным взором, вдруг я закричу от первого шлепка и — рассказчик еще не родился. Как изменится мир оттого, что в нем меня еще не было? Какими неведомыми цветами зависти, надежды и ожидания окрасится он без меня?.. Как все заплещет и заиграет счастьем!

И вот — буквально ничего не произошло. Все — унеслось в будущее.

Цокая по булыжнику, подкатит экипаж; дама с солнечным зонтиком вспорхнет с подножки, поддерживаемая под локоток господином, в котором я не сразу узнаю своего деда, а лишь потом — догадаюсь... у дамы из-под рюшей чуть подобранной юбки обнажится повыше башмачка... какая хорошенькая ножка! Какая красивая, какая юная бабушка у меня в 1910 году! А это что за команда просыпалась, как горох? Губастый, в белокурых локонах мальчик в матроске держит в обнимку стеклянную банку с заспиртованной вороной, — мой дядя раньше всех ощутил свое призвание... а вот и тетя, узнаю ее по носику, да ей и двух нет — что о ней говорить... и вообще не так уж и хочется мне их особенно разглядывать — взгляд мой прикован к другой девочке: только она способна так всему удивиться, только у нее могут быть такие круглые от восторженного ужаса глаза... Мама! Мамочка... Не бойся, ты меня не знаешь... Как же тебе интересно сейчас... Вносят баулы, картонки, коробки, саквояжи... Какой новый дом! Какой большой! Неужели это ты будешь в нем жить, девочка моя?..

Какой и впрямь занятный, непохожий на другие дом! Никто еще не знает, что ты — в стиле начала века, что ты — модерн, что ты «либерти»... Ты просто нов и удобен для жизни моих живых. Тут и они отходят от меня в неразличимую даль будущего, и почему-то это меня все меньше занимает... Не про то ли я когда-то потом расспрашивал мою мать? Будто был ли я?.. Но вот — и нет меня.

Какая же это когда-нибудь будет книга! Ах, надо торопиться... Может, еще не поздно?.. Может, еще не...

1981

Удаление

*Юзу Алешковскому по поводу
отъезда Василия Аксенова*

Под утро, когда сон некрепок,
увидел я двенадцать кепок.
И был ужасен этот сон,
поскольку неопределен
состав был лиц под каждой кепкой
(я спал, как сказано, некрепко).

И окружили мне постель
с фальшивой робостью гостей:
одно лицо из леденца,
одно лицо из холодца,
одно вареное лицо,
одно крутое, как яйцо,
одно светилося насквозь,
а между глаз был вогнан гвоздь,
одно в три стороны равно,
а три сливаются в одно,
лицо как моль,

лицо как соль,
все вместе — как зубная боль.
(Но кепка каждого — одна,
она у каждого видна.)

И этот стройный, зыбкий ряд
над спящим мною час подряд

и сокрушался и кивал,
а я как будто так лежал,
лежал, как спал,

                лежал, как плыл,

лежал я — из последних сил,
расшатываясь в боли редкой
(как лепка черт под каждой кепкой...).
И вот один, шагнув вперед,
за всех раскрыл всеобщий рот
и, кепку натянув поглуше,
до подбородка смявши уши,

сквозь кепку ватно объявил:
КОНСИЛИУМ ПОСТАНОВИЛ!
«Поскольку ты давно нас дрочишь,
И с нами по пути не хочешь,
И вслед способен отвалить,
ТЕБЯ ИЗ ЗУБА УДАЛИТЬ!»

(И долго их я умолял...)

Неистовый Роландо,
или Как правильно смотреть телевизор

Можно сказать, что я веду эту передачу прямо из-за письменного стола писателя, ровно в тот момент, как ударяет он своим коготком по клавише (а надо сказать, что писателя отличают прежде всего не зубы, которых у него уже другая половина, а именно когти, которые еще реже отличают писателей...) — и вот как он ударяет, как вы видите следом за коготком и буковку, и вам просто невдомек, какую он следующую засадит, а он ее и засаживает. Так что передачу можно назвать синхронной в прямом смысле этого слова, встречающемся все реже. Передачу можно назвать синхронной, из цикла «Писатель за своим столом», если он писатель, а стол у него, как коготь, тоже есть (по этим двум признакам вы

325

уже догадались, о каком писателе речь, если вы его, конечно, знаете) — стол дедовский, сделанный на заказ из дуба, центнера на полтора без рукописей, хороший такой стол, походный, ездит за ним уже в третью квартиру — музейная вещь. Должен сказать, что передача эта не только синхронна, но, возможно, и уникальна, потому что, как настоящего писателя, его редко застанешь за этим выдающимся столом — все, так сказать, в гуще жизни, набирается опыта, чтобы сличить его с предыдущим и еще раз убедиться, что все так, все точно и ошибки нет, так он и думал. И вот сейчас, когда я веду эту передачу, он как раз улучил момент и это же самое пишет под звуки бессмертной оперы Вивальди «Неистовый Роландо», о чем он и хочет написать, почему «Роландо», но, как всегда, заходит несколько сбоку и не может начать иначе, как с чего-то предшествовавшего непосредственно сюжету, потому что, как он уже про себя знает и повторяет, он давно покинул малую форму, а большая от нее отличается лишь тем, что удаляется от замысла в сторону все более раннего начала, в попытке дознаться, с чего все началось, с чего началось, скажем, такое страшное место романа, где герой стучит на машинке под звуки «Неистового».

«Еще вчера...» — стучит он, — превозмогая голодные боли в желудке и желудочные в организме, пытался я ей позвонить, чтобы борщу привезла и не задерживалась, изо всех сил садясь за стол, за своего Александра Сергеевича, чтобы, не дай Бог, телевизор не включить с голодухи, и вот, значит, включив из эфира, пока она ко мне с борщом едет, очередную передачу «Писатель за письменным столом», увидел я всеми нами любимого (искренне!) ведущего «Кинопанорамы», а он все «Большая руда», «Большая руда»!.. Ну, думаю, началось. Нет, оказывается, просто прошло. Проскочило. А я из-за болезни, что свалила меня уже неделю над Александром-свет-Сергеичем, так и не добрался до пресловутого автора этой бесспорной вещи (все думают, что ее написал Урбанский, так это неправда, ее написал — только ш-ш-ш! — тот же самый, что и сейчас оперу — вот, тьфу, окстись! машинопись, бес ее попутал, в жизни так дешево не каламбурил... оперу никто из нас не писал, вот я и беспокоюсь, как бы они не подумали, что это я все не еду, а говорил, собираюсь, а сам ведь действительно заболел, но кто поверит, когда все в таких случаях не просто же так перестают навещать, а тоже болезнь у них, грипп, бля, медвежий, то есть такая последняя формочка, штампик... просто машинка СТУЧИТ, Вивальди НАПИСАЛ ОПЕРУ, Роландо-РУСЛАНдо, верный-неистовый...). Скобочка, бля. А ведь как изящно мог еще недавно выражать свои мысли автор! «Скобки в прозе — письменный род шепота». Так вот, вперился я в этот ящик, так, словно бы невзначай, на секунду отойдя от своего напряженного стола, гляжу на Урбанского и люблю его, естественно, как и все, что таким молодым помер, тридцать три, и тоже сам пошел на это, неужели и он еврей?.. а такая улыбка! такой он НАШ... что и подозрительно. Смотрю и не сразу понимаю, что текут у меня по небритым щекам самые неподдельные, самые свои, самые ни для кого слезы. И не себя мне жалко, это точно. А его, Женю, что он умер, что он без ног, а она его дождалась, и в другой раз тоже дождалась, когда он со шрамом и звездочкой в кулаке. Я ведь его один раз даже видел, на Центральном телеграфе, вошел он в дубленке настежь, шагами саженными, как эпоха, за ним красавица невероятная, еще даже его и выше и больше, так ворвались они, как пар с мороза, этакие гулливеры, и впрямь они всех были выше головы на три-четыре, из другого, бля, но как раз нашего мира, который не есть плод телевизионной пропаганды, а вот он в красоте и размахе наших представителей, вошли они, очередь ахнула и пропустила, позвонили они по нашим детским телефончикам, будка потрещала под его плечами, но выдержала, и ушли, опалив нас всех в этой ждальне своей неправдоподобной (есть она!) советской красотою, будто он порубил на дрова наши телефонные будки... постоял я в обломках и вдруг вышел, не дождавшись очереди, не в силах, стало быть, осознавать себя с ними, с толпой, хотелось с теми, но они ушли безвозвратно. И вот рыдаю, неплачущий вроде бы человек, на него глядя: сынок, я тебя на двенадцать лет старше, чем ты умер, а ты умер семнадцать лет назад, рыдаю и в искренности своей усомниться не имею возможности. Да что же это, думаю, со мной делается? Ведь и вчера я так же рыдал и решил никому не признаться в этом, святыми слезами рыдал, до того мне вдруг жалко Александра Сергеевича стало! Вот, думаю, надо обратить внимание, плачу уже, как Горький, а ведь еще не Горький. Слезы, правда, думаю, у меня погорше... Хотя кто знает! Никого теперь не сужу. Потому что про свое говно знаю. И то, что меньше, чем у тебя, сука, меня не утешает, не лови меня, падла, на слове. До чего же я вас бессильно ненавижу, всех вас в себе правых (в том числе и левых), так что Горький мне уже как-то и ближе...

> На жизнь свою испытывая право,
> Я погружаюсь в долг и отклоняюсь вправо... —

эту поэзию я сразу узнаю — моя! — это я вчера, отрыдав по Александру Сергеичу, сочинил. Стихам это не помогает; по кому плачешь... Так вот, что же это со мной делается? А — ничего. А — все в порядке. Бесконтрольные слезы. «Над вымыслом слезами обольюсь...» Что такого? Может, я не впадаю, а наоборот — оживаю? Может, вся моя выдержанность и стойкость... Может, оживать больно? Может, я не живу не в результате жизненных потрясений, а из самозащиты? Может, в последний момент поймал! Потекло красненькое по некрозу — дьявольская ведь боль по медицине даже. Обрадовался, значит, я и рыданиям своим, как всегда, тут же заглотив «награду свою», как вечный фарисей и шакал. Но счастливую фразу, для себя фразу написал про Александра Сергеича.

«И особенно, конечно, нам понятны и близки переживания гения в связи с тем, что его цензором стал сам император, а жена была первой красавицей при дворе».

Ах, это вам и впрямь как понятно!.. первая красавица России... я тут живого диктора (бабу) на улице увидел — так чуть под автомобиль не попал, вернее, чуть сам на него не наехал. Уснул счастливый, потея от своей гнилой лихорадки, которая меня вот уже вторую неделю трясет, со счастливыми поздними мыслишками, которые так хочешь запомнить, а записать уже нет сил, и знаешь уже, что утром их не будет, что не вспомнишь — а последним жестом богатства не вскакиваешь и не записываешь, будто они-то, мысли, и всегда к тебе придут, а ведь и знаешь уже, что не всегда. Но вот это — я до сих пор в себе узнаю: фиг я вам вскочу ценную мысль записать! гордость у меня есть. Гордость художника. Пусть даже небольшого и бывшего. Только я сомневаюсь сильно, что небольшого. А что бывшего... так ведь бывший и благородный у нас синонимы.

Заслужил, значит, вчера. Проснулся слабый-слабый, а не злой и как бы не нервный. Первым один дворник-башкир позвонил, который мне свою прозу принес. Я на него не рассердился, попросил и его не сердиться. Потом из Еревана со студии позвонили, что я не еду со сценарием, я им сказал, что болен, что было правдой, и они мне поверили, так что мне не показалось, что я им вру, а что сценария не написал, я им не сказал. Вот уже вру, уже не помню, память сдала, позвонил мне друг Женя (не тот, не Рейн, а третий), уже немолодой, но все же бесспорно талантливый писатель, рассказ которого я недавно с охотным удовольствием прочел (я теперь так много стал в литературе понимать, что только этой охотности и доверяю, в чем, правда, никому не признаюсь, но ничего, кроме того же Александра Сергеича, читать не могу; это не значит, конечно, что я сравниваю сейчас удовольствие от рассказа друга Жени о... это так же не значит этого, как и того, что отказом ему в этом сравнении я его как бы тут же об... унижаю, ни того, ни другого это не значит — просто скобки, бормотанье, жизни мышья трепотня...), так вот, только Женя заикнулся, что это он, тут-то Ереван и звонит, меня телефонистка, значит, облаяла, что я с Женей в это время по телефону как раз говорил, а я опять ничего, не сорвался, только в жопу ее послал, и все, с Женей мы, правда, тоже разговор прервали... А вот потом уже был разговор с Ереваном, про него см. выше. А потом Женя снова включился, ну я ему и сказал о своем удовольствии по прочтении его же рассказа, что я, подлец, знал, будет-таки ему приятно, но, однако, еще даже как-то развивал, почему мне это было приятно, «мол, интонация мне его приятна» (а сейчас, пиша, я, мол, под его интонацию работаю... так это не так, потому что не получится, интонация потому что у него и впрямь своя есть, а то штука штучная и практически неподдельная, поддельная она опять только у самого автора может, к огорчению (его же), получиться...), произношу я этот сдержанный, зато не вызывающий сомнений из моих уст комплимент, и в процессе произнесения начинает до меня доходить соображение, которое дойдет окончательно, только когда я уже повешу трубку, а именно: кажусь я себе таким уж открытым, распахнутым, честным, прямым и простым, что это меня если не каждый второй, то каждый третий в подъебке подозревает и так и норовит в морду заехать? «Ну ты лживый! ну ты еврей!..» — как говорит с непередаваемой интонацией любви и восхищения, одновременно являющихся констатацией факта полной внутренней в том убежденности, моя подруга, которой я ни капли не достоин, которая как раз и везла мне тот борщ, когда я плакал над Урбанским. Так вот, догадка о собственной интонации, с которой я вот уже сорок пять лет прожил как с совершенно не вызывающей ни у кого подозрения, только время от времени получал по, как теперь говорят, тыкве, эта догадка пронзает меня, пролетает пока насквозь и вчистую, и я ее не замечаю. А пока что друг Женя как бы тоже с чрезвычайной искренностью не подозреваемой в себе интонации радуется моему комплименту, чуть как бы, но сохраняя достоинство, признаваясь в этом счастье такое от меня услышать (хотя чего он, подлец, мог от меня другого ожидать, ведь сам, подлец, знал, что дает мне, знаменитому своим великим творческим кризисом, великим, как дождь в «Ста летах одиночества», дает мне рассказ, в котором уж точно уверен, что это, блядь, на этот раз и точно он, блядь, рассказ...), пока он так выражает, а я еще не думаю про подлость собственной интонации... что же это, Господи! удивляться, если вдуматься, этой нашей круговой промеж людей и в цеху повязке, то и слова-то правильно не произнесешь, вот и корчатся друг перед другом от лжи, фальши и немоты как раз в том редком случае, когда можно наконец не соврать!.. он мне говорит, что хочет ко мне зайти, но сначала зайдет к приятелю, у которого есть цветной ящик, чтобы послушать оперу Вивальди «Неистовый Роландо». Так я тоже включу, говорю я. Так мне весело становится от атмосферы пока еще не сочиненного Женей рассказа о том, как он пошел повышать культуру к приятелю на цветной ящик Вивальди... так бы у него рассказ и назывался, как у меня, — «Неистовый Роландо» (я банально подставил в ситуацию того Женю, которого видел в последний раз, когда он мне рассказ-то занес: с тремя копчеными скумбриями и пивом в портфеле... Вот еще, что поточнее, можно было бы сказать о его рассказах: есть во всей мерзкой ужасти, про которую он так нелицеприятно и не преувеличивая излагает, особое чувство российского уюта, уютная у него проза, вот что дико...), и рассказ этот, в котором мы все так уютно расположились со своим пивком, слушая Вивальди, может кончиться, это и в его прозе и с самим ее автором случается, черт-те совершенно чем, причем в полной закономерности и естественном продолжении и от пива и от Вивальди.

Я еще не знаю, я еще и ума не приложу, чем способен закончить завязку подобного, казалось бы, близкого ему по замыслу рассказа мой друг Женя. Он еще сейчас ко мне уже едет, но еще не доехал. Так что, может, я узнаю продолжение через минуту и, не дай Бог, на следующий день... Потому что события мои после его сообщения о предстоящем в 12.20 Вивальди и у меня как-то на особой ноте. Часы у меня все стоят, про 12.20 уже или еще не знаю, телефон звонит без умолку, даже 100 не успеваю набрать... Так что для надежности я телевизор воткнул, а там нет, не Вивальди, там встреча с ветеранами войск МВД. И с телефоном вдруг короткое замыкание, вроде как мне моя заморская невеста (не то я, не то она, не то нас покинули...) наконец дозвонилась, я снимаю трубку и слышу приветливый молодой женский голос, с которым нас невзначай соединили; у нее бесконечный звонок, у меня бесконечный, разница у нас в номерах в одну цифру, и вот путаемся в этих телефонных объятиях и идем внутри их явно навстречу друг другу, как бы помимо себя и поневоле объединенные, и уже как бы нет шансов не договориться до хорошего, как телефон по-прежнему звонит и у нее и у меня, и прекратить трезвон можно, лишь сняв трубку, а сняв, как бы уже получается повторность, многократность и знакомство, ну просто близость, тут уже деваться некуда... Тем же временем по телевизору продолжается встреча ветеранов, и она перерастает во встречу с молодыми, ветераны приветствуют смену, старый диверсант вручает погоны юному милиционеру, обезвредившему гранату бандита, как юный этот, не так долго осталось ждать, лет через тридцать вручит их своей смене, отобравшей у моего внука рогатку. Был бы подвиг — сбыт мы ему обеспечим... Прорвалась-таки невеста моя, успела до греха. Господи! жаль-то как! ее, себя, нас! ведь не просто так ведь, шесть лет скоро врозь, привыкли уже, как привыкают же инвалиды без руки, без ноги, иногда даже удобно, тут позавчера еще один закон ввели, после которого нам никогда не пристегнуть уже друг к другу отсутствующие члены... пока нам не удавалось пожениться, все яснее становилось, что та первая возможность, которую мы отложили из-за временной затруднительности оформления, была и единственной возможностью. Я болен, и она больна, на том конце, в своей солнечной Адриатике. Это-то нас как-то роднит, что хоть что-то вместе... У нее канцерофобия, говорит она, горло. Умеют они, западные, называть... Назовут, будто поймут, будто уже отношение цивилизованное... Особенно эти восточноевропейские, так и тянут в свое славянство каждое очередное западное словечко... Да какая там цивилизация, какая экзистенция! Когда — несчастны оба. Любили друг друга два человека... Между ними такие сложные, такие... как там у Льва Николаевича? что вам, получающему по двугривенному за пакость, и понять-то... Не помню. Как-то там хорошо у него Федя Протасов чиновному говорит. А тут уж и не живой труп, а заживо погребенные оба. Поплакать бы, так нет, отрыдал на Урбанском. Все, ни до чего не договорились, как всегда, как шесть уже лет. Нет, Фрейд, товарищ, опять не прав. Не сублимируется это ни во что, кроме отчаяния. Только очень жалко. Ее. Себя как-то меньше, потому что по пятачку наскребу свою сумму на паперти греха. Ее-то за что?.. Никакой сублимации, даже ненависти нет. Уж такой смех меня разобрал, когда неистовый-то бабой оказался. Вышла толстая баба и запела Орланду. Сразу после встречи с ветеранами МВД. Вчера я так гордо поставил дату под той насмешившей меня фразой про «близость нам Пушкина» — 5 марта. Примечательный денек! И утро сегодня прямо замечательное! Пот с меня повалил — кризис, значит, гниль выходит, солнце вдруг сквозь снежок, сыплющий в окно залпом, будто рамы высадило, грибной снежок... Господи! благодарю тебя за это утро мое светлое! Счастлив я, Господи!

Не гневлю, наконец не беру на душу греха уныния! Господи Иисусе, сыне Божий, помилуй мя грешного! — вот что запомнил наконец. «Молитва мытаря» — потому и мытаря, что длиннее он уже и не запомнит. Как великодушно! Молитва на букву «М». Мычать — если слово не помнишь — тоже молитва, если правильно промычишь, еще быстрее услышан будешь. Утро, Господи! 6 марта уже, следующий день, торжество православия на носу. Слез больше нет. Они у меня урбанизированы. Вот, козел, разошелся...

А вывод-то, к которому я с самого начала клонил, что не хочешь рыдать, так не смотри телевизор в одиночку. Телевизор тоже дело наше, российское, соборное. И потому я сегодня не рыдаю, что смотрю как бы вдвоем, потому что позвонил он мне, что тоже смотрит, и вот я, как могу, его глазками-то из-под бороденки смотрю — и оно как-то спокойнее и веселее.

Дни рождения сегодня. Они как поверили в 5 марта, так на следующий день и родились, да еще с шуточками, два наших смеха — Фазиль Абдулович да Михаил Михайлович. Вот их обнимаю и целую. И Женя добрался и в звонок с той стороны нажимает. Пойду отворю, узнаю, чем дело кончилось.

1982

Некролог — 1982

Радио сказало голосом друга... как тут выговоришь «бывшего»? Или — прежнего, тамошнего, убывшего?.. Как назвать теперь друга, с которым вы никогда не ссорились и оба, слава Богу, не умерли, а его — нет? Между тем на второй день разлуки вы поймаете себя на том, что говорите о нем в прошедшем времени, как об умершем, одновременно будучи уверены, что он жив и здоров, и желая ему того же в будущем. Вы говорите в прошедшем: «он был такой остроумный», будто он никогда больше не пошутит, или «он был такой честный», будто он с тех пор... и уже не ловите себя на слове, даже произнося «он был такой живой человек». Вот пропасть невстречи между «завтра» и «когда-нибудь», равная «никогда». А что более, чем «никогда», равно смерти? Трепетно-уклончивые формулы «там», «тогда», «по ту сторону», «в ином мире» — слились в нашем сегодняшнем простодушии, одинаково означая и западный мир, и загробный. «Неужели умер? — Нет, уехал». «Неужели уехал? — Нет, умер». «Как же я не знал! Когда?..» — воскликнете вы в обоих случаях. «Улететь» стало иметь новый корень — «Лета». Но если для нас стало так, то как мы — для них?

Радио сказало голосом друга, и я вздрогнул (тем же голосом, того же друга, но из «того» мира...). Радио сказало загробным голосом друга... Радио сказало по «Загробному Голосу» (на волне 25, 31 и т.д. метров)... Радио сказало, что...

Мне стало так обидно, что оно сказало! что он сказал...

Он-оно сказали, что никого уже «там» не осталось в

литературе, что все уже «здесь». Причем «там» — он имел в виду именно нас, оставшихся дома. Где «там», где «здесь»?? И не то мне стало обидно, что сам я оказался за их бортом, а не они за моим, оказался среди тех, кто не в счет, кого и нет, что не попал в очередной список или выпал из очередной обоймы. Обидно мне стало не за себя, а «за нас» — именно тем, чаще прокламируемым, чем встречающимся, патриотическим чувством коллектива. «Как же это НАС нет? а вот МЫ!..» — стал я ему в запальчивости перечислять себя, загибая пальцы и не словив себя на том, что совершенно воспринял его логику, меньше всего несогласия выразил в подобном протесте... Пальцев хватило. Нас действительно осталось мало. И все-таки не все же уехали! Не все! Не уехало нас много больше, чем осталось здесь...

Нет, не чувство оставленной родины, не их ностальгию прибавил я в тот миг к поредевшему самому себе, представляя русскую литературу...

Именно сейчас мне позвонили и сказали, что нет больше Юры Казакова. Уехать он не мог — это почему-то ясно. Значит, он умер. А я и не знал!.. Звонок был после похорон. Я уже опоздал. На похоронах, сказал мне незагробный голос все еще здешнего друга, было очень мало народу. Десятка два человек... было бы больше на меня одного... Не может быть! Ведь не каждый день хоронят классика... Хоронили первого прозаика пятидесятых! И в том и в другом смысле — первого! Неужто и его сокровенных читателей осталось так же мало, как нас? Его — забыли. Выходит, забыли. Вот вам убогий тест: никто не пришел. Его смерть не стала, так сказать, общественным событием. Но она — была и есть общественное событие! Еще неведомого нам масштаба, но достаточно необратимого смысла. Пускай он молчал и десять, и пятнадцать лет — но он БЫЛ! Молчал он ЗДЕСЬ. Он ни в чем не уронил и ничем не унизил им же впервые достигнутый уровень зарождавшейся было прозы. Молчащий писатель — тоже писатель. Он не врет. Тем более писатель, если он молчит ЗДЕСЬ и У НАС, в нашем разреженном бору. Здесь он замолчал, здесь он молчал и здесь он смолчался. Юрий Казаков *скончался* не просто порядочным и честным человеком, Юрий Казаков никогда не «умирал как писатель» — он умер *писателем*.

Когда две с половиной тысячи лет назад мудреца Анахарсиса спросили, кого больше — живых или мертвых, он переспросил: «А кем считать плывущих?» (наверно, сказалась его водобоязнь — почти половина дошедших до нас его высказываний содержит эту корабельно-смертельную тему...).

Так кого же больше, живых или мертвых?.. Вообще-то, мы, через две с половиной, уже знаем, кого больше. Ну а если не так тотально, чтобы хоть несколько облегчить задачи, поставленные перед нами Федоровым, так сказать, — «а сегодня» кого больше?

Сколько уехало и сколько ушло? сколько уехало и сколько осталось? сколько умерло и сколько выжило?.. Мартиролог семидесятых не менее впечатляющ, чем тот список, что был голосом друга провозглашен по «Загробному Голосу» в качестве «всей» уехавшей русской литературы... И то и другое случилось за одно десятилетие!

Высылка Бродского и Солженицына ничем не может быть уравновешена. Но именно тогда не стало и Твардовского, не стало Рубцова, Вампилова и Шукшина — трех бесспорных надежд русской литературы. С отъезда Максимова писательская убыль стала приобретать почти систему: один отъезд — одна смерть. И попробуйте сказать, что они неравнозначны... Можно выстроить два жутких столбика бок о бок: уехали — умерли, — уточняя даты и взвешивая репутации. Не хочется этого бухгалтерского столбика... Но разве не равновелики могут оказаться Некрасов и Домбровский, Гинзбург и Копелев, Коржавин и Глазков, Шпаликов и Горенштейн, Аксенов и Трифонов, Войнович и Казаков?.. Лишь Высоцкий и Галич — оба мертвы. Ах, я перечислил не всех? Добавьте или вычеркните. Но уже сами.

Да и как построить настоящих писателей в детсадовские пары?

Умер Бахтин (дальше Саранска не выезжавший). Умер Набоков (ближе Швейцарии не возвращавшийся). Умерла Надежда Мандельштам.

Потери за семидесятые годы и впрямь могут привести к мысли, что литературы, какая была и могла быть ЗДЕСЬ, не стало. Пускай не утешает нас то небольшое количество имен, что составило русской литературе XIX века славу более чем мировую. Ибо если и останется от всех нас в последующих поколениях один человек, то это никак не означает, что остальных могло не быть. Не было бы и этого, единственного и одного. Русская литература не может состоять из одних великих писателей. И, может, это не Пушкин заслонил Боратынского или Вяземского, а они его высветили. Не могут вымереть все хорошие, оставив в живых одного великого. И мамонт вывелся не от ущербности или неполноценности, а оттого, что не нашел стада...

Так же тихо, как Казакова, не стало в этом году Марии Петровых и Варлама Шаламова. Как они молчали!

Как считать умерших ЗДЕСЬ? Можно ли за счет доброй половины этих смертей заявлять, что ЗДЕСЬ литературы УЖЕ не осталось?

Как считать плывущих?..

1983

\<Ментовка\>

Мы вышли на свет следующего фонаря, я еще покрутил шеей, и тут нас разглядело возмездие. И не надо было крутить шеей — оно последовало не сверху, хотя, возможно, и свыше.

Из оставшейся за спиной темноты нас нагнал и круто тормознул «воронок». Два милиционера проворно выскочили из кабины, и один уже крепко сжимал мне руку повыше локтя, а второй, проскочив мимо, грузно шуршал в кустах, как лось.

Я оглянулся — милиционер смело заломил мне руку за спину; я ойкнул.

— Полегче, — сказал милиционер.

— Это вы полегче, — сказал я.

— Ты у меня! — сказал он.

— Я у тебя не убегаю и не сопротивляюсь, — сказал я.

— Это точно, — сказал он, — куда ты... денешься?

И он улыбнулся открытой, детской улыбкой. Был он сам мелковат, а зубы были замечательные и крупные. «А ведь я мог бы с ним справиться», — подумал я, сжимая в свободной руке ключ от храма. Бог меня спас, я мог бы и убить таким ключом...

— Ключик-то отдай мне, — сказал он тогда.

Я отдал.

— Ну и ключик! — восхитился он. — Откуда такой?

— От квартиры, — не удержался я.

Милиционер, к счастью, не обиделся, а засмеялся, довольный.

— Скажешь... — сказал он утвердительно и удовлетворенно.

— Да отпусти ты руку, не убегу, — сказал я.

— Прописан? — спросил он.

— Прописан, — сказал я.

— В Москве?

— В Москве.

— Где?

Я назвал.

— Далеко же ты забрался. Как добираться-то будешь?

— На такси.

— У тебя что, и деньги есть? — искренне удивился он. — Не все разве пропил?

— На такси осталось.

— Покажи прописку.

— Да не ношу я с собой паспорт! — Это меня всегда бесило.

— И зря, — сказал он, но руку отпустил.

Этот милиционер был ничего. Другой был хуже. Он вылез, запыхавшийся, из противоположных кустов: как он перепорхнул?

— Ушел, гад! — сказал он.

Что Павел Петрович сбежал, вызывало во мне смешанное чувство: с одной стороны, я был, конечно, за него рад; с другой — он меня этим очень удивил, такой своей способностью; с третьей... «Адам, Каин, Авель...» — думал я и усмехнулся не без горечи.

— Взгляни, — сказал мой, протягивая ключ коллеге.

— М-да, — протянул тот. — Откуда такой?

— Не говорит, — доложил мой, — и паспорта нет.

— Так, ясно, — сказал тот, — без прописки, значит.

Я было вскипел, но мой поддержал:

— Говорит, что прописан в Аптекарском переулке.

— Где это?

— У трех вокзалов, — сказал я.

— Ну, у трех вокзалов вы все прописаны... — засмеялись они вдвоем. — А друг твой что, тоже там прописан?

— Да не друг он мне...

— Что, впервые видишь?

— Впервые вижу.

— Чего же в обнимку шли?

— По дороге было.

— На три вокзала?

— Да нет, до трассы. Я тут заблудился, а он сказал, что покажет.

— А ведь не простачок, а? — поощрительно кивнул тот моему.

— Это да, — согласился мой.

— Заблудился, видишь ли. А где ты заблудился-то, хоть знаешь?

Вот это был вопрос! Это он меня взял. Этого я совершенно не знал, где я.

— Откуда хоть идешь, скажи, — подсказал мне мой, словно и впрямь был на моей стороне.

— Из монастыря.

— Из монастыря?! А что ты там делал?

— Причащался.

— Все ясно, — сказал тот. — Что мы стоим? Поехали.

...Можете мне не поверить, но меня в конце концов отпустили. Не ожидал я от них, но еще меньше ожидал от себя.

Проснулся я, сидя на обычном канцелярском стуле, в помещении, до странности не напоминавшем камеру. Это был такой загончик, в котором содержат некрупных животных, вроде кроликов или в крайнем случае лисиц... Сквозь проволочную стенку, отделявшую меня от дежурки, видел я мирного милиционера, дремавшего на посту. А вот обок со мной помещался на таком же стуле человек, которого никак нельзя было бы здесь ожидать: солидняк. Он был в драгоценном на вид пальто с бобровым, как мне показалось, воротником; в каракулевом пирожке, оттенявшем благороднейший бобрик седых волос; в тонких золотых очках, свирепо посверкивавших... и он спал, оперев выбритейший массивный подбородок на набалдашник (слоновой кости!) столь же массивной трости.

— Проснулся? — услышал я добрый голос милиционера. — Выходи.

И он отпер сетчатую дверь в нашей клетке.

— Выходи, не бойся, мы ничего против тебя не имеем... (В жизни со мной так не разговаривали!) Как раз майор пришел, сейчас тебя отпустим... Сиди, сиди. Тебя не касается! — грозно прикрикнул он на шевельнувшегося за мной сановного соседа. — Ты у меня еще посидишь! — Два «и» в последнем слове прозвучали у него тоненько, как у комарика.

Образцовый и показательный, выпорхнул я из камеры, как птичка, осуждающе посмотрев на моего, теперь уже бывшего, коллегу... Протрезвел я, конечно, сам удивляюсь как. Правда, разило от меня!.. Майор, чисто выбритый, образцовый, со спортивным румянцем на подтянутых скулах и университетским ромбиком в петлице, брезгливо попросил меня не подходить к нему и говорить на расстоянии. Все-то я ему сумел объяснить... За что я люблю кино — так это за то, чтобы в милиции сказать, что я в нем работаю. Тут, конечно, начинаются вопросы, на которые я могу ответить, то есть вопросы, переходящие в разговор, переходящий в беседу. Не то чтобы майор видел хоть одну из снятых по моим сценариям картин, но удостоверение-то, хоть и не паспорт, у меня было. И адрес мой подтвердился, и ФИО. И не дрался я, не пел, не матерился, не оказал сопротивления. И в монастыре, как оказалось, был я в гостях у друзей-художников, а художники, известное дело, сами понимаете... И запах у меня такой, просто несчастье мое — пищеварение такое или печень: выпьешь на грош — разишь на рубль.

— Что ж вы здоровье-то не бережете, раз так? — напутствует майор.

— Да не могу сказать, чтобы часто злоупотреблял-то, — сокрушаюсь я на голубом глазу.

— Что ж они вас не проводили-то?

— Да набрались, как поросята, — осуждающе говорю я, — я-то не вровень с ними пил.

Ключ же, оказалось, я нашел в деревне (отдельно разговор о деревне — где, в какой области, оказались почти земляки...), ржавый-ржавый; вот ребята мне его и отреставрировали, я его на стенку повешу.

— Вот ключик-то у нас и оставьте... А Голсуорси, что

обещали попробовать достать (уж больно жена им увлекается), когда достанете, зайдете к нам, я вам и верну...

И телефончик даже записал, выдернув листок из прошедших дней календаря.

И я настолько воспрял, что даже спросил, что натворил мой вельможный сокамерник.

— И не спрашивайте! — презрительно отмахнулся майор.

А было уже утро, и не самое даже раннее. Солнце грело. Небо синее. Господи! Какое же это счастье! Выйти из КПЗ, выйти сухим, выйти на воздух, на свободу, да еще и погода! Чувствовал себя даже молодо и свежо, будто не зашел вчера за литр, а возвращаюсь себе с утреннего бассейна или корта. Не то что вспоминать — подумать во вчерашнюю сторону омерзительно и страшно. Чем я жив, отчего единственно все еще считаю себя неконченым, так это ханжеством. Я ведь как их сумел убедить? Да только сам во все поверив. И вышел я оттуда с полным ощущением, что справедливость торжествует и, что особенно характерно, что именно в моем случае. И тот, с тростью, убедительно подтвердил это...

И только отделение скрылось из виду, только я окончательно полной грудью вдохнул воздух, убежденный в том, что вчерашнего фантастического ужаса просто не было, что все это воспаленный бред, который я, к счастью, преодолел, победил и забыл, как меня решительно потянули за рукав... Продрогший и осунувшийся, бессонный, стоял передо мной Павел Петрович.

— Неужто выпустили? — озираясь и шепотом сказал он. — Вот уж был уверен, что пятнадцать суток — твои.

— А ты как узнал, что я здесь? — опешил я.

— А куда тебя еще могли повезти?..

— И ты меня все время ждал?

— После одиннадцати не ждал бы. К одиннадцати приезжает судья...

— А сейчас сколько?

— А сейчас ровно столько, что откроют магазин*. Пошли!

---

* Отсюда ясно, что действие происходило задолго до 1 июня 1985 года. — А.Б.

342

Так я был наказан, и опять свыше, за ханжество, только что столь меня преобразившее! И выходили мы уже из магазина с двумя бутылками, на этот раз точно портвейна «Кавказ». Причем угощал опять он, вот что удивительно. Ибо целы у него оказались мои пятерки, и вовсе не покупал он водку у Семиона, а тот был ему ее должен... И вот, щурясь на белый свет, и ощущая взгляды на своей испитой коже и внезапной щетине, и прижимая к пузу петарды с «Кавказом», будто под танк с ними бросаясь, а вернее, под «КрАЗы» и «МАЗы», стоим мы посреди улицы, задыхаемся, и никак нам этот поток не перейти, и уж я-то точно не знаю, куда дальше, и уже больше совсем не хочу туда, «где нас очень ждут», да и ПП будто сник после ночи... Ни тебе садика, ни скверика — кромешный район: новостройка, которая уже не новостройка, а застройка пятидесятых. Слоновые строения с глухими крепостными подъездами и особыми, выросшими за эти четверть века старухами на лавочках у подъездов... И даже всюду вхожий Павел Петрович будто наконец растерялся. Но вы не знаете Павла Петровича! И я тогда еще не все про него знал... Буквально в двух шагах было дело, на них-то он и прищуривался, не от растерянности, а для рывка... Напротив магазина шел ремонт, а вернее, перестройка первого этажа под что-то такое, под другой, скорее всего, магазин. Рассыпающаяся звезда сварки и был наш ориентир... Работяга, накинув забрало, варил некую конструкцию в чернеющем дверном проеме. К нему-то и направился уверенно Павел Петрович, а я безвольно, уже опять подпав, за ним. Павел Петрович подошел к сварщику и даже не сказал ему ничего, хотя точно на этот раз это был не Семион, а, как и мне, совершенно незнакомый ему человек, — не сказав ему ничего, лишь сказал: «Дай пройти». И тот, совершенно не матерясь, а тут же входя в положение, притушил свою сварку, приподнял забрало, открыв свое хорошее рабочее лицо, готовно отошел в сторонку, освободив нам проход и тоже ничего не сказав, только сказал: «Только вы отойдите туда поглубже...» — мысленно я моментально продолжил фразу: «...чтобы вас не увидели», — но опять был не прав, потому что окончание фразы было другое: «...чтобы я вас не слепил». «Отойдите в сторонку, чтобы я вас не слепил» — не меньшим счастьем, чем утро, встретившее меня за порогом милиции, одарила меня эта фраза! Мы прошли, и он, впрямь не провожая нас взглядом, ничем нас более не напутствуя, продолжил прерванную работу.

В глубине пустого темного зала, наверно будущего магазина, стояли строительные козлы; на них-то Павел Петрович и расположил — и опять уютнейше! — наше достояние. Рабочий (не хочется называть этого благородного человека работягой) сверкал в единственном светлом на все помещение проеме, и мы молча выпили по первому стакану и молча подождали довольно быстро пришедшего обновления наших организмов, и стало хорошо, опять хорошо и снова хорошо, и мне показалось, что рабочий защищает нас, отстреливаясь, от нехорошего, недоброжелательного к нам мира...

— Хочешь, совсем честно тебе скажу, — сказал Павел Петрович и посмотрел на меня так грустно, что я не понял.

Но я был настолько снисходителен к нему ввиду такого благородства нашего рабочего, нашего защитника, нашего пулеметчика... что уже как бы не помнил (хотя на самом деле помнил) его ночного предательства, я был снисходителен и не хотел слышать его оправданий, унижающего его лганья, и я сказал, любуясь моим рабочим:

— Что ж ты ему-то не предложил, а?

— Он не будет, — ясно ответил Павел Петрович.

— Почему же не будет?

— Потому что в обеденный перерыв будет.

— Ты с ним знаком?

— Откуда?.. В первый раз вижу. Так хочешь, я тебе скажу?

— Ну? — спросил я недовольно, все еще не пережив своего героического поведения в милиции.

— Честно говоря, я ужасно струхнул, поэтому тебя и бросил. Теперь ты не захочешь, чтобы я был твоим крестным...

Нет, я еще не знал этого человека!

(Из «Оглашенных»)

344

<Да... сказано было...>

Да... сказано было... Но кто и кому все это говорил? В истинности чего кто убеждал и кто убеждался? *Когда и где?* И что произошло? Что произошло из всего этого сказанного? Где витали, куда залетели и где проползаем? Прорывая слои и за края вываливаясь? Углубим наш взлет еще более глубоким падением! По законам соотнесения верха и низа, реально их к реальности прикладывая, меняя внешнее на внутреннее и обратно, не меняя жизненного пространства и ничего не поделав в нем и с ним, ничего не произведя... меняя внешнее на внутреннее и внутреннее на внешнее, как на базаре вещь на вещь... чтобы женщина стала мужчиной, мертвое живым, мужчина женщиной и живое мертвым... и каковы наш навар и корысть на этом духовном рынке? Столько раз взлетая и падая, столько раз вывернувшись наизнанку или уйдя в раковину, где мы очнулись наутро и с кем? Кем мы проснулись — вот еще вопрос. И кто проснулся?? Странная эта ощупь самого себя — кто это? Вот я до сих пор... с моею даже мне иногда кажущейся пригодностью... другие же, будто сговорились, так в ней убеждены... меня приглашали, потеснялись, звали к себе... звали как своего, как такого же, как не хуже, как даже лучше... звали в люди, звали в народ, звали в народы, в семью... я старался, я подходил, я нравился... Когда это кончалось? В какую черту я упирался, каждый раз ее не перейдя? Кто очертил меня этим магическим кругом?.. Я упирался в невидимую черту, за которой кончалось знакомство и начиналась жизнь: обыденность, нагрузка и разочарование. Я никому не был обязан каждый раз: не просил. Сами позвали, не очень-то и хотелось, на себя посмотрите... И входил, улыбаясь и скромничая, в следующее чужое существование как в свое. Поэты, женщины, армяне, литературоведы, иностранцы, крестьяне, нувориши и бывшие, классики и модернисты, монахи и заключенные, поколения целые отцов (оно же детей) — все подвигались и чуть ли не уступали место... Я усаживался как на свое, как на пустое, как на никем не занятое, как на никому не нужное... и только родственный человек не подвигался, а требовал разделить с ним вовсе не *жизнь*, а пол-литра для начала, не подвигался, узнавая не то во мне, не то в себе такого же, на всякий случай подозревал меня в более спорой реакции предательства.

Еще недавно всего было хоть... ешь. Земли, воды, воздуха. Казалось бы. Ан нет. Почти нету. Осталось чуть поднатужиться — и *уже* нет. Но это еще что — грабеж среды обитания. Золото и драгоценные камни по-прежнему в карманах, хоть в чужих. Проигранная в карты деревня не исчезла. Закон хоть как-то стоит на страже твердой материи. С материей попрозрачней куда хуже. Куда утекла вода и испарился воздух? А ведь есть вещи еще потоньше и попрозрачнее, чем вода, побесплотнее, чем воздух... Дух! Какой еще никем не ловленный разбой кипит на его этажах! Идеи крушатся по черепам как неживые, как ничьи. Никто за руку (за голову) никого не схватил. Не поймали никого на слове...

Где он? Надеюсь, что жив. А впрочем, уверен. Я же вот сижу... и даже... Чем восхитительна жизнь?! Тем, что она и впрямь — жизнь. Ее — не представишь. И если кому-нибудь эти мои воспоминания могут показаться в чем-то неправдоподобными, то пусть и впрямь что-то в моей памяти сгустилось, а что-то выпало... Куда неправдоподобнее описанного выше просто вот это утро живой и вечной жизни, которое я пишу прямо с натуры, утро, на будущее существования которого у меня бы не хватило никакого воображения всего неделю назад... Мог ли я еще месяц назад, опасаясь смертного своего часа, представить себе, что и он минует и что я не сплю, не пью, не ем мяса, не знаю женщин, — пишу вот, и рука не подымется у меня перекреститься, как подымалась в неизбывном грехе? Мог ли бы я вообразить себя именно на этой вот кухне, которой раньше никогда не видел, на кухне, куда я удалился на ночь, чтобы не грохотал под моей машинкой гостеприимный дом и не будил хозяев, после многотрудных крестьянских трудов и очередных родственных похорон наконец уснувших? Разве мог я знать, что на кухне, где я сижу, кроме меня, два цыпленка, большой и маленький, — все передохли, остались только эти двое от двух последних выводков, но и на кухне им холодно, и маленький все пытается подлезть под большего, хотя на самом деле тоже не большого, но большой его прогоняет, и тогда, проснувшись, начинают они цокать гуськом по цементному полу, пока наконец не додумаются до того, до чего я бы ни в жизнь не додумался: усесться у меня на ноге как на самом теплом в кухне месте, и хотя я строчу как пулемет, приближаясь к заветному концу, они попискивают пугливо от этого стука, но не сходят с ноги, попискивают, но терпят, и кто мне сейчас скажет, что я не жив, если на мне, живом, согреваются цыплята, и мы все втроем сейчас живы, живы и выживаем, борясь пусть с разным, но все — с холодом? Никто бы, ни тем более я, не предположил такого еще вчера, но кто-то знал... как я вот знаю сейчас, когда за окном начинает сереть и проявляется из мрака белая стена дома и дивный английский (абхазский) газон (агазон), ковровый двор, — знаю точно, что сейчас выбегут на эту восхитительную поляну куры и индюшка с бездной индюшат, и просунет ко мне в дверь свою морду телка Мани-Мани (Money-Money) и будет смотреть на меня, здесь неожиданного, как на картине «Поклонение волхвов», и ее прогонит мама Нателла и начнет ставить в духовку хачапури как раз в тот момент, когда я кончаю эту повесть с цыпленком на правой ноге.

23 августа, Тамыш
(Из «Человека в пейзаже»)

1984

<Кровь прилила к моей голове...>

1952

Кровь прилила к моей голове непобедимой волной постыдного воспоминания. Павел Петрович никак тут не был при чем... В каком же это классе проходили мы того, у кого этот самый человек с большой буквы?.. а именно: «Что сделаю я для людей! — крикнул Данко»... нет, «Высоко в горы вполз уж...» — и опять нет! «Буревестник с криком реет, черной молнии подобный, то крылом волны касаясь...» Вот! «Глупый пингвин робко прячет тело жирное в утесах...» «Часть шестая их в квадрате в роще весело резвилась...» Это уже другое, более человеческое, про обезьян... Так вот, наша учительница по литературе заболела, а ее замещала какая-то особенно выдающаяся, из районо, с чудовищным бюстом... ну, просто, когда мы сидели и царапали в тетрадках, а она ходила меж партами, то сначала на тетрадь склонялась, издалека, тень груди, потом сама грудь, наша головенка терялась в этой дышащей груде, а где-то наверху с трудом было разобрать особую ласковость ее взгляда и воркование, опять же грудного, голоса... А был это еще год, еще вовсю при счастливом детстве это было. Брат мой уже в университете учился и отличником там был. Почерк у него был замечательный и конспект образцовый. Вышло так (теперь это меня забавляет), что и он на своем втором или третьем курсе, и я в своем седьмом или восьмом классе проходили одно и то же — про «глупого пингвина», и я как раз накануне в его конспект заглянул, а там было написано, уже не для школы, а для Высшего учебного понимания, что Горький имел в виду под каждым животным, и «пингвин», кажется, был не то кадет, не то эсер... и тут наша высокогрудая заместительница задает сложный вопрос, будя инициативу класса, вопрос «на засыпку» (она, наверно, тот же университет кончала...) про этих самых животных, про аллегорию... Ну никто не знает, все жмутся, потому что и вопрос поставлен так, что на него только сам же учитель и способен ответить, а я, вообще-то безынициативный, тяну, единственный, свою руку (которую надо бы отсечь по Евангелию...), дабы блеснуть... А у нее, надо сказать, когда она такое спрашивала, всегда была такая поощрительно-вопросительная приговорка: «Думайте, думайте!» И вот все думают, а я тяну руку. Она снисходительно улыбается, готовая выслушать наивную ребячью догадку, а я выпаливаю по писаному случайно подсмотренное и случайно запомненное, но — надо же, как удачно! — выпаливаю как свою собственную догадку. Тетка была, по-видимому, удивлена, но я от смущения уже плохо помню ее реакцию. Она продолжала развивать мысль, «которую я ей подсказал». И вот, когда мы все за ней писали, а она ходила по проходу, моя голова вдруг очутилась меж ее грудей, и, обняв меня сзади, она гладила меня по голове и приговаривала: «Головенка-то варит... варит головенка...» Но я не провалился сквозь землю и тогда, хотя именно в таких вот нечастых положениях, пожалуй, и проваливаются, не провалился и сейчас, когда это вдруг из-под толщи последующих стыдоб выволок... не провалился и рассказал весь этот мемуар Павлу Петровичу...

Уж как ему эта моя история пришлась по сердцу!!

— Нет, нет! И не говорите! Вы совсем не безнадежны... — хохотал он. — Я даже не предполагал.

(*Из «Человека в пейзаже»*)

1985

Исповедь графомана

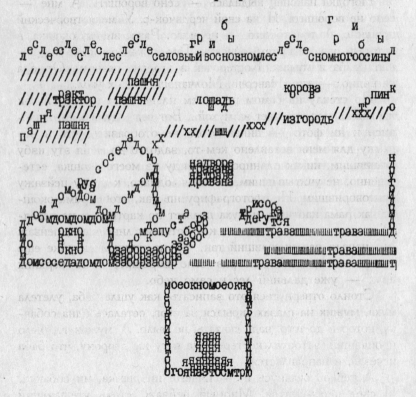

Как будто старой фильмы плеск —
Все тонет в штопаном тумане:
Забор, дорога, поле, лес
С коровой на переднем плане.

Жует корова по слогам,
Квадратно бьется пульс на вые,
И драгоценно по рогам
Стекают капли дождевые.

Из-за застрехи чердака,
Косой из-за дождя кривого,
Смерть так понятна и близка,
Как расстоянье до коровы.

Погодка наконец выдалась — сено ворошить. А мне —
сено не ворошить. Я на свой чердачок-с. У меня творческий
процес-с. А только чего — не знаю. Разве вид из окошка, в
который раз, не суметь описать. Там-то как раз сено и ворошат. Баба и мужик. Костерочек в стороне развели. Отсюда
не видно — кто. Наверно, Молчановы — их угол...

По стеклу на самом переднем плане муха ползет, и так
же мысль моя уползает за мухой... Вот ведь, думаю, ни живопись и ни фото — никак этого не отобразить, что в эту
рамку для меня вставлено кем-то, задолго до меня эту избу
ставившим, никак планировку к виду из моего окошка, естественно, не учитывавшим, но меня, однако, к этому пейзажу
приговорившим. Не сфотографируешь так, чтобы рама окошка как рама картины, и муха ползает по картине, а на переднем плане столб, проводами, как нотными линейками, пейзаж
для начала разлиновавший так, что на нижней линейке еще
забор, на средней как раз сено ворошат, а на верхних
двух — уже дальний лес и само небо.

Стоило отвернуться это записать, как ушла баба, улетела
муха, мужик на глазах скрылся за стог, осталась одна собач-
ка, которой до того, надо сказать, не было. А мужик-то, было
пропавший, затоптал костерок, да в ту же сторону, что баба
исчезла, и направляется.

А теперь оглянусь и — ничего: ни дымка, ни собачки.
И свет переменился. Мирный пейзаж, столь утешающий
своей вечностью! Где ты? Какое бешеное время свистит в
нем! Тахикардия какая-то. Мчание. Не говоря уже о ветер-
ке и облаках... а там, под спудом, тихой сапой, там гриб растет, да вошь ползет, да мышь шуршит. Дымок оторвался от

земли как душа, уже сам, без мужика — от порыва, от ветра — и нет его. Пейзаж закрыт на обед. Кошка Наташка по опустевшему пейзажу к дому идет, тоже обедать, тоже кормить... сейчас и меня позовут снизу суп есть, и — пропал пейзаж!

Ненаписанный рассказ

...надцать лет назад, уходя в очередной раз в сторону от очередного комплимента, как боксер от удара, он сказал: «Погоди, я еще напишу что-нибудь стоящее, вот увидишь... Я хочу написать стол, — он обвел взглядом то, вокруг чего мы и сидели (он сказал не «описать», а «написать»; как сказал бы живописец, но сказал это именно словесник, не собиравшийся «занимать» у живописи...). — Я хотел бы написать этот хлеб, этот лук, этот коньяк... Коньяк у меня, кажется, получился, — сказал он с гордостью, прикидывающейся скромностью. — Хлеб не получился, но получится. Я еще напишу...» И я ему что-нибудь говорю, наверно, про то, что литературная реальность и реальность жизни есть разные реальности, и неизвестно еще, какая реальнее, а он как бы соглашается и все-таки не верит, потому что если ты не знаешь хлеб, то как ты напишешь хлеб? А если ты не знаешь лук, то тем более ты не напишешь лук!..

Речь шла тогда, по-видимому, о «Похмелье», которое мы, сидя за столом, иллюстрировали. Он хотел написать хлеб — словом: это признание в писательской технологии заложено, кроме прочих смыслов, в название его книги «Хлеб и слово». ...надцать лет назад, делая ответный боксерский выпад, он мне говорил: «Послушай, как ты это понял? — Он имел в виду мою статью о нем. — Ведь ты не должен был этого понять. Ты же лошади не знаешь — как же ты понял про Алхо?» И теперь приходила моя очередь обижаться на похвалу. Я бы мог ему, с не меньшим уничижением паче гордости, заявить: «Погоди, это я еще не понял... Я еще пойму, вот увидишь...»

Так мы и провели эти ...надцать лет: он еще что-то написал (лук, телегу, мертвую собаку...), я еще что-то понял... но мы — за тем же столом. Он мне говорит о том, что еще напишет, а я ему о том, чего не написал. И он мне говорит через эти же ...надцать: «Погоди, я еще буду писателем, я еще напишу...» И я опять понимаю, что он имеет в виду, но говорю со вздохом: «Хорошо бы еще... Даст Бог... Но, знаешь, оказывается, и то, что написано, все-таки уже написано, и там ничего не перепишешь, и там ровно уже столько того и только так, как мы уже написали, не больше». — «Но ведь и не меньше», — говорю не то я, не то он. Но ведь вот что говорит мне именно он через эти ...надцать лет: «Я хочу выпить за литературу, которая не менее точна, чем наука, а может, и более точна, которая не менее великая реальность, чем жизнь, а может, и не менее жизнь... Это — счастье». И это мне — счастье: услышать от него через ...надцать лет такие слова, и это не я его спрашиваю: «Как ты мог это понять?» — а он меня: «Ты понимаешь, что я имею в виду?» Кажется, да. Может, уже и нет...

Вот еще какой рассказ я не написал... рассказываю ему я. «Без дерева и без воды» называется. Может быть, он называется «Великая сушь» (было такое обозначение на старых барометрах). Может, он называется просто «Суша». Название ему придумать легче, чем написать, но написать его — тоже не слишком сложно. Маркесу бы его было несложно написать. Ты его мог бы написать, но не станешь. Да и я, скорее всего, не буду. Но рассказ ничего, нормальный мог бы быть рассказ. Может, это наши даже дни... Местность такая, как пустыня. Пустынная местность. Плато. Есть ощущение, что сильно выше уровня моря. Может, и здесь такое геологическое чувство, что море тут когда-нибудь, триллион какой-нибудь лет назад, было. Стало быть, дно древнего моря. Дно поднялось, и стало плато. Плоскогорье. Ничего не растет. Саксаула тем более. Просто ни щепки, ни капли. Воду привозят в цистернах, землю — в самосвалах, воду — на вертолетах, почву — в мешках. Каким-то образом именно там необыкновенно процветает огородничество, сам понимаешь. Эти огородники очень настойчивы, так что у них кочан — это уже прямо дирижабль, а не кочан, самый большой в мире кочан у них как раз и вырос. Его только вертолетом можно вывезти — такой кочан. Помидор тоже никак нельзя съесть, хоть ешь его всем аулом, кишлаком, селом или артелью — национальный колорит мне еще не вполне ясен... — помидор этот везут в специальной цистерне, напоминающей огромную литровую банку, чтобы не помялся. Его надо везти, чтобы всем показать, показать всему миру, какой у нас вырос помидор, у нас, где один камень, и ни капли влаги, и саксаул — дерево влажных тропиков, у нас, где семя везли специальным геликоптером за десять тысяч километров, а воду выбурили самым глубоким в мире артезианским колодцем, так что мы ее получаем от антиподов, у нас, где почву мы привезли в чемоданах, рюкзаках и карманах, возвращаясь из летних отпусков... В общем, такой помидор, как, если помнишь, была идея у Резо: поставить на центральной площади столицы памятник помидору, — такой помидор. И, как ты понимаешь, как ты уже чувствуешь, никакого преувеличения в повествовании нет, никакой гиперболы, все это — на самом деле. И вот в этом знаменитом племени землепашцев, славящемся на всю вселенную своими километровыми бадриджанами, появляется выродок, который в свободное от выращивания помидора время не пьет, не курит, не роет свой подземный дом (а надо сказать, они на своей планете, то есть в ауле, уверены, что на них должны напасть с бомбой жители более плодородных земель за одно то, что те сами не умеют вырастить столь же несъедаемого помидора)... Нет, может быть, не так. Может, это такая секта «выживенцев», которая роет себе бункеры и запасается столетними запасами на случай ядерной войны (самая отвратительная категория, не правда ли?), такая секта, которая для пущей безопасности удалилась в самую необитаемую пустыню и там еще и закопалась под землю, не заметив, что и война уже прошла и что сами они давно мутанты... Нет, все-таки не так. Так слишком футурологично. И с твоим заявлением о научно-фантастической литературе я давно согласен... Так вот, этот выродок, этот мутант, или этот недомутант, этот «бывший», стал таскать щепки, спички из поселка в пустыню и на каждую свою свободную минуту там, в пустыне, пропадать. Его пробовали образумить, судили за кражу досок, но, и отсидев, он принимался за свое. Когда же спустя несколько десятилетий поняли, что он там, в пустыне, на самом высоком месте строит лодку, когда стал вырисовываться голый остов, то все так смеялись, что оставили его даже в покое как сумасшедшего. А он тем временем вдруг привел козочку, затем свинью, затем... тут, как ты понимаешь, трудно читателю объяснить, чем он их кормил... но как-то, однако, кормил... может, даже после некоторого возмущения и попытки его линчевать соотечественники немножко привязались к животным (все-таки никогда их не видели, всю жизнь питаясь толчеными акридами и выращивая на экспорт свой уникальный томат...). В общем, так шли долгие годы, а идиот этот достиг самого почтенного возраста, не прерывая своего активного безумия. Он даже стал как-то значителен в своих лохмотьях, в своей огромной седой бороде... его стали понемногу признавать за уникальность, в чем-то уже готовы были увидеть его выразителем их национально-аульной идеи, один поэт назвал его «великим скульптором, воздвигающим памятник морю», некое его сходство с достославным помидором готовы были обнаружить... Как вдруг... а надо сказать, раз в год, независимо от все пока что не начинавшейся войны, у них были такие каникулы — учения, когда они забирались в свои бункеры и две недели не высовывали носа, на всем своем, на всем готовом... и вот они вылезают наконец на Божий свет, щурясь на свое свирепое солнце, и первое время они ничего не видят, а потом — что же они видят? Они видят, что исчезла их главная достопримечательность — уникальный деревянный столб, возвышавшийся посреди селения; на нем еще висел колокол для созыва на коллективную поливку помидора; так вот: рельса эта валяется на земле, а столба нет. Туда-сюда, старика нет, козы нет, борова и того нет, буйволицы нет, собаки даже мертвой нет, лошадь, думали, отошла, но ее тоже нет, коршун только по-прежнему в небе летает, ищет куру, которой тоже нет... Не сговариваясь, сразу все поняли и побежали... Прибежали, видят: стоит посреди пустыни оснащенная лодка, а мачта — как раз тот столб и есть; да что там лодка — корабль! — из окошек, с бортов морды животных торчат; дети безумца что-то там, на мачте, последнее подвязывают, вроде белого флага... (Да, про детей я пропустил, но они каким-то образом у него были, сын и дочь, а может, три сына... они ему помогали, когда подросли, — как бы он сам управился?..)

Ну, жители все в страшном негодовании по поводу своего столба, то есть теперь уже мачты, и терпению их тут приходит конец, и они велят старику сойти с борта на берег, то есть спрыгнуть на сушу, где они уже с ним расправятся, старик же машет на них руками и кричит, чтобы они отошли поскорее, потому что лодка сейчас уже отплывает... Надо сказать, что даже гнев людей поостыл, так они заново смеялись, но все-таки и безумию должна быть граница, так что пресечь все-таки было надо... и они снова ринулись, уже на штурм; а старик кричит страшно, чтобы они скорее бежали назад и прятались в свои норы... ну, люди, естественно, были оскорблены и не понимали, что он там так безумно тычет перстом в сторону горизонта, где как бы даже небывалое здесь облачко вдруг появилось, вроде морщинки на безумном его лбу... и люди совсем вошли в раж и гнев, идея поджечь корабль овладела ими. И впрямь образ такого пожара был для них, бездревесных, таким же несбыточно страстным, как и ливень... огонь, казалось им, мог бы утолить их столетнюю жажду... легко занялся первым пламенем борт, и буйволица замычала, отпрянув, и они не слышали, что кричал им безумный старец... в свете молодого пожара они не заметили внезапно сгустившихся сумерек, из которых, как ты сам понимаешь, именно в ту секунду, как готов был корабль окончательно подхватиться огнем, хлынул невиданный ливень, который тут же пожарчик этот загасил, а люди тогда, напоенные и напуганные, наконец услышали, что старец вопил им бежать скорее домой и что перст его указывает на первую волну, что с курьерской скоростью мчалась с горизонта... (Ты сам понимаешь, что я просто забыл сказать, что этого старого хрена, чисто в насмешку, прозвали Ноем, а потом и имя его настоящее забыли...) Люди бежали без оглядки, и волна нагоняла их, и когда подхватила, то увидели они, барахтаясь, как уверенно, и ловко, и стройно покачивается на бескрайней морской глади КОВЧЕГ. Конечно, я затянул с этим словечком, которое и самому недогадливому давно просилось на язык, но в таком случае я забыл сказать и то, что сами односельчане Ноя, именно так же, в насмешку, прозвали его лодку «ковчегом» и очень смеялись своей шутке: «Ноев ковчег». Но, видишь, назвать-то они смогли — узнать не могли. И спастись — тоже. Ной же их и спас. Как? Ну конечно, взять всех на борт он не мог. Он даже, я тебе скажу, я так думаю, никого из воды не подобрал, а дал им всем благополучно утонуть. Что значит — благополучно? Я даже не предполагал, что так удачно слово встанет — благополучно. Они благополучно погибли от стихии, как люди, не успев укрыться в свои крысиные бункера, из которых больше бы уже никогда не вышли. Предположим, что у них все там идеально герметично было... Нет, согласись, это смешно: прятаться от бомбы, когда грядет потоп, рыть яму, когда надо строить лодку... И знаешь, что, на мой взгляд, самое удивительное? Что люди об этом всегда знали. Они всегда знали о грядущем потопе, но боролись только с придуманными, собственноручными, так сказать, обстоятельствами, как раз реальность обволакивая оболочкой мифа... Ну зачем, скажем, выращивать несъедобный помидор, пусть и самый большой, если можно, с меньшими затратами, вырастить горсть маленьких и съедобных? Ну и пусть не самая удачная метафора, или там символ, или знак... я не сторонник сочинения мифов — это не индивидуальное занятие. Ничего нет ни системного, ни экономического в моем помидоре... Но представь себе маленький, еле-еле, а уже помидорчик, разве он не величайший памятник Творцу? А каков он в засолке? под стопочку? Ни над чем я не глумлюсь. И мораль у меня даже есть: не надо зарываться.

Вот этого всего я в очередной раз не написал. А Грант уже написал про лошадь, про буйволицу, про — что думает мертвая собака, освещенная лунным светом, про волка и про медведя немножко написал и теперь пишет про борова. Роман «Боров». Вызывает доверие. Тем более что я по инерции оговорился: ведь его задача, как в свое время про лук, коньяк, хлеб... Не ПРО! а их самих написать. Значит, и не про борова, а самого борова он напишет. А там уже и не так много останется до счета СЕМЬ. Семь пар чистых и семь пар нечистых. Может, он их спасет.

1986

Письмо

25.XII

Птица! С Рождеством! Ты этого сейчас не знаешь, что я тебя поздравляю, и, наверное, думаешь, что я забыл, а я не забыл и пишу это ровно в полночь, а если бы ты получила письмо сегодня с поздравлением, написанным заранее, то ты бы думала, что я не забыл тебя поздравить, и похвалила бы меня, а я на самом деле, может быть, как раз бы в этот день и час и забыл, а сейчас ты меня ругаешь, что я забыл, а я на самом деле не забыл, и я тебя поздравляю, поздравляю я тебя с вашим Рождеством, а поздравление, может, придет к тебе, когда у нас будет Рождество наше, и ты тогда вспомнишь, что забыла меня поздравить с нашим Рождеством, а только ругала, что я не поздравил тебя с вашим, а сама не поздравила меня с нашим, а если бы я заранее, как немец, сообразил и за две недели до Рождества начал бы тебя поздравлять, то ты бы считала, что я не забыл, и тоже могла бы успеть поздравить меня с Рождеством нашим, а так ты уже не успеешь, потому что полрусского всегда победят полнемца, и уже не отправил поздравления заранее, зато я поздравляю тебя как раз вовремя, потому что не забыл, ровно в тот день и час, когда надо, а не то чтобы за две недели до этого дня поздравить, а в тот день, что надо как раз и забыть, и ты теперь сможешь поздравить меня тоже вовремя, то есть через две как раз недели, когда это письмо получишь, и я буду думать, что ты, конечно же, забыла бы, если бы как раз и не получила бы моего письма как раз в тот день, когда меня надо поздравить, но очень обидно то, что я так и не узнаю теперь, забыла бы ты или не забыла поздравить меня вовремя с Рождеством, кабы как раз и не получила моего письма ровно в тот день, когда нужно меня поздравить, но все равно, хоть бы и забыла, зато теперь ты поздравишь меня вовремя, хоть я и не получу вовремя поздравления от тебя, а если бы я его получил вовремя, значит, ты вспомнила обо мне, лишь когда было ваше Рождество, и решила меня с ним поздравить, забыв, что кроме вашего еще есть и наше Рождество, с которым как раз надо было меня поздравить, а ты забыла, а так ты не забудешь и поздравишь, хотя я и не получу от тебя поздравления, теперь видишь, что значит хоть что-нибудь делать вовремя, тогда обязательно и еще что-то получится вовремя, и в то же время ты теперь же видишь, что значит опоздать сделать что-то вовремя, тогда обязательно и еще что-то станет не вовремя, и это не трудно делать вместе, чтобы все было вовремя, зато врозь всегда все получится не вовремя, но важно то, что если бы вместе, то каждый из нас тоже мог бы забыть поздравить другого вовремя, потому что у вас раньше на две недели, а у нас позже на две недели, и это, по-видимому, и учтено почтой, чтобы как раз две недели и письмо шло, чтобы получалось все-таки вовремя, по старому стилю, по-видимому, чаще получалось вовремя, скажем, напишешь ты мне вовремя, ровно в тот день и число, поздравишь меня, скажем, с радостным весенним днем, который у вас Молодости, а у нас Химика, у меня же день рождения, ты вдруг спохватишься и вспомнишь и успеешь меня поздравить с днем Химика ровно в тот день, когда он и есть по календарю день Химика, и ты будешь думать, что опоздала поздравить меня, то есть ты будешь думать, что я буду думать, что ты опоздала меня поздравить, поскольку письмо идет две недели, то ты будешь думать, что я буду думать, целых две недели, что ты опоздала, прежде чем получу и пойму, что ты не опоздала, а как раз ровно в тот день и поздравила, ты будешь так думать и опять ошибешься, потому что, если по старому стилю, который, по-видимому, и объяснялся причинами скорее почтовыми, чем историческими, письмо в Россию, которое ты опоздала отправить заранее и отправила всего лишь вовремя, пришло бы вовсе не с опозданием на две недели, а ровно в тот день и пришло, в какой ты его написала, и двух недель между нами никак бы не было, я бы твое поздравление, отправленное в день вашей Молодости, как раз бы и получил в день нашего Химика, а поскольку на самом деле это было бы твое поздравление меня с моим днем рождения, то выходило бы, что ты и поздравила бы меня ровно в мой день, а не заранее, как немка какая-нибудь, а я бы получал поздравления ровно в мой день, а не с опозданием на две недели, но поскольку теперь нет русского стиля, а и у нас, и у вас один общий новый стиль, то такая удача выходит лишь раз в году по поводу более важного дня рождения, а именно в Рождество, потому что оно еще сохранилось, и ваше и наше, и между ними как раз то расстояние, что равно письму, то есть две недели, так что то, что можно было по-старому, получается лишь раз в год, чтобы вовремя по-новому, а остальной год весь не получается, а чтобы чаще получалось вовремя, то надо, чтобы поздравляющий и поздравляемый теперь никак не разлучались, а если бы и разлучались, то никак не более как на две недели, тогда человек мог бы сначала поздравить, потом уехать и послать поздравление, а потом вернуться, когда оно придет, и у него получается даже не одно, а два поздравления, ты, скажем, ждешь поздравления и его наконец приносят через две недели, а тут и сам поздравляющий входит, забыв, что он тебя уже две недели назад поздравил, ты ему и говоришь, а я как раз поздравление твое получил, большое тебе спасибо, что не забыл(а), а поздравляющий(ая) говорит: постой, позволь, а что случилось? с чем поздравления?.. и тут, конечно, большая начинается обида поздравляемого, что его лишь как бы не забыли поздравить, а на самом деле вот и забыли, но потом все-таки, потому что они не письма и не конверты, а тела, то они начинают поправлять эту ошибку времени тем, что делают что-то вовремя, поскольку имеют к тому возможность, находясь не в двух неделях, а в одной комнате, и когда это становится ясно, что вовремя лучше, чем во времени, то они успокаиваются и говорят, чтобы больше таких недоразумений не было, надо в следующий раз не только вовремя, но вместе, хотя вместе легче забыть поздравить вовремя, зато всегда есть время вовремя вместе это обнаружить и еще раз убедиться, что лучше вместе, чем вовремя, и даже гораздо лучше не врозь, чем даже заранее, хотя заранее чем-то и хуже, чем вовремя, как, например, раз в году бывает, когда надо поздравить друг друга с Рождеством, но Рождество хоть и более важный праздник, чем день какого-нибудь моего рождения, зато день рождения мой значительно реже встречается, хоть и тоже, как поется в песенке, только раз в году, зато с ним невозможно поздравить вовремя, как с Рождеством, впрочем, только по почте невозможно, а когда вместе, то даже и очень возможно. П.

7.I.86. — Рождество (наше)

Май берд! Надеюсь, ты получила сегодня мое поздравление с тем (вашим) Рождеством, тогда и в этом поздравлении *вовремя* (тебя с нашим) будет иметься некоторый *продолжительный* смысл, а иначе этого смысла не будет, и это жаль, потому что то поздравление его имело, а это без него не будет иметь такого уж смысла...

Значит, так. Раздался твой звонок. Я тут же решил написать тебе годовой отчет, хотя еще и не был уверен, что он у меня сойдется (сальдо, бульдо, кредо). И так, в этой вот неуверенности в выполненности и осмысленности годового плана, подбирал я мысленно подотчетные материалы вплоть до, пока не понял, что уже прошло 10 дней, что уже наступило Рождество (ваше), с которым я не успел тебя заблаговременно поздравить, а если бы тут же отписал, то как бы и успел бы... Грустно мне стало, и я сел за письмо, думая его наконец написать, годовой то есть отчет, — пробежал его мысленным взором как бы набело и понял, что не осилю я его никак в одном послании, и тогда спасительная мне пришла мысль: начать отсчет времени (для начала) с твоего звонка и написать про эти 10 дней, что с него произошли... Вдохновила меня эта идея своей большей обозримостью и как бы стройностью. Заложил я лист в машинку, сначала, думаю, поздравлю Птису с Рождеством (ее), а потом про эти 10 дней, что прошли, и напишу. Заложил я лист и начал поздравлять, а как начал, так все поздравляю и поздравляю и никак поздравление закончить не мог, пока с двух сторон такой вот лист не запечатал. Ангел Хармса витал надо мной, диктуя, и я забуксовал в его стилистической колее, и кабы страницы машинописные были втрое подлиннее, то и их заполнил бы, пожалуй, поздравлениями, кабы не уперся в перемену машинописного листа, который был вот в-точь такой, как этот...

Буду краток. Не удалось мне не только про год, не только про 10 дней, а даже и одно лишь «во первых строках моего письма» поздравление это закончить. Так и отправил, не закончив, надеюсь, ты его получила сегодня, когда я тебя снова поздравляю с Рождеством (уже нашим), и все получилось ВОВРЕМЯ. Жаль, если ты его не получила — в нем, неожиданно, и информация содержалась, и даже чувства довольно сильные сотрясали душу поздравителя...

Так что сегодня, пожалуй, я про те 10 дней, что последовали после твоего звонка и предшествовали тому моему поздравлению, я и напишу. Итак, вскачь, в опор за легкокрылой нашей Черепахой! Все сразу было и стало символично и осенилось тобой, Дамой печального образа, мой берд, май бред... Начать с того, что я стоял уже в дверях, вырядившись на свадьбу, и раздался твой звонок... Свадьба была не моя, а моего друга Сережи, но все равно — свадьба. А я отродясь, кроме как на собственных, не бывал. И вот я в дверях и тороплюсь на эти похороны, и твой звонок, и твое люмбаго... Нет, я не раздеваюсь тут же и не остаюсь дома писать тебе годовой отчет, а, отговорив, в ту же дверь на ту же свадьбу и выхожу. А надо сказать, я и до твоего звонка на нее идти не хотел, но собрался, а после твоего звонка совсем расхотел, но уж точно пошел. Тут символы тучами пошли на меня. Во-первых, свадьба чужая, во-вторых, невеста не моя, да и жених ведь не я. Дорого, бессмысленно, красиво, тщетно, пусто, глупо и нищетой присыпано. А надо сказать, что на следующий день должен я был работу закончить, последний срок, поэтому и выпивать был не вправе, и был я в этом вопросе последователен и мужественен. Не выпивал, а только закусывал, навалился, стало быть, на дармовую икру и крабов, ем их, а мне на ум только адриатические устрицы приходят, и я понимаю, что крабы в одиночестве, а устрицы в семейном счастье, но и горя этого не запиваю. Только, когда всех крабов съел, заскучал сильно, и тут как назло еще запоздалый друг жениха взошел в зал, этакий наш современный

Дягилев и Третьяков в одном лице и в одной на обоих толщине, а с ним девушка, краше не бывает, вылитая ты. Ну, думаю, опять пошли эти намеки, эти знаки, эти сходства... ведь и не пил ничего! А за все эти муки еще всех развозить по домам, раз трезвый. И вот, только развез — сажусь в авто домой ехать, меня ка-ак хватит! Ни охнуть, ни вздохнуть — люмбаго. Я даже наслаждение испытал от такой взаимности и прямую дорожку к мазохизму разглядел.

На следующий день героически писал день и ночь, опоясанный платками, и победил и написал (про «Мертвый дом» для твоих же немцев). И свалился, как «рабунок», и три дня катался от боли. И вот выкристаллизовавшиеся из этого опыта символы: не ходи на свадьбу чужую, коли на собственную попасть не можешь; второе: пить можно и не закусывая, а вот закусывать, не запивая, категорически нельзя; третье: общность душ еще не общность тел — не люмбаго это оказалось, а приступ панкреатита (разовый). Но все равно я разделил с тобой в тот же час и тот же миг, как узнал, некую опоясывающую боль. На этом эротическое кончаю. Сижу на овсянке на воде да чаек. Суета же — даже умереть не даст, и все по делу, по одному лишь делу! И дела-то недурные: то к машинистке, то от машинистки, то журнал выкупить, то деньги получить, то их отдать, то Ваньку перевезти, да еще и телевизор до Нового года для мамы купить... Много, а надо сказать, что еще в октябре я поменял специальность и стал киноактером. Роль у меня образца 1945 года, в стиле ретро. Я эвакуированный в Казахстан с музшколой учитель музыки. Значит, я так 1897 года рождения, между Мандельштамом и Набоковым. Хожу по землянке в галифе без сапог и нижней рубашке, с лицом Генриха Нейгауза (по замыслу режиссера) даю урок мальчику-казаху с лицом Пастернака (по его же замыслу), вожу по роялю грудного младенца (я ушел от жены-актрисы и женился на домработнице), а за окном Шекспир избивает Лира — молния, гром, ливень, три пожарные машины опорожняются на стекла. Ну, в общем, кино, сама не дура, знаешь. Так вот, пока я тут погибаю от трезвости, трудового напряга, солидарности с люмбаго, воспоминаний об Адриатике, суеты и диеты, режиссер все это спешно монтирует, а гениальность материала стремительно испаряется, и остается то, что есть: как всегда, не хватает драматургии, то есть драмы, то есть смысла, и режиссер впрыскивает ампулу трагедии: срочно умертвляет мою брошенную жену и приводит меня в морг для опознания. Я было посопротивлялся столь стремительному ухудшению образа... куда там! сегодня снялся, когда тебя 25-го поздравлял... Нет, и 10 дней не влезли. Поздравляю.

ПТИС.

Стихи из кофейной чашки

> «Мне кажется, сеньор, — сказала Ревекка, — что ты в совершенстве знаешь пружины сердца человеческого и что геометрия является вернейшим путем к счастью».
>
> *Ян Потоцкий. «Рукопись, найденная в Сарагосе»*

Урбино Ваноски, двадцатисемилетний, недостаточно известный английский поэт смешанного польско-голландско-японского происхождения (во втором, третьем и четвертом поколении), не знающий ни одного из этих языков и ни разу ни в одной из своих родин толком не побывавший, автор почти нашумевшего сборника стихов «Ночная ваза» (непереводимое словосочетание, означающее скорее «Вазу в ночи»), практически, однако, не разошедшегося, кроме разве поэмы «Четверг», включенной впоследствии в одну из представительных антологий, — печального стихотворения, отразившего, по-видимому, личный опыт автора, например, в таких строках:

> Я однолюб и верный человек
> на самом деле
> с нетерпеньем жду жену свою
> одну без мужа чтоб
> встречаться с ней в кино в подъезде
> под дождем
> Гарантий никаких не выдается в прошлом
> Не можем мы сказать что то что было
> было... —

и т.д. и т.п., то есть тот самый Ваноски, который решил чего-то не пережить, то ли бесславия, то ли некоей драмы, и покончить, но еще более решительно чем просто с жизнью, а именно что со *своей* жизнью, в корне изменив ее образ, включая и собственное имя, на манер тех японских поэтов, что к сорока годам, достигнув всего, бросают это все, исчезают, испаряются и, добившись нищеты и инкогнито, начинают поэтический путь с нуля, как никому еще не ведомые, но уже наверняка гении... у Ваноски не было ни дома, ни богатства, ни, кажется, славы, зато не было затруднения в псевдониме, доставшемся от прабабушки-японки, что затесалась в его роду не иначе как в счет его рокового будущего, — затруднения предстояли лишь с транскрипцией, грамматически-катастрофической не только для подписания английских стихов, но и для ежечасной практики жизни (передаю по буквам: Виола, Оливер, Кэтрин, Оливер, дубль-Нора... Нора, Нора! Нора, Ник! дубль-Ник!! да, да, дубль-Н... Эн... нет, Энн — не буква, а имя! Энн-Эй-Адам! нет, не дубль-Эй... Барбара, Айрис... да, да, Айрис последняя буква!..) — этому следовало посвятить оставшуюся треть (после сорока) или половину (после двадцати семи) жизни, с тем чтобы передать в качестве фамильной традиции последующим, как минимум двум, поколениям, до полной растраты богатого наследства пресловутой японской вежливости: да хоть дубль-Эф! идите-ка на Эф...

Наш Урбино покончил с этими затруднениями сразу, с первого же переспроса, три дня расписываясь под неполучающимися стихами нового поэта и добившись, хотя бы в росписи, некоего благозвучия и красоты. Переменив фамилию, с именем своим он поступил еще более решительно, зачеркнув в нем и город, и прогресс, и цивилизацию вместе со своим неблагополучным опытом, усмотрев в новом имени все обратное: лоно и традицию, нежный и размытый, почти японский пейзаж[*], — Урбино Ваноски не стало... итак, Рис Воконаби (четвертый), испытав последнее (не только в смысле очередности) разочарование в жизни, удалился на остров с названием, столь же неуклюжим, как и его новая фамилия,

---

[*] Типичный случай перепперевода... По-английски имя Рис не имеет никаких ассоциаций подобного рода (*Примеч. переводчика*).

напоминающим редкое животное — Кнемазаберра, писать иностранный роман, то есть роман окончательно вымышленный, действие которого развивалось бы не только с несуществующими людьми, но и в несуществующем пространстве, решив, по-видимому, что именно такой способ разрыва с прошлым является для него наиболее подходящим.

Ах, как это легко — посмотреть на жизнь со ступенек, ведущих предложение к точке! Автор небрежно *снисходит* по ним на лестничную площадку чужой жизни, закурив очередную сигарету.

Читатель не может курить так часто, но, с другой стороны, ему-то какое дело!.. Эта «снисходительность» и есть истинная муза беллетристики, едва ли не главный, всегда не разгаданный фокус в умении держать перо. Вот что подробно, а что неподробно излагает автор — и есть содержание вещи, а не то, что хотел сказать. Это и есть та пропорция действительности, которую станет рассматривать читатель... Действительно, что чему равно? Пятьсот слов о псевдониме — и одно слово «разочарование»! Однако если длина периода о транскрипции и вызвала у кого-нибудь раздражение, то короткость слова «разочарование», думаю, устроила всех. Это, видите ли, так всем понятно — с кем не бывает! — раз-о-чарование... Ну, после разочарования, естественно, отправился на остров — куда же еще?

А что за разочарование и где столь удобный остров?? Попробуйте-ка сами пережить то же, что пережил Рис, и вы бы заговорили иначе. Вы бы были возмущены небрежностью автора, походя трактующего ваше горе. Попробуйте переживите-ка то, что пришлось пережить Рису, и отправьтесь на остров... Да где вы его найдете-то, остров! И тогда учтите, что Рис нашел его.

А разочарование — это вот что. В один прекрасный день (в наш век для этого выбираются прекрасные дни, а дурная погода — старомодна), в один такой день и даже час жизнь Риса, казавшаяся ему, несмотря ни на что, жизнью, то есть тем, что не вызывает сомнения в полной самой себе принадлежности, оказалась нежизнью, то есть не жизнью в ее непрерывном и безусловном значении, а лишь способом прожить (пере-жить) определенный, еще один, отрезок времени (в данном случае отрезок этот тянулся почти три года); так вот, жизнь оборвалась, оказавшись отрезком, с трагическим ощущением продолжения себя в пустоте, как бы пунктиром; это несуществующее продолжение оборвавшегося отрезка ныло: своего рода случай каузальгии — боли в утраченной конечности. Так мы обозначим оброненное нами слово «разочарование», не входя в частности.

Такая невыявленность прошлого способствует появлению нашего героя именно в этом рассказе, иначе нам бы пришлось писать совсем другой, предыдущий, а может, и допредыдущий рассказ. Только так, только прибегнув к спасительной беллетристической небрежности (не к чему оговаривать, что в жизни наше отношение к Рису далеко от небрежности...), опустив все то, что было действительно значительным в жизни нашего героя и привело его в это повествование, можем мы высадить Риса Воконаби на берег нашего рассказа в виде пришельца и незнакомца, с вытянутой усталостью на лице, в котором нет уже ничего японского, кроме разве того, что в собственном представлении кажется оно Рису замкнутым и бесстрастным, да очень прямых черных волос, делающих его, при худобе и высоком росте, похожим на индейца в нашем представлении. Так мы высаживаем его на берег с легким чемоданчиком в руке, пачкой долларов в кармане и удачным названием для романа в голове, а именно — «Жизнь без нас»...

(Здесь перевод обрывается, так как переводчик пока успел только столько. Есть надежда, что вскоре он успеет еще столько же... — А.Б.)

1987

2500 лет философии

Молодому советскому философу поручили расспросить пожилых советских писателей по поводу: «Ваше отношение к истории философии как 2500-летней духовной сокровищнице человечества, как элементу сегодняшней культурной жизни, как элементу Вашего творчества».

И один из них, нет чтобы уклониться, стал ему отвечать:

Мои 50 относятся к этим 2500 как один к 50. Скорее всего в такой же пропорции я овладел этой «сокровищницей». Я вполне разделил свой опыт и знания с моим поколением, моим временем, моей страной. И опыт относился к знанию как 50 к одному. И не было по этому поводу переживания, потому что не было и представления. Все мы автоматически «венчали творение» и находились на вершине всех человеческих знаний; мы были одновременно «зарею человечества»; вся эта «сокровищница» лишь подготовила наше рождение, для чего и потребовалось все это 2500-летие. Отношение к знанию, таким образом, было *снисходительным:* то был закат и тупик; кабы не наш восход и светлый путь — никто и не намеревался сходить с вершины к подножию. Там сгущался мрак первобытных, примитивных, идеалистических и прочих представлений вплоть до «мрака средневековья», освещенного лишь костром мучеников.

Впервые некий философский текст я осилил, с большим удивлением и восторгом (более к самому себе, что я на это способен), в 22 года — это было послесловие Л.Толстого к «Войне и миру», в школе неизбежно пропущенное. Эти его «заблуждения» поразили меня естественностью и живостью. Я, однако, не хлынул в приоткрывшуюся щель и никак ее не расширил, потому что уже *сам писал* и предпочел не сбивать себя с толку, не смущать открывавшуюся мне картину мира, якобы ясную и прозрачную, данную мне «в ощущении». Таким образом, пропуская мир сквозь опыт, еще пятилетку спустя, мне довелось впервые открыть Новый завет. Я был удивлен, до какой степени я его *уже знал.* Не менее я был потрясен мыслью о том, что мог бы многое знать и до опыта.

Было в этом, однако, и своего рода историческое достижение — до такой уж степени ничего не знать. Это философическая невинность, tabula rasa, «никелированный нуль отсчета» (геодезическая терминология, привилегия моего геологического образования). Конечное знание мудреца о том, что он ничего не знает, было нам дано сразу, правда, без столь глубокого осознания; для того чтобы достичь высшего состояния пустоты и немоты, нам не требовалось усилий медитации. Переход от примитива представлений к их *элементарности* содержал в себе переживание ЗНАНИЯ, пусть когда-то и давно пройденного, но зато как *в первый раз* — новорожденный творческий потенциал, избыток энергии. Все впервые: любовь, смерть... — будто до нас и не было никого. Приоткрывалась, со временем, и возможность «открывать» гениев в самом неожиданном порядке: то Паскаль, то Платон, то Розанов, то Кришнамурти... Бессистемность компенсировалась ощущением, что берешь только «свое». Неведомое теперь не просто отсутствовало, а становилось *чужим.* Мы продолжали оставаться «на вершине знаний». Книги скорее обнюхивались, чем прочитывались. Знание подменялось чутьем; эрудиция — на слух, на имя, на запах — необыкновенно возросла, вполне эрудицию же заменяя. Модно стало недолюбливать экзистенциалистов или Фрейда с полным основанием, ни разу в них не заглядывая. Ниспровержение или возведение кумиров производилось заочно.

Однако, вот так наглотавшись разреженного воздуха культуры, иные из нас достигли достаточно самостоятельных результатов, а главное, *прожили жизнь,* с чем уже трудно не посчитаться. Догадка о культуре произошла. Это не мало.

Страшнее догадка о пропущенном образовании. Меня

она настигла окончательно и теперь сковывает своей непоправимостью. Мне кажется, я постиг десятка два книжек, преимущественно художественных, и десяток кинофильмов. Для писателя, имеющего репутацию философического, — по-видимому, недостаточно. Это сейчас я имею представление о том, что бы мне следовало знать с самого начала, ДО опыта, ДО писательства. Представление достаточно точное, но незнание — уже окончательное. Мне не хватает классического образования. Пользуясь терминологией заочно нелюбимого Фрейда, это мой комплекс.

Но жизнь индивидуума есть однократный опыт. Он не может быть повторен. Условия опыта не могут быть воспроизведены. И что бы это было, если бы было — лучше или хуже? — гадать нет смысла.

Зато мысль и образ для меня нераздельны. Я не отделяю знание от чувства. «Нечто» я чувствую, а не вывожу логически. И мысль есть высший образ этого чувства.

Почему сегодня литература берет на себя функции мировоззрения, тогда как философии все меньше удается стать мировоззрением для нефилософа? Почему современная философия часто заимствует художественный способ осмысления реальности, а литература обретает мировоззренческий характер?

Дело, по-видимому, не только в изоляции, не только в занавесе, не только в оторванности от мировой культуры, не только и в невежестве. Процессы кажутся самостоятельными, сосуды — несообщающимися. Процессы окажутся подобными, параллельные пересекутся, сосуды сообщатся.

Не знаю, как в остальном мире, но в русской культуре с самого начала ее мирового внутри себя состояния (с Пушкина) это было только так: мировоззренческий характер художественной литературы и художественный — философской. Мысль и не мыслилась вне художественно преображенного слова. Придя позже, мы оказались дальше: менее дискретны, более синтетичны. Кстати, это был единственный способ избежать почти неизбежной эклектичности молодой культуры. В этом движении обобщения мысли и художественного слова, возможно, и осуществился наш вклад в мировую культуру, с которым мы опоздали (сетования Чаадаева). И может, не только по невежеству, но и по принадлежности русской культуре я обнаруживаю некоторую неспособность к усвоению систем и методологий. Я всегда предпочту в культуре вещи, которые не учат меня понимать, а толкают думать. Свобода, предоставляемая мне искусством, не предоставляется мне наукой в том случае, если и наука — не то же самое искусство.

И если русская литература XIX века вошла в мировое сознание, то русская философия со своим художественным мышлением не вошла еще и в отечественное: поначалу не была и признана за философию, а потом была забыта как недефицитный антиквариат. Между тем вполне возможно, что именно сегодня, к концу XX, уже пробил ее час, хотя это почти никак еще не подтверждается.

Общая тенденция гуманитаризации человеческого знания (тоже более назревшая, нежели проявленная) наблюдается уже и в науках точных, где потребность культурного, обобщающего взгляда, почти что на популярном уровне, стала потребностью узких специалистов, условием дальнейшего развития науки. Сейчас видно, что специализация, столь, казалось бы, ускорившая наш прогресс, по сути дела, почти поссорила человека с миром, раздробив его, отделив человека от природы. Этот торжествующий от имени человека союз «И» тому доказательство: человек и природа, человек и космос, человек и закон, человек и общество, человек и — все остальное, — союз этот из соединительного давно стал разъединительным. Потребность обобщающего, культурного и философского взгляда на жизнь стала насущной для человека.

Поэтому задачи, стоящие сейчас перед культурой и философией, практически одни и те же — выработка целостного взгляда на мир, на жизнь, на феномен человека в жизни и в мире. И тут русская культура — надежная опора. Какими бы утопическими ни казались идеи Н.Федорова или Д.Андреева профессионалу или просто так называемому здравомыслящему человеку, именно эти идеи, как это ни странно, «работают» в нашем мире, открывая, а не закрывая перспективу человека в нем. И современный гуманитарий должен первым перешагнуть собственное тщеславие, и не столько пытаться навязать людям следующую систему, аннексирующую на десятилетия человеческое сознание, сколько *послужить* общему делу.

Молодые мозги могут начать с того, к чему пришли самые далекие, самые одухотворенные умы. Их способность к абстракции гораздо выше, чем эксплуатируемая с детства запоминательная, подражательная, кибернетическая способность. Я вижу как выход именно начальные курсы в младших классах: языкознания, философии, экологии. Надо преподать цельный взгляд на мир — он не удел великого маразматика в конце пути, не мысли на досуге.

Жаль, не вернуть традицию классических гимназий, но важно облегчить ребенку задачу обучения родному языку, заменить зубрежку правил — постижением, облегчить и обучение языкам иностранным. А с этим у нас такая беда! Кстати, и обеднение нашего русского — в огромной степени следствие разобщения с другими языками. Кому под силу такая задача? Аверинцеву, Гаспарову, Иванову? Но написать такой учебник было бы национальным подвигом, напоминающим нам кое-что из отечественных традиций, связанных с именем Даля или Афанасьева. К сожалению, такой учебник был бы более понятен детям, чем учителям.

Такая мечта полностью относится и к истории философии, которая с первых шагов пыталась постичь именно целое, а не его части. Обучив человека в молодости мысли человечества, мы могли бы надеяться, что он не запамятует в зрелости чувство единого и целого, столь необходимое нам сегодня.

1988

Как читали 30 лет назад

> Выросши, не презирай мечтаний своей юности.
> *Александр Грин*

«Три товарища» были написаны по-немецки перед последней мировой войной. Через двадцать лет они вышли по-русски.

И тогда же три товарища вышли из-под обложки на Невский проспект, в самый разгар оттепели: под ногами хлюпало, небо синело, взгляд неясно различал. Никто еще так исторически про себя не думал, что мы — ровесники эталона и дети оттепели. Никто не мог так вульгарно подумать, что XX съезд и «Три товарища» стоят хоть в какой-то связи, что Никита Сергеевич и Эрих Мария — тоже своего рода товарищи, рожденные в конце века, люди одного поколения, которому суждены были обе войны. Поколения! Что за странная смычка... Нынче и мы — поколение военное. Мы не успели повоевать, но мы ее хотя бы застали. Наши отцы, рожденные в начале века, воевали во второй и не успели, по той же молодости, повоевать в первой.

Что за годы эти девяностые! Вся литература будущего века ворочалась в пеленках. Кто из сколько-нибудь серьезных литературоведов и критиков поставит теперь Ремарка между Фолкнером и Хемингуэем? 1897, 1898, 1899... 1929-й — год великого кризиса (и великого перелома) — будет годом их писательского рождения: первые книги о той войне. Не исключено, что Эрих Мария написал свою и чуть раньше, и чуть лучше. Кто сравнивает таланты? «На западном фронте без перемен» или «Прощай, оружие!»?..

Мы и не сравнивали. Мы еще «Прощай, оружие!» не читали. Нам его еще не напечатали. Нам напечатали «Три товарища». И мы вышли на Невский в новом качестве. Мы были самые современные молодые люди, прочитавшие самую современную книгу, описавшую именно нашу жизнь, и ничью другую. Никому и в голову не могло прийти подсчитывать, когда она была написана, что мы с нею ровесники, что автору ее шестьдесят лет; это так же не приходило нам в голову, как и то, что слово «товарищ» у Ремарка и слово «товарищ», бытовавшее у нас, — одно слово. Это не были даже синонимы. Товарищ Ремарк... Смешно. Вот и еще одна заслуга: Ремарк вернул нам это слово, в его смысле. В нашем, в человеческом. Мы, обращавшиеся друг к другу как угодно, но не этим официальным «товарищ», лишенные и сударя, и господина, и милостивого государя, и даже «молодого человека» и почему-то стеснявшиеся имен, вдруг обрели возможность грубовато-ласкательного обращения — Валерка, Эдька, Нинка... Андрюха-кирюха. Дружище. Наиболее изысканные из нас изощрялись в ласкательности: Сереженька, Левчик, Дрюня... Сережечеченька! Где ты сейчас?

Мы примерили с чужого плеча, и как же нам оказалось впору! Мы обретали пластику, как первый урок достоинства. Казалось бы, нелепое, смешное заимствование — нет, возвращение, воспоминание. Туда, куда мы опоздали, того, чего нас лишили. Итак, обращение, пластика, достоинство... Мы стремительно обучались, мы были молоды. Походка наша изменилась, взгляд, мы обнаружили паузы в речи, учились значительно молчать, уже иначе подносили рюмку ко рту. Могли и пригубить. Мы отпивали слова «кальвадос» или «ром», еще не подозревая, что наша водка, пожалуй, все-таки вкуснее. Обращение, пластика, достоинство... что следующее? Вкус. Первый урок вкуса, самый бесхитростный и самый сладкий. Подруги наши — все сплошь Патриции Хольман. Как быстро они научились двигаться среди нас лучше нас и одеваться столь незаметно-изысканно! Господи! Тогда и дефицита-то еще не было. Во что же они одевались? Однако так. Вкус. Я и сейчас отличу с первого взгляда ту красавицу (красавицы бывшими не бывают). Вкус у нас в Ленинграде возродился ни с чего, с нуля, как

374

потребность, как необходимость, как неизбежность, как данность. И вот мы уже чопорные джентльмены — подносим розу, целуем руку. Да, вот еще! После Ремарка не стыдно стало подносить цветы, особенно ворованные. Я и с женой-то своей будущей познакомился, обламывая ночью сирень в городском саду, белой ночью — белую сирень.

(Вот уж не думал, что не сочиняю, а все так и было! Мы наломали сирени, сели в чужую машину и погнали за город. Автомобиль, сирень... это же нас Ремарк поженил! И никто не остановил, не арестовал, никто не смел помешать нашему счастью. Все обошлось. Значительно позже не обошлось.)

Вот и мне легче переселиться в год, когда страна читала «Трех товарищей». Поразителен был наш культурный багаж! Трофейные фильмы и «Бесаме мучо». Из чего мы черпали!.. «Мост Ватерлоо» и «Судьба солдата в Америке» — через десять или двадцать лет нам суждено было понять, что это были и впрямь неплохие фильмы, заслуженно вписанные в историю кино. Тогда же это были фильмы несравненные! Позволенный нам запретный плод. Как было не поверить, что он тобою и добыт! Двадцати—тридцатилетний разрыв в истории между созданием произведения и нашим восприятием ничего не значил. Жажда современности и мирового состояния с легкостью преодолевали эту пропасть. Занавес был едва приподнят, а поколение не столько просачивалось, не столько преодолевало, сколько переливалось через запруду. Выдавливать духовную пищу по капле — грамотный идеологический расчет на сдерживание времени; в одном просчет — с какой полнотой, с какой силой и воображением усваиваются эти капли молодостью...

Три дня «давали» «Порги и Бесс», один день показывали «Дорогу» Феллини, прочитаны «Три товарища», и... другое поколение, другие люди! Другие вкусы и запросы. Другая тоска и безысходность.

Итак, в самый разгар моей свободы и любви (позднее датируется XX съездом и «Тремя товарищами») я получаю повестку в военкомат, и мы с невестой оплакиваем и обмываем слезами и вином нашу участь. Все стихи написаны про нас, и все песни про нас сложены. Мы гадаем по случайной книге, и первое место, в которое мы ткнули пальцем, было: «Вам предписали войну, и вы приняли ее с отвращением». Да, все это было про нас, от «Песни песней» Соломона до «Трех товарищей» Ремарка — и лишь сам мир, такой наш, такой, каким никто его до нас не чувствовал, не был миром нашим и не нам принадлежал, нас из него гнали, в нем не было места нашему счастью. Наши матери рыдали над мелодрамами, но никак не хотели признать в нас их героев. Странная, видите ли, была у нас мораль! Что и говорить, мне и сейчас не стыдно. Любовь — это такое право на жизнь! Именно его у нас отнимали. Причем кто? Все *они.* Наша оппозиция была тотальной: не Сталину, не социализму, не агрессиям — всему миру мы противостояли. *Вообще.* Никакие доводы мне бы не показались. Например, как бы я согласился с тем, что везде и всегда мы бы ничего не значили, поскольку ничего не сделали, не добились; ничего не знающие, необразованные, ничего не умеющие и неработающие, ничего не имеющие и не имевшие. Мы имели молодость, здоровье, любовь. Мы — были, и я с полным правом противопоставлял это любому призрачному заслуженному праву на жизнь. Что это за право, которое уже не может быть осуществлено?

Кто же рассказал нам об этих же чувствах, нам, советским юношам и девушкам конца пятидесятых? Все тот же Ремарк. В нем мы читали *себя.*

Сейчас, через тридцать лет, я задумываюсь, что же бывает написано в книге? Что трогает наши чувства и приносит славу и успех? И я не могу ответить. Уже не мастерство. Читаю — и не могу товарища от товарища отлепить. Напрягаюсь — и не могу. Не вижу. Одного Карла как-то вижу, и тот — автомобиль. Патриция запоминается, потому что она одна. Были бы подруги у других товарищей — поставили бы автора в затруднительное положение. Три товарища — три размытых пятна на общем фоне, который и то прописан отчетливей: все-таки у бармена плоскостопие, а у механика торчащие уши (или наоборот).

Чувство — вот что ведет. Три — хорошее число. Три богатыря, три мушкетера. «Богатыри», всенародно знакомые нам в ту пору по живописи, тогда же были нами уценены как дремучее мещанство. Но осуждено — не изжито. Тоже ведь три воина, три товарища. Дружба трех поколений. Дед, отец и внук. Или скорее отец, дядя и племянник. Тоже без подруг. Одна мужественность. А тут вдруг мы — первая любовь Алеши Поповича.

«Три мушкетера» — восторг детства — тоже ведь без любви. Любовь бы им мешала так хорошо скакать и фехтовать, помешала бы и нам так резво мчаться по страницам. И понадобился четвертый, д'Артаньян, которому она была бы позволена, но неизбежно отнята. Отравление мадам Бонасье произведено добрейшим автором по жестоким законам повествования.

Дюма-сын восторжествовал над гением отца, написав про любовь. Как бы то ни было, опять вне мастерства и сравнения о любви написать невозможно, а он написал, поставив себя через запятую чуть ли не после «Манон» и «Кармен». Только опере подвластна любовь. Так это опера и есть — «Травиата».

Ремарк — своего рода Дюма-внук, поженивший «Трех мушкетеров» на «Даме с камелиями». За что ему и поклон. При чем тут вкус и мастерство, если это все равно самые лучшие книги — для всех и навсегда?

Интересно, как прочтут «Трех товарищей» двадцатилетние, вернувшиеся из Афганистана, через тридцать лет после меня и нас? Ибо книге этой уже и не двадцать, как в мои пятидесятые, а все пятьдесят, как и нам, лет. Пусть это будет тогда ее юбилейное русское издание.

И мне кажется, что бесполые, как солдаты и дети, эти герои, три богатыря, три мушкетера, три товарища, готовые лишь к бессмертной, единственной и неповторимой любви, которой и быть не может (Бонасье отравили, Патриция умирает вместе с Виолеттой от чахотки, Алеша Попович все еще думает о ней, так пока и не встретив), — то есть готовые именно к самой любви, к обожествлению, а не к быту, обретающие рыцарский сюжет в постоянной битве во имя, а не для, герои эти всегда найдут отзвук в молодом сердце.

Ах, мы потом быстро изменили Ремарку! Он не шел ни в какое сравнение с Хемингуэем. Вот кто был мастер! Вот у кого и фраза, и диалоги! Мы стали старше и не желали оглядываться на заблуждения юности. Мы повышали *уровень*, не замечая, что нас равняет время.

Ремарк хорош уже тем, что написал «Трех товарищей» в сорок, а не в тридцать. В наши сорок мы бы их не написали, полагаю, что и не станем писать. На что мы разменяли наше чувство? Пальцем мы расковыряли железный занавес — и что же? Руки наши даже не в крови, а в ржавчине. Отшатнувшись от романтики официальной, мы стремительно и старательно отказались от собственной, с тем чтобы к старости отметить ее непройденность и непреодоленность, оказаться в насмешливых глазах внуков «неисправимыми», как всякое предыдущее поколение.

Литература — это еще и власть. Писать хорошо — это претендовать и захватывать, владеть чужой душой. Писать хорошо — в конечном счете не всегда хорошо. Писать похуже, предоставляя читателю свободу мастера, — тоже своего рода демократия. Три товарища бредут по страницам романа, как актеры без ангажемента (что сливается органично с мотивом безработицы), предоставляя читателю вольную возможность войти в их прозрачную оболочку. Каждый из нас разыграл эту роль, расцветив ее конкретными и выпуклыми чертами собственной индивидуальности, разыграл — и из нее не вышел. Кажущийся себе мир перерос в мир, объясненный себе, и другие приходят теперь — населить мир в той же последовательности.

Мы разбивались и собирались по трое, каждый оставался во главе угла. У тебя была первая и единственная любовь — у остальных двух ее как бы не было, как и у тех двух товарищей, которым не досталась именно Патриция, как и у мушкетеров, неспособных влюбиться именно в мещаночку Бонасье. Им, твоим двоим, оставалось лишь дружелюбно подтрунивать над твоими ребяческими чувствами. Это ты был герой и рыцарь, и это именно тебе доставался неповторимый со времен Ромео ореол. Вот тут и загвоздка — чувство или мастерство?

Чувство ведет писателя, не позволяя застрять ни на чем,

оставляя читателю его свободу. Свобода и роман суть синонимы. Роман не столько отразил жизнь, сколько повторил своею ненаписанностью нашу психологию восприятия жизни, в которой каждый из нас — главное действующее лицо, ради которого разыгрывают роли наши любимые, родные и близкие, ради чего мы и дружим.

Тут равенство культурного багажа молодит нас, порождает равенство и братство куда более подлинные. Мы демократичны, когда мы такие же и признаём за другим то же право. Это особенный вид единственности и исключительности — быть непринужденно, естественно равным. Инфантилизм ли это — не утратить подобного чувства к людям? Ремарк сохранился в своих окопах — до моих, а то и до ваших.

Другие герои населили для меня литературу позднее и, наконец, русские. Зощенко, Платонов, Набоков, Мандельштам — какое может быть сравнение! (Странно, однако: то же поколение, те же девяностые, тот же девяносто девятый у Платонова с Набоковым, что и у Хемингуэя.) Но вот, перелистывая забытый роман не равного им писателя, не различая ни одного из героев или персонажей, не узнавая страну и время (потому что ничто из этого не написано), — я понимаю, что в подсознании жив этот роман, переписанный собственной жизнью, и перечитываю я не книгу, а собственную жизнь, будто довелось мне случаем еще раз посмотреть трофейную киноленту — то ли «Тарзана», то ли «Индийскую гробницу» — все забыто — и все наизусть.

Тогда — мы поглядывали сквозь страницу романа на несуществующий Запад, ибо учебник географии (и при приподнятом занавесе) оставался единственным способом передвижения по миру, а школа была уже окончена. Странно, что география с ее соблазном других миров, давно законченная, пройденная человечеством наука, как бы ожила для юного сознания эпохи культа. Наряду с XIX веком пять частей света (за вычетом одной шестой) плавали в розовой романтике прошлого, словно там, в XIX, и плавали... И лишь у нас — шло, тянулось, простиралось хорошо вытоптанное время века XX. Европа, уж точно, отжила в прошлом веке, в нее и не простиралась мечта. Наша мечта счастливого детства скорее простиралась на Восток. И вдруг сквозь проковырянную дырочку в занавесе, сквозь ненаписанную страницу Ремарка, оказалось, все это время за занавеской жили. Старушка Европа жила все эти годы преступно живой жизнью! Читая Ремарка, мы совершенно не думали, что это тридцатые, нам казалось — сейчас. Нас не смущало немыслимое богатство владельцев бензоколонки и незнакомые марки вин. Мы населили предвоенную Европу в послевоенные пятидесятые воображением поколения, которого никто не ждал.

Итак, обращение, пластика, достоинство, вкус, стиль (выпивка и цветы), наконец, Европа... Не много ли для одной такой книжки? В мои годы она эту нагрузку выдержала.

И когда сейчас, получив запоздалую возможность повидать мир, я листаю «Трех товарищей» и пытаюсь увидеть тот Берлин, который я уже знаю, на его страницах я не вижу города, потому что он не написан, но ведь и находясь в самом Берлине, не так уж я могу теперь его увидеть, ибо место его занято Берлином, воображенным когда-то без всякого основания. Но я зайду (наконец-то) в ресторан к Роме, заверну на бензоколонку к Леше, обниму неприкаянного фотографа Леву — вон они, три товарища с Невского! Тот же жест, тот же взгляд, тот же сдержанный коктейль юмора и достоинства! Господи! Куда разнесли нас страницы на свой счет усвоенной книги, пока нам не выдавали по-прежнему следующей! Эмиграция, тюрьма, психушка, Нью-Йорк, а вот и Европа — питомцы первого вздоха в погоне за вторым...

Здравствуйте!

1989

Две заметки периода гласности
Спрашивают...

— Что дала писателю гласность?

Огрызаюсь:

— У нас бы ни один журналист не посмел мне задать такого вопроса.

— Почему? — незамедлительно спросит корреспондент западный.

— А вот потому.

Между тем здесь и располагается начало ответа на вопрос первый. Почему на пресловутом Западе, опередившем нас по всяческому уровню, от которого вы ждете в связи с этим и большей тонкости, вас озадачат вопросом куда более примитивным, чем на вашей недоразвитой родине? Потому что его интересуете не вы (а вы-то надеялись, что это связано с вашей славой...) и даже не то, что вы ответите, не то, как вы можете блеснуть или загнуть, — его интересует читатель, на которого он работает, он знает его вкусы и потребности, его заботит тираж. Он — профессионал, вы — нет, насколько бы лучше его вы ни писали. Его не колышет, понравится он вам или нет, сочтете ли вы его умным, — ему нужен материал, причем именно тот, который ему нужен.

На Западе есть массовый читатель, у них выработана так называемая media. Работа на нее приносит максимальный доход. У нас любая работа принесет доход, потому что самой работы не хватает. У нас еще нет «медии» — у нас читатель лишь широкий и узкий.

Или уже никакого. Вот это и есть достижение нашей

гласности, что от прежней жвачки он отказывается. Читатель начинает требовать того, что сам хочет. С этим приходится считаться. Гласность зарождает «медию». «Медия» порождает профессионализм.

Хорошо ли это? Кому как. Мне — не хорошо. Хотя я целиком «за». Как такой же гражданин, как все. Но не как писатель (уже не «как все»).

Потому что читатель наш растет сейчас и за счет литературы. Широкий поглощает в себя узкого. Вырабатывается новая форма, пусть и более цивилизованного, одичания. Кто читает сейчас наших великих классиков?

Скажут: некогда. А я скажу: не по силам.

Впрочем, и раньше признание их лишь объявлялось «признанием масс» с помощью юбилеев и монументов. Если бы таковое всеобщее признание (корень — знание) существовало, мы бы давно жили в другой, изумительной России. Мы в ней не живем, мы лишь решили еще раз начать жить по-новому, на этот раз — по-человечески, к чему нас одни лишь классики и призывали. Но от того, что общечеловеческие ценности в корчах пытаются появиться не на бумаге, а в жизни, наша духовная культура не станет более массовой. Потому что она никогда таковой не была. Потому что она — для человека (лишь демократически — любого), а не для демоса. Культура очеловечивает демос в каждом, а не во всех.

Эта традиция культуры, так полно выразившаяся в русской классике, никогда не была профессиональной, потому что никогда не была массовой.

Русский писатель мог писать, надеясь на деньги, даже ради денег, но за деньги он ничего путного не написал. Он мог дать недостижимый для профессионала образчик литературной продукции, но не мог, не хотел, но и не умел пустить этот образчик в производство. Промышленная литературная продукция всегда находилась у нас на столь же низком уровне, как и сама промышленность.

Поэтому наша литература столь резко делится на великую и плохую.

Это давняя традиция, исторические корни. Профессионализм поэтов XVIII века — это не гонорар, а карьера по службе (Тредиаковский, Ломоносов, Державин). Во всем первый, Пушкин стал настаивать на том, что литература может быть единственным занятием человека, много претерпел, внедряя это в сознание общества, но в нашем смысле слова профессионалом не был, ибо не мог обеспечить себя литературой, она всегда была лишь частью его доходов, а долги его покрыла лишь смерть. Однако он ввел в обиход «не продается вдохновенье, но можно рукопись продать». Это и по сию пору остается единственной возможностью русскому литератору слыть профессионалом, не теряя достоинства своего труда.

У нас никто не работал, как Бальзак или Диккенс, тем более как Дюма. У нас поэтому и романов не научились писать.

Скажут: Толстой, Достоевский... Но Толстой, хоть и написал в длину больше любого профессионала, совсем не за деньги писал. «Я всегда думал, что писатель пишет тогда, когда ему есть что сказать, когда у него созрело в голове то, что он переносит на бумагу. Но почему я должен писать для журнала непременно в марте или октябре, — этого я никогда не понимал». Это его слова. Достоевский — другое дело, ему были нужны деньги. Долгами он оправдывался перед коллегами за некоторую небрежность и неотделанность своего письма. Но денежные обстоятельства, столь мучительные для Достоевского-человека, были его способом извлечения сверхмощного, взрывчатого, прямо-таки атомного потенциала творческой энергии для осуществления все-таки замысла, а не заработка. Чтобы написать за месяц «Игрока», надо было сначала проиграться, а потом заловить себя в невозможность возвращения аванса. Так что и Достоевский не вполне профессионал. Но он, а потом Чехов — все-таки самые «профессиональные» из наших великих писателей. После них профессия писателя как бы утвердилась, то есть русское общество доросло до признания насущности этой профессии. Но тут революция еще раз поменяла порядок, и все настолько стало другим, что и профессия писателя, конечно.

Насильное социальное равенство породило профессионализм особого рода, так сказать, профсоюзный. Литература как занятие приравнялась к прочим интеллигентным профессиям, на уровне инженера, даже не артиста или ученого. Различие в заработке стало настолько незначительным, что качество или количество сделанного перестало быть рабочим принципом. Советские великие писатели опять перестали быть профессионалами, потому что работали уже не только не за деньги, но даже вопреки им, с угрозой не только нищеты, но и гибели. Таковы были лучшие писатели, как Платонов или Мандельштам. Нарождался «новый» профессионализм — официальный: писать то и так, чтобы понравиться власти. Попытки соблюсти этические и эстетические принципы, преподанные нам классиками, сначала не приводили к добру, а потом и к результату — культура была утрачена.

Идеализм в подходе к задачам литературы, однако, утрачен не был. Писатели по-прежнему делились на очень хороших и очень плохих, но уже более по идеологическому принципу, чем по литературному, не как художники, а как люди.

Борьба подменила собою искусство.

Лелеемые свобода, демократия и гласность казались счастьем точно так, как и любовь, не в практическом, а в недостижимом смысле. Запрет снимает ответственность. Что свобода и демократия оказались не благом, а работой, стало великой фрустрацией для нас, потому что мы обнаружили себя еще более несвободными, уже внутри, а не снаружи. То же — и гласность для писателя.

Если все можно, то что же нужно?

Если жизнь с течением времени (безусловно, достаточно долгого) станет более человеческой и нормальной, то окажется, что великая русская литература наконец сыграла свою роль. Какое же место займет наша литература в обновленном обществе? Ведь не исчезнет. Литература не исчезает, она вечный спутник жизни. Но наша литература настолько привыкла к великой и первой роли (хотя бы в идеале), что занять более спокойное место в ряду нормальных человеческих занятий ей будет нелегко. «Что бы я ни делал, даже если бы я таскал на плечах лошадей, все равно никогда я не был трудящимся!» — восклицал Мандельштам в «Четвертой прозе».

Поэтов с правом Мандельштама — один-два в столетие. Что же делать остальным? Неужто стать профессионалами, то есть уметь что-то произвести читабельное, удобоваримое, чистого качества, пользующееся успехом и спросом? А мы ведь так и не умеем писать романы.

Детектив наш безнадежен. С ужасом воображаю с развитием свобод появление порнографической литературы не потому, что она развратит народ, а потому, что у нее будет чудовищно низкий уровень.

Не знаю, чем мы будем кормить нашу нарождающуюся «медию», которую уже «на мякине не проведешь». Печь хлеб или повышать качество мякины?..

Неужто, не продавшись власти, начать продаваться Мамоне?

Как сохранить непрофессиональный принцип русской литературы? Я для себя уже не помыслю... Поживем — увидим.

Сказано: «Будет день — будет и пища».

*Нет ответа

Наверно, как всякий русский молодой человек, прочитав в юности несколько романов из великой нашей литературы, я отнес все это на свой счет, без дистанции и традиции, сличая неведомо откуда взявшийся (врожденный?) идеал с обступившей меня реальностью и, по мере опыта, не справляясь ни с чем душою, именно смысла жизни и не находил. Все остальное, кроме смысла, у меня, рожденного в Ленинграде 1937-го, по-видимому, еще было в качестве молодости и неоспоримого будущего. К двадцати семи годам в метро меня охватило такое отчаяние, что не только смысла, но и продолжения жизни не было. «Без Бога жизнь бессмысленна», — неожиданно сама собой произнеслась фраза, и, с удивлением повторяя ее, по ней, как по эскалатору, выбрался я из метро на свет Божий и до сих пор с грехом пополам (в буквальном смысле) живу.

---

* Вопрос был американский: «В чем смысл жизни и зачем мы здесь?» Ответ должен был быть упакован в сто слов. Не вышло. — А.Б.

Тогда же, в 1963 году, попалось мне наконец в руки Писание (я уже лет пять писал книги, и кто-то считал меня уже настоящим писателем... а я впервые читал! И это нормально было у нас...). И что же я, впервые, нараскрыв, прочитал?

ХОЧЕТ ЛИ ЧЕЛОВЕК ЖИТЬ?..

С тех пор вряд ли я задавался вопросом о смысле жизни. В ней нет ни материалистического секрета, ни идеалистической тайны. Жизнь равна самой себе — именно тот случай, когда о постижении смысла нет и речи. Смысла жизни, любви, смерти, красоты, поэзии мы никогда не узнаем, потому что они ЕСТЬ. Непознаваемость и есть в каком-то смысле самый общий закон жизни. Мы не узнаем, но повод — хорош. И, испытывая свой преувеличенный разум, мы хорошо пограбили в незримых сферах, куда более коммунистических и прозрачных, чем даже вода и воздух (в небесплатности и материальности которых мы вполне убедились именно в нашем веке). Проблема смысла жизни и порождена преувеличением наших умственных возможностей. Вера — единственная истина и редчайший дар. Без нее преувеличение грозит из обеих позиций: признает ли, отрицает ли человек существование Бога... Если признает, то непонимание (то есть неверие) ведет его так или иначе к идолопоклонничеству (обожествлению случайного или частного). Если отрицает, то он неизбежно примет частное за целое и случайное за закономерное, увлекшись логикой опровержения. Приходится признать, что чем убедительнее объяснение смысла жизни, тем оно и более частно. Принятое же как руководство к действию, оно ведет к идеологическим преступлениям.

Если мы не можем препарировать любовь и красоту (а можем лишь растлить), значит, они нам даны не для постижения, а для отражения. Не посягая на постижение Сущего, нам остается лишь один вопрос: что такое ЧЕЛОВЕК? В принципе и на этот вопрос нам не суждено ответить, ибо система не может определить самое себя. Но мысль о назначении не только соблазнительна как мысль о смысле. Не приводя к решению, она ВЕДЕТ человека по пути жизни. Свобода выбора, дарованная нам в отличие от остального живого, есть задача, а не возможность. Без Творца тут не обойтись (хотя бы как гипотезы). Сознание, данное нам для постижения, мы пустили в ход как инструмент. Мы сеем и не пожинаем, не дожидаясь урожая, перекапываем даже собственные посевы. Какой урок еще может остановить человека на пути самоистребления? Человек жаден, слаб и не способен остановиться. Но! Если оглянуться на то, что останется от него кроме насилия и разорения живого, то диву можно даться, любуясь этим редкостным жемчугом самопожертвования, проявленного в любви и искусстве. Человек в истории так или иначе подтверждает свой образец — ПО ОБРАЗУ И ПОДОБИЮ. Человечество, может, и подряхлело, но Человек, быть может, всего лишь юноша.

Перестав ломать голову над смыслом жизни и всю жизнь ломая ее над тем, что такое человек, я однажды дочитал до конца фразу, так поразившую меня четверть века назад:

ХОЧЕТ ЛИ ЧЕЛОВЕК ЖИТЬ
        И ЛЮБИТ ЛИ ДОЛГОДЕНСТВИЕ, ЧТОБЫ ВИДЕТЬ БЛАГО?
Любит ли долгоденствие...

(Из книги «Мы проснулись в незнакомой стране»)

1990

Пушкин — русский европеец*

Существует пушкинский язык, и существует Пушкин как язык, потому что во всех случаях, когда мы хотим показать свою принадлежность к мировой культуре и цивилизации, у нас почти нет опыта, кроме опыта Пушкина. Интересна вот какая вещь — для нас, русских, Пушкин неоспоримо самая мировая фигура. Но странно, что Пушкин, несомненно преодолевший любые виды узкой национальности и провинциальности и очевидно сопоставимый с фигурами Шекспира и Гете, не является таковым же для всего мира. И это очень удивляет русских людей. У нас, особенно во времена застоя, модным было обсуждать мировое значение той или иной русской фигуры. Чем общество было закрытее, тем больше оно почему-то думало о своем мировом значении. А мировое значение — это то, что объединяет с миром, то есть никак не может быть связано с какой-то формой закрытости. Пушкин в одной своей жизни, в одной своей деятельности сумел открыть русскому народу именно мировое пространство, дать мировое самосознание. (Но тут нет обратной связи, связь односторонняя.) Поэтому, говоря о мировом значении Пушкина, мы наконец ничего не преувеличиваем и не приуменьшаем. Если мы можем себя ассоциировать с европейской культурой и цивилизацией, то лишь благодаря Пушкину. Ну а поскольку у нас в эпоху закрытости и помпезности мировое значение понималось как мировое распространение, то это привело ко многим ошибкам в представлениях о том, что есть Пушкин *для нас* и *для них*.

---

* Выступление на конференции содружества европейских интеллектуалов «Гулливер» 26 мая 1990 г. в Санкт-Петербурге. — *А.Б.*

Я расскажу об одном опыте, который мы проводим вместе с моим другом художником Резо Габриадзе и осуществить который помогают нам Мария Васильевна Розанова и Андрей Донатович Синявский в собственной типографии в Париже. Наш эксперимент — на тему «Каким был бы Пушкин как европеец».

...Это, конечно, жестокость не советской власти, а какой-то давней русской традиции — отрезать действительно мирового, европейского человека от Европы, от мира и от культуры. Пушкин, по современной формуле, — «первый наш невыездной». Но и его культура, и его знание языков, и его внутренний духовный опыт в огромной степени распространялись на всю Европу. Когда мы награждаем кого-то сверхславой, как-то автоматически перестаем этих людей жалеть — это человеческий закон. Пушкин создал вокруг себя такой миф гармоничности, легкости, света, что нам довольно трудно представить его, допустим, физически страдающим. Некоторые страдания мы сами испытываем, читая о том, как ему было больно от раны перед смертью. Но и то забываем. И потом, мы испытали на своем советском веку так много страданий, что считаем это нашей прерогативой и что, кроме нас, никто в мире не страдает. Однажды в Испании, в автобусе я был свидетелем того, как девушка объяснялась со своим любимым человеком, шофером, и рыдала. Я помню, для меня это был абсолютный шок: «О чем плакать? Она же в Испании!» Это нелепо, но это нас характеризует, и я думаю, наше отношение к Пушкину носит такую же греховность, в некоторой мере. Почти каждого из нас однажды не пускали за границу. И, наверное, это было очень крутым переживанием, но почему-то для нас Пушкин выше такого рода переживаний. Я еще не провел окончательного подсчета, сколько раз Пушкину отказали, но, полагаю, не меньше дюжины. Так возникла идея этого небольшого эксперимента.

Мы пережили одну эпоху, другую, стали 50-летними, и нас начали выпускать. В это же время Резо Габриадзе стал увлекаться рисунком тушью, и что у него стало великолепно получаться — так это Пушкин. Конечно, его учителем рисования был сам Пушкин. Некоторую неловкость мы испытали, когда один из нас ехал в Америку, а другой, кажется, в Италию и при этом обсуждали рисунки на тему Пушкина для другой моей книги. Я вспомнил, что Александр Сергеевич так нигде и не побывал, а мы ездим... И я сказал Габриадзе: рисуй всюду Пушкина, раз он у тебя так хорошо получается. Рисуй его в Нью-Йорке, в Мадриде... Он привез великолепные графические листы, и мы стали думать, что с этим делать. Думая про Пушкина и его несостоявшиеся заграничные путешествия, я решил написать какой-то манифест, перефразировал шутку моего друга Юза Алешковского («Свободу членам Политбюро!») и назвал этот манифест «Свободу Пушкину!». Он имеет не только «выездной» смысл, поскольку визу мы дали Пушкину с легкостью, но и смысл освобождения из того заточения в монумент, в официоз, которому Пушкин оказался подвержен на протяжении хотя бы нашего века.

Первая книжка вышла с помощью Марии Васильевны Розановой, и я вспоминаю это событие как единственный раз в жизни пережитую свободу печати. Потому что все время думаешь: «напечатают — не напечатают» и сколько вырежут, и весь этот комплекс никакого отношения к свободе печати не имеет. Кстати, до сих пор не могут отличить свободу слова от свободы печати снизу доверху, а это разные вещи. Но в данном случае нам хотелось думать не только что, но и как мы напечатаем, мы нашли единство текста и рисунка, единство полиграфии, но выполнить это на нашей базе просто невозможно. Мария Васильевна — женщина с внешним рисунком большой суровости, и отнеслась к моим предложениям вначале довольно холодно. Ну, я решил, что больше не следует надоедать. Случай перестройки свел нас с Резо Габриадзе в Париже, у нее в доме. И мы ничего не говорили об этом замысле, ни разу не упоминали. И вдруг Мария Васильевна сказала одну-единственную фразу. Я понял, что есть профессионал в этой жизни, как мало я их видел. Она сказала: «Значит, так. Книжка у вас будет легкая. Обложка мне нужна тяжелая». Мы не произнесли больше ни слова — Габриадзе сел рисовать «тяжелую» обложку, а я сел писать манифест «Свободу Пушкину!». На следующий день мы держали в руках самую красивую книжку в своей жизни, напечатанную тиражом 100 экземпляров. Эта книжка открыла серию «Пушкин за границей», и первый выпуск называется «Пушкин в Испании».

Пушкин скачет у Габриадзе на лошади, нюхает розы, встречается в Испании с Гоголем, который, конечно же, приехал за очередным сюжетом из Италии, а Пушкину уже надоело давать ему сюжеты. Пушкин делает вид, что не узнает Мериме, потому что все еще не может ему простить надувательства с «Песнями западных славян», и т.д. И также я поделился своими впечатлениями о реке Гвадалквивир, которая поразила меня своей «узиной». Мы-то все знаем Испанию по великому стихотворению Пушкина, где «шумит, бежит Гвадалквивир». В нашей книге ничем не смущенный Пушкин перепрыгивает Гвадалквивир, что ничуть не мешает ему быть автором удивительного испанского стихотворения.

Дальше работа была сложнее, потому что мы захотели сделать книжку «Грузия как заграница». Ведь и для нас всех в СССР долгое время Грузия и была этой единственной заграницей, для поэтов особенно. Грузия, с помощью Пушкина, Лермонтова и Толстого, стала какой-то частью нашей ментальности, нашей духовности и культуры. И в то же время заграницей. То есть это должно было быть продолжением комплимента Пушкину, а заодно комплиментом и благодарностью Грузии. Но на этот раз ничего нельзя было выдумать, потому что в Грузии Пушкин бывал. И когда я начал писать такое же маленькое вступление к этой книге, то обнаружил, что оно гораздо серьезнее первоначальной метафоры: Грузия не только *как* заграница, Грузия и *была* его единственной заграницей. Это видно даже из его «Путешествия в Арзрум», ибо все то, что должно было привлекать его внимание автора «Кавказского пленника» (и что он видит впервые, надо сказать) — все это не привлекает никакого его внимания. Его не привлекает ничто, кроме свободы, которой он надеется достичь, доехав до Тифлиса. Не все себе представляют, хотя это очевидно, что автор «Кавказского пленника» до той поры Кавказа не видел. И наконец, спустя почти десять лет после написания «Пленника», он обретает эту возможность — еще один довод в пользу воображения, потому что материал его не интересует. Он вполне замещен воображением! Действительно, зачем ему интересоваться Кавказом, когда он уже его написал, правда?! Он же не будет его переделывать...

Кстати, в эту единственную заграницу он попадает без всякого разрешения. Хотя виза туда не требуется, но ему не позволено ехать. Перед этим он активно просится в Париж, в Италию, даже в Китай — лишь бы куда-нибудь. Он получает всем известный ответ через тайную полицию о том, что как дворянин он может уехать, но император будет огорчен. И тогда он без всякого разрешения убегает в Грузию, потому что все-таки это не является таким грозным нарушением и не пахнет Сибирью...

Поведение Пушкина в Грузии, по свидетельству тех, кто его там видел, удивительно напоминает поведение первого выездного, попавшего в другую страну, — даже на нашем собственном опыте. С единственной разницей, поскольку это все-таки Пушкин: наш выездной всего боится, а Пушкин перестает бояться чего бы то ни было. Местные жители, которые понятия не имели о величии его поэзии, запомнили его до конца собственной жизни по тому, что он все время менял шапки, все время ходил в обнимку с какими-то странными людьми, ел груши на улице, что неприлично, и т.д. По воспоминаниям этим можно судить, что они впервые видели такого свободного человека. Вот еще замечательное отличие Пушкина от нас. Мы ведь свободу обретаем очень тяжелой работой и с небольшим успехом. А в нем свобода настолько была, что стоило чуть-чуть приоткрыть клетку, как она заполняла сразу все пространство. Вот этот его грузинский опыт был единственным опытом свободы, которая приобретается при пересечении границы.

Когда он возвращается, наблюдается поразительная симметрия с отъездом. Его ждет некоторое письменное порицание за самовольную отлучку. На что он, как всякий свободный юноша, отвечает очень интересно: не извинением, а новой просьбой за границу, и снова в Париж. Ну, конечно, полные возмущения власти в очередной раз ему отказывают. Тогда он просится в Полтаву — и автора поэмы «Полтава» не пускают в Полтаву, так же как автора «Кавказского пленника» не пускали в Грузию. Так что из пределов России он не выбирается. Сам он лучше всего написал об этом в «Путешествии в Арзрум» — как во время военных действий пытался хотя бы физически попасть на территорию Турции: «Я весело въехал в заветную реку, и верный конь вынес меня на турецкий берег. Но этот берег был уже завоеван — я все еще находился в России».

А следующее путешествие Пушкин предпринимает у нас уже в Париж. Для того чтобы его провести по Парижу, понадобился Александр Дюма как сопровождающий его друг. Для нас Пушкин не погиб на дуэли и они с Дюма вполне могли стать друзьями, потому что мы любим обоих. Их дружбе может быть несколько объяснений: скажем, оба обладали совершенно гениальными характерами или у них дедушки негры... И вот эти два друга, по меркам XIX века почти старика, замечательно проводят время в Париже, хвастая один перед другом подвигами своих черных дедов и некоторыми собственными романтическими похождениями на том же Кавказе. Например, один из рисунков Резо Габриадзе — это сплошная черная ночь, в которой сверкает множество медалей. Для того чтобы ночью можно было различить генерала Дюма, его все время приходилось награждать...

Это, казалось бы, совсем счастливая маленькая шутка, но и она, как только я начал писать, опять обернулась трагедией. Ведь в Париж он просился всегда и всегда называл Париж первым. Найдено около 150 упоминаний слова «Париж» в пушкинских текстах, и они в принципе двух родов. Начиная с самого первого, когда он гордится вхождением русских войск в Париж в 1815 году, кончая самым последним, уже осенью 1836-го, когда он вспоминает все то же вхождение русских войск в Париж. А в промежутке — бесконечное воспаление чувства Франции, Европы в надежде, что, может быть, он туда попадет. И после каждого отказа — очень серьезное поправление взглядов на Европу. То необыкновенно коленопреклоненный европеец, то совершенный жандарм Европы — все время эти колебания видны. То есть в зависимости от позиции можно было бы надергать из пушкинских цитат либо одно, либо другое направление. Но это было бы неправдой, потому что перед нами Пушкин, а он не столь гармоничен, сколько ничего не избежал. У него дисгармония приведена в гармонию, а не вычтена как беспорядок из мира... И между левой позицией и правой позицией помещается не что-нибудь, а личное оскорбление свободного человека властью. Я думаю, это объясняет многое в нашей жизни: мы оскорблены, и тогда мы бываем правы — в самом правом смысле слова.

У меня под рукой только одна цитата, но таких цитат можно бы найти много. А здесь просто письмо ближайшему другу, писанное в день рождения, когда Пушкину исполнилось 27 лет. Он не любил своих дней рождения, но, по-видимому, какие-то итоги подводил. Вот что пишет из Михайловского 27-летний человек, все еще ожидающий разрешения вернуться из ссылки в столицу, по поводу приезда Лансело — это один из тех французских литераторов, которые время от времени посещали Россию и были встречаемы с большим почтением.

«Читал я в газетах, что Lancelot в Петербурге, черт ли в нем? читал я также, что 30 словесников давали ему обед. Кто эти бессмертные? Считаю по пальцам и не досчитаюсь. Когда приедешь в Петербург, овладей этим Lancelot (которого я ни стишка не помню) и не пускай его по кабакам отечественной словесности. Мы в сношениях с иностранцами не имеем ни гордости, ни стыда, — при англичанах дурачим Василья Львовича, пред M-me de Stael заставляем Милорадовича отличаться в мазурке. Русский барин кричит: мальчик, забавляй Гекторку (датского кобеля). Мы хохочем и переводим эти барские слова любопытному путешественнику. Все это попадает в его журнал и печатается в Европе — это мерзко. Я, конечно, презираю отечество мое с головы до ног — но мне досадно, ежели иностранец разделяет со мною это чувство. Ты, который не на привязи, как можешь ты оставаться в России? если царь даст мне свободу, то я месяца не останусь. Мы живем в печальном веке, но когда воображаю Лондон, чугунные дороги, паровые корабли, английские журналы или парижские театры и блядей — то мое глухое Михайловское наводит на меня тоску и бешенство. В 4-й песне «Онегина» я изобразил свою жизнь; когда-нибудь прочтешь его и спросишь с милою улыбкой: где ж мой поэт? в нем дарование приметно —

услышишь, милая, в ответ: он удрал в Париж и никогда в проклятую Русь не воротится — ай да умница».

Чтобы понять, что нас оскорбляли, а не то что мы не любили Родину, надо помнить опыт Пушкина.

Усталость паровоза
(Записки начинающего язвенника)

«Усталые, но довольные, возвращались пионеры домой».

Сейчас не до конца понятно, чем эта фраза из школьного учебника русского языка так веселила нас. Не помню уже и чему она нас учила: может быть, ставить запятую после слова «довольные». Но она стала школьным присловьем и застряла в сознании всего поколения.

«Усталые, но довольные...» Сейчас эту фразу как бы не к чему приложить. Даже как бессмысленная она устарела, не успев утвердиться пословицей, испарившись в одной лишь иронии. Вроде как в советских сборниках пословиц на глазах устаревали, а потом и исчезали пословицы типа «Курица — не птица...» или «Моя хата с краю...». По-видимому, исчезла сама хата. А теперь и курица.

«Усталый, но довольный» бессмысленно, как «голодный и веселый». Потому что не обеспечено. В первом случае — работой, во втором — свободой. И очень не молодо.

Уныние — это грех. Утомление — то же уныние. «Приступ старика», по выражению Пруткова, есть признак порока. Когда молодость и старость перестают быть возрастом и становятся чертою характера — это обозначает душевное нездоровье. Причем более общественное, нежели личное. «Дернешь за веревочку — дверь и откроется...»

За дверью, однако, волк.

Лет двадцать тому, усталые, но довольные, вошли мы с автором песни «Товарищ Сталин, вы — большой ученый...» в ресторан Центрального Дома литераторов и, голодные, но уже веселые, заняли столик. Друг мой, гений контакта, обреченный именно этим на свое одиночество, человек с абсолютным слухом, то есть повышенной реакцией на фальшь, ложь, всяческую ненорму, пользовался в силу этого дара той прекрасной русской живой речью, которой нельзя пользоваться в общественных местах. Ему, однако, было можно. Он был из тех редких, кому с удовольствием позволяют и то, что не разрешают себе. Короче, он был любимцем публики для тех, кто его знал, а знали вокруг его все. Однако рядом оказался человек не нашего круга. Был он членом правления вышеупомянутого Дома, процветающим юмористом, мастером положительного фельетона. По-видимому, чувства юмора ему не хватило, чтобы вполне насладиться блеском устной речи. Он ел куриную котлету под названием «ЦДЛ». И вот он со звоном отбросил вилку и нож и громко так, с повышенным правом на это, возмущенно произнес на весь зал: «Работаешь, работаешь, устанешь, придешь в СВОЙ дом отдохнуть и слышишь вот такое безобразие!» Друга моего прямо так и подбросило, будто он катапультировался вместе с креслом из-за столика. Он подскочил к уважаемому товарищу, вне себя от. Скандал был неизбежен, неотвратим. Но вот что с гневом произнес мой друг: «Ну что ты такого, падла, написал, что ТАК устал?..» Неожиданность постановки вопроса и знание окружающими специфики литературного труда разминировали ситуацию. Все разрешилось смехом. Бедный юморист снова поднял вилку и нож, но на этот раз чтобы бесшумно и аккуратно опустить их на скатерть, встал во весь рост, а был он на полторы головы выше моего друга, и, потупившись и не произнеся больше ни слова, покинул зал, оставив недоеденную котлету.

История эта возмутительна и поучительна. «Что ты такого написал, что так устал?»

Я — ничего, а вы?

Сейчас, когда причину и источник нашего переутомления можно почти беспрепятственно разоблачать и клеймить, мы, можно сказать, лишились нашего оправдания и опоры. Потому что, теперь уже, имеем дело не только с ними, но и с самими собой. Переход этот, данный нам в ощущении, оказался нелицеприятен. Их сторона не была в нем заинтересована, наша оказалась не подготовлена.

«Я слово позабыл, что я хотел сказать...» — писал молодой Мандельштам. Тайну сменил запрет, и нам уже не давали сказать слово, которое мы хотели. Пусть и не Бог весть какое, зато мы его помнили и, как могли, не забывали. Сейчас, через пять лет, мы забываем слова, которые уже произнесли. Переев запретного плода, мы не познали. Зато невинности уже нет. Я слово позабыл, что я уже сказал.

Склероз? Невроз?

«Но паразиты — никогда!»

Была такая облигация периода индустриализации: по пышной ниве ползет комбайн, по шоссе мчится автомашина, над нею, накрест, по эстакаде проносится поезд, над ними обоими пролетает аэроплан. Иерархия техники налицо. «Всё выше и выше и выше стремим мы полет наших птиц...» Однако центром тяжести картины является все-таки паровоз — он тяжел, неумолим, ветер, обтекающий его, материален, инерция грозна. «Наш паровоз вперед летит, в коммуне остановка...»

Паровоз — конечно. Он был самой могущественной техникой. Он перевозил эшелоны на Восток. Было такое подарочное издание, посвященное нашим достижениям в связи с 60-летием вождя. Оно открывалось перечнем нашего места в мире по различным отраслям. Преимущественно мы занимали второе, иногда третье и даже четвертое (что поразительно, по сравнению с 20-м, 30-м и 40-м местом в 1913 году), но первое место мы занимали одно — по производству паровозов. Это поразило мое школьное сознание. Почему именно по паровозам? Я и сегодня нахожу лишь одно возможное объяснение: в 1939 году мир производил уже не паровозы, а тепловозы. Да и как можно было без него, раз он вез в коммуну?

Я помню, я люблю его до сих пор, отпыхивающегося на полустанках, пока бежишь за кипятком. Его могучий шатун, его басовитый гудок — такой довезет! Пристанционная зима исчезает в клубах его пара. Николай Рубцов впоследствии описал именно этот паровоз как некое апокалиптическое порождение техники, несущееся на всех парах к пропасти. Неописуемый страх перед неизбежным крушением как раз хорошо описан поэтом. Заключение, однако, мудрое, исполненное веры:

Но какое может быть крушенье,
Если столько в поезде народу!

Крушения пока не произошло. Произошла остановка.
То ли паровоз сломался, то ли топливо вышло.
Слава Богу, мы не доехали до станции назначения.

Стоим, однако, в поле. Земля вокруг — ничья, то ли государственная, то ли колхозная, засеянная одним лишь Господом, то есть васильками да ромашками. Мы рассыпались по насыпи, порезвились на воле после тесноты теплушки, собрали букет, сплели венок. Кушать, однако, хочется.

Деревня раскинулась на отдаленном пригорке. Без признаков жизни. Как ей и положено. И вдруг — крик петуха...

С петухом у меня издавна что-то не то. Мне страшно. Мне каждый раз по-настоящему страшно, когда я его слышу.

Хочется как-то истолковать природу этого детского страха. Что тут такого страшного, в петушином крике?

Сегодня в нем — одна ностальгия да поэзия.

А может, и поэзия достаточно страшна?

Потому что очень уж страшно себя вдруг обнаружить. Именно вдруг и именно себя — сейчас и на этом самом месте.

Крик петуха — внезапен, он — застигает. А ты в этот момент и не сам, и не там, и не тогда. Ты вчера или завтра, ты не в реальности.

Почему, кстати, протестанты петушком крест заменили в своем протесте, в своем стремлении обрести реальную, а не условную веру?

Конечно, будь я деревенский, кричи он у меня под ухо каждое утро и долгие годы, может, и не было бы у меня к нему такого отношения. Честно говоря, давно я уже его не слышал. Может, и ему надоело? Может, его и впрямь не стало почти? А может, экологическое уныние заедает не одного лишь человека и ему уже и кричать неохота?

Когда я в последний раз его расслышал? Тому десять лет, в центре, причем Москвы. Переехал я тогда на Краснопруд-

398

ную улицу. Краснота в ее имени от XVII века, а не от семнадцатого года (чего я тогда еще не знал). Дом-башня, из последних сталинских, проект не доведен до конца: баб на крыше не успели возвести — постановление об украшательстве вошло в силу. Понравилось мне мое новое жилище! Долго не мог я уснуть в первую там свою ночь. Отблески Казанской железной дороги бороздили потолок, и носился над близкими путями вольный ночной, неконтролируемый, усиленный мегафоном мат (мол, куда подаешь состав и т.п.). Едва смежил я свои усталые городские веки, как тут же оказался разбужен на морозном рассвете — чем бы вы думали? Криком петуха и колокольным звоном. Шел восьмидесятый год — это было немыслимо, чтобы колокольный... Но — так. Наверно, был праздник. Наверно, в Елоховской разрешали по праздникам...

Праздник это и был. Я лежал и думал вполне реально, что вот так, враз, и — СЛАВА БОГУ (а не чему-нибудь другому). Думал я, что все, что было, дурной сон, и вот я проснулся и — все на месте.

Но — петух! Скучно мне было потом узнавать, что один чудак (недождавшийся, а деятельный!) завел его в центре Москвы на балконе.

И это, конечно, уже не был страх петуха. Это была мечта о нем. Та самая, что охватила нас всех лет пять тому, да так и позволила ничего не сделать, от этой сказочной веры в одночасье.

Ни во что, кроме чуда, мы не верим. Бог — ведь это не чудо, а единственная реальность. Легче поверить в черта, из-за небывальщины его рогов и копыт, легче и в коммуну поверить.

Счастливая, бессмысленная улыбка блуждала по моему тогда лицу, как последний пельмень в кастрюле. Я уверовал тогда в конец за пять лет до того, как он начался.

С тех пор я его не боюсь, но и не слышу.

В чем же состоял предыдущий страх? Смыкание мгновения? пространство, время и я в одной точке? — сегодняшнее, слишком философское объяснение. Может, что-то невспоминаемое? Скажем, первые фашистские налеты в Любытине, где я пребывал в детском садике летом 41-го впервые в разлуке с мамой? Может, там кричали по утрам петухи во все свое довоенное горло? Ленинград и мама были уже отрезаны от меня, и быть бы мне теперь нежившим или немцем, кабы не чудо, воссоединившее меня с мамой, о котором здесь долго рассказывать...

А может, наше послевоенное отношение к деревне? Я запомнил его как необсуждаемое, необъясненное, а теперь и необъяснимое. Мы, блокадники, голодные жители коммуналок... откуда это пренебрежение, это свысока, будто господа?.. это ощущение сосущей тоски и скуки от одного упоминания? это пренебрежительное «деревня» к кому-то не так одетому (а как мы-то сами были разнаряжены в сороковые?..), неловкому, не знающему, как пройти или проехать, окающему или акающему? Не запах ли лагеря замирал в дверях квартиры, того лагеря, о котором, поди, взрослые пытались не думать каждый свой полубожий день, глядя на эту, с бидоном и алюминиевой кружкой, в ватнике, платке и сапогах? и сестры Федоровы им по радио не нравились, и Русланова — а больше и не было никого.

Вот и не кормит нас больше деревня. Не хочет. Не может. Даже не умеет.

Вдруг петух кричит — как не вздрогнуть. Откуда?

Не трясет ли этот петушиный крик не только одного меня, автора, в виде заблудшего исторического мальчика? а всех, весь верховный зал, всю власть. Легче, конечно, отдать землю в Гренаде.

Петух — не только первый будильник. Его — и *пустить* можно.

Страх.

Не получается текст. Разучился. Как все, вместе со всеми. Все кончилось. И пафос. И праведный... И критика. Ирония иссякла вместе с человеческими ресурсами.

Бессонница. Голодные боли. Это такая боль, вроде как и не боль. Вроде как жрать хочется и одновременно противно даже подумать. Сосет. Почему-то под ложечкой. Хотя никто толком не скажет, где у тебя ложечка. Ложка-то у меня есть — холодильник пуст. Голодная боль вроде мозговой. Мозг, говорят, не чувствует боли. Но — голодная боль и в мозгу. Не оттого, что об еде думаешь, а оттого, что никак ничего не додумать, никак даже не понять, о чем додумать.

И вот, хрен уснешь. Несытый хуже голодного. Я ли не помню, что такое голод! Только что от банкета отказался. Приглашают — не могу, говорю, нет сил никого видеть. «Это ты по заграницам переездил», — говорят мне. Удивила меня постановка вопроса, но остался я тверд — не поехал, решил вот этот текст дописать. Не идет.

Спать — тоже не получается.

Голодные боли.

Язвит все. Да что же это все так не в радость? Ведь свобода! Почти. Не только долгожданная, но и никак при жизни не ожидаемая уже? И разве плохая прожита жизнь? Разве мне сейчас плохо? Грех один. Вот картошка есть, вот луковицу нашел, вот постного масла на донышке хватит.

Набуровил я это все вместе, с великим азартом. До чего же вкусно!

От деловитости этой, что сам себя накормил, вдохновился, что бы еще такое же полезное сделать... Например...

Я все собирался письмо читательское послать в желтую нашу прессу, в «Огонек» там или «Московские новости»: мол, что такое, на таком-то году перестройки, когда даже ждановские постановления уже отменили... а я советское издание, прошедшее не существующую уже цензуру, по нашей советской почте послать не могу?

Интересно не то, что бы мне на это ответили, а то, что я такого письма до сих пор не написал и не послал. Пять лет уже.

Может, сейчас написать?

Когда все у нас началось, вся эта пятилетка, я не на шутку размечтался. Мою не тренированную гражданскими и хозяйственными заботами голову нет-нет да и посещал прожект: а почему, собственно, так уж нереальный?.. например, поставить памятник зайцу на том перепутье в Михайловском, где Пушкин свернул назад от неумолимости Сенатской площади... или, дальше, сам памятник Пушкину назад через улицу перенести и развернуть, как ему стоялось... ну, и Гоголя заодно на прежнее место и в прежнем виде... Напечатать и выдать каждому на руки по листовке «права-обязанности милиционера», чтобы не только мы, грешные, но и милиционер знал, чтобы все стояли друг напротив друга, закон и нарушитель, и читали друг другу нараспев, как стихи. То же и Уголовный кодекс массовыми изданиями на каждом углу, чтобы не было больше так, что незнание закона не оправдывает преступника. То же и в таможне, чтобы ясно было написано, что можно, а чего нельзя и какой за что налог. Но и тут я так и не подымал свой слабый голос, потому что чувствовал уже, что глупо как-то: страна *такие* вопросы не может решить, а я тут со всякой мелочью. Тут землю крестьянину никак не отдать, а вы...

Бывали у меня и более крупномасштабные *соображения*: например, самогонщиков не сажать, а назначать руководителями небольших производств, бригадирами разного толка: все-таки хоть один процесс от начала до конца знают, могут пройти немыслимый для нас путь от сырья до продукта. Или сэкономить народные деньги на мемориале — отвести под него уже готовое, исторически вызревшее место — Мавзолей. Или...

Раз в свое время не написал в газету, сейчас зачем?

Много у меня бывало соображений, только и Манилова из меня не вышло — ни одного из прожектов я иначе, чем привык, иначе, как на кухне, не высказывал.

И это я не восстановил кресты на церквах, я не напечатал Солженицына, я не разрушил берлинскую стену.

Зато устал, как все.

Устал, как паровоз.

Луковицу не надо было. Луковицу, говорю, не надо было! Это уже не голодные, а боли.

И снится мне.

Снится мне заграница. Такая уже исхоженная, объезженная, повседневная. Выходим стайкой с какого-то симпозиума. Попадаем в зал, вроде ресторации. Или, как в Европе бывает, многофункциональное пространство — зал для заседаний преобразуется, по мановению и мгновению, в необозримый шведский стол. И окна прозрачнейшие, стрельчатые, от пола до потолка, и скатерти крахмальнейшие, и сервизы неразграбленные. И всего, всего, всего!.. А мы еще не сразу приступаем к делу, вроде как и не проголодались, вроде как и не время еще, вроде это, может, и не для нас. Но вот мой друг так независимо и вовремя соображает, что эту курочку он, пожалуй... я рад его сообразительности и готов последовать его примеру, но курочка была то ли одна, то ли последняя. В общем, я именно ее тоже хотел, а ее уже больше нет. Тут другой мой коллега нацеливается на соседнюю индюшечку, но — колеблется: не очень она ему нравится, и я с ним соглашаюсь и индюшечку тоже пропускаю. Тут сразу несколько в очередь за еще блюдом, я за ними в хвост — а они всё разобрали. Я назад к индюшечке, а ее как раз официант уносит, как невостребованную вроде. И вот полно вроде всего было, а вдруг как-то вмиг рассосалось: ни блюд, ни коллег. Я боковым зрением остатки кое-какие на периферии примечаю: салатик там, бутербродик. Успеваю. В одной руке салатик, в другой бутербродик, но это уже переход от шведского стола как бы в другое пространство — там уже столики и за ними люди, такое бывает в европейском пространстве, чтобы и то и другое вместе, но я уже как-то нелеп с этим хозяйством в руках, хотя никто, конечно, на меня укоризненно не поглядывает, но как-то чувствую: не то я делаю. Я напяливаю на себя улыбку и тут понимаю, что на мне кепка, совсем я про нее забыл и как-то не заметил, а тут люди за столиками сидят, европейцы. Я кепку с головы-то сдернул, тут-то у меня бутерброд и выпал, я кепку под мышку, наклоняюсь непринужденно за бутербродом, тут-то салатик и соскальзывает на пол. И все это совершенно в порядке вещей, то есть никакой суеты, что я что-нибудь не так сделал: да ради Бога и пожалуйста, и даже вроде как правильно мне самому никакого внимания на эту неудачу свою не обратить, — но все-таки кто-то видит мое смущение и просто сочувствует мне как бы в том смысле, что пустое и не обращайте внимания. Тут и некоторые другие обращают на меня гуманистический взор, но мне вдруг и жалость какая-то в этом их «человеческом» мерещится, и я почему-то объясняюсь: что все это от слабости, что слабость у меня с утра непонятная, — а тут гарсон с бутылкой, обносит столы, разливает желающим. Мне налейте, говорю я независимо, стоя над своим салатом. Он мне тут же рюмочку, без слов. Кто-то мне, без всяких обиняков и намеков, говорит, что поберечься бы мне, раз слабость, а я ему с вызовом, что я не пил вчера, если уж так. В общем, досада, а тут еще кепка из-под мышки опять сыпется, когда я рюмку чего-то такого изысканно-отвратительного, вроде сухого шерри, заглатываю. Вокруг никаких уже салатов и бутербродов для восполнения утраты не осталось. Я ретируюсь поспешно к буфетной стойке, за которой всевозможные десерты. Выбор богатейший, и надежда конечная: хоть здесь чего-то съем, голодную боль как-то загашу. Официант мне тут же почему-то, лишь поймав мой взгляд, предлагает некое гигантское бланманже, причем одну вазочку ставит на другую, прямо ножкой придавливая кондитерскую красоту, а во вторую еще третью. Я ему говорю почти по-английски, что мне столько не надо, и сейчас уже не могу вспомнить, было ли при этом соображение о счете в конвертируемой валюте или не было, но он тут же соглашается со мной и сливает все три в одну большую вазу, вроде как испорченное. Отчаяние мое уравнивается с голодом, я хочу бежать, спрашиваю, сколько с меня, а мне говорят, что за все заплачено. Я благодарю и роняю кепку. За все заплачено — и не поел! Ничего не получается! Как же так у меня ничего не получается! Да это же болезнь! — осеняет меня.

Я просыпаюсь от этой мировой славы и голода.

Я болен, это болезнь, вот это именно и болезнь! — пульсирует во мне. Сегодня 27 ноября 1990 года. Мне ровно пятьдесят три с половиной сегодня. Еще годик протяну — и переживу и дедушку Ленина. Пора кончать и эту книжку.

Художественно хотел кончить, с петушком на коньке. Кончаю же проще, в ситчик.

Переел. Художественности, правды — всего этого переел.

Недоедал — забыл, а вот переедал — помню. Например, в шестьдесят первом в Забайкалье кончили мы сезон, вернулись с поля, просидев три месяца на пряниках и гидрокурице (треска в томате), и выдали нам на бригаду барана. Водки же по-прежнему не выдали. Мы этого барана... кровь отдельно, сало отдельно, и отварного, и печеного... Вышли, отвалившись, в степь, и все — пьяные, пьяные от мяса, хуже чем от водки, на ногах не стоим. Или в сорок пятом, в честь Победы, мать огромный стиральный таз салата приготовила: картошка, треска, капуста, лук, подсолнечное масло — и сказала: ешь, сколько хочешь. Во мне 25 килограмм веса было, и в тазу столько же. До сих пор помню, как я все это съел. Мне было весело. Что же ты плачешь, мама моя!.. Может, и тебе того варенья жалко? Зимой сорок первого откуда ты достала такую большую банку сливового прекрасного варенья? А я тебя ждал, и палец макал в солонку, и слизывал — так меньше есть хотелось. Всю солонку и слизал. А тут ты с банкой. Я и навалился. А меня и вывернуло. И ничего мне так жалко, как того варенья, больше не бывало.

Так же мы никогда не вырулим! Мы разучились есть. Заглядываем в соседнюю тарелку и жалуемся. Так ничего и не поедим — нас сожрет зависть.

Хватит жаловаться! Господи, люди! да пожалейте же наконец друг друга!

Неужто у нас впереди лишь снова, еще одно, традиционно российское *повторение непройденного*? Несъеденного.

У нас нет другого выхода, чем веселыми, но голодными вернуться домой, чтобы почувствовать себя однажды усталыми, но довольными.

1991

Автобиография

Это теперь я утверждаю, что родился в Ленинграде в том самом тридцать седьмом, в потомственной петербургской семье, что первое мое воспоминание — блокада, затем сталинская школа и первое прозрение в пятьдесят шестом — дитя «оттепели».

С одной стороны — все это факты, с другой — ничего похожего.

Жизнь и память — различного состава, тем более когда память склеротически подменяется оценкой.

1937 Значит, так. Я, по-видимому, родился, раз я есть до сих пор, но когда и где — ни малейшего представления. Родители мои появились позже меня, и то поначалу довольно смутно и изредка, и лишь потом, уже в школе, возникли в обязательном порядке. Детство как детство, после войны — уже лафа (что-то вроде кайфа в переводе на язык современности). Помню, по лестнице, древнего профессора Вишнякова, богача (золотые зубы) и вредителя (звал нас бандитами за наши веселые послевоенные заба-

1946 вы); помню, улица вся в траурных флагах, я ему говорю «Калинин умер», а он мне «Туда ему и дорога — козел» (это сейчас у меня здесь, по смыслу, тире, а тогда была запятая). Помню, лесозащитные желуди собирали, а я екатерининский пятак вырыл — целую пятилетку после этого монетки собирал, не мог остановиться. Помню, мне уже лет четырнадцать стало, лежу на пляже, рядом со мной незнакомый старший парень бицепсами поигрывает, а

1951 я смотрю с завистью. «Что, нравится?» — спрашивает он. «Нравится». — «Хочешь такие же?» —

«Хочу». — «Тогда бегай». Я последовал его совету и еще одну пятилетку пробегал (знал бы я, что занимаюсь бодибилдингом...). Больших успехов достиг: на одной руке стоял, шпагат (почему-то женский) делал, мостик (зубами платок с полу подымал), — и вот выхожу я в таком виде, шея шире плеч, осенью пятьдесят шестого из кинотеатра «Великан», где внезапно показали «Дорогу» Феллини, — совершенно потрясенный, не зная, куда всю эту силу деть, а мне навстречу мой сокурсник Яша Виньковецкий. Никогда не забуду его взгляд, когда я ему про искусство Феллини стал рассказывать! Никакие мои последующие свершения не вызывали ни у кого такого же удивления. Так сильно он меня уважал за мою бездумную силу, что мысли в моей голове не допускал. Потрясенный моей неполной дебильностью, решил он продемонстрировать ее своим друзьям по литературному объединению нашего Горного института.

1956

Так все и началось — скоро семь пятилеток этому нездоровому увлечению.

Чтобы задержаться среди наконец обретенных друзей, вынужден я был писать стихи, так что переход на прозу два года спустя вызвал у меня вздох облегчения.

1958 Рассказы писать проще, чем стихи, — вот что я обнаружил!
Тогда еще никого не печатали, и мы публиковались, читая друг другу вслух. Одно дело читать вслух стихи, другое — прозу. Я боялся вызвать скуку, вот отчего эти рассказы такие короткие.

Короткие они еще и потому, что единственный живой гений в прозе тех лет, соответственно и кумир, был Виктор Голявкин. Как он божественно краток!

Я и сейчас полагаю, что Голявкин — гений, и лишь извечная московская несправедливость к Ленинграду привела к тому, что это сегодня не всем известно.

Я писал короткие рассказы сотнями, пытаясь постичь его тайну, пока с огорчением не постиг, что гений — и есть тайна. С тех пор я пишу длиннее, предав забвению ранние опыты. Каково же было мое удивление, когда двадцать лет спустя некоторые из этих рассказиков стали появляться в эмигрантской прессе. Их вывезли друзья моей юности, в том числе и Яша Виньковецкий захватил как воспоминание детства.

Этот факт заставил меня тогда же, в 1980 году, перетрясти свой архив и извлечь этот немыслимый ворох. Преследование возрастало вместе с манией, и, опасаясь беспорядочности посмертных публикаций, я начал было «ковыряться в грязном сундуке своем»... приближаясь в очередной раз к идее автобиографии.

Вроде я не умер, но возможности перемещений и публикаций, возникшие для меня в связи с перестройкой и гласностью, парадоксально совпадают с послесмертием, этакая «жизнь после жизни».

1984 Яша же Виньковецкий не стал жить после жизни, своей волею оборвав такую возможность. Он ничего этого не знает, про гласность и перестройку.

Светлой его памяти посвящаю я эту посмертную публикацию.

(Из «Первой книги автора»)

1992

Предисловие к роману-странствию «Оглашенные»

В этой книге ничего не придумано, кроме автора.

Автор

1993

Восьмой немец
Мемуар

1946   Первого немца я увидел сразу после войны, в Крыму. Пленные неспешно рыли траншею за условной и несерьезной изгородью из колючей проволоки. Он подошел и попросил, может быть, закурить. У меня не было. Все равно он вручил мне не то пуговицу, не то пфенниг тусклого металла. Я побежал к морю, зажав подарок фашиста в кулаке. Я и в Крыму был в первый раз.

1962   Второго немца я увидел через пятнадцать лет. Впрочем, я как-то ни разу не подумал, что он немец. Мне, молодому прозаику, повезло поболтать с ним за кофе. Он сказал, что ему нравится мой город, что здесь у него хороший сопровождающий: понимает, что ему надо иногда побыть одному, а московский — тот совсем не понимал. „«Мне иногда надо зайти в храм, я католик, но мне все равно в какой. Я зашел в наш храм, а он за мной. Я говорю ему: здесь я привык быть один... Не понимает». Мы смеялись. Это был крепкий сорокалетний мужик, от которого веяло жизнелюбием. Он мне нравился тогда даже больше Хемингуэя, и это было неправдоподобно, что я, в ту пору еще буровой мастер, с ним вот так толкую. Звали его Генрих Бёлль.

1977   Еще через пятнадцать лет, посреди Адриатики, на малом острове Шипан, я заглянул в опустелый, полуразрушенный храм. На стенах его уже выросли деревьица, а в дыры купола было видно яркое средиземноморское небо, из которого в храм ныряло множество ласточек. Здесь и расположил свою треногу третий немец. Я долго следил за ним, незамеченный. С редким упорством фотографировал он одну и ту же дыру. Оказалось, ласточек. Это был настоящий немец, из ФРГ. Специалист по импорту ласточек. Все это было очень интересно мне, про птиц, и я последовал за ним наверх по изуродованной лестнице. Оттуда открывался вид на море, и там, на ветру, он решился уточнить «мой идентитет». Сообщение, что я из Ленинграда, потрясло его. Он начал извиняться передо мной столь истово и страстно, что я сначала не мог понять, за что, а поняв, не знал, куда деться. Он просил у меня прощения, но почему же именно у меня?.. За блокаду. Нет, он не участвовал. Я его успокаивал как мог, что я и сам был мал и ничего не помню и что никто из моих не погиб, да и чего не бывает, бормотал я, мало ли что... Но он не унимался. И я бежал от оккупанта.

1979 Тут проходит уже не так много лет, и я встречаю четвертого и пятого немцев, но уже в ином качестве, и они и я: они мои издатели, я их автор. Они пригласили меня на ужин. Я весьма польщен. И они мне все больше и больше нравятся. Внимательные, живые, щедрые! Совсем не как немцы. Вот какие, оказывается, немцы... Я хочу сделать им что-нибудь приятное. Я обдумываю тонкий и точный тост за их родину. Я слишком часто ездил в Армению и Грузию последние годы... Я говорю им о Франции, Италии и Англии, в которых никогда не бывал, противопоставляя им Германию, в которой тоже, к великому моему сожалению, не бывал. У одних, говорю, музыка, у других живопись, у третьих литература, но так, чтобы и Гете, и Дюрер, и Бах, и Кант, — так ни у кого. Чтобы все отрасли культуры были представлены мировым гением — так ни у кого. За Германию! — говорю я, и такое напряженное, неожиданное молчание повисает над столом, все отводят взор — так ведут себя воспитанные люди, не заметив чью-то непотребность. Еле удается перевести разговор. Что я такого сказал?..

Так снайперы на прикладах делают зарубки... — вот шестой мой немец. Он позвонил мне утром, пробудив меня. Он говорил по-русски и чисто и правильно, но так медленно, с такой расстановкой, что я успевал доспать между двумя словами. Это такой характерный голос немца, говорящего по-русски, низко и медленно кипящий где-то пониже гортани, как бы вставной, как в большой кукле. Он... профессор... медицины... из Гамбурга... приехал в Москву... на конгресс... и привез... мне привет... от... Какой привет? какое лекарство? Он... сегодня... после ланча... свободен... будет ждать... меня... у гостиницы... «Россия»... под мышкой у него будет журнал...

Шел 1980-й — самое глухое застолье, борьба с похмельем и манией преследования были самым упорным моим занятием. А какая мания преследования, когда телефон и впрямь играл на балалайке, и сомнительный персонаж всегда был тут как тут, и даже машина время от времени следом катила? А тут он будет стоять с журналом под мышкой... конспир-р-ратор, мать его!

Конспиратор оказался крайне солидным и симпатичным человеком лет за шестьдесят. Если у меня был некий образ немецкого профессора, то это был он. Седина, стерильная чистота, общая матовость, безукоризненность и мягкость черт лица и складок одежды, степенность и размеренность жестов, движений и речи (двигался он тоже по слогам) — все это необыкновенно располагало. Получив, так и не поняв, от кого, коробочку поливитаминов или «бауэр»-аспирина, я не знал, чем заполнить пропасть между значительностью посла и незначительностью послания, не знал, как отблагодарить. У него была ко мне одна только просьба — говорить помедленнее. Однако на мое предложение показать ему немножко Москву он охотно согласился. Он впервые в Москве, и ему все интересно. Я жалел, когда он садился, что не помыл машину. Я обнаружил, что не знаю, что показывать, не знаю Москвы. Он хотел памятник Хрущеву — могила была запрещена, я предложил побродить по территории монастыря — ворота были уже закрыты. Где могли мы выпить чашечку кофе и посидеть?.. — мне было трудно объяснить ему, что совершенно негде. Мы присели на лавочку с видом на монастырь. Он просил меня совершенно не расстраиваться, потому что ему очень интересно. Скоро стало действительно интересно. Пока он расспрашивал меня, какое у меня образование и какая у меня квартира (а у меня не было никакой) и сколько я за нее плачу, сначала подошла пьяноватая девушка и попросила прикурить, а потом, когда

412

он спросил, сколько я получаю, и я почему-то постыдился сказать, что ни шиша (потому что был в ту пору совсем запрещен), и сказал «триста», из-под лавки вдруг вылез ханурик, собиратель пустых бутылок, и, с презрением глядя на меня, сказал «врешь!». «Что он сказал?» — профессор выглядел очень заинтересованным. Не успел я подыскать точный ответ, как вернулась девушка с двумя еще более пьяными парнями и, указав на меня пальцем «вот он!», отошла в сторону и стала с нескрываемым любопытством нас всех вместе разглядывать. Один из парней подошел поближе с предложением сейчас же набить мне морду — как вскоре выяснилось, за то, что я приставал к его девушке, о чем она сама ему и поведала. Я пробовал объясниться. «О чем он спрашивает?» — благожелательно недослышивал профессор. Тем временем подошла вся кодла, и было их уже человек десять. Я увещевал их не позорить страну, говорил, что со мною немецкий профессор, и опять услышал «врешь!». Все-таки они стали чуть неуверенны и подозвали девушку для подтверждения. «Он!» — утверждала она. «Да не я же!» — отчаивался я. Профессор с интересом пытался постичь происходящее. «А может, и не он», — наконец неохотно усомнилась девушка. И парни так же неохотно, с ленцой отвалили. Боже, как мне стало легко жить! Я повлек профессора к машине. Кодла удалялась. Вдруг один отделился и тяжело побежал к нам. «Минуточку! — жалобно остановил он меня. — Что, он правда профессор? правда немецкий?» Парень наконец мне поверил. «Стыд-то какой, — заплакал он (был он, в отдельности, самый юный, розовый, домашний). — Как извиниться-то! Что он про нас подумает! Можно я на колени встану? можно я ему руку поцелую?..» Еле избег я этой напасти. Мы ехали и молчали. Профессор был задумчив. «Что они хотели?» — наконец спросил он. Я пытался дать неудовлетворительное объяснение. «Странно, — сказал он как-то мечтательно, — все-таки я люблю Россию». Это было достаточно неожиданное заключение. «Вы что, уже у нас бывали?» — «Да, во время войны, — отвечал он. — И после. Девять лет». — «Вы воевали?» — «Врачи не воюют», — определенно отвечал он. Он думал: никогда не вернется. А вот

413

вернулся. У него была собственная клиника, особняк, внуки. Он был европейская знаменитость по детским болезням. И все-таки он любил Россию.

Вовсе не для того, чтобы не забыть, дана нам память! Память! — это итог нашего выбора между жизнью и смертью. И раз мы живы, значит, мы выбрали. За нашей спиной, как лес, вырастает счастье.

Заказывая мне эти мемуары, редактор был удивлен тем, что мы, русские, пережив такую войну, относимся к немцам достаточно спокойно. Я был польщен признанием терпимости моего народа, в которой у меня были основания сомневаться. Но и сам, в свою очередь, удивился.

Действительно, я же помню блокаду! Ту страшную зиму 1941/42 года. Бомбежки, артобстрелы, трупы, холод и голод — вот первая страница моей памяти — шуточное ли дело! Так открывается моя жизнь — можно ли такое простить? И вдруг оказывается — прощать некому. Никто не видел врага в лицо, никто с ним напрямую не сталкивался. На то она и блокада — бедствие в чистом виде, за вычетом врага. Я был дитя, мог не понимать. Да и сравнивать было не с чем: никаких воспоминаний до. Но вот взрослые, поколение отцов; каждый праздник за обильным столом завершается тем, что, объедаясь, они начинали вспоминать блокаду и смеялись до слез. И никакого немца в рассказах их не было. Некоторые мои друзья-сверстники побывали в оккупации и немца видели. Их рассказы тоже все незверские какие-то: одного научили пить шнапс, другой запомнил хлеб с мармеладом... Да и воевавшие на фронтах тоже как-то редко стреляли. Напрашивается вывод, что война — это не контакт. Немца видели мертвым или пленным. Остальное было преподано средствами массовой информации. Тираж злодеяния не страшнее, но многочисленней злодеяния. Но люди запоминают как событие жизни то, что было с ними самими, а не кино и не газету. Это не значит, что ничего не было. Свидетели в основном мертвы.

У языка глубже память. Он помнит и то, что и до второй и до первой мировой войн было. В первой фигурировал германец и Ганс, во второй фашист и Фриц. Слово НЕМЕЦ как будто (подсознание языка!..) немного сберега-

414

лось на будущее. При всей установке на ненависть язык как бы выгораживал нацию от тотального обвинения. НЕМЕЦ, кстати, единственное русское слово для обозначения европейской нации, не заимствованное из другого языка, что свидетельствует о древности не столько конфликта, сколько контакта. В древности оно обозначало любого иностранца с Запада: и датчанина, и голландца, и француза — и лишь потом досталось одному лишь германцу. Потому что с немцем-германцем не только встречались и воевали, но и *жили*. По-разному производят слово НЕМЕЦ. В основном от НЕМОГО, не могущего говорить. То есть и от НЕ МОГУ. Но мне-то всегда казалось, что приобрело оно в силу уже русского изоляционизма дополнительное происхождение от НЕ МЫ (другие). Другой — постоянный предмет насмешки, иногда добродушной, иногда точной, иногда хамской. «Немец хитер, обезьяну выдумал» (может, этот немец был итальянец-шарманщик? откуда у немца обезьяна?..). «Немец без штуки с лавки не свалится» (а это похоже... я недавно видел новую моду: мусорное ведерко на столе за завтраком под названием «Чистый стол» — очень удобно, почти не надо стол после убирать, — «штук» у немцев много). «Что русскому здорово, то немцу смерть» (об этом знаменитая повесть Лескова «Железная воля»), — но и наоборот, как я убедился, бывает... Или вдруг: «Немец, перец, колбаса, тухлые сосиски» (почему тухлые? это у немцев вряд ли... может, просто незнакомый, чуждый вкус?). От последней войны язык запомнил навсегда слова ХАЛЬТ, ШНЕЛЛЕР и КАПУТ. Не так много.

Итак, этот мир разделился на участников и неучастников. Участники погибли и вымерли, неучастники забыли. Иногда это называют торжеством жизни. Я бы не сказал.

Что-то запоминается, что-то забывается, а кое-что всплывает. Вон я там сижу, в сорок первом, на маленькой скамеечке, около печурки под названием «буржуйка»; вокруг этой единственной отапливаемой комнатки в квартире метровый лед, вокруг дома — бомбежка; вокруг города — океан войны с фашистом... вон я там сижу, раскачиваясь, как китайский болванчик, и заунывно и бесстрастно часами пою на одной ноте: «Я голонный, я голонный, я голонный...»

Мне — ничего, представляю, каково это было матери... Вот я бегу посмотреть колонну пленных фрицев, их ведут вешать на площади — и опять промахнулся, опоздал, не увидел — экая досада! Вот прихожу из школы — две жалкие, оборванные старушки сидят на сундуке в прихожей — Эльфрида и Маргарита Эбель, как в цирке. Вернулись из Казахстана. Оказывается, родные бабушкины сестры. Это что же получается, моя бабушка, Александра Ивановна Кедрова, — немка? Быть того не может. Бабушка у меня русская, а сестры у нее немки — это становится для меня нормальным. Они зовут бабушку Алисой — это их дело. А вот брата своего единственного, Ганса, пианиста, сгинувшего еще до революции в Америке, зовут они почему-то Ванечкой... И сейчас, как бы разобравшись во всем, я не помню более честного, более чистого, более доброго, более порядочного русского человека, чем моя бабушка. И вот, перечислив сейчас всех встреченных мною за сорок лет первой половины жизни немцев, я забыл упомянуть самую первую, самую важную — собственную бабушку. Какая она немка!.. Она — немка.

1945

Петербургские немцы... Она гостила у родственников и села на пароход в Бремене, чтобы вернуться домой в Петербург. Там, на палубе, в 1900-м, открыв век, они и познакомились. Недавно в Бремене зашел я в телефонную будку и раскрыл справочник — десять страниц одних Эбелей! Эбелей у них как Ивановых... Вот каков я Иванов.

1989

А мама когда встретила отца, то влюбилась в его уши. У него были очень красивые уши. Время было такое — про родственников не расспрашивали. А свекровь ее оказалась Мария Рудольфовна, урожденная Буш. Вот и задумывайся я теперь, что: уши или голос крови? Бушей в Германии еще больше, чем Эбелей.

1929

А дальше — вдруг война. И вот еще одно воспоминание, которого я не помню. Которое мне рассказала мама. Когда началась война, я был с детским садиком на даче, ближе к фронту, чем к Ленинграду. Немец подступал к моему садику, а родители не имели права выехать меня забрать, нужен был специальный пропуск, а его

1941

было не достать. И вот моя бабушка в очереди подслушала разговор двух дам, одна из которых собиралась как раз ехать в тот садик забирать своего ребенка. Она была жена ответ-работника, и у нее был пропуск. Бабушка бросилась ей в ноги, умоляя забрать заодно и меня. Та согласилась, но ей нужна была заверенная доверенность, а времени остался час. Мама поспела с бумажкой, когда та уже поставила ногу на подножку автомобиля, чтобы ехать. И она все сделала не-знакомым людям, она меня привезла, — такие были време-на...

Я часто думаю о том мальчике, которому не так повезло и его не забрали из садика. Скорее всего, он погиб. А если не погиб?.. Он не запомнил своей фамилии, а потом, быть может, и имя забыл. Допустим, он достался добрым людям и выжил... Может, они знали, что он русский мальчик, а может, нет. Может, сообщили ему, что он не их собственный, а рус-ский, а может, нет. И тогда, в своем представлении, этот взрослый, пусть уже преуспевающий, даже стареющий чело-век, кем он себя считает? Либо немцем, родители которого погибли в войну, либо немцем, благодарным сыном своих родителей, которые скрыли от него, что он приемный. Либо, наконец, полностью и окончательно русским, потому что от-куда же ему знать про двух немецких бабушек? Женился бы он на полурусской?..

И был бы я такой совсем немец, и приехал бы я на свою историческую родину, и стоял бы около гостиницы «Россия» с журналом под мышкой и гуманитарной помо-щью в руке...

Говорят, у русских с немцами наблюдается некое мисти-ческое тяготение, даже родство и противостояние одновре-менно. Не знаю, не думаю. А вот общего у них полно. Ибо узы истории не слабее родственных.

Фельдафинг — Петербург

1994

Внук 29-го апреля*

0.05. 29.04.1994 застало меня в Берлине на втором
этаже автобуса, катившего по Ку'даму. Я увидел на уровне
своих глаз круглый светящийся циферблат: пять минут первого, то ли астрономически, то ли юридически наступило завтра,
то есть сегодня... 0.05 — как время преступления, ночной
Ку'дам светился как подходящее для него место — ничего
не произошло, как я ни всматривался в рекламы и витрины.
«Ни одной даже проститутки», как посетовал бы Ваня, мой
сынок. Где-то вдали, однако, просигналила полицейская си-
рена. На субтитры хватало.

1.00. «Пусть день и начинается утром, как ему и положено», — подумал я, засыпая. Снилось мне... Поскольку
единственное определение 29 апреля как жанра — *правда*,
то и тут следует признаться, что ничего интересного. Как
обычно: очередь. Не знаю, намекать ли тут со скорбной миной на мои полстолетия опыта при советской власти?.. Уже
намекнул. На Западе, как только начнешь скучать, мне никогда не снятся близкие — лишь только те, о ком и не подумал ни разу: седьмая вода на киселе. Так вот из них очередь. Некое присутствие. Ведомство. То ли зуб рвать, то ли
справку получать. И все эти полузнакомые раньше тебя
пришли, обжились, всё знают и советы дают: снять шапку или
надеть шапку, присесть или стоя... вы сначала бочком, а как
дверь отворится, то бегом... И т.п. Такие, не понять кто, но

---

* В 1934 году А.М. Горький издал книгу «День мира», опросив своих зарубеж-
ных коллег о том, как они провели 29 апреля. Через 60 лет французский журнал
«Нувель Обсерватер» решил повторить его опыт. Обратился к сотне писателей
мира — в том числе и ко мне. — *А.Б.*

среди них точно есть и я, не понять, куда и зачем, но бесспорно, что НАДО. Очертания приемной обобщены и размыты — может, и зуб, но не исключено, что и Страшный Суд...

8.00. Сон — в руку. С утра мне в присутствие: сначала в швейцарское, потом во французское. За визами. Швейцарская-то уже будет готова, там только паспорт забрать. А вот французская... Скажут: а почему, мол, дома не взяли? А я им скажу: да так получилось, знаете ли... Небрежно так скажу: мне сам Бернар-Анри Леви тут позвонил, говорит: выступи, так и так. Как, вы меня не знаете? Да у меня орден даже французский есть! Я шевалье вам, а не кто-нибудь... Ах, вы и Бернара-Анри Леви не знаете! ну уж, не знаю, не знаю, что вам и сказать... советник Миттерана как-никак... может, вы и Миттерана не знаете?! Миттерана мы тоже не знаем, хотя и слыхали, но только вот пятница сегодня, мы уже закрываем, а там суббота-воскресенье, сами понимаете... Ну, месье-мадам, я уже согласие дал, они же не поймут... Христом-Богом прошу! Да мы бы и рады, уважаемый месье, да ведь ПЯТ-НИ-ЦА!..

Христом-Богом... Пятница...

Как же я забыл! День-то сегодня какой! Господи, спаси и помилуй! Самый-самый день в году!.. Страстная Пятница.

Да, сегодня, 29 апреля 1994 года, у нас великий день. У нас. Не у них. У них все это уже было... Не вводите во грех, дайте визу! Сами понимаете, какой день, а я еще и в храме не был...

Ну, если не дадут! я им такое в ихний «Нувель Обсерватер» напишу! Так и так, напишу. Зовете, значит, в Париж... Обсуждать, мол, может ли Европа рассчитывать на свою культуру?.. А мне как русскому предлагаете доложить свои соображения о границах Европы?.. Мол, входит ли Россия в Европу или не входит? Или Европа в Россию... А вот: НЕ ВХОДИТ! Так, с визой, я, может, и прикрылся бы родным Петербургом: окно, мол, в Европу... а так, без визы, окно-то оно окно, да не дверь. Раньше, понятно: железный занавес... но вот мы его вам разломали... что ж вы ремонтируете его со своей стороны?!

Вот нечистый попутал! не успел глаз открыть, а уж согрешил: разгневался. Не перекрестился, не помолился — а сразу натощак сигарету в зубы и французов ругать... Хоть день, хоть Великую Пятницу проживи по-божески... Загасил я сигарету, раскрыл Евангелие — вот знак! как раз на Страстную Пятницу и попал, ткнув пальцем: «Пилат отвечал: что я написал, то написал» (Иоанн, 19 — 22).

Надо же! Всё в масть. Побегу скорей: может, по дороге еще успею в храм заскочить...

8.50. Не удалось. То есть я сошел по дороге, приблизительно в том месте, где по памяти он был в двух шагах... Ткнулся в один переулок, в другой — память меня явно подводила, и прохожие подобной улочки не знали.

9.55. За паспортом я успел. Очередь была небольшая: человек шесть. Я покосился на соседний зеленый паспорт: он был литовский. С литовским паспортом я заговорил по-русски: «Значит, в Швейцарию еще пока не пускают?» Дело в том, что год назад, в том же Берлине, я, чуть ли не впервые в жизни, поймал себя на зависти к любимому другу, архангельскому мужичку, барабанщику Владимиру Тарасову, оказавшемуся в одночасье не гражданином СССР, а — Литвы. У него была открытая виза в Англию и в страны Скандинавии и вот-вот в Германию. Литовцы, обладая неоспоримым национальным большинством в республике, сумели не осложнить «русский вопрос» и были тут же поощрены Европой. «В Швейцарию еще пока без визы не пускают, — пояснил мне литовец, — да и с Германией задержка». Услышав русскую речь, и остальные в очереди заговорили по-русски, смело обнажив свои паспорта, всё еще «серпастые и молоткастые». Лишь один сидел мрачно и молча, крутя в руках паспорт, который я не мог идентифицировать: корочка отливала радугой — что за страна такая? Вошел швейцарец, вернул мне паспорт, что-то внушил еще, чего я не понял, да переспрашивать не стал, стал собирать паспорта моих соотечественников, неспешно их изучая и выспрашивая. Дошла очередь и до иностранца... так он им не был! он просто пленочку такую ловко на корочку наклеил — прикрыть вывеску. «Да, брат, такого не скроешь», — не удержался я, с удовлетворением опуская в карман свой, уже готовый. Как он меня не убил!

От Рейхстага, где Швейцария, до Ку'дама, где Французский Дом, конец не близкий — я мчался со всех ног, то есть на такси — какой там храм по дороге, какая такая Страстная Пятница!..

Суетная... поспеть бы!

10.50. На первом этаже обшмонали мою сумку, на третьем проверили паспорт, на четвертом я нажал кнопку — замок щелкнул, я потянул на себя бронированную дверь — там была последняя проверка, и я получил анкеты и большой квадратный картонный номерок с цифрой 29, но это было не число, а порядковый номер, к тому же выигрышный: на мне счет был закончен.

Да, тут тебе не Швейцария, думал я, заполняя одну за другой анкеты, — тут будет покруче... Фотографий потребовалось не одна, а три: хорошо, что наскреб! Вокруг шелестела родная речь: из пятнадцати — четырнадцать. Я вглядывался в смуглое лицо пятнадцатого: что это за страна такая злосчастная затесалась?

Не установил. Однако не унизили: не обещали, что удастся, но обещали, что попробуют. Губы суровой мадам даже тронула слабая улыбка: звоните в понедельник.

12.00. В храм: в храм! Следующий «эппойнтмент» был у меня через три часа, и я успевал. Одно хорошо: с утра маковой росинки во рту не было. Батюшка знакомый, авось исповедует и причастит по блату, хоть и в Пятницу... Так думал я, бредя по Ку'даму, обсыхая на ласковом солнышке от казенного поту. Мне казалось, что я вспоминаю дорогу. И я уже не торопился.

12.15. Долго стоял я, наблюдая, как художник рисовал преувеличенного, 2×3, Босха на панели: «Сад земных наслаждений». Перед глазами у него была репродукция величиной с почтовую открытку. Стоя на коленях, он сосредоточенно менял свои мелки, не обращая внимания ни на праздных зрителей, ни на подающих свой гривенник. Ловко это у него получалось! И впрямь жаль становилось, что такая работа пропадет на панели. Естественно было мне вспомнить всю нашу пропаганду о бедствующих художниках в странах чистогана. Не лишена она была оснований, не лишена!.. Но тут увидел я, что вовсе не на асфальте он разрисовывает, а на скотчем приклеенных к асфальту листках, так что потом сможет свернуть их в трубочку, и они еще пойдут в дело. И рай у Босха — не страшнее ада... Удовлетворенный и восхищенный, свернул я от «Сада наслаждений» напрямую к храму.

13.00. Не тут-то было! Некоторое время я еще прошагал, воодушевленный мнимым узнаванием дороги, и — окончательно сбился. Никто не знал здесь такой улицы. «Кляйне штрассе», — пояснял я. «А у вас разве плана нет?» — наконец удивился прохожий. «О, я, как назло, забыл его в отеле», — тут же соврал я. И опять заплутал, заплутал по переулкам вперемежку с надоевшими, в который раз повторяющимися полумыслями о природах ментальностей — нашенской и ихней. Ну почему, почему, вторую неделю каждый раз мучаясь и убеждая себя, что пора наконец приобрести план, я так его и не приобрел? Что за экономия такая, каждый раз оборачивающаяся стоимостью такси, потому что я уже начинал опаздывать на свой «термин»! Тут не спасешься мыслью, что лукавый опять путает, когда плана нет... Так вот где проходит граница Европы: по отсутствующему у меня плану! Раньше, раньше начали они торговать отпущением грехов — вот и накопили, вот и построили бездушную цивилизацию... И как же я вдруг замечательно, по-европски, сообразил! Значит, так: беру такси, называю адрес издательства, куда мне надо, а по дороге прошу просто проехать, показать мне злополучную улочку — тут-то я ее и запомню всю.

14.00. Только тетя мне попалась за рулем — ни слова по-английски, еще меньше, чем я по-немецки, и ни за что не могла она меня понять, куда же мне ехать: по первому адресу или по второму? или только по второму? или сначала по второму, а потом по первому? и чем больше я втолковывал, тем непонятнее было. И улочки такой она не знала, и листала план на руле, продолжая куда-то ехать, пока я ее не остановил, потому что и мне уже стало понятно, что едем мы уже не по первому и не по второму, а по некоему третьему адресу. Ибо улочек таких в Берлине была не одна.

Дела-делишки. Почему в храм все еще можно успеть, а на терми́н опоздать никак нельзя? Точность, видите ли, вежливость королей... Зачем я так старательно меняю одну несвободу на другую? Надо ли мне все это? вот русский вопрос. И я успеваю.

14.30. И тут — луч света в темном царстве: шоферша не желает брать с меня всю сумму по счетчику, поскольку везла меня не в ту сторону по своей ошибке. Советский человек, попадая на Запад, бывает поражен, в частности, некоторым общим повышением добросовестности... но не до такой же степени! И я уже торгуюсь, пытаясь всучить ей всю сумму, — она же ни за что не берет.

Как сложно, однако, надо построить день, чтобы оценить всю внезапность, всю незаслуженность и всю выстраданность награды! Ангел или женщина?.. Все-таки женщины как-то лучше мужчин, как-то добросовестней и порядочней, — скоропалительно заключил я, довольный ею, довольный собою, за каких-то десять марок, ею уступленных, мною всученных... и опять быстренько выгребая «награду свою», то есть все намеченное успевая: отослать факс, позвонить по телефону, подписать счета... кроме одного: так и не поспевая в храм!

15.45. Так в третий раз наблюдаю я некоего господина Б., несколько сбоку и свысока: третий час он бродит, в третий раз описывая все тот же круг в поисках храма, — на этот раз он точно помнит, что храм должен быть вот здесь!.. — но храма опять нет. Он устал, у него гудят ноги; он ничего с утра не ел, что по-своему хорошо, потому что Страстная Пятница, но он пил кофе и курил, что совсем не хорошо; в руках у него тяжелый пластиковый мешок с авторскими экземплярами только что вышедшей книги «Mensch in Landschaft», и ему уже давно хочется прислонить эти книги к какому-нибудь соседнему мусору, хотя считается, что это он их автор. Бредет он по-прежнему без карты, уже не спрашивая прохожих, на автопилоте, который у него не работает. Пивных по дороге много больше, чем церквей, и ему давно хочется послать всю богоспасительную затею подальше, а именно к тому персонажу, который его в храм не пускает, то есть плюхнуться за первый попавшийся столик и накинуться на пиво с сосисками... но кто-то, взмахивая усталыми, обшарпанными крыльями за спиною, продолжает удерживать его от этого. И он бредет, как в пустыне. Он отличается своей авоськой и сандалиями, на него поглядывают, но не потому, что от усталости он все более походит на бомжа (клошара. — *А.Б.*), а потому, что лицом он *не* похож: оно у него на редкость ГОЛОЕ, с отсутствующим выражением отчаяния, — и глядя на него сверху и сбоку, как ангел, я думаю, что это бредет РУССКИЙ. И мне его почему-то не жаль. Поэтому он продолжает брести.

О, эти русские мысли о русском! Одни и те же. Они одинаковы. Что в русской деревне, что в Париже. Они кружат, как этот полурусский полубомж в Берлине: что с нами и зачем мы? У себя дома мы озираемся: где родина? — на Западе она торчит в нас как кол.

Пока ангелы еще раз не поманят — тогда мы ликуем.

17.45. Три ангела сидели на приступочке рядом с вывеской «Galerie VAN ALOM», три девицы под окном. У них было свое «дело» — ювелирная лавочка. День клонился к закату, к закрытию, к окончанию «арбайтен», повеяло особым вечерним теплом, напротив цвела сирень, и они расслаблялись на своей приступочке с бутылочкой белого вина. Это были такие красавицы! лет за сорок, легко распрощавшиеся с молодостью и не покинувшие ее. Художнички милые. Их не смутило мое голое лицо, наоборот, чуть ли не с интересом они на него взглянули. Они предложили мне вина, показали свои броши и кольца, вынесли план и улочку ту нашли. Это было в двух шагах!

18.00. Счастливый, быстро кивая и соглашаясь с их объяснениями, я их тут же забыл, устремившись окончательно к цели. Не судьба! В сгущающихся сумерках пивная светилась, как храм, и врата ее были широко распахнуты. Обреченно я перешагнул порог. В последний раз я решился спросить заблудившуюся улочку, и официант указал пальцем в окно: вот она!

Но где на этой улочке русская церковь, он понятия не имел. Ortodox Greek?.. Нихт ферштейн. Но что-то повеяло, я вытянул ухо: то ли ветерок, то ли запах, то ли пение... Наконец-то! Из жилого дома, из окон бельэтажа... расстроенное, несогласное песнопение... *Наши!*

424

18.45. Здесь, в однокомнатной квартире, без купола и креста, со сколоченными из фанеры самодельными вратами, алтарем, иконостасами, молилось человек двадцать, уже не наших, а СВОИХ. Постепенно каждый из них, скрытно, взглянул на вошедшего, и я взглянул на каждого, старательно не пересекшись взглядом. Родные, голые лица, прячь не прячь... Здесь впервые в жизни осмелился я стать на колени, потому что СО ВСЕМИ, — не мог же я один торчать как столб! И вот реализм: это был отдых моим бедным ногам.

19.40. Легко же отпустились мои грехи!

Просветленный, вернулся я в ту пивную, из которой *дорога вела к храму...* и это была замечательная пивная! Я заказал кружку пива и что-нибудь vegetarian (хотя Учителя УЖЕ распяли, но он еще не Воскрес...) — пиво принесли сразу, а «вегетарианское» готовили долго, и я заказал еще кружку. И мне стало не стыдно достать записную книжку и написать в ней:

20.00. СЕГОДНЯ Я СЧАСТЛИВ, 29 апреля 1994 года.

29 апреля... О чем-то сообщало мне само это число, и я не сразу вспомнил, о чем. Но когда вспомнил...

1929 29 апреля, 65 лет тому назад, в Ленинграде, была свадьба Георгия и Ольги, моих родителей! Значит, именно этому числу я обязан тем, что... тем хотя бы, что отхлебываю пиво в граде Берлине... а как же пивная называется?

— Бай дер Эйзелин аус А, — охотно поясняют мне, принося наконец нечто невероятное под видом вегетарианского.

— Вот даз ит мин?

— А это такая деревня, — объясняют мне на усложненном английском, — а Эйзелин — это такое женское Данке.

И умилительный немецкий язык! — думаю я, восхищенно поглощая изумительное блюдо Gemüseauflauf mit Kräutersauce, запивая его глоточками изумительного Jever Pilsener. — У них даже «спасибо» есть женское и мужское! ЖЕНСКОЕ ВАМ СПАСИБО ИЗ А — это же надо, какое изумительное название у этого изумительного трактира! Какая поэзия...

Дальше оказывается больше.

1937 Я вспоминаю, что 29 апреля, но через восемь лет после свадьбы моих папы и мамы, как раз в мой год рождения, еще кое-что важное в моей жизни произошло, о чем я не ведал, а именно свадьба одной французской маркизы с одним французским графом в Москве (Меранвиль + Шамборант = любовь). Полтора века зрело это событие! Их прадеды спаслись от революции 1789 года в Россию, а их родители опоздали спастись от революции 1917 года во Францию. Опоздали буквально — на последний пароход из Крыма в Стамбул, причем на один и тот же. Легко представить себе эту растущую полоску воды между судном и причалом и эту несчастную толпу опоздавших, не успевших... трубный глас! — прощальный пароходный гудок. Родителей постепенно расстреляли, а мальчик и девочка, уже сироты, поженились, причем не потому, что имели общую судьбу (это они потом, осторожненько, друг у друга выяснили), а потому, что понравились друг другу. Мои ведь тоже сначала понравились друг другу за красоту, а потом выяснили, что папа ходил в ту же гимназию, директором которой был мой дед, что они уже встречались на школьном дворе... дедушка мой тоже, своим способом, не успел на тот пароход.

1789

1920

Дальше — больше.

Я вижу неожиданную скульптуру — деревянную голову осла — и начинаю выяснять ее происхождение в этой славной пивной...

— Данке, — говорят мне, — данке.

Какой вежливый народ!

Долго восхищался я этой цепью фамильных совпадений, женившись на их дочке! В 1977 году родился у нас сын Иван — Ваня, Ванечка, Ванюша, Ванятка — внук 29-го апреля.

Окажется, что Eselin — это не «женское спасибо», а woman donkey, осел женского рода, то есть ОСЛИЦА, памятник которой и установлен в трактире, основоположник которого, родом из A, въехал на ней в Берлин и, благодар-

426

ный, содержал ее во дворе собственного заведения до самой смерти, чем и прославился, и еще тем блюдом, которое я так успешно заказал.

У ОСЛИЦЫ ИЗ А — вот поэзия!

Оказалось, что 29 апреля при советской власти — для свадьбы не случайное число: за ним следовало 1 мая, День международной солидарности трудящихся, заменивший собой традицию русской Пасхи, то есть первомайские праздники можно было добавить к трем дням, отпущенным совслужащим на медовый месяц, и получалась почти неделя. Вот и женились.

Знал ли про это М. Горький?

Оказывается, что для рождения моего сына потребовалось пролить столько крови, начав зачинать его еще в 1789 году... Сын — старше отца.

20.00. «Будь счастлив, Ванечка!» — дописал я в своем дневнике, расплачиваясь.

Я не мог быть счастлив один...

И если и вы хотите быть счастливы так же, если вас замучили налоги или что там у вас... то поезжайте в Берлин, найдите Külmbacherstraße (не ту и не ту, а ту, что неподалеку от Fasanenplatz), зайдите в Bei der Eselin aus A, закажите Gemüseauflauf mit Kräutersauce и два Jever Pilsener (всего каких-нибудь 65 FF), помяните ваших родителей, и вас перестанут смущать цены на детскую обувь.

19 мая—15 июня, Берлин—Петербург

P.S. Знал ли Алексей Максимович, что не увидит больше Капри, когда рассылал свои письма Г.Уэллсу и Р.Роллану? Кажется, уже знал...

1995

Без языка

(Тексты, присланные из Германии)

> О Господи, как совершенны
> Дела твои, — думал больной...
> *Борис Пастернак*

Теперь уже, кажется, всем ясно, что раздавшаяся в 1985 году гласность была не только обретением, но и крахом. Когда 15 октября 1986 года меня выпустили в Западный Берлин, мне все это казалось чистым обретением. Я радовался свободе, как раб, как зек, и не мог усомниться в собственном счастье. И даже справившись с ложкой и вилкой, иностранным языком, мини-баром, планом метрополитена, чаевыми, расписанием поездов, чтением меню, устройством душа, то есть якобы пережив так называемый «культурный шок», я еще не подозревал, насколько все менее принадлежу настоящему, насколько тону в прошлом. Возможно, подобный опыт проходили до меня мои коллеги из эмиграции третьей волны. И все-таки ни они, ни я не подозревали, какого могучего соавтора потеряли в лице Системы. Хорошая была стенка, — мячик легко отскакивал. Уподобим теперь свободу, с достаточной степенью типичной переводческой неточности, разнице между разминкой и игрою с живым партнером неизвестного для тебя класса. Казалось мне, весь мой писательский опыт с самого начала прошел не столько в борьбе с цензурой и идеологическими установками, сколько в борьбе уже с установкой на эту борьбу. Тем не менее и я все потерял, когда стало все можно. Это оказалось работой, то, что давалось без труда, одной лишь смелостью, безрассудностью и безоглядностью. Получая предложения и принимая их — посетить прочие страны с туристской целью, я стал думать, как использовать их не только с голодной туристской целью, но и для работы. Действительно, ведь не надо стоять в очереди, телефон не звонит, не надо мчаться на очередной митинг или тусовку; немножко совестно жить лучше своей семьи и своего народа — так почему бы не подработать не в экстремальных, наконец, условиях? Оказалось, нет!

И все эти уцененные клише: почва, родина, связь с языком, общая жизнь, делить судьбу и т.д., и т.п. — распрыгались, как прозрачные блохи, по пустым страницам. Настоящего не стало, прошлое — замкнулось. И только молчание по-прежнему гарантировало возможность будущего текста. И началась все та же жизнь: ни там ни тут, столь советская, столь знакомая по своей экзистенциальной жути. Но кушать-то надо! На Западе, как известно, работа есть работа и деньги — это деньги. И ни хрена бесплатного.

Пытался я продолжать. Пытался я писать именно то, что прервалось историей, — «Ожидание обезьян». Я хотел ни в чем не измениться. Я настаивал на этом же перед одним собой. Не тут-то было! Связь между словами была утрачена. Никто из нас не думал, что дар — это даром. Что язык нам дарован, а текст — даруется. Все казалось личной заслугой, а это была заслуга соавтора, партнера, Системы. Обидно, конечно.

И тут, раздвигая напряженное молчание, концентрировавшееся на прежней установке высоких целей и задач великой русской литературы, вдруг стали капать, искушать, поступать «профессиональные» предложения. То есть те, за которые платят: то выступить на международной конференции, то черкануть в швейцарскую газету, то в немецкую, то во французский журнал. И я, с самого начала исповедовавший, а потом проповедовавший принцип непрофессиональности в литературе, ни разу «не продававшийся» в Системе ни за какие страхи или коврижки, вдруг обнаружил себя пишущим за деньги — не очень маленькие, не очень большие, как раз, пишущим с огромной неохотой и готовностью: а почему бы и не написать, почему бы не написать доклад, раз уж тебя включили через запятую между там Ахматовой и Варгас

429

Льосой? Почему бы не написать пейзажик любимого города, раз в некоей швейцарской газете существует ежевоскресная рубрика Post Card? Почему бы не написать к 100-летию Хрущева? И т.д. и т.п. И вопрос уже стоял иначе: согласился — надо сдать в срок, причем на уровне. Уровень, впрочем, — уже твое дело. Вопрос престижа, даже национальной гордости, а вдруг — следующего заказа?

И тогда: кто пишет? что пишет? кому пишет? и зачем пишет? — вдруг становилось для меня неразрешимой мучительной задачей. Я выворачивался, я исхитрялся. Иногда остроумие или внезапность того или иного решения приносили мне даже удовлетворение. Ощущение сваленного с плеч дела позволяло осушить очередную кружку пльзенского с особым наслаждением.

Но!

Собирая эти случайные почеркушки в цикл уже для русской печати, даже хорошо запомнив, что иные из них мне удались, зная, что ни в чем я не погрешил ни против истины, ни против убеждений, зная, что писаны они были по-русски, в общем-то моим и даже именно моим, приличным таки русским языком, а лишь опубликованы были на иностранном, — заглядывая в эти тексты спустя год-другой, я их не узнаю, будто это уже они перевод, а не оригинал.

Писание не *себе*, а *им* всегда приведет к этому результату, потому что верим мы, оказывается, не смыслу, а слову. Писание «под перевод» неизбежно приводит к подстрочнику, а не тексту, даже если вы владеете всего одним языком. Все что угодно может проимпонировать: изящество, легкость, остроумие, свобода, щегольство, высокомерие, блеск, композиция, сюжет, мысль, ловкость рук, но — «мошенство»! Когда нет языка — все мошенничество! Или беда. Как невыездной и доходяга мира, я обожрался, я наездился до тошноты, до рвоты, я видел страны без языка, процветающие сытые страны, с демократией, свободами и страховкой, — где-то там на Филиппинах, в Ирландии, Канаде... Так хорошо и так непоправимо! Нельзя ни занять, ни импортировать ни язык, ни историю: они — только свои. Язык — это не словарь. Язык — это кто что когда кому и где говорит. Кому я это написал?

1996

Жизнь без нас

Прощание с империей

Как безразлично «до свиданья»...
Разлуке — встреч не обещай.
Как удалилось расстоянье,
Как умалилось расставанье
И как наполнилось «прощай!».

Прощай! — другой судьбы не будет!
Иль это было не со мной,
Иль это не было судьбой?..
Прости за все, а Бог рассудит.
А ты — прощай, и Бог с тобой.

Умрет не от этого...

Одного выдающегося геронтолога спросили то, что положено у него спросить, наверно имея в виду диету и здоровый образ жизни, и он ответил: «Во-первых, следует правильно выбрать себе родителей».

После семидесяти, выйдя наконец на пенсию, мама стала очень решительной старушкой. Все-таки дитя своей эпохи, мыслила не иначе как в пятилетках. Когда ей стукнуло семьдесят пять, она гордо заявила, что теперь она самая старшая, потому что у нас в роду никто еще этот рубеж не переходил. К восьмидесятилетию она бросила курить, потому что, когда зачем-то полезла на стул, у нее закружилась голова, и

431

это ее насторожило. И только тогда до меня дошло и восхитило: она опять поступила на работу.

Мама всегда гордилась тем, что она профессионал. Теперь ее профессией стала жизнь. Своим стареющим сыновьям она зарабатывала уже не на жизнь, а саму жизнь: способность прожить не меньше.

Как молодой специалист, она не избежала ошибок. Чем немощней она становилась, тем настойчивей отбывала срок. Никогда ничего не попросить и ни у кого не одалживаться — избыточная самостоятельность ее и подвела: каждый день ставя себе цель и неуклонно к ней стремясь, именно с нее она и начала падать, ломая то руку, то ногу, мужественно выкарабкиваясь и ломая снова.

Так ей исполнилось восемьдесят пять, и она взяла установку на девяносто. Но ее беспокоила нога. Точнее, один на ней палец. Сосуды, возраст... все это пугало. Мама была нетранспортабельна. Если его привезут и отвезут, то он посмотрит, сказал хирург.

Ему это было некогда и некстати — куда-то еще ехать. Но уж очень за меня просили. Недовольного и усталого от бессонной ночи не то за хирургическим, не то за праздничным столом, привез я его. Осмотр длился минуту. Он посоветовал протирать спиртиком. Денег категорически не взял: мамин случай не стоил его вызова. И именно тут, от его неприветливости, я поверил в его великую репутацию и все-таки спросил напрямую...

— Умрет не от этого, — прямо взглянув мне в глаза, нехотя буркнул он.

Успокоенный, я поехал сопровождать своего двенадцатилетнего Ваню в Абхазию, к морю. Давненько я у него не был, у моря... С маминого восьмидесятилетия, отмеченного так счастливо в той же Абхазии.

И вот, выходя с этим трепетом первого в сезоне огурца на пляж, гордясь своим голенастым сынком, нетерпеливо стаскивая на ходу фуфайку через голову...

Крест у меня был особый, каменный, подаренный мне моим лучшим другом и крестным, освященный в Иордане... Монолитный, толстый...

И вот, падая с метровой всего высоты на пористый и

присыпанный песочком бетон ступеньки, он раскалывается на кусочки, как рюмочка.

И не успел я дойти до моря, как меня всполошенно позвали обратно в корпус, к телефону...

«Пока мама жива, мы молоды», — говорят на Кавказе.

Сорок девять

Вот еще цифра, которую надо пережить. Слишком часто в нее упираются, не дожив до первого юбилея. Семью семь — две косы.

«Они любить умеют только мертвых...» Этот пушкинский приговор русскому менталитету скрашивается тем, что любят все равно те же, кто любил живого. Только возможностей почему-то появляется больше. Та же гласность.

Очередная тризна по Сергею Довлатову († 24 августа 1990) — «Звезда», Арьев...

Срочно в номер. По телефону же, как в голову пришло: «Время поджимается, как яйца. Сергей Довлатов был моложе даже Валеры Попова. Он был слишком высок и слишком красив, чтобы я мог относиться к его прозе независимо. В конце концов, он сломал мне диван. И теперь, когда я знаю всех, кто имел к нему отношение, он умер. Редкое свойство русского писателя оказаться старше, чем ты рожден. Сережа Довлатов — Чехов. А кто же тогда Чехов?»

«Яйца оставить?» — «Оставь, раз уж есть». Недавно едем это мы с Поповым, два старых мэтра, на автобусе из Ленинграда в Эстонию, сопровождая группу более свежих петербургских дарований.

Приглядываюсь к новым лицам, прислушиваюсь. Пересечь границу внутри бывшего СССР — тоже, доложу вам, переживаньице.

Слышу (с величайшим почтением в голосе):

— Валерий Георгиевич, а скажите, пожалуйста, как на вас повлияло творчество Сергея Довлатова?

— На меня? повлияло? — Попов на секунду теряет дар речи. Но лишь на секунду: — Да он же позже меня начал! Он нормальный тогда парень был. Его и за пивом можно было сгонять сбегать...

— Вот-вот! — подхватываю я. — А я еще тебя мог послать...

— Да, нормальный был парень... — Попов окончательно обретает свой дар. — Это только после смерти он так чудовищно зазнался.

Думаю, Довлатову бы первому понравилась такая шутка.

> Лежу я в одиночестве
> На человеке голом...

Не знаю, какой Камю выразился бы так кратко и на таком пределе. Знаменитого ленинградского алкаша и клошара отпели 1 мая 1992-го, в канун Пасхи, а не в День международной солидарности трудящихся, в открытой за день до того, к Пасхе, Конюшенной церкви, семь десятилетий прослужившей по советскому назначению — складским помещением.

Олег Григорьев удостоился чести, которая не снилась ни одному из судивших и гонявших его секретарей: быть вторым русским поэтом, отпетым в этом храме. Запах поспешного ремонта смешался с запахом свечей и ладана. И с запахом перегара. Многие уже не дошли до похорон.

Эти, что здесь, оказались покрепче. Эти — пришли. Я представил себе количество выпитого ими всеми вчера и машинально посмотрел под ноги. Будто в этом выпитом можно было уже промочить ноги. Я представил себе количество выпитого ими всеми за жизнь с одним лишь дорогим покойным, и мне показалось, что я вошел в пруд с намерением выкупаться, но все еще не решаясь окунуться. Как раз до *туда* дошло, до *них*.

Я представил себе количество выпитого всеми нами за всю нашу жизнь и привстал на цыпочки, чтобы разглядеть черты усопшего.

Трудно было поверить, что Пушкин лежал здесь же. В последний раз вглядывался я в успокоившиеся черты буяна, и мне казалось, что он, Олег Григорьев, не только польщен, но и впервые в жизни смущен.

Советская власть на своем месте, но и Сережа с Олежкой сделали все, чтобы не дожить до юбилея. И умереть не от этого.

Плита на троих

Яков Аронович Виньковецкий
27.I.1938 Ленинград — 27.IV.1984 Хьюстон

Юрий Аркадьевич Карабчиевский
14.X.1938 Москва — 30.VII.1992 Москва

Натан Семенович Федоровский
28.VII.1951 Латвия — 30.III.1994 Берлин
НЕЛЬЗЯ ТАК СИЛЬНО ЛЮБИТЬ РОССИЮ.

Подчеркните или выделите курсивом или разрядкой любое слово этой фразы, измените знак препинания в конце... И вы получите еще дюжину фраз различного наполнения и содержания.

Пред-верие

«В нем смерть уже гнездо свила»,
А он не замечает этого —
Стоит под тяжестью ствола
И виден под упадком света.

На всякий случай он живет.
Жизнь не подарок, а работа,
И тает сок его, как лед,
И замерзает смертным потом.

Он дуб, он человек, он волк,
И ветки, руки, клочья шерсти
На нем живут по воле волн
Чужой энергии и смерти.

Тот свет и этот в нем равны,
А в приговоре он не волен,
И под конвоем тишины
Ведут его, и он не болен.

Как умирающий здоров!
В нем силы борются пустые.
Давясь, он утром ест творог
И чувства чувствует простые.

Он просит веры по ночам,
Прощенья. Умоляет Бога.
И беспокойствие к ногам
Спешит — идти уже немного.

Он спит, и, значит, он продолжит
Вчерашний день не вспоминать.
Пред ним живая Матерь Божья
И мертвая родная мать.

И снова листья шелестят
На веточке отмершей ветви
И защищают от преврат
Гнездо в дупле с яичком смерти.

Отсрочка
(Сура 77)

Нас шлют вдогонку друг за другом,
И мы летим во все концы,
Оповещая, круг за кругом,
Весну конца. Конца гонцы,

Мы чертим грани различенья
Добра и зла между собой,
Предупрежденья иль прощенья
Не возвестив своей трубой.

Но что обещано, то будет...
Но не сегодня, не сейчас.
И грешник все еще подсуден
Лишь в смерти. Как один из вас.

А то, когда погаснут звезды
И распадется небосвод,
Вам не страшней шипов у розы,
Что преподносит вам Господь.

Декабрь 1995, Нью-Йорк

Из «что-то с любовью»...

«Мысль пришла и прошла. Была.

Ничего нельзя восстановить, не создавая.

Даже вот такую мысль.

И еще одну: должна же быть хоть одна достоверная история в Истории человечества? Чтобы уж не было сомнения, что была.

И вот есть одна такая... Единственная. Без тени.

История Иисуса.

Является ли мысль о множественности миров ересью? Нет. Потому что Он был в этой множественности как единственно достоверный факт.

Он, единственный, выводит нас из этого дежа вю».

12 декабря, Нью-Йорк

Первым умирает доктор

Памяти Саши Ланского

Вчера я был у него на приеме.

Он начал меня *пользовать* с первого дня в Нью-Йорке. Страннейший глагол! это я начал его использовать с первого дня. По телефону и по блату. Наколку эту, естественно, дал мне Юзик. Изнеженное советское растение, я тут же изнемог от возросшего уровня жизни: простуда, аллергия, дерматит, джетлег и дежа вю. Особенно последнее меня беспокоило. Не исключено — потому, что я наконец запомнил слово, то есть мог так назвать то, что со мной происходило.

Петля эта захлестывала меня, как правило, во время лекций. Слишком много я говорил! С безответственностью любимца публики. Я так и думал, что *за это*. Грех, воз-

437

можно, был, но кара казалась мне чрезмерной. Петля захватывала и утягивала меня в некую дрожащую перспективу аудитории, с размытостью и постоянством лиц, продолжавших пристально разглядывать мое отсутствие за кафедрой; сам я, или только моя оболочка, в то же время продолжал свою работу говорения, все более опустошаясь изнутри и от нарастающей легкости чуть ли не взлетая над, все более состоя из одной лишь прозрачной, но противной и пугающей внутренней дрожи. Отсутствие какой бы то ни было боли при этом тоже пугало. Объяснить это состояние было трудно даже своему человеку, не то что доктору, да по-аглицки, да за сто долларов. Слов тут не было — одно чувство. Оно повторялось все чаще и все дольше не отпускало.

Хорошо, что я еще вспомнил это изысканное словечко *дежа вю...*

«Философ, поэт, душа...» — так характеризовал доктора Юзик. Это *дорогого* стоило, но еще дороже казалось мне читать его рукопись. И я все не шел. По телефону мы уже дружили домами. Доктор строил планы: «Вот вернется Иосиф из Европы, соберемся у меня с Юзиком и выпьем». Он пользовал и Иосифа, а не только меня с Юзиком...

Иосиф вернулся, перспектива, таким образом, приблизилась, но все-таки следовало до того оформить знакомство.

— Что ж вы хотите, — сказал он, терпеливо меня выслушав. — После всего, что на вас свалилось, вы прекрасно себя чувствуете. Главное, не бойтесь. Выпивать вам как раз можно. Только не пытайтесь понять болезнь. Вот этого нельзя. Это невозможно. Никогда не узнаете. И я не узнаю. Она только ваша. Что толку, если вам ее как-нибудь назовут? Я сам очень больной человек, я знаю, о чем говорю.

— А что у вас? — полюбопытствовал я.

— Да все у меня есть, что в нашем возрасте положено: и сердце, и печень, и все остальное.

Он угостил меня коньячком и не предложил мне рукопись.

«А что, может, и не такие плохие стихи», — подумал я.

Теперь все зависело от Иосифа: как только он решит со своей третьей операцией... Я представил себе наше собрание под рюмочку: Юзика, гордо демонстрирующего свой, от горла до пуза, шрам; Иосифа, снисходительно отвечающего ему своими: двумя эвклидовыми, непересекающимися параллельными; себя, скромно демонстрирующего дырку в черепе, точно пулевое ранение; доктора, профессионально уступившего нам привилегию подобного хвастовства, — и мне стало весело.

Домой возвращался, бодро шлепая по лужам, с диагнозом «практически здоров».

На следующий день мы втроем подписали доктору некролог.

11 декабря, Нью-Йорк

О мытье окон*

Однажды скульптор, заведовавший отделом литературы в «ЛГ», пригласил меня к себе в мастерскую, не иначе как с тайной мыслью, чтобы я о нем написал. Он рассуждал про себя так: у этого парня плохи дела, но он неплохо написал о Сарьяне, пусть напишет про меня так же хорошо, и я напечатаю про Сарьяна.

Время было такое — после «оттепели». Никиты уже не было, а коридоры посещенной им выставки все еще гудели от его топота. Все в нем было осуждено, кроме борьбы с абстракционизмом.

Рыба ищет, где глубже, а человек — где лучше... в моду вошло подбирать корешки и камешки, ракушки и сучья, что-нибудь, кроме себя, напоминавшие. Эти уродцы мертвой природы заполнили интерьеры клубов и первых кооперативных квартир, воспроизводились на цветных разворотах журнала «Огонек» — как-никак не абстракция, но и не социалистический реализм: беспартийное восхищение природой. Все эти пни и Паны, лесовики и девы заполняли мастерскую скульптора в производственных количествах и донельзя меня раздражили.

* Написано по поводу выхода книги Соломона Волкова «Культурная история Санкт-Петербурга» (Нью-Йорк, 1995).

Людям уже хотелось делать что-то для себя руками. С одной стороны, еще недавно не было такой возможности, с другой — они уже не умели. Полочки, шкафчики, постконенковщина.

Зря я на него так уж сердился — в своем восхищении «искусством природы» был он вполне искренен: взгляните, какой корень! вылитый Пришвин! мне почти ничего не пришлось менять — только вот тут и тут чуть подделал...

И действительно, чем меньше было следов его собственного искусства, тем более он восхищался, и в этом начинал проступать даже некий вкус.

Наконец он подвел меня, как оказалось, к завершающему экспонату. Это был причудливый серый камень размером и формой со страусиное яйцо. Такая, скорее всего, вулканическая бомба, похожая на сцепленные кисти рук. Непонятно было, как камень мог так заплестись, в точности воплощая детскую приговорку: где начало того конца, которым оканчивается начало? Так ровно и точно в то же время — ни ступеньки, ни зацепки, ни перехода. Этакий каменный философический концепт. Вещь в себе как таковая. Совершенно ни о чем. Совершенно...

— Правда, совершенно?! — сказал он тут же вслух. — Сначала я хотел вот здесь проявить девичий лик, видите? Буквально двумя штрихами... Но потом передумал: жалко стало что-либо менять.

Он ли сказал, я ли подумал: «портить».

В этом единственном, тысяча первом, экспонате он оказался наконец художником, автором финального шедевра. Он любил его.

Другой был режиссер документального кино. И он был художником, без сомнения. Говорили о Пушкине, о «Медном всаднике».

— А для меня главная его вещь — «Гробовщик», — сказал режиссер. И пояснил: — Все, кого я успел снять, умерли. Я иногда боюсь себя и ненавижу свою профессию.

Я взглянул на него с пристрастием и тут же ему поверил.

И всплыл Петрополь, как тритон,
По пояс в воду погружен.

Торжество этих строк всегда казалось мне приговором. Угроза строительства пресловутой дамбы — овеществленной метафорой.

Рассказывают также, ссылаясь на неведомые мне научные источники, что за последние годы, включающие годы аферы с дамбой, вода в Неве химически настолько активизировалась, что стала разъедать те самые сваи, на которых упрочены фундаменты великого города. Сваи эти, пропитанные специальными составами по старинным технологиям, рассчитанные на века, простояв по два века, не выдерживают натиска новейшей экологии. Так что Петрополь как всплыл, так и погрузиться обратно вскоре может. Бедствие такого рода грозит нам едва ли не больше, чем Венеции, но вряд ли вызовет в мире то же сочувствие.

Меня всегда занимал вопрос, трагический в своей праздности: в какой мере поспевает описание за реальностью — до или после? Торопились ли Линней или Брем описать живой мир в наличии прежде, чем тот начал катастрофически убывать? Успел ли Даль сложить словарь «живаго» русского языка, состоящий сегодня из слов, наполовину лишь в нем выживших? Предупредил ли Достоевский угрозу «бесов» или поддержал своим гением их проявление? Успела ли великая русская литература запечатлеть жизнь до 1917 года? а вдруг и революция произошла оттого, что вся жизнь была уже запечатлена и описана...

И как, в таком случае, обстоит с Петербургом? На случай, если он утонет?

Как ни странно, несмотря на наличие великого образа, выстроенного Петром и Пушкиным, несмотря на всю «петербургскую линию» в русской литературе, культуре и истории, в «окно» это все еще слабо видно Европу, еще меньше, быть может, виден с Запада Петербург. Само собой: заглядывая в окно и выглядывая из окна, мы видим принципиально разные вещи. А образ на то и образ — вещь несущественная, нематериальная: ему отлететь едва ли не легче, чем потонуть городу.

441

В режиме советского времени, в сталинском загоне, культурное описание Петербурга-Петрограда-Ленинграда было остановлено, стало «дореволюционным», но и те книги не переиздавались; все, бессознательно и сознательно, склонялось к забытью. Забытье ведь — необходимое условие разрушения. Переиздание книг по Петербургу в последние годы гласности показало парадоксальную бедность ряда: Анциферов, Курбатов... Практически нет по Петербургу книг. Петербуржцу приходится заглядывать в то же мутное, непромытое окошко уже не Петербурга, а интуристского справочника, как и иностранцу. Оказывается, именно простую, а не гениальную работу сделать в России труднее всего. Чтобы точно, пропорционально, профессионально, а не только лишь тонко или блестяще.

Так что самое время, если уже не поздно, спешить описать Петербург.

Вопрос о том, сам ли пишет Соломон Волков, следует поставить иначе: сам ли он *не* пишет?

Действительно, что он написал сам?

Петербург есть, Ахматова была, и Шостакович, и Баланчин, и Бродский есть...

Но и русский язык был до Даля, Ушакова, Фасмера.

И пирамиды стояли до Шампольона, как продолжают стоять после него.

И стояли бы они без него, если бы его не было?

Ведь это именно он не дал их доворовать.

И где без Шлимана Троя?

Один стоит в камне, другой растворился в звуке, третий испарился в танце.

Это они ничего не/ написали сами.

Слишком популярной стала сентенция Булгакова, что «рукописи не горят».

Как только была опубликована. Словно она одна и не сгорела.

Не заговаривал ли автор свой роман этой колдовскою фразой? Не уговаривал ли?

Не умолял ли... но *кого*?

Никого рядом не было, кроме вдовы.

Где и как не сгорели «Воронежские тетради»?

О, вдовы!

Софья Андреевна, Анна Григорьевна...
Елена Сергеевна, Мария Александровна...
Надежда Яковлевна. Вот поворот.
Но ведь и Анна Андреевна — вдова!
Сама культура вдовствовала.

Мне уже приходилось писать о «Показаниях» Шостаковича в том смысле, что он почему-то именно Соломону Волкову их дал. И Баланчин никогда ни перед кем не «кололся»... В чем дело? Что, Соломон умнее, красивее, честнее всех, что ли? Один талант, возможно, есть: умение слушать. Более редкий, чем говорить и писать. И другой: рукопись у него не сгорит. Ему можно довериться, как вдове. Господи, как одиноки города и люди!

3 января 1996, Переделкино

О, человек!

(Сура 36)

Ужель не хочет человек
Понять, что он из капли создан,
С Творцом торгуясь весь свой век,
Забыв, чьи есть вода и воздух?

Он предлагает притчи нам,
Как будто послан мимо цели, —
Кто может жизнь сухим костям
Вернуть, когда они истлели?

Создатель Неба! Ты один
Исполнен необъятным знаньем.
Ты — моей воле Господин,
И Ты — узда моим желаньям.

Иначе — только взблеск и вскрик —
И помыслы мои иссякли...
Все это длилось сущий миг,
И бритва воплотилась в капле.

Кто кровь твою выпил?..

Сталин — это Ленин, данный
нам в ощущении.

Из Гегеля

1

Мне снится сон про вурдалаков:
Они — мои жена и дочь...
Сынок мой с ними одинаков —
Все перегрызлись в эту ночь.

Я осеняю их знаменьем
Неверной левою рукой...
Топор, как в масло, входит в темя —
И нету рядом отца Меня,
Чтоб отслужить за упокой.

Родителей... и иже с ними
(Кого любил, кого терзал...)
Уж «к легиону близко имя»,
«Как Сади некогда сказал»,
Или Христос, иль тот же Пушкин,
Подсчитывая песнь кукушки.

2. (Из Хайнера Мюллера)

Перечитывая «Разгром» Александра Фадеева:

Ночь, водка... Червивеет небо и вера...
Как смерти личинки, шевелятся звезды.
И пишет он автопортрет револьвером,
Граненым мазком рассекая воздух.
И осыпается свет последний
От фейерверка Двадцатого Съезда.
Тусуются обок фюрер и Ленин,
Льют памятники кровавые слезы.

444

3

И встреча последняя. Мы выпиваем
в трансильванском дворце
невиннейшего из вурдалаков...
Обсуждаем возможность
следующего симпозиума на тему
«Оклеветанный Дракула».
Много смеемся.
Я завидую твоей сигаре и блузе
и блеску глаз девушек,
поедающих тебя.

Ты спрашиваешь, о чем я думаю,
а я не думаю, а говорю:
— О соотношении живых и мертвых.
— Кес кё се?
— Кого больше? и что будет,
когда наступит равновесие
тех и других? —
Ты заинтересовался и повторял всем:
— Представляете, о чем он думает,
этот русский?! —
(И здесь, на этой строке,
не иначе как в твою честь,
я выронил стакан с водкой
из-за неверности все той же левой руки —
последствие скорее пареза, чем пьянства...
Я смотрел Ей в глаза за год до тебя —
но это ты — умер, а не я...)

«С утра выпил — весь день свободен» —
последняя советская пословица,
которая тебе так понравилась...
Это ты налил мне первую водку и отговорил от второй...
Ты стоишь на крыле «Люфтганзы»,
на которой я лечу к мертвому тебе...
Пусть эта вторая, опрокинутая тобой, —
твоя!

Вот уж не думал,
как мы выпьем еще раз вдвоем.
Так скажи мне теперь,
кого больше,
живых или мертвых?
и не стало ли уже поровну?

4

По-египетски, по-пирамидски,
«жизнь» — это «мер»...
Вот наш последний двойной виски:
русская «смерть»
и французское «мерд».

5

Что за сон мне приснился под утро,
под скребок рассветного курда?

29 января, Переделкино

Перед Сретеньем...

...и если бы душа имела профиль,
ты б увидал,
что и она
всего лишь слепок с горестного дара,
что более ничем не обладала,
что вместе с ним к тебе обращена.

Смерть поэта — это не личная чья-то смерть. Поэты
не умирают. Власть — эта воплощенная трусость мира —
оказала ему много милостей и почестей, обвинив в тунеяд-
стве, сослав на Запад, как на химию, а затем не дав визы
похоронить родителей.
Я боюсь 28-го числа по своим причинам и уже избегаю
его. Как раз 28-го и случается все. 28-го, месяц назад, я
вылетал из Нью-Йорка домой. Я позвонил Иосифу накануне. Он сказал, что не успевает воспользоваться оказией.

446

Рейс отменили. «Вот видишь, — позвонил я снова, — судьба предоставляет тебе оказию». Вышло, что оказия предоставлялась мне.

Мы говорили о болезнях, об операциях, об энергии, о том, чем и как писать. И он повторил (кажется, эти слова были обращены когда-то к Ахматовой) как заповедь, как зарок: «Величие замысла может выручить».

Он привиделся мне сегодня под утро. Будто над ним склонились то ли ангелы, то ли врачи: «Будем менять». — «Нет, уж я лучше со своим».

Он мечтал быть футболистом или летчиком. Сердце не позволило ему, боясь такой работы. Он стал поэтом. Его не пустили в родной город хоронить родителей. А он не пустил в себя весь город. 28-е. И особенно 28 января. И особенно в Петербурге. 28 января умер Петр. 28 января умирал Пушкин. 28 января умер Достоевский. 28 января Блок заканчивает «Двенадцать», перегорая в них. У поэта не смерть, а сердце. И не сердце, а метафора. Метафора остановилась, не выдержала. Поэт должен был осуществить выбор: умереть со своим или жить с пересаженным. Это смотря какое сердце... Ему бы подошло сердце черного автогонщика, погибшего в катастрофе. Сам он не мог решиться. Ангелы решили за него, отпустив его дома, в семье, во сне. Поэт умер вместе со своим сердцем. И нет больше величайшего русского тунеядца. Скончался великий близнец, спортсмен и путешественник. Петербург потерял своего поэта. 28-е... Эта дата насильно возвращает его на Васильевский остров в Петербург...

> ...в ту черную тьму,
> в которой доселе еще никому
> дорогу себе озарять не случалось.
> Светильник светил, и тропа расширялась.

6 февраля, Москва

Узнаю́ фамилию

«Этого не хватало!» — подумал я, узнав, что еще и Толик умер.

447

Он долго оправлялся после операции и не оправился: у него оказался рак.

Толик был мой сосед, муж моей домоправительницы.

Сколько лет я их знаю? Столько, сколько живу в этом доме у трех вокзалов, в знаменитой «Рыбе».

Шестнадцать лет моя жизнь проходит у них на глазах. Ихняя, соответственно, на моих. За отчетный период умерли Брежнев, Андропов и Черненко, воцарился и был повержен Горбачев, распалась империя и сверглась советская власть, выкарабкались из Афганистана и увязли в Чечне, а мы втроем производили бесконечные размены, так и не покидая нашей «Рыбы». Я менял свою однокомнатную на ее двухкомнатную смежную. Она меняла уже свою однокомнатную и комнату Толика на двухкомнатную раздельную. Я менял свою смежную на их раздельную, поскольку они наконец поженились и могли жить смежно, мне же необходимо было забрать к себе маму, и раздельность была желательна. Потом не стало мамы, а они развелись, и она пришла ко мне с обратным предложением, поскольку двухкомнатную смежную на две раздельные жилплощади никак иначе, как со мной, ей было бы не разменять, но я уже никак не мог на это пойти. Мы приватизировались, и ходов в этом домино больше не было: «рыба». Фактически почти родственники...

Теперь же, после Толиковой смерти, остро вставал вопрос о наследовании его части жилплощади, поскольку ордер был общий и на ее имя, а приватизация, соответственно, в долях, а комнаты, как уже было сказано, смежные, а у Толика был племянник, собравшийся жениться, и это именно он отвез Толика в Склифосовского, где тот в ту же ночь и скончался, но разведены-то они, выходит, были как раз формально, а фактически состояли все в том же браке, с той лишь разницей, что он больше не пил и не дрался, поскольку уже и с постели не вставал, и до последнего часа она за ним ходила, кормила и стирала, он и штамп себе в паспорт о разводе не поставил...

Так что следовало мне непременно быть хотя бы на выносе тела, чтобы вся евоная родня видела, какие люди пришли с ее стороны. Как единственный и ближайший уже родственник.

Де-факто и де-юре. И дежа вю, как вор в законе.

Ибо за две недели была это четвертая смерть. И была она для меня как одна, но отснятая в обратном порядке: сначала выступил на торжественной панихиде и бросил горсть в свежую могилу, потом участвовал в создании коллективного некролога, потом оплакивал друга, а теперь ждал тело.

Помещение до странности напоминало призывной пункт военкомата и будило воспоминания сорокалетней давности. Родственники призывников толпились в вестибюле, уже слегка притомленные протяженностью горя. Выкликалась наконец фамилия, и кто-то, как бы уже и обрадованный, расталкивал толпу ожидающих и спускался в потайной низ с обмундированием. Тем временем выносилась предыдущая неумело оплаканная старушка и поспевал новый гроб.

— Хренов! Кто за Хреновым? — И по тому, как ринулся вниз претендующий на наследство племянник, понял я, что Толик-то, оказывается, Хренов был.

Выглядел он хорошо. Все это с удовлетворением отметили, что спокойный, умиротворенный. От природы красивые, даже породистые его черты очистились от накипи беспробудных лет, освободились от перемежки отчаяния, подозрения и агрессии, так искажающих советское лицо, утоньшились и побледнели.

И так, у чужого гроба, глядя в последний раз в такое русское лицо человека, Анатолия Хренова, простился я с тремя дорогими сердцу поэтами: Хайнером Мюллером, Юрием Левитанским и Иосифом Бродским.

3 февраля, Гамбург

Интересная жизнь старика

Памяти О.А.Кедровой

Сегодня приходил молодой человек. Не помню кто. Зануда. Долго жаловался на свое здоровье. Говорил, что недаром вывез меня на дачу. Чтобы я гулял и дышал. Не знает, что у меня нога сломана. Я ему сочувствовал, как мог. Слушал внимательно, кивал. Так и не понял: кем ему приходится моя внучка? кем он работает?.. Точно, что не врач.

Сегодня или вчера?.. он насильно одел меня, вставил в шубу, закутал, вывел в сад.

Шел мягонький снежок. Он усадил меня на стул под дерево.

— Так и сиди — не уходи никуда. Дыши!

Хоть его и уволили в запас, а он все командует! Забыл, в каком он был чине... Сильный! так и перенес меня вместе со стулом!.. Причем я был в шубе.

Странные пошли молодые люди. Их вчера по телевизору показывали. Как раз где-то опять война. Погодка славная. Хорошо, что он меня вынес. Снег все сыпет и сыпет. Будто я взлетаю. Легко так, тепло. И он про меня, по-видимому, наконец забыл.

Вышла луна. У меня на плечах эполеты снега. Вот что значит: выйти в отставку!..

Как он постарел!

8 февраля, Переделкино

Ашшар
(Сура 94)

Не мы ль раскрыли грудь тебе?
И залили души пожар?
Не уступи свой мир борьбе!
Аллаху Слава! и — ашшар!

Не мы ль возвысили ту честь,
К которой частью ты приставлен?
Сумей же дни свои прочесть,
Пролистывая страницы Славы...

Как вдох и выдох, мир живет:
Наступит время сбросить ношу.
И облегчение придет
И тяготы твои раскрошит.

Да, облегчение придет!
Тащи же ту же тяжесть в гору
За высью — высь, за годом — год...
Ни связи нет меж них, ни спору.

Трудись! пока спекутся жилы
В броню от неустанных битв...
Отдай свой долг — верни все силы:
Труд — продолжение молитв.

Штурм

Теперь это вот как происходит.

Возвращаюсь я, скажем так, из Нью-Йорка. Под самый Новый год. Давненько меня не было. Не в курсе.

Звоню объявиться, поздравить с наступающим... И никакого «здрасьте».

— Ты знаешь, что Юра умер?

— Как-кой Юра?..

Перебираешь в уме ближайших Юр...

— Коваль.

А вот этого как раз не перебрал... Этого как раз и не должно быть. В смысле — не может быть. Этого не бывает, чтобы Юра Коваль... Не надо, чтобы Юра Коваль. Не хочу.

Он же мне только что книжку подарил! Надписал: «Соседу по канаве 1978 года». С намеком.

Намек такой: давненько мы, братец, не того... не встречались. А надо бы, братец, и того... встретиться наконец.

Наконец мы теперь и встречаемся, на похоронах. На них пожимаем руки тех, кто не умер: «Давненько не виделись!»

Да. Приблизительно с предыдущих похорон.

Теперь зато видимся все чаще. За месяц еще троих не стало.

И вот это-то как раз еще не все.

8 февраля 1996-го. Хроническая «Красная стрела». Москва — Петербург (б. Ленинград). Ленинград уже Петербург, а «стрела» все еще «красная». Нас — делегация, как раз купе. Играем в «слова». Чтоб не меньше шести букв в слове... Красная стрела: страна, карета, трасса, стакан... расстрел! аж восемь букв.

— Ты что, правда не знал, что Лидия Корнеевна умерла? И тут я опять не успел, не смог... Именно Лидия Корнеевна меня когда-то отучила употреблять слово «смог». Только МОГ или НЕ МОГ, но никаких СМОГ или НЕ СМОГ! Хорошего русского языка...

Приезжаю домой, первый звонок.... Одноклассник, энтузиаст ежегодных юбилеев выпуска, бывают такие на редкость преданные памяти люди... Иногда и до меня дозванивается... Радостно:

— Ты знаешь, кто у нас еще в классе умер!..

— ???

— Колька Москвин!

Бывает первая любовь, первая женщина, первая смерть (бабушка)... но бывает и первый друг. Первого класса. Образца 1944 года. Вместе всю десятку отсидели. Бывало, что и за одной партой. Сын великого оператора Андрея Москвина. Андрей Николаевич первым в жизни называл меня «Битов». Он всегда первым снимал трубку.

— Коля! — кричал он нарочито гнусаво. — Битов просит!

В каждой букве по букве «н». Полвека в ушах его голос и интонация. Не могу изобразить это на бумаге.

Да и Кольку четверть века, поди, не видел. Так иногда мелькнет: надо бы позвонить, и... недосуг.

— Уже четыре! — с удовлетворением перечислил однокашник.

Запорожченко, Вишневский, Потехин и вот Москвин. Скоро двадцать процентов.

Первый, Запорожченко, замечательно погибал. Штабной подполковник подводных войск в отставке. Рано вышел в отставку, после инсульта, левая сторона у него была... Вот только точно года уже не вспомню. По метеосводкам можно было бы установить... тогда жуткие морозы стояли, трубы лопались. Целые районы в Ленинграде выходили из строя. Комендантская Дача... или Комендантский Аэродром? Да, именно там он жил, в новостройке. Снова как в блокаду. Обогревались чем попало. Пожары... Нет, он не сгорел. Он замерз. Застыл. Жена на работе, он один в квартире. Ноль градусов. Ходил по квартире в шапке-

452

ушанке, натянув на себя все свитера, держась за стенку, под-
волакивая ногу, ходил, чтобы согреться. Не согрелся, упал,
застыл. Блокадная смерть. И через сорок лет настигнет.
В каком же это году было? Точно, что застой в самом разгаре, безвременье.

Безвременье, впрочем, это не тогда, когда, а сейчас. Это
сейчас его ни на что нет. А тогда было. И на дружбу, и на
пьянку, а похороны *своих* случались так редко, что все можно было в сторонку отложить, потому что и откладывать
было нечего. Теперь, что ли, время — деньги? Нет, тогда.
И вот, оказывается, в каком смысле. В смысле, что денег не
было, зато время было. Ну уж и пошвыряли мы его! Пачками, пачками! Пятилетками!

А теперь... ни копейки. Времени, говорю, ни копейки.
Впрочем, и денег, пожалуй, тоже ни минутки. На секунды
счет пошел, хоть секундомер включай. На старт! Внимание...
Ответил я на звонок однокашника, пересчитал домашних,
хлебнул кофе и — ...арш!!! Успевать на то, чего ради приехал делегацией. О, эти первые вздохи на Невском! Замут-
ненность взора. Радость якобы возвращения... Опаздываю.
Троллейбус. Бегом. Окликают.

О, это известный питерский человек, литературовед и
критик, либерал и прогрессист, теперь, стало быть, демократ...
он еще, помню, прославился тем, что на очередном перевы-
борном, будучи назначен в счетную комиссию, был пойман
за руку партсекретарем во время вычеркивания реакционно-
го кандидата из бюллетеня... пострадал старик, пострадал...
жертва репрессий, стало быть... сейчас небось спросит, за
кого я, за Ельцина или... но нет! И опять без «здрасьте»:

— Ты знаешь, что Лидия Корнеевна...

— Знаю, знаю! Извини, я опаздываю...

— Но ты не знаешь, что Майя Борисова тоже умерла!
«Вы будете очень смеяться...»

Надо же, какое чувство приобщенности! победил, победил... не знал.

Майечка! ты-то зачем?

Отзаседал. Тут уже наконец дома. Тапочки, ужин, телевизор, покой... Звонок.

— Андрей Георгиевич, вы уже знаете?

— Нет! НЕТ!!!

Олег Васильевич...

— Андрей Георгиевич! Ну, лучше вас ведь никто не напишет...

Так. Значит, считают, что я еще и на лесть падок... Но ведь не на такую же. И не сейчас!

Может, они знают, что я этого человека *любил*?..

Что за подлый этот мой родной русский... Грамматика завозная. Как же это я сразу употребил прошлое время! Отец! папа! почто ж ты меня покинул! ведь я же — СИРОТА!

Не думал уже, что когда-нибудь еще раз так сильно невзлюблю Советскую Власть...

Ты что же, Сука, *еще* делаешь! мстишь, что ли? Ведь он же запросто бы до ста лет дотянул! Раз уж человек с двадцатью девятью годами срока, шестью реабилитациями да, в конце концов, с операцией на легких в восемьдесят лет... охотник с четырьмя языками, до девяноста четырех дотянул, не прогнувшись... что ж ты, падла, канаву раскопала и не закопала или хотя бы не огородила или какой знак остерегающий не предусмотрела?!

Сами посудите, выходит девяносточетырехлетний человек, раритет и дефицит, собственно говоря, гордость всей нации (потому что один такой), собачку свою старенькую прогулять во двор почти ведомственного, по крайней мере элитного, дома и оступается в посреди двора канаву, как в могилу, ничем не огражденную... ломает ногу в колене. Сами понимаете, что значит в таком возрасте перелом.

Так он еще полтора года борется, выстаивает лежа. Сначала поставив себе конечной целью девяностопятилетие и преодолев рубеж, потом, замахнувшись-таки на столетие, вытягивает еще год... и лишь потом, смирясь, отпускает себя на Волю уже только Божью, и ангелы пожалели его...

Что это за халтура злая, наковыряла и бросила, ушла на перерыв, запила, и никто за нее не ответил? Все та же Сонька, спившаяся, опустившаяся, неподмытая... бомжиха Сонька, прикинувшись жертвой демократии, развалилась от Калининграда до Сахалина, облекая похмелье в политические мотивы... и нет ей ни конца ни краю, хоть и ужалась с одной шестой до одной седьмой части света.

Кто ответит, какой начальничек, за сломанное это колено?

Мстит, падла. За то, что уцелел, за то, что выжил, за то, что облика человеческого ни в чем не утратил.

«Я никогда не поеду на Соловки, — решительно сказал мне однажды Олег Васильевич. — Я Секирку слишком хорошо помню».

А я поехал. Там решили школу построить, стали под фундамент рыть. Вонь пошла по поселку! От братских могил, от расстрелов полувековой давности. Показали мне череп с отверстием в основании, и пуля сплющенная в нем перекатывалась, свидетельство эксперимента — борьба за экономию боевых патронов: если поставить четырех в затылок друг другу, то можно одним выстрелом — лишь в четвертом завязнет.

Что-то вы там мне про Камбоджу? про Никарагуа? про фашизм?

— Не буду я писать вам некролог! Не могу. Не хочу.

— Ну, Андрей Георгиевич!.. Больше некому.

Крепость пала. Теперь придется самим.

27 февраля, Москва

Аззальзаля

(*Сура 99*)

Когда в конвульсиях Земля
Извергнет бремя
И будет повернуть нельзя
Вспять время,

То будет явленная речь
Земли и Неба,
И в ней дано будет испечь
Подобье хлеба...

Разделится, толпа с толпой,
Людская лава,

455

Как разлучает нас с тобой
Здесь — слава.

Добра горчичное зерно
И зла пылинку
В одном глазу и заодно
Узришь в обнимку.

С терновым лавровый венец
В одной посуде...
И сварят из тебя супец,
А не рассудят.

В тот день, когда вскипит Земля...
Аззальзаля!

8 марта, Санкт-Петербург

Годовщина

> Про каких еще заек?!
> *Из современного анекдота*

«Что бы ни сделал в России человек, его, прежде всего, жалко. Жалко, когда человек с аппетитом ест. Жалко, когда таможенный чиновник, никогда не бывавший за границей, спросит вас, какая там погода...»

Под этими словами мне до сих пор хочется расписаться. Но это не я их написал.

И это не я их прочитал... Я тогда даже не знал, что у Блока есть проза.

Я тогда прозу *сам* писал.

Прозу Блока *открывает* мне вслух Лидия Корнеевна. Высокая, прямая, седая и молодая, величественная, как Анна Андреевна. В смысле: такая же естественная.

Как датировать подобный мемуар? Значит, Ахматова *еще* жива, а Бродского *уже* судили.

И я привез в Москву первый вариант «Пушкинского дома».

Вот — «молния искусства» образца 1965 года. Шесть-пять.

456

О, ленинградец того времени в Москве — особая тема!

Значит, я слушатель Высших сценарных курсов. Подал по подсказке Рейна, принят по рекомендации Пановой.

— Зачем вам это надо? — сказала Вера Федоровна.

— И вот еще какая русская проза есть! — восклицает Лидия Корнеевна, извлекая единственный в мире экземпляр уничтоженной книги Бориса Житкова. Сожжение «Ста тысяч почему» вызывает у меня смех. Оказывается, он писал и «потому что».

И вообще был красавец. Денди и джентльмен. В такого и влюбиться, а он не только *про заек*, он еще и *прозаик*!

Таких расстреливали уже за внешний вид, а не только за то, что они написали.

Немногие вернулись с поля...

Если переставить две последние цифры, получится пятьшесть, 56-й.

Пятьдесят шестая — что за статья?.. XX не век, а Съезд.

Наша семья счастливо обошлась: мы никого не *ждали*.

Все на работе. Я один дома: тружусь перед зеркалом с гантелями. Звонок. На пороге какой-то сотканный из пыли человек.

— Кедровы здесь живут?

Не верит, что здесь. Глядит на меня — и не верит.

— И Ольга Алексеевна? И Георгий Леонидович?

Я надуваю бицепсы:

— Я их сын.

— Странно, — говорит пришелец. — А такие красивые родители.

И уходит. Я исключительно оскорблен. Возвращаюсь к зеркалу... и почему-то не нравлюсь себе.

Человеку надо в чем-то отражаться — вот в чем дело. Иначе его нет.

Так что важно, *в чем*.

Ленинградец отражался в Москве как провинциал, как чучмек. «Великий город с областной судьбой» приобретал если и не национальные, то фольклорные черты. Паустовский докладывал своему литсекретарю: «Приходил Битов с

457

пирогом и рукописью». Секретарь пересказывал, смеясь, в ЦДЛ. Я обижался: ходоки, видите ли, у Ленина... топчусь в лаптях в прихожей у барина... оброк принес. Теперь-то я все понимаю: сам стал старик, замученный чужими рукописями, а тогда... надо же все настолько на свой счет принимать! Сам, можно сказать, единственный экземпляр у меня из рук вырвал: дайте почитать! Естественно, не прочел. Так верни!

Естественно, потерял, а признаться трудно. Мама же пыталась подкормить голодающего студента в Москве, увлекалась пирогами, пересылала их с оказией, паковала с немецкой тщательностью... «А это что у вас? Еще рукопись?» — «Нет, это пирог. Мама прислала». — «Печеного мне нельзя». — «Мне зато можно». Вот и весь разговор с классиком. Зато навсегда. Никого не осталось: ни пирога, ни рукописи, ни классика. Один я всех пережил... Мемуаром зацвел.

«Тарусские страницы»... Теперь ругают шестидесятников, а они до сих пор сами себя не поняли. Что это было? — так стремительно поверить, что все наладится: и справедливость восторжествует, и вообще... Зато репутаций как грибов. Про Максимова слыхали? Его сам Мориак гением объявил! А Мориак кто такой?.. Франсуа, что ли...

Ленинградец-то насколько ни во что не верил, настолько же доверчив был. С одной стороны, в Москве все продались, с другой — и снисходительной улыбки довольно, чтобы расцвесть и понадеяться на участь. И только что порочимый литературный генерал превращается в доброго и талантливого человека, и дружба навек. В генералы же производились с первой публикации. Правда, смотря где. В «Новом», скажем, «мире». Но можно и в «Литературной Москве», или «Дне поэзии», или вот в «Тарусских страницах». О, эта мечта о «Двух рассказах» в «Новом мире»! — очнуться знаменитым...

В Москву рисковали поодиночке, Москва же высаживалась десантом. Вон она шествует шеренгой от «Октябрьской» до «Европейской», в распахнутых, как у Ленина, плащах: Окуджава, Войнович, Икрамов, Галич... кто там еще? — кто их собрал? кто «Стрелу» оплатил? чем это они так прославились? Ума не приложу. Всей-то славы: авторы «Синтаксиса», машинописного издания, за который Гинзбург-составитель еще не сел, но — *сядет*.

Значит, дата уже другая: шесть-ноль, шестидесятый, шестидесятники...

Очень много еще сядет, уедет, сопьется, умрет, чтобы их сегодня все ругали, потому что они именно этого и добились и, может, одно это и обеспечили — чтобы о них вытирали ноги. Именно за это им честь и хвала.

Очень уж это невкусно: ноги мыть и воду пить.

«Тарусские страницы»... Корнилов, Максимов... читали?

Хрущев не только зеков, он еще и *славу* выпустил на волю. Как же она гуляла!

Не в свободе печати, а в свободе славы, оказывается, дело. Когда ты *сам* ее раздаешь.

Когда ты выбираешь, *кому*.

Но это же и отрава. *Причастность*. Одно дело — вдохнуть славу как свободу, другое — так ее и не выдохнуть. Асфиксия шестидесятничества передается до сих пор по наследству.

Первым об этом мне сообщил Максимов: «Умному человеку достаточно достигнуть славы в областном масштабе, чтобы не стремиться к ней в мировом».

Легко сказать!..

Экспресс «Таруса — Париж».

Только что расправились с Пастернаком, так и не раскусив, кто это такой. Шолохова раскусили. Правда, Ахматова еще была жива. Но еще не было ни Солженицына, ни Бродского, и про Набокова не слыхали. Страна жаждала гения. Не была ли то сталинская инерция? — непременно занять пустующий пьедестал... Свобода слова оказалась скованной именно монументальностью роли писателя едва ли не больше, чем идеологией. Загнав вольную русскую классику XIX века на школьную скамью в качестве членов Политбюро, наша пропаганда достигла большего, чем примитивным удушением современной словесности. Толстой с Достоевским оказались виноваты. Раскаялись и дали на себя показания. Практически добровольно, ибо не заготовили себе защитительной речи. «Кто знал?..» — вот название для русского романа вместо «Кто виноват?». Четверть века спустя мы обсудим с Володей эту тему не то в Страсбурге, не то в Париже. Ну почему, почему наша великая литература ни разу не осилила тему русской, именно русской, литературной амбиции? Какой типический, какой хронический герой оказался упущен! Достоевский мог бы... но сам им стал. Когда и как роль литературы была подменена ролью в литературе? С каких пор пьедестал стал важнее текста? Почему до сих пор, когда литература, по авторитетным заявлениям, кончилась, рождаются еще более амбициозные претенденты на свергнутую роль? Не Пушкину ли внушали, что в России писатель может сделать не меньше, чем Петр Первый? Пушкин, положим, справился, оставшись собою.

С тех пор наши писатели все больше утрачивали себя, становясь героями, образами и персонажами отечественной литературы, как бы прекрасно иные из них ни писали. Роль или кабала? Кажется, Иосиф вышел из положения.

Вот о чем мы в последний раз поговорили, посасывая не то абсент, не то перно. Раньше-то мы водку стаканами пили... когда я залезал к нему в окно... жил он тогда в деревянном, дровяном домишке, где, пожалуй, двор был и впрямь посреди неба... ты там финал «Семи дней творения» вслух Булату читал, и я там был... и мне вдруг показалось, что такой голой, такой глагольной прозы еще никто не писал... Так глух был твой голос, так изящен жест твоей изуродованной руки, и был ты красив, как вор, как урка, обуглен и тощ... Или вот еще помню... до дому было уже не дойти... нас спасла красавица бурятка, отвела к себе... очнулись мы от твоего истошного крика... ты открыл не ту дверь и наткнулся не то на мамонта, не то на саблезубого тигра... мне тоже показалось, что это белая горячка... но хотя бы она не бывает коллективной, а реализм бывает иногда спасительным... то был черный ход в зоологический музей, к которому непосредственно примыкала пещера нашей красавицы!

Мой семилетний сын на днях спросил: «Папа, а когда ты был маленьким, динозавры еще были?»

Были, сынок...

Ему-то что. Он составил свою классификацию Истории: Эпоха Динозавров — Первый Век — Эпоха Революции — Эпоха Трансформеров.

Господи! какими мы были и какими мы стали! чтобы одутловато потягивать в Париже перно!.. «Я умираю. Россия погибла...» — сказал ты в этом Страсбурге.

Я не был доволен подобным заявлением. «Надо уточнить последовательность», — не удержался я.

Выходит, я все еще не мог простить тебе, что ты, именно ты не напечатал мои ответы именно на эти вопросы (Я или Россия?)... У *нас* это, естественно, нельзя было тогда напечатать. Но, оказывается, и у *вас*...

День сороковой

Переплетаю Век Двадцатый —
Зиянье вырванных страниц...
Десятилетья на заплаты
Уходят с прочерками лиц,

Убитых, спившихся, опальных,
Не описавших ничего —
Уходят... золотом сусальным
На оглавление его.

Век, как вдова, переживает
Мужей, любовников своих
И на детей перешивает
Все, что изношено у них.

Под траурною вуалеткой,
С облезлой муфточкой страстей,
В последнюю из пятилеток
Спешишь похоронить детей.

Ты выглядишь как настоящий
С керамикой и париком,
Но скоро сам сыграешь в ящик
Дветыщелетним стариком.

Смерть как текст

Самоутверждаться в системе оценок — с одной стороны, паразитизм культуры, с другой — поддержание порядка на этом погосте есть единственное обеспечение ее существования. Поэтому: стройность и ухоженность этих могильных холмиков и надгробий — понятий, имен, дат и иерархий на кладбищах учебников, монографий, энциклопедий и словарей — являются определяющим признаком культуры. В школах и университетах учимся мы лишь тому, что было, что прошло, — прошлому, смерти, убеждая себя в том, что живем вопреки ей. Неприменимость знания к жизни есть тоже признак культуры, причем уже достаточно высокой. Поэтому: кто великий, кто большой, кто замечательный, кто знаменитый, кто прославленный, кто выдающийся, кто гениальный — есть не только расхожая пошлость человеческих амбиций, в частности литературных, но и устав, в самом армейском смысле, культуры. Устав, на букве которого легче всего чинопродвигается заурядность и посредственность: легче ухаживать за избранной могилкой, подворовывая собственную жизнь, чем жить собственной жизнью с живым человеком. Неистовость прижизненных фанатов — не более чем проекция долгожданного распятия. Прижизненное признание — не самая точная функция современника.

Еще есть категория «бессмертный», применяемая более к творениям, чем к их создателям, и лишь отчасти к их репутациям, с которыми мы ничего поделать не можем, которые прорастают сами, то есть действительно живут. Так что бессмертие — это судьба, то есть продолжение той же жизни, но уже за гробом. Не завершенная при жизни жизнь — бессмертна, и не оттого ли наши поэты предпочитали гибель, в которой мы, по традиции, виноватим общество?

...(Самому Набокову, обносимому то Нобелевской премией, то какой-нибудь почетной мантией, то каким-нибудь еще «бессмертным» членством и чванством, ничего не оставалось, как пренебрегать подобными дефинициями, быть выше «этого» и, сетуя на непереводимость русского слова «пошлость», презирать Фрейда с его «венской делегацией», похождения тихих донцев и Доктора Мертваго, социальных популяризаторов типа Оруэлла, или предпочитать стихи Бунина его прозе и назначать Ходасевича первым поэтом XX века, или призывать в наследники смельчака, который простым молотком трахнет по гипсовым головам Томаса Манна, Горького и Бальзака, и т.д. и т.п., что само по себе, по системе тестов кого-нибудь из «членов делегации», свидетельствовало бы о подавленном небезразличии к понятию *славы*, то есть некоторой ревности к пошлейшим дефинициям *места в литературе*.

Сам Набоков был не чужд... чего стоит желчная меткость его определений: «парчовая проза» (Бунин), «лампочка, горящая днем» (Достоевский), или даже Гоголь («нос и желудок»), — не чужд, расставляя ученические отметки русской классике (тайная слабость наедине с Верой Евсеевной): то одному четверку с плюсом, то другому пятерку с минусом... и вдруг Тургенев обходит Толстого. И своим фанатам-набоковистам, зарождающемуся набоковедению, выставляет он пятерки и четверки независимо от заверений в преданности и любви.)

Мне здесь хочется заявить, что Набоков, несмотря на ту нишу, в которую его засунут потомки, есть самый бессмертный писатель, бессмертный именно в категориях жизни, потому что бессмертие — его основная тема. И никому не известно, как оно ему воздаст за столь истовое себе служение.

Набоков — певец не жизни *или* смерти, и не жизни *и* смерти, и не жизни *в* смерти, и не смерти в жизни, а именно *бес-смертия* он певец.

(Слово «бес» попуталось... пожалуй, оно тут ни при чем... скорее, тут попутал бес «красного словца»... «красное» нам западло, и мы в эту сторону не пойдем... так что без-смертие.)

Без-смертие как состояние жизни.

Без-смертны именно весенние цветы, бабочки-однодневки и девочки лет двенадцати.

Бессмертен комариный укус. Он обессмертен крестиком, продавленным ногтем на лодыжке возлюбленной («Весна в Фиальте»).

Бессмертны потерянные ключи, когда ты стоишь на пороге первого любовного свидания («Дар»).

Бессмертен апельсин в руке матери («The Real Life of Sebastian Knight»).

Бессмертен неразбившийся стакан («Pnin»).

Бессмертна глуховатость мужа Лолиты.

Бессмертна ошибка, случай, опоздание, отсутствие, утрата, незнание — *невстреча*.

Бессмертна сама смерть.

Бессмертно все то, что уловлено взглядом и слухом и *запечатлено*.

Набоков изловил бесконечное количество бабочек, но и бессмертие его детали есть та же самая бабочка, но уже человеческого бытия.

Чтобы обессмертить реальную бабочку, ее надо поймать, заморить, препарировать, классифицировать (дать ей имя), поместить в прозрачный саркофаг для обозрения.

Требуется не помять, не повредить пыльцу крылышек...

Чтобы отловить деталь живой жизни, требуется *ничего* не повредить.

Деталь нельзя удалить из жизни. Нельзя и пригвоздить к бумаге.

Для того чтобы постичь тот эффект Набокова, которым бесхитростно восхищаются его читатели, стоит задуматься, зачем он был так жесток с бабочками и как претворял опыт в метод. (Член «венской делегации» подсказывает мне словечко «сублимация», и я опять недослышиваю, как муж Лолиты: ась?)

Есть много суждений о неверии и чуть ли не атеизме Набокова, которые можно многообразно иллюстрировать из его собственных сочинений всяческими шпильками в адрес церковников. И тут я предамся в очередной раз своим мемуарам о Владимире Владимировиче...

В романе «Подвиг» (в который раз признаюсь, что моем любимом из русских его романов) я набрел на страничку с таким открытым признанием в Вере, что она одна легко опровергала все его прочие высказывания на ее счет или, скорее, ставила их на подобающее место. Желая тут же процитировать это место, я его тут же не нашел. Как сквозь страницу провалилось... Будто он и не написал ее, а нашептал.

(Вот и сейчас — я пишу это в Петербурге — среди многочисленных постсоветских изданий В.В. не нашлось ни одного с «Подвигом». Так что опять странички той нет. А я-то хотел ее здесь как раз процитировать...)

Но один раз мне эта страничка все-таки открылась...

И опять начну вспять, с начала...

В 1991 году, как раз перед пресловутым путчем, я подыскивал для семьи дачу под Петербургом (тогда еще Ленинградом), желательно в районе Токсова, родного для меня места. Нас преследовала неудача. Отчаявшись, направились мы в противоположную сторону по случайному адресу, сорванному со столба ручкой нашей двенадцатилетней (sic!) племянницы. Гатчина... Сиверская... Что-то мне все это напоминало. В Гатчине — дворец и памятник Павлу — оба хороши, и оба оказались на месте; в Сиверской... два воспоминания нависли надо мной, то есть я не мог вспомнить. И оба наметились из одной точки — сочинения Ивана Петровича Белкина «Станционный смотритель». Трактир «У Самсона Вырина», перереставрированная до неправды валютная штучка, означил для меня поворот налево, и прямо передо мной, слева от шоссе, за мостиком, на холмике, открылось... некое равнодушие опять залило мне глаза, и я не посмотрел: мол, как раз поворачивать, надо за дорогой следить, и машина ГАИ как раз сторожит на пути взгляда. Не увидел.

(А невозможно было не увидеть! Свято место пусто не бывает, зато меня в нем нет. Есть у меня такой подсознательный оберег: ни разу в квартире на Мойке, ни разу в Михайловском, вот и в Рождествено — ни разу... а именно оно нависало над инспектором ГАИ, зарифмовавшим себя с Самсоном Выриным!)

Зато — как повернул, шлагбаум миновал, железнодорожные пути перековылял, к мосту через Оредеж подъехал, уже в Сиверской, — смотрю: заводь с отвесным красным обрывом и сосны поверху — видел я этот пейзаж, знаю его! хотя ни разу в Сиверской не бывал. Во сне видел. А откуда сон? Вспомнил (со слов мамы): перед войной мы тут дачу снимали... Так вот откуда этот берег! через полвека судьба вернула меня на то же место, может, и в тот же дом, он ровно моего возраста оказался... Купил я его.

В прошлом году я побывал в раю. Рай размещался в Чивителла Раниери, крепком, замечательно отреставрированном (со всеми удобствами) замке XIV века недалеко от городка Перуджа в Умбрии. Здесь меня настигла ужасная русская весть, что в Рождествено сгорела дотла усадьба Набокова. Значит, четыре года уже я помещичествовал в двух шагах, да так и не сподобился... Два века благополучно простояла, дожидаясь хозяев, пережила советскую власть, в Набоковском фонде уже поговаривали о необходимости реституции, ибо Дмитрий Владимирович, сын и наследник, обещал тут же передать все в дар фонду в случае вступления в законные права... нате вам! то есть вот те на! Не побывал.

Из «рая» я переехал в Сиверскую. Тем более не собирался я разрывать сердце на пепелище... Но приехали немцы снимать телесюжет о Набокове, накрыли меня в моей письменной баньке. Пробовал я им изнутри баньки все про Владимира Владимировича рассказать, приблизительно в сторону его усадьбы в подслеповатое окошко указывая, — не прошел номер: им не символика — им вещь дай пощупать... и «Подвиг» на этот раз оказался под рукой, да страничка сокровенная опять не нашлась...

И повлекся я за ними на пепелище, которое и впрямь от дачки моей было в двух шагах.

Выбрались на шоссе и только повернули налево, как тут же мост через Оредеж, и «другие берега» отворились сами ровно на том месте, где этот именно проезд и описан, и не успел я сравнить открывшийся вид с описанием, как и усадьба открылась.

С трепетом и опаской бродил я по обгоревшим балкам, как канатоходец, и камера преследовала меня. Здесь подобрал я щедрый набоковский дар: прямо посреди пустого холла, прямо возле ноги... обгоревший томик Пушкина юбилейного года издания, ровесник Владимира Владимировича, так что мальчиком, здесь, вполне мог его читать. И как музейщики, тщательно обшарившие пепелище, не подобрали именно его! Томик обгорел и стал овальным, в середине сохранился текст, окруженный изящным пепельным рюшем,

466

как крылышко бабочки-траурницы. И здесь, в сквозящем на все четыре стороны света обгорелом каркасе, цепляясь за столбы и стропила, открылся в одну сторону — тот самый мой довоенный пейзаж с красным обрывом, а в другую — храм Божий на соседнем холме. И, глядя на него, раскрыл я наконец «Подвиг» ровно в том, каком надо было, месте...

«Была некая сила, в которую она (Софья Дмитриевна, мать Мартына. — *А.Б.*) крепко верила, столь же похожая на Бога, сколь похожи на никогда не виденного человека его дом, его вещи, его теплица и пасека, далекий голос его, случайно услышанный ночью в поле. Она стеснялась эту силу назвать именем Божьим, как есть Петры и Иваны, которые не могут без чувства фальши произнести Петя, Ваня, меж тем как есть другие, которые, передавая вам длинный разговор, раз двадцать просмакуют свое имя и отчество, или еще хуже — прозвище. Эта сила не вязалась с церковью, никаких грехов не отпускала и не карала, — но просто было иногда стыдно перед деревом, облаком, собакой, стыдно перед воздухом, так же бережно и свято несущим дурное слово, как и доброе. И теперь, думая о неприятном, нелюбимом муже и о его смерти, Софья Дмитриевна, хотя и повторяла слова молитв, родных ей с детства, на самом же деле напрягала все силы, чтобы, подкрепившись двумя-тремя хорошими воспоминаниями, — сквозь туман, сквозь большие пространства, сквозь все то, что непонятно, — поцеловать мужа в лоб. С Мартыном она никогда прямо не говорила о вещах этого порядка, но всегда чувствовала, что все другое, о чем они говорят, создает для Мартына, через ее голос и любовь, такое же ощущение Бога, как то, что живет в ней самой. Мартын, лежавший в соседней комнате и нарочито храпевший, чтобы мать не думала, что он бодрствует, тоже мучительно вспоминал, тоже пытался осмыслить смерть и уловить в темноте комнаты посмертную нежность».

(Вот и опять ровно на этом месте... текст «замерз», как в компьютере, и я, уже в Москве, не находил цитаты; а нашел ее здесь, в Переделкине.) И вот что еще замечательно: усадьбу уже начали реставрировать! Нет, не мэрия, не Министерство культуры, ни какая еще власть — «новые русские». Чистюля и Могила были их кликухи. Один составил себе состояние на общественных туалетах, другой — на кладбищах. Бабочки, нимфетки... С чего и начинать обустраивать Россию, как не с туалетов и кладбищ! И музей как вершина треугольника.

Значит, так: Набоков — не такой, как мы думаем. Как и Пушкин, *он не для нас писал*. Скажем так: для чего-то *еще*. И вот это-то *еще* нам *уже* нужнее воздуха и воды. Россия «Других берегов» бессмертна. Набоков ровно на столетие младше Пушкина; Гоголь напророчил нам Пушкина как «нового человека» через двести лет; через три года мы отметим столетие Набокова и двухсотлетие Пушкина; кто же это родится у нас в 1999-м?

Набоков уже другой, чем мы. Раздвоение русской культуры XX века на советскую и эмигрантскую именно в нем преодолено, претворено в мировой феномен непрерывности. Набоков не оправдал наших надежд — зато нам есть на что надеяться после него. А теперь и после Бродского.

Тут и кроется разгадка ложного мифа о снобизме, высокомерии, элитарности, эстетстве: плебейское желание поиметь все сразу и сейчас — не удовлетворено. А то, что Набоков очень застенчивый, нежный, прозрачный, ясный, чистый, даже наивный писатель, еще рано нам открывать. Он сам запечатал это свое целомудрие множеством секретных печаток и тайных замочков, в которых дано сейчас только поковыряться кому-либо из наиболее тонких и незазнавшихся его читателей.

Он приснился мне однажды еще при его жизни. За подлинность я могу ручаться: во сне было по крайней мере две детали, о которых я в ту пору понятия не имел, и они впоследствии (уже после его смерти) подтвердились... Он был на голову выше меня (физически) и приехал в Ленинград инкогнито как энтомолог.

Идея конечности художественного текста намекает на его предшествие, на его наличие до его написанности, на его даже врожденность. Литература же, в таком случае, существует как данность, в смысле — дарованность. И только так хочется тут толковать слово «дарование», с сохранением движения внутри, глагольности. Дарование, как посвящение, как крещение. Суперзамысел, гиперзамысел есть, в таком приближении, не только развитие (имперское) литературного жанра как амбиции, но и тяготение к единству текста, тебе врожденного. Начиная с Гомера и кончая «Улиссом» же. Все постмодернистские идеи есть не столько результат развития и поиск пресловутого «нового», а возвращение к изначальности, к первому слову, зачистка врожденного нерва. Мир нуждался в Гомере, чтобы воспеть себя. Слепец не знал письменности. Платон ли автор самого великого героя мировой литературы, или Сократ нуждался в исполнителе, чтобы быть запечатленным? Что сгорело в Александрийской библиотеке? Не столетним ли усердием авторов рыцарских романов сочинен «Дон Кихот» и записан одной рукою? На эти вопросы так же невозможно ответить, как и на вопрос, откуда Веды, Талмуд, Евангелие или Коран. Во всяком случае, если взглянуть на Евангелие как на жанр, то сюжет, пересказанный четырьмя очевидцами под одной обложкой, превзойдет любые авангардистские изыски, а как и Кем он был продиктован или нашептан — другое дело.

Золотой Век русской литературы, если ограничить его троицей Пушкин — Лермонтов — Гоголь (так гипнотизировавшей, кстати, и Набокова), создавал в каждом и всего по одному: они пробегали по жанрам, как на тот берег по льдинкам во время ледохода: стихотворение — цикл — поэма, рассказ — повесть — роман, комедия — драма — трагедия, внезапность слова КОНЕЦ до воплощения ГИПЕРЗАМЫСЛА, потому что все написанное в целом как раз им и оказалось. Их ранняя, преждевременная смерть, столь справедливо нами до сих пор оплакиваемая, не более внезапна, чем их рождение, чем их текст. Текст переплетен в даты рождения и смерти с не нами определенной точностью и тщательностью, с наличием «Евгения Онегина», «Демона» и «Мертвых душ» внутри, как и сам Золотой Век переплетен в «Историю Государства Российского» Карамзина и «Словарь живаго...» Даля.

Если определить текст как органическую связанность всех слов, от первого до последнего и каждого с каждым, то это слегка напомнит самое жизнь, в которой, в принципе, нет ничего отдельного, не связанного со всем прочим. Если же предположить, что Поэту (в высоком смысле слова) текст дарован от рождения, врожден, то окончание подобного сверхтекста означит и окончание самой жизни или обреченность на немоту. Подобная взаимосвязь жизни и текста именуется назначением, неуклонное следование назначению — судьбой, а воплощение судьбы — подвигом. Всегда хочется еще и еще раз подумать, зачем Набоков назвал тот самый свой роман о возвращении на родину «Подвигом». Подумав, любопытно тут же отметить, как много у Набокова героев уже не в литературном, а в героическом смысле слова. Собственно, все его герои, включая преступных, ничтожных и униженных, еще и герои в прямом смысле слова: и Гумберт Гумберт, и Лужин, и Пнин. Решаясь определить пределы личного существования, они заглядывают за пределы, где жизнь существует в неподвластной форме — в форме безумия. И это определенный риск, отдаленно напоминающий писательский опыт. Там жизнь реальна, где не объяснена, где ее не объять умом. Набоков — реалист в том смысле, что именно реальную жизнь он пишет. Ее — мало. Она бессмертна. Он ловит ее в свой сачок. Текст кончается и умирает. Жизнь, в нем запечатленная, остается бессмертной.

Прожив жизнь в жизни и жизнь в тексте, автор удваивает ее на ее бессмертную половину. Оставив после себя чистый стол.

Карл Проффер рассказывал, что у Набокова в последние его дни не осталось черновиков. Поверхность стола была чиста, как белый лист бумаги. Все было разложено, систематизировано, подшито. Аккуратные папки. Каков был бы энтомолог, если бы жучки и бабочки были разбросаны по кабинету...

Подобные воспоминания существуют об Александре Блоке: необыкновенная аккуратность и чистота стола, уже не энтомологическая, а «немецкая». Это дополнительно давало пошляку возможность говорить о его «исписанности».

Ничего, кроме исписанности, от писателя не требуется. Им закончен дарованный ему текст.

Блок и Набоков переплетают нам Век Серебряный.

Со всем, что внутри.

470

И с проклятием, и с молитвой
Жизнь не более, чем была...
И обрезана, точно бритвой,
Краем письменного стола.

Я вспоминаю, я воображаю, я мыслю...

Легко сказать.

Попробуйте вспомнить память, вообразить воображение, подумать саму мысль.

Ничего не получится. Ничего, кроме гулкого свода...

Я хотел аукнуться — рот мой раскрылся и не издал ни звука.

Здесь не было звуковой волны.

То есть не было воздуха.

В испуге я осознал, что грудь моя не вздымается. То есть я не дышу.

Я прижал свою руку к груди.

Оно не билось.

Я умер?

Превращение жизни в текст (воображение) подобно возвращению текста в жизнь (память). Память и воображение, таким образом, могут оказаться в той же нерасторжимой, взаимоисключающей связи, как жизнь и смерть.

Опыт воображения, то есть представления жизни без себя, без нас, может оказаться опытом послесмертия, который каждому дано познать лишь в одиночку. Воображение — столь же бессмертная часть нашего существования, как сама смерть. Каждый из нас познает, приобретает опыт послесмертия внутри жизни точно так, как получает с рождением память предшествовавших — самой жизни и человечества — генетически. И если мы люди, то не нарезаны на слепые отрезки жизни и смерти, как сардельки, а содержим всю череду смертей до своего рождения, как и всю череду последующих рождений в своем послесмертии. И если это не дурная бесконечность (в случае самоубийства... перечитаем «Соглядатая»), то единственно осмысляемый нами отрезок может быть от акта Творения до Страшного Суда, который не так уж страшен после всего пережитого, потому что вполне заслужен. То есть — до Воскресения.

Между кладбищем памяти и воображением как смертью наша душа отрывается от тела ежемгновенно. Мы — живем.

Тайна, запирающая для нас вход и выход, рождение и смерть, и есть тот дар, та энергия заблуждения (по определению Л.Н.Толстого), с которою мы преодолеваем Жизнь, чтобы выполнить Назначение.

В этом смысле бессмертие нам назначено.

С отрубленной головой Цинциннат обретает *своих*.

Жизнь есть текст. И те три, девять, сорок дней, год, в течение которых (кажется, во всех конфессиях) мы перечитываем жизнь ушедшего от нас, переплетенную в его даты, — и есть изначальный жанр любого повествования: рассказа, повести, романа, эпопеи, — где именно замысел есть вершина, а исполнение — подножие, где нам все ясно в отношении конца героя, но не все еще домыслено относительно его рождения, и мы пишем вспять, возрождая его от смерти к жизни, в подсознательной надежде, что когда-нибудь и с нами так же поступят.

29 апреля

Что получается

Заявление

Это только кажется, что все плохо и ничего не получается. Представления заслоняют.

На самом деле и удача сопутствует, и справедливость торжествует.

Я родился в том самом тридцать седьмом, но зато в день основания Ленинграда (б. С.-Петербурга), решимость моих родителей подкреплена сталинским законом о запрещении абортов.

Я родился в самом переименованном городе самой переименованной страны, но вырос в самой непереименованной их части: на Петроградской стороне, на Аптекарском острове, на Аптекарском же проспекте, напротив Ботанического сада, в доме «модерн», успевшем построиться до революции.

Оттуда начинается моя память: блокадная зима 1941/42 года.

В 1967-м я переехал на Невский проспект, поближе к Московскому вокзалу. В 1972-м мигрировал в Москву, в Теплый Стан. В 1979 году оказался без дома. Без работы, без семьи, без денег — без всего, кроме автомобиля. Ночевал по друзьям, по мастерским: найти меня было невозможно. Никто и не искал.

Так проходит год. Теплый Стан переименовали в Профсоюзную улицу, заезжаю я по какой-то более чем редкой надобности к бывшему теперь тестю в Кузьминки. Звонок. Вот те на... Кузнецов, Феликс Феодосьевич.

— Ты развелся?

— Да.

— Тебе негде жить?

— Да.

— Мы дадим тебе квартиру.

— Дареному коню...

И получаю я ордерок на Краснопрудную улицу. Кстати, оказалось, непереименованную, «краснота» в ней от XVII века.

И вот что любопытно: моя последняя квартира в Ленинграде была у Московского вокзала, на третьем этаже, под номером 28, а эта — у Ленинградского вокзала, тоже на третьем и тоже 28.

Конечно же, я согласился, думал: да будь я космонавтом и закажи себе подобное совпадение, никакой Гришин меня бы не послушал. Долго потом друзьям судьбою хвастал. Теперь привык.

Биография, как и история, — это то, что получилось, а не наоборот.

То, что у нас с кладбищами напряженка, я запомнил с 1954 года: бабушку не удалось положить к дедушке. Дедушка был историк и, провозгласив, что через год пол-России будет висеть на фонарях, скончался от сердечного приступа за год до «катастрофы», оставив бабушку с четырьмя детьми в возрасте от пятнадцати до семи лет, и был захоронен рядом с отцом и сестрою на Новодевичьем (в Петербурге) кладбище. Дедушкино кладбище было «закрыто», поговаривали, что начальство ждет, когда оно (кладбище и начальство) окончательно вымрет, чтобы приспособить под собственные нужды. Наконец бабушка упокоилась на Шуваловском, тоже закрытом, но просто, не на ведомственный замок. Вид отсюда открывался замечательный: с облесенного соснового склона на Шуваловское озеро — блоковская строка. «Все чаще я по городу брожу. Все чаще вижу смерть — и улыбаюсь улыбкой рассудительной. Ну, что же?..»

В 1958 году не стало Азария Ивановича... Это был наш не кровный родственник, с 1919 года самый близкий семье человек. И опять цитата: «Между ними сложные отношения... такая духовная борьба, о которой вы понятия не имеете... И вы, получая... по двугривенному за пакость... куражитесь над ними, над людьми, которых вы мизинца не стоите, которые вас к себе в переднюю не пустят».

У него никого, кроме нас, не было. И мы, воспользовавшись уже установившимися связями с администрацией кладбища, выдав его за двоюродного брата бабушки, захоронили Азария Ивановича в непосредственной близости, чуть выше по склону, так что с одной могилы хорошо видно другую, через дорожку. Ограниченное дорожкой и склоном, ему досталось неожиданно большое место. Вдвое длиннее поперек, чем вдоль, так что рядом образовалось пустующее место, но земля эта была уже наша. Так что когда в 1977-м не стало папы, мы, пользуясь уже как бы и законным правом, выдали папу за двоюродного брата Азария Ивановича. Дело в том, что фамилии у всех троих были разные. Непереименованные.

В 1990-м, когда не стало мамы, мы жили уже в Переделкине; она хотела только в Шувалово.

И вот как единственно можно было это сделать: либо к законному мужу, либо в ту же могилу к матери; теперь она лежит между двумя «братьями», и ее крест возвышается над ними. В линейку, по-над озером: дядя Аза, мама, папа.

Напротив мамы, ниже по склону, как вершина треугольника, бабушка.

Ровный такой треугольник, почти равнобедренный.

В головах у бабушки выросла огромная полувековая береза.

Моя семья живет теперь в Петербурге (б. Ленинград),

внучка моя несколько старше своего дяди, живут они через улицу и друг к другу в гости ходят, как брат и сестра, и фамилии у них разные, и когда я выхожу с поезда в левую арку Московского вокзала, то первый дом в городе, открывающийся в арке моему взору, — мой. Квартира опять же на третьем этаже. Правда, номер все-таки не 28.

> Тот жил и умер, та жила
> И умерла, и эти жили
> И умерли; к одной могиле
> Другая плотно прилегла.

4 апреля, Переделкино

Второе послание Иову

(Из Раймонда Моуди)

Врожденный идеал был крепок:
Плоть нанизалась, как шашлык.
Перерождение всех клеток:
Все было в строку этих лык...

И получился ты не нужен,
Никчемен. КТО тебя создал,
В Творенье оказался сужен,
Поставил точку и сказал:

Прости! Возился с бегемотом,
Увлекся натяженьем жил
И в завершенье той Субботы
Ошибку Бога совершил.

Ты у Меня не получился,
Я пред тобой должник навек.
Но чтобы ты не устыдился
Происхожденья, Человек,

Я поручу тебе работу:
Стань сам таким, как Я хотел.

Сам выбирай себе охоту
И попотей, как Я потел.

Прошу тебя, будь человеком,
Как можешь, Богу помоги,
На Слово послужи Ответом,
Во Благо потреби мозги.

Не сотвори себе кумира,
Но лишь люби, как Я люблю —
В твоем подобье — Образ Мира,
И не скорби, как Я скорблю.

За безответственность всех тварей
Ответить суждено тебе...
Я — поручил. Не будь коварен
И следуй избранной Судьбе.

Не сетуй. Чувствуй Назначенье
Под грузом участи своей,
Молись — и будет облегченье
Тебе отдельно от людей.

Терпи, трудись. А Я — в ответе.
Тебе усердье — по плечу.
Что ты оплачешь в этом свете,
Я в Своем Свете оплачу.

Итак, до встречи. Я хотел бы,
Чтоб ты Мой Облик отыскал...
Я одинок. Здесь нет предела. И нет зеркал.

14 апреля

Пасха

И надо было встать на Землю...
Ее безвидность с пустотой
Видна мне стала. Не приемлю
Я смерть. И свет планете той

476

Включил Я, отделив сначала
Лишь день от ночи. Чтоб отсчет
Продолжить. Чтобы отличалась
Твердь от земли, земля от вод.

Внушало, но не утешало
Меня Творенье. День за днем
Творил, но смерть не исчезала,
А все присутствовала в нем.

Пока возился Я меж гадами,
Любуясь детством рук своих,
Я был творцом всемирной падали,
И смерть торжествовала в них,
И силы были на пределе,
Противник был неумолим...
Так, по прошествии Недели,
Мой Сын вошел в Иерусалим.
Не сотворив себе кумира,
За те же дни, которых семь,
Пошел на разрушенье мира,
Провозгласив ему: «Аз есмь».
И напролом от смерти к Жизни
Ввел счет от первого лица,
Вернув утраченной отчизне
Ее Отца.

И в стогнах Иерусалима,
Распявших Сына Моего,
Такая же окрепла глина,
Как и в Адаме до него.

Се Человек! И после Бога
Не остается ничего —
Дань восхищения немого
Опустошенностью Его...

Киноикона

Дубль

Немой размытой фильмы плеск:
Все тонет в стареньком тумане —
Забор, дорога, поле, лес
С коровой на переднем плане.

Жует корова по слогам,
Квадратно бьется пульс на вые,
И драгоценно по рогам
Стекают капли дождевые.

Никак мгновенье не поймать —
Так миг отрыва капли краток...
И, значит, это — аппарат,
И, значит, это — оператор.

Сосредоточен и красив,
Его волнует диафрагма,
Он заслоняет объектив,
Как сына старенькая мама.

Он так изображенью рад!
Его экран в заплатах манит...
За ручку водит аппарат,
Вот он уже киномеханик.

Никто кино смотреть нейдет,
Хоть фильма выше всяких критик.
Но кто-то сверху дождик льет...
И, значит, у него есть Зритель.

Из-за застрехи чердака,
Кривой из-за дождя кривого,
Смерть так понятна и близка —
Как расстоянье до коровы.

1997

Азарт, или Неизбежность ненаписанного

> И не надо мне прав человека.
> Я давно уже не человек...
> *Владимир Соколов, 1988*

> Пока не требуют поэта...
> Еще не требуют поэта...
> Уже не требуют поэта.
> *Запись в дневнике, 1992*

«Любите меня беленьким, а черненьким меня всякий полюбит...» — такова была моя последняя строчка . . . .
. . . .

«Не продается вдохновенье, но можно рукопись продать...» + «Рукописи не горят...» = «Написанное пером не вырубишь топором» — вот формула, по которой тунеядец и любитель становился советским литератором и профессиональным пьяницей.

Я вовлекся в дело мало-помалу, и все из этих, высших соображений.

Можно сколько угодно шутить над электрификацией, разнося в разные стороны части ленинского уравнения, — но и электрификация была, и советская власть была. Не было только коммунизма.

Я вовлекся в дело мало-помалу, лишь бы его не строить, начав со стишков в 1956-м, в лужицах «оттепели».

«Хорошо бы начать книгу, которую надо писать всю жизнь...» — так я замахнулся уже в 1960-м, стартуя в жанре пресловутого (в смысле никому не ведомого) потока сознания. То есть не *надо*, а *можно* писать всю жизнь: пиши себе и пиши. Ты кончишься, и она кончится. И чтобы все это было — правда. Чтобы все — искренне.

Вот пишу и не знаю... Ведь чтобы писать искренне, надо знать, как это делать. Иначе никто тебе и не поверит, что у тебя искренне. Сделать надо.

Вот это-то и ужасно: все-то — литература...»[*]
Уже ужаснулся. Но, как в позднейшем анекдоте, это был «ужас, но не ужас-ужас-ужас». Ужас-ужас заключался в том, что роман «Автобус», начатый такими решительными словами, тут же остался незаконченным: Виктор Голявкин писал свою «Человеческую комедию», и у него тот же «поток» вытекал куда лучше. Пришлось менять метод.

В 1961-м, закончив-таки юношеский роман «Он — это я» (о шахтерской жизни) и проведя летний сезон на буровой в Забайкалье, я решительно вывел на чистом листе слово «Провинция», и «даль свободного романа» оказалась опять непреодолимой: я писал уже другой роман, еще не ведая об этом: «Дверь» вела в «Сад»... Но я продолжал мечтать о «Провинции».

Не продается вдохновенье... попробуй рукопись продай! Успех происходит от слова «успеть». В 1963-м, ровно в день открытия мартовского (идеологического) пленума, моя первая книжка «Большой шар» успела лечь на прилавок книжного магазина. И это был УСПЕХ! Но и горе. Туда вошли только те вещи, которые я уже уценил, и ни одной, которые я у себя уже ценил, — типичнейшая неблагодарность юного дарования:

«Пионерское начинается времечко!   — писало оно в том же году. — Молодею на глазах. Две пионерские организации хотят получить пионерские сочинения. В загадке спрашивается: при чем тут я? И оказывается, что это я же эти пионерские сочинения поставляю. Впрочем, туманить нечего, прятаться некуда: поставляю так поставляю, не маленький, понимаю, что делаю.

Если писатель пошире открывает глаза, он ловит себя на проституции. Поэтому он их не открывает. Жмурится советский писатель. Говорит жене, потупляясь, разглядывая но-

---

[*] «Империя», I, с. 9. Здесь и далее ссылки на издание «Империя в четырех измерениях» (Харьков; Москва, 1996). — А.Б.

сок: пойду пройдусь, продышусь, невского ветерка хвачу... а сам — шасть — в дом свиданий: синие вывески, прошептанные коридоры, сквозняки из кабинета в кабинет, знакомые: с кем раскланяешься, кого не заметишь, а кого и смутишься. А вот и клиенты, редакторы по преимуществу. Встречают по-разному, и ты — по-разному. Один любит тебя так, другой эдак. Один бы и рад, да не может. Другой и может, да не рад. Любит беленьких, а ты черненький. Один любит чистеньких, да молоденьких, да скромненьких, ты отведешь его в сторонку и в сторонке таким себя предложишь. А другого — в другую сторонку, он с перцем любит, чтобы и в рот и в ухо, по-всякому ты умел, ему это нравится, постараешься ему таким показаться. Помучишься, конечно: один слишком за девушку тебя принимает, другой слишком за б.., но делать нечего — профессия, скрепляешься. Встретив писателя-товарку в коридоре, пожалуешься: ты знаешь, я по-всякому готов, но уж этим способом — извините... что ему — мало, что ли?

Тяжелая профессия, что и говорить! Но ведь сам знаешь, шел на что»[*]. И т.д. и т.п.

В 1964-м, начав «Образ» и разглядев сквозь него очертания «Леса», я осознал весь будущий «роман-пунктир» и тут же его забросил, решив прежде дописать «Провинцию», но мне помешала «Суть дела» Грэма Грина... Я был в восторге и отчаянии: он *уже* написал *мой* роман. Оставалось лишь взяться за трилогию. Название уж больно было удачным... «Империя»!

«Провинция» оказывалась тогда лишь *третьей* частью и могла подождать. «Петербург», «Москва», «Провинция»!!! Гениально.

Но и эта трилогия, как тут же разъяснил мне мой просветитель Я.В-й, была *уже* написана. Моим тезкой Бугаевым. Не на шутку рассердившись, я не стал читать предшественника из принципа: Горький, Белый... не люблю псевдонимов. И что за мания грандиоза! Пусть секретари пишут свои трилогии, а мы будем писать *прозу*. А кто у нас пишет прозу? Один лишь Юрий Казаков. Вот ты и пиши свои рассказики и не рыпайся.

[*] «Империя», I, с. 160—161.

Тут-то Никиту и схавали, вместе с его «оттепелью».

И я сел за рассказ «Тир». Советской власти как раз исполнилось 47 лет.

Рассказ был основан на анекдоте в старинном смысле слова, то есть на действительном происшествии, пересказанном мне профессором Б.Бухштабом. Анекдот был воистину *скверным*. О том, как два сотрудника Пушкинского Дома...

Хороший мог бы получиться из этого рассказ, не хуже «Пенелопы»... немного подлиннее... не совсем долгий... такая long-short story... даже, может быть, повесть... уже и не повесть... Я писал и писал этот рассказ, и никак мне не удавалось его кончить. И я решительно подписал искусительное слово *роман* под заглавием.

А вот этого не стоило делать! Роман тут же стал как вкопанный. Хотя за месяц я его почти написал. Оставалась всего лишь последняя сцена. Правда, кульминационная. Зато она же сразу и финал. Еще бы недельку... Но пора было отбывать в Москву, на Высшие двухгодичные курсы сценаристов и режиссеров, на которые я поступил между делом.

Не знаю, как слезам, но делам Москва не верит: я очнулся через два года с дипломом, с похмелья, с тем же недописанным романом.

Зато дописал «Образ», начал «Лес» и задумал «Вкус» (сначала они назывались «Роль» и «Тени», не иначе как под влиянием просмотров фильмов Антониони).

Оставалось совсем немного, чтобы дописать «роман-пунктир», кабы не недописанный «Тир». Как в том анекдоте: «Может, у вас какое горе?»

Горе у меня...

Решил вернуться в «Провинцию»: все равно выйдет по-своему... что смыслит Грэм Грин в нашей деревне? Я русскую «Суть дела» напишу!

Совсем было воодушевился, и тут попалось мне «Привычное дело».

И еще горе у меня... В Японию не пустили. Уже у меня в кармане и билет был Находка — Йокогама, и валюта какая-никакая в иенах... В аэропорту в комнатку завели и ласково объяснили про финансовые трудности. Нет горя без

482

добра. Ослепительный замысел! «Япония как она есть». Вот он, «московский» роман!

Архипелаг моей «Империи» снова всплыл. А что, «Петербург» у меня уже практически есть. И, переименовав роман «Тир» в «Пушкинский дом», я уехал вместо Японии в Армению.

Страна готовилась к пятидесятилетию советской власти. На витринах в Ереване, без пояснительных слов, была нарисована цифра 50, в пальмовых, траурных веточках. По ним можно было отличить тайный частный сектор от государственного: частник рисовал веточки в обязательном порядке, на всякий случай.

Коньяк тогда в Армении еще был с настоящей, пробочной пробкой...

Совсем решил не писать — начали понемножку печатать.

Вот еще не всегда учитываемый аспект алкоголизма: пьющий человек социально ближе. Хотя бы к милиции, а не к КГБ. Если и не совсем советский, то почти свойский.

Стал я успевать.

Ровно в день пятидесятилетия советской власти вышла в Москве «Дачная местность», в день ввода танков в Чехословакию — «Аптекарский остров».

Обнаглел я в Московии совсем, решил получить под неоконченный «Пушкинский дом» аванс в «Советском писателе»... Начальник ведь как был устроен? Изо всех сил старался тебя не напечатать. Но если все же сдавался и печатал, за то же самое начинал тебя же и уважать. Мол, если уж даже я напечатал, значит, можно. Вот вам и ниша.

Я расширял эту нишу как мог, гордясь уже более не тем, что написал, а тем, что сумел напечатать. Лучше всего могло быть оплачено сочинение в жанре «заявки»: за одну страничку — как за четверть книги любого объема. Заявку следовало составить так, чтобы она не разошлась с будущим содержанием, ничего о нем одновременно не сообщив. Что-нибудь вроде... Во-первых, эпитет «пушкинский» следует опустить (из-за аллюзий с известным учреждением...). Значит, заявка на роман «Дом» (название условное)...

«Это будет история современного молодого человека, молодого ученого Левы Одоевцева, типичного представителя поколения, родившегося в трудные годы, непосредственно предшествовавшие... и т.д. Действие романа происходит в нашем родном городе. Мы застаем нашего героя накануне важного события его жизни и карьеры — защиты кандидатской диссертации. Ряд обстоятельств, непосредственно предшествующих защите, ставит его в затруднительную творчески-морально-этически-нравственную ситуацию, от преодоления которой зависит дальнейший этап развития и становления его личности и самосознания. О взаимоотношениях индивидуума и коллектива. О медленном и мучительном росте самосознания. Через дружбу, любовь и дело нашего героя раскрываются нравственные проблемы, стоящие перед...» и т.д. Жаль, не найду сейчас образчика этого удивительного стиля, плода совместного творчества автора и редактора, пытавшегося хоть как-то поддержать вечно юное дарование. Дорогая Кира Михайловна! Дорогой Игорь Сергеевич! Дорогие... Низкий вам поклон и сердечная благодарность.

Получив, как сейчас помню, 1125 руб., взволновавшись танками в Праге и успокоившись насчет, по крайней мере, полугодового бюджета семьи и пропив его часть, я попадал в безвыходное положение сдачи рукописи в обозначенный в договоре срок: не позднее 1 сентября или 1 октября, но зато не этого, а следующего года.

Не продается вдохновенье, но можно получить аванс! Так я написал почти все, что мне удалось написать. Веселая и позорная эта игра никогда не порождала чувства стыда, потому что игра эта велась не с людьми, а с *ними*. Вот еще аспектик завоеваний зреющего социализма! «Каждому — свое!» Вызывало зависть... Глеб Горбовский, разминувшийся со мной в дверях издательства, сразу после подписания договора подглядел цифру и, досадуя, что упустил меня в столь обеспеченный момент, написал следующий экспромт:

Напишу роман огромный,
Многотомный дом-роман,
Назову его условно,
Скажем, «Ложь» или «Обман».

484

Дальше что-то насчет огромных сумм, «гонорар — дар», не помню. Что ж, талантливый человек во всем талантлив...

Однако проходил срок сдачи, и приходилось брать *пролонгацию*. Но подходил и срок пролонгации...

Их могло быть не больше двух. Эта пролонгация была последней. От аванса образца 1968 года давно уже не оставалось ни копейки. Надо было жечь мосты. Буквально: и задний, и передний... 22 апреля 1970 года, в день столетия со дня рождения В.И.Ленина, я продал свой автомобиль («Москвич-412») замечательному человеку из Еревана Буденному. Буденный было его имя. Буденный Арташесович Мкртчян.

Теперь будущее еще раз было обеспечено, и летом 1970-го, на Куршской косе (спасибо и Империи!), через шесть лет после начала, я усадил себя за «Пушкинский дом», и, за сорок дней непрерывного поста и труда, он приобрел современный вид. Но! Я опять уперся в ту же кульминационную стену.

Но четыреста страниц уже могли произвести впечатление. И в предельный срок сдачи, а именно 1 сентября 1970 года, после бессонной ночи дописывания так и неоконченного памятника, я отнес-таки его в издательство, в просторечии в «Совпис». Кира Михайловна провела меня по кабинетам в обнимку с папкой, продемонстрировала; в канцелярии был проставлен соответствующий штамп.

«Он шел по Невскому, и совсем было хорошо. Было солнце. И воздух был редкостно прозрачен. Это был тот самый любимый осенний Невский, хотя в той части, по которой он шел, даже деревьев не было — но Невский был осенний. Так он шел и некоторое время еще думал о том, что он дожил вот и испытывает разные такие чувства, как в коридоре, на лестнице и в закоулке, но погода была не та, чтобы долго думать об этом. Он еще подумал, что странно, что такой уже возникает мотор этих ощущений, что о них и не думаешь, что они как бы во сне проходят, неприятные и свинские, а потом будто бы их и не было. Он обо всем этом подумал, но как бы вскользь, так что его это нисколько не задело, и подумал-то так же: что потом и не вспомнишь, словно во сне, словно это когда-то давно-давно...

В общем-то, он очень здорово себя ощущал, когда шел вот так по Невскому, по любимому осеннему Невскому, и смотрел по сторонам — воздух-то какой! Свободно и просторно было ему. Он было подумал, что непонятно, с чего бы это у него такое прекрасное самоощущение, вроде бы никаких оснований: все равно через три часа надо возвращаться...»

Домой... Так я вышагивал по своей цитате в противоположную, однако, сторону (я жил тогда на Невском...), ибо до открытия магазина, до одиннадцати, еще оставалось... навстречу Бродский, кстати, первый слушатель этой цитаты, точно так попавшийся мне навстречу по окончании «Пенелопы», таким же осенним днем, как в ней и описан, и так же до закрытия магазина, и было это еще до суда над ним...

«Что так рано?» — «Да вот, роман сдал в издательство». — «Как назвал?» — «Пушкинский дом». — «Неплохо. А я сегодня открытку от Набокова получил». — «Что пишет?» — «Что "Горбунов и Горчаков" написан редким для русской поэзии размером». — «И все?»

Набокова я еще не читал ни строчки.

И Иосиф хмыкнул, как только он умел...

Что это за манера была такая — попадаться навстречу! Помню, только дочь родилась...

Но — хватит. Вернемся к нашим романам.

Основная задача редактора была не дать никому из начальства заглянуть в наш «Дом». По ее заключению роман был возвращен на доработку, и я, крадучись, его вынес. Я получил еще год сроку, и аванс был спасен.

И тут меня ожидал новый удар. «Дар»! Кто-то мне его подсунул, из друзей-просветителей...

Странно еще, что так долго удавалось избежать этого у-дара, удерживая, как Ю.Казаков, все те же чеховско-бунинские рубежи.

Еще раз от меня отнимали все мои игрушки. Полгода я ничего не писал, испытывая то «Отчаяние», то «Камеру обскуру», то «Приглашение на казнь», перебирая ветшающие рукописи своих неоконченных романов... Все отверг. Нарушил данный самому себе в 1958 году зарок никогда не писать стихов... Вы никогда не пробовали взять детский фонарик и включить его внутри сибирского валенка?

Так приблизился последний и окончательный срок сдачи романа. Оставался только месяц, а потом только десять дней, а я был в той же точке, в которой застрял сначала в 1964-м, а потом в 1970-м...

Отчаяние мое совпадало с отчаянием героя в этой точке, но и это не помогало.

Я «удалился на дачу пестовать свое горе»*. Любимый октябрь, любимое Токсово, знавшие мои вдохновенные дни... ничего не помогало! Топил печку, варил кофе, вытряхивал пепельницу... Страница в пишущей машинке хранила характерный изгиб — остаточную усталость бумаги — все на той же строчке: «Уф! — сказал он и вытер тыльной стороной руки лоб, как в кино. — Кажется, пронесло»**.

Ужасала меня эта фраза! «Тыльная сторона руки...» Как можно так писать по-русски!

От нечего делать... Как раз наоборот! Чего только не напридумает человек от «есть чего делать»! Я перепечатал свою поэму «Последний случай писем» и развесил сушиться по стенам. Бродил в тех самых темных валенках по избе и читал ее про себя и вслух. «Застрелюсь», — сказал я себе решительно, как тот зощенковский герой, который никак не мог перестать икать.

Пистолета вот под рукой не было...

И делать стало окончательно нечего.

Стоя, ткнул я пальцем в клавиш, и это было П...

«Пронесло?» — иронически повторил я последнее слово...

...Проснулся я, думал, рассвет. Оказалось, закат следующего дня. По полу, как осенняя листва за окном, была рассыпана рукопись.

Спал я поверх одеяла, одетый. В валенках.

«Каким образом я сумел вчера так надраться?» — такова была бы моя первая во всяком другом случае мысль, если бы не твердая убежденность в том, что на даче не было ни капли.

---

* «Империя», II, с. 176.
** Там же, с. 287.

Я уронил руку с лежанки и поднял попавший под нее листок...

Никогда я этого не читал... Более того, никогда я этого не писал!

Сорок девять страниц незнакомого текста, а моя страница чуть не вдвое плотнее положенной редакционной нормы...

Я прошел кульминацию, а именно «Дуэль».

Теперь уже мне ничто не могло помешать финишировать... Я сбил рассыпанные листы в стопку и вернулся в Ленинград.

На лестнице меня уже ждали. Буденный Арташесович со товарищи. С чемоданом коньяка и чемоданом винограда. Но в гостиницах дорого и мест нет. Узы кровного родства по линии автомобиля. Я выглянул в окно: его-мой автомобиль стоял во дворе. На нем они и прикатили. Без единой остановки. За одни сутки.

Значит, я писал без остановки, а они в это же время мчались на той же скорости.

Неизбывные традиции и узы кавказского гостеприимства... И вот они у меня дома, накрывают стол...

И я не позволил переломить судьбу.

Я не пригубил коньяк и ушел в соседнюю, спальную комнату, где, расположив на кровати машинку, продолжил бдение.

За стеной пели хором прекрасные армянские песни.

«Мы снесем сейчас эту страничку машинистке, и это — все.

Мы тихо посидим, пока она печатает: этот ее пулеметный треск — наша последняя тишина. Встрепенемся, выглянем в окно...

...В последний раз увидим мы Леву выходящим из подъезда напротив: ага, значит, вот где провел он эту ночь! Он имеет невыспавшийся вид. Он остановился и как-то растерянно дрожит, словно не узнает, где он и в какую сторону идти. Смотрит в небо. В небе видит голубую дырочку... Чему ты улыбаешься, сентиментальный дурак?.. Я не знаю. Похлопал себя по карманам, зябко ссутулился. Что может быть еще? Ну, прикурил. Пустил дымок. Еще потоптался. И — пошел.

Привет! пока! — мы можем еще высунуться и окликнуть:

— Эй, эй! постой! заходи... Заходи сам!

Как хотел же он сам, в свое время, окликнуть Фаину... И мы не окликнем его. Не можем, не имеем... Мы ему причинили.

Куда это он зашагал все более прочь?

Мы совпадаем с ним во времени и не ведаем о нем больше

НИ-ЧЕ-ГО»[*].

Какое наслаждение было вывести ту же дату! 27 октября 1971.

Срок выходил 1 ноября.

Итак, я сохранил за собою аванс и за эту же сумму написал-таки роман. Теперь все сложности были у редактора: не показывая роман никому, направить рукопись такому рецензенту, который не сразу отнесет в Большой дом, а даст возможность вернуть его автору на доработку так и не читанным.

И ей это удалось.

Теперь они были свободны от романа, но и я был свободен от него. От семилетней необходимости, или обязанности, или долга, или не знаю еще чего его писать. Хотя откуда она взялась такая, обязанность?..

Написав роман в пятьсот машинописных страниц, конечно, я почувствовал себя в своем праве.

То есть не писать.

Что я и делал, предаваясь.

Но в то же время не тут-то было! Мой мозг, столь счастливо опустошенный, тут же оказался загружен новым замыслом. И даже двумя. Откуда они только взялись? Теперь эти двое толкались, как соседи по коммуналке.

Первым был «Преподаватель симметрии», переводной роман, как бы с английского, роман в новеллах, и сюжеты их множились, доходя уже и до дюжины. И это тогда, когда моя «Япония...» еще и не начата! Она была вытеснена суперзамыслом романа «Азарт». Вот «московский» роман!

_____
[*] «Империя», II, с. 347.

Величие имперского замысла снова затрепетало в душе, и, отставив «Преподавателя...» как замысел игрушечный, «Японию...» — как устаревший, а «Провинцию» — как умерший, я решительно повернулся всею душою к «Азарту»...

Впрочем, выходит, автор предвидел это. Вот как он писал еще в 70-м году:

«Действительность не содержала в себе места для романа. Прошло время, прежде чем я понял двойственную природу окружившей меня действительности: она монолитна и дырява. Прошло время, прежде чем я понял, что дыры заделываются прочнее всего, прежде чем мне надоело расшибать лоб о дыру, заделанную перед моим приходом, — я попер на стену и беспрепятственно прошел насквозь. Ах, как быстро бы я справился с романом, если бы знал об этом! Теперь я кутаюсь от сквозняков объявившихся (всегда бывших!) вокруг возможностей и по привычке обхожу тело, казавшееся мне сплошным. Этот странный танец — вокруг следующего романа «Азарт», роман-эпилог... нет, не продолжение, а такой роман... как бы выразить?.. в котором не было бы прошлого — одно настоящее... как до рождения, как за гробом...»*

«Азарт»!

Это становится такой психологический детектив! Про сердце, пораженное одновременно пулею, ножом и инфарктом. Тело найдено в лесу неподалеку от эстонского хутора (время действия — наши дни, то есть 197...й, то есть как бы и продолжение «Пушкинского дома», имевшего временем действия некий 196...й, то есть на «Провинцию» отводился уже 198...й, а там... не тетралогию же писать! Да и будут ли такие 199...е??). В зависимости от того, куда заведет нас следствие, по жанру именуемое роман, мы устанавливали истину: кто жертва и кто преступник, а кто и виновник: нож принадлежал убийце, пуля самоубийце, инфаркт Богу. От того, что мы устанавливали своим романом-следствием, менялась оценка всей жизни героя, меняла знак: плюс, минус или равенство? Человек, палач или жертва? Бог, дьявол или человек? Рок, судьба или проигрыш? Добрый человек, малодуш-

---

* «Империя», II, с. 338.

490

ный или герой? Умер, сдох или погиб? Страсть, любовь или похоть? И т.д. и т.п. Виновником, в любом случае, становилась Система, вынудившая убийцу убить, самоубийцу — пойти на это, человека — дойти до инфаркта. Оставалось выявить, кто Система, а кто Герой.

Про Систему понятно: мы в ней все жили. «В некотором царстве, в некотором государстве, а именно в том, в котором мы живем». Про Героя?..

Про Героя было куда главнее. От того, КТО мертв, зависело ВСЕ. В смысле целое.

Кто же этот Иван-дурак и где его найти?

Ни Алексей Монахов, ни Лев Одоевцев мне более не подходили, независимо от того, что писала о них наша советская критика, упрекавшая в незрелости и моральной неустойчивости по сравнению с... А что, если?.. А что, пойти им навстречу. Создать его таки. Современного Базарова и Рахметова в одном лице. Этакого Рабазова, Бахметова, Хамберова, Бахмарова!

Не совсем Иван и совсем не дурак. И именно поэтому...

Лидия Яковлевна Гинзбург, бывшая одной из первых читательниц «Пушкинского дома», сказала так: «Что вам, по крайней мере, удалось: вы создали впервые в русской литературе не положительного или отрицательного, а скомпрометированного героя».

И я решил создать не положительного или отрицательного, не скомпрометированного, а — Героя. В античном смысле. Аверинцев как раз был чрезвычайно знаменит. Своею отрешенностью, ученостью и тихим голосом.

Слава эта поразила меня. Она не обеспечивалась окружающим. Ни ракетами, ни идеологией. И тем не менее была. Ни с того ни с сего. С пол-оборота. У античника. Рассказывали, что говорил он шепотом никому не понятные вещи и собирал аудитории, которые не снились уже поэтам.

Совсем я оказался поражен, когда узнал, что он моего года рождения. Темнота моего поколения была мне известна и оправдана своею собственною. Я понимаю, мой прадед был античник. Так он еще при Пушкине родился. Слыхал, что есть такой Лосев, что умудрился все пережить... Но чтобы такой, как я... ни за что!

Значит, герой у меня становился уже античник, и убивал я его почти с облегчением.

Но как было совместить свой опыт с такою внезапной ученостью? Одной интуиции и стиля здесь не хватало. Хватало лишь упреков в недостаточном знании предмета по поводу Льва Одоевцева в качестве литературоведа (хотя бы та же Л.Я.Гинзбург...). Тут еще я узнаю, что и не один Аверинцев такой. Что еще и Гаспаров (не тот, а другой... я не знал обоих).

Гаспаров — полуармянин.

Так я нахожу фамилию. И влюбляюсь в нее. Неудача с Одоевцевым (фамилией) забыта.

Чизмаджев. ЧИЗМАДЖЕВ! Русифицированный Восток благороден в ухе. Чаадаево-Набоковский намек. Сюжетная фамилия. Остается сюжет...

Сюжет — это я. Не государство же!..

Только Я — получше. Почище. Даже поидеальней. Идеальный Я. Образованный. Гений!

ГЕНИЙ Чизмаджев... Как мне накачать своего героя гениальностью, было, конечно, неясно, но меня это пока и не волновало: было ясно одно: гений в условиях Системы существовать не может. Ему НЕ ДАДУТ. Не дадут развиться. Если не насильственно, то автоматом. (В смысле — автоматически.)

А если все-таки... Раз я допустил его появление на свет... если он взял и развился??

Его УБЕРУТ. Нет, не ЧК. ЧК — это очевидно и недостойно. Его подберет Судьба.

Раз уж, по ошибке, допустила его появление на свет.

Не так уж много рождений у Творца, чтобы ими так вот, вневременно, разбрасываться. Его убьют не за то. Случайно, но и не случайно. Не по тому поводу. Не за то, что гений. А так, ножом в спину, в эстонском лесочке, заподозрив... За Систему его и убьют.

Не того убьют. Се бьен!

Так рос мой замысел, развивался.

Я ерзал по жизни в нетерпении начать. Но гением не

становился. Все что-то мешало. Как тому знаменитому танцору. И — «горе у меня»...

Про нож мне было уже все ясно.

Отдыхая с семьею на эстонском хуторе (жена, дочь), находясь в унынии и депрессии (это я мог описать, это у меня общее с ним...) как по творческому, так и по семейному поводу, слоняясь бесцельно по участку, он случайно подглядывает, как трудовое семейство (кряжистый отец, три могучих белобрысых брата) производит в сарае ревизию своего арсенала («зеленые» в прошлом братья): смазывают, прокладывают стружечкой, закапывают, поливают грядку керосинчиком... приятное занятие! И описание заодно.

Чизмаджев не сразу понимает, за чем он их застиг (идиот потому что, античник), но они-то знают, за чем. Как воспитанный человек, поняв, что он чему-то помешал, он извиняется и, пятясь, отходит, ничего не поняв, ни о чем таком не подумав. Но они-то (братья) подумали.

«Сладко пахнет серый керосин...» Сладко было и мне мстить в мечтах таким образом...

Я тоже был жертвой Системы, не один Чизмаджев...

Значит, и Чизмаджев может захотеть отомстить. Допустим, у него пропал талант... хотя как у античника может пропасть талант?.. это же знания! Знания не пропадают. Их можно выколотить, но Чизмаджева пока никто и не бил... Ладно, талант на то и талант, что может пропасть: дар, а не собственность. Но на творческий кризис, думаю, и античник способен: разонравился, скажем, ему Тацит... А вот это НЕ-возможно. Тацит ему разонравиться НЕ может. Зато уж наверняка окружающая системка может разонравиться благодаря Тациту... Наоборот!

Так я был в Таците уверен, все еще его не читая. Наоборот! Зная Тацита, как раз и понятно ему вдруг стало, что вокруг происходит в современное, так сказать, время.

Тут-то я и упирался в стену своего незнания. Раньше я иногда не знал КАК — теперь не знал ЧТО. Неведение продолжало развивать сюжет.

Так или иначе, я погружал Чизмаджева в тьму. Неспособность творить была ее образом. Mors animae. Смерть души. Вот чего нельзя простить! Оглупляя только что возвеличенного героя до уровня душевных мук, я заставлял его страдать не от того: обвинять мир, а не себя. Но он-то знал, что мир несовершенен и совершенен, ужасен и прекрасен, преходящ и вечен, — он же античник был. (Как удобна, однако, была советская власть своим явленным несовершенством! Никому и в голову (включая мою) не приходило, что она есть, прежде всего, несовершенство собственного сознания...)

Я заставлял Чизмаджева обвинить Систему в смерти души.

Не совсем получалось, но я настаивал.

Мне надо было найти оправдание пуле, то есть самоубийству.

Идиот-то идиот, но и, при всей своей отрешенности, он понял, ЧТО подсмотрел. Подсмотрел он пистолет ТТ. Постарался запомнить, где тот лежал. Была у него с детства врожденная тяга к оружию. Не ко всякому, а только к индивидуальному: ножи, пистолеты... Детский эстетизм. Инфантилизм как свойство гения... или чистой души... Этот поворот сюжета обещал многое... план воровства... возможность быть пойманным... или, лучше, замеченным... тогда попытка «зеленых» его убрать становилась еще оправданней...

Но если орудие самоубийства (которое для Чизмаджева и не самоубийство, а лишь санация умершей души — отделение от нее тела) было обретено, то где же месть?

А он еще кое-что подсмотрел: лимонки, гранаты, лежавшие в стружках, нежно, как яички.

Замысел! Куда ты?

Яички... Как Раскольников за Достоевского придумывал специальную подплечную петельку для топора, так Чизмаджев придумывал для меня специальные набедренные ремешки, чтобы беспрепятственно пронести сквозь охрану пару смертоносных яиц под своей парочкой... Сквозь охрану... Здесь я могу датировать: 1974 год. Первый (или второй?) съезд писателей РСФСР. На съезды СССР меня не пускали (не выбирали), а на этот, значит, пустили. Поощрили. Чтобы рос и не зазнавался, чтоб зацепился за перспективу... Именно тогда я впервые (и в последний до сих пор раз) был в Кремле и видел, что такое охрана — этот глазной рентген у каждой двери, на каждой ступеньке лестницы, что подкрепляло надежду секретарей увидеть в президиуме банкета, даваемого в честь успешного окончания съезда правительством, само правительство. Помню, поднимаемся мы с Виктор-Викторовичем по лестнице...

Но об этом потом. Или никогда... Пойманный на слове «охрана» 1974-й возвращает меня к упущениям в этом повествовании, то есть в забегании вперед.

Договор! Я же успел опять получить 1125 руб. За роман, как оказалось, о террористе.

Последовательность такая...

«Мы спешим — впереди Варшава, на носу 1 сентября — срок сдачи, капли первой осени капают мне на стол и машинку — крыши-то нет, — писал автор еще в том 1970-м, когда сдавал в издательство незаконченный «Дом» как законченный. — Впереди Варшава — творческая командировка по роману (нам важно изучить Россию в границах Пушкинского века). Нам, в таком случае, еще предстоит Финляндия и Аляска, прежде чем мы решимся выехать в Западную Европу или, скажем, в Японию; но это уже для следующего романа — Япония...»*

Не пущенный в 1966-м в Японию автор намылился за границу: его таки выпустили в Польшу. Конечно, в заявлении в Иностранную комиссию Союза писателей он не так формулировал свою цель: ему было необходимо попасть туда в сентябре на финал первенства мира по спидвею, в творческих, видите ли, целях (он писал свое «Колесо»). Формулировка показалась комиссии легковесной, и доброжелатели посоветовали расширить.

И я расширил. Цель-то у меня была одна: съездить. Сломать-таки эту плеву. Тем более там вышли уже две книжки и надо было получить злотые. Я переписал заявление, упрямо настаивая на спидвее, но добавив встречи с писателями и читателями, пропаганду современной отечественной литературы, работу над книгой «День славян» (тут же возник суперзамысел посетить все славянские страны!), а также посещение мест, связанных с жизнью и деятельностью Яна Потоцкого. А вот последнего не следовало писать! Меня не пустили.

* «Империя», II, с. 246.

495

Но поскольку они уже решили в Польшу меня таки выпустить, то с искренним огорчением выдали причину: все хорошо, но Потоцкий был коллаборационист, сотрудничал с фашистами (как в позднейшем анекдоте: «дедушка-пират — это нехорошо»). Я принес энциклопедию, и недоразумение разъяснилось: в Польшу я таки поехал. Правда, соревнования по спидвею уже прошли. Но...

О, вы не знаете, что такое Польша впервые в жизни! Вы не знаете вообще, что такое впервые в жизни...

Я купил себе джинсы! Я был в ночном клубе! Я выиграл на скачках!

«Первопроходимец», — ласково сказала жена, принимая подарки.

Пафос невыездного поуменьшился, и «Японию...» стало начинать еще труднее.

А тут еще одну книгу с восторгом прочитал... «Рукопись, найденная в Сарагосе» называется. И «Преподаватель симметрии» оказался написанным полтора века назад.

«Так, так! Все в порядке! — восхитился Лева художественности жизни. НИ-ЧЕ-ГО — и заграница как награда! — вневременность и непреходящесть любимой родины обрадовали его»[*].

«Ахиллес наступил на черепаху, раздался хруст в настоящем, и с этого момента... хоть не живи — так тяжело, ах, соскучав, так толсто навалилась на автора его собственная жизнь! Взгляд заслоняют итальянские виды. А, что говорить!»[**]

«Азарт»! Один только «Азарт» оставался невостребованным.

Судя по цитате, автор собирался и в Италию... Я этого не помню. Помню, что не был.

И это след все еще 1971 года.

Последовательность заграничной выслуги была такой: соцстрана в группе, соцстрана по приглашению, командировка в соцстрану, капстрана в туристской спецгруппе, командировка в капстрану в составе делегации, и вершина — поездка в капстрану по индивидуальному приглашению. Выходит,

---

[*] «Империя», II, с. 333.
[**] Там же, с. 347.

в Польше я прошел враз три стадии. После чего меня последовательно не выпустили, выходит, в Италию. Я вспомнил про «День славян» и подал в Чехословакию, благо там тоже уже было несколько книжек и кроны. В 1973-м меня туда выпустили. Несколько стыдясь событий пятилетней давности, я отвел там душу на пльзенском. Помню, у уличного торговца сувенирами увидел игрушечный родной танк с дистанционным управлением. Чех показал, как это делается, и наехал танком на меня, я показал, как я его понял, и наехал на него. Мы посмеялись. Очень дружелюбно. «Я на вас писать не буду», — сердечно сказал мне переводчик, когда я угощал его в винарне. После чего меня не выпустили в 1974-м с группой во Францию.

«Азарт»!

У меня заболела спина в той точке, куда вошел нож моему герою...

Остеохондроз. Острый хондроз...

Мой герой им тоже, выходит, страдал...

И когда он, подглядев ненароком эстонский арсенал, гулял рассеянно по лесу, обдумывая уход из жизни, выливавшийся в развернутый план мести Системе... то у него уже начинало побаливать, немела рука, ширился план... Шуршали кусты, боязно было повернуть шею...

...Запомнив, где они лежат, Чизмаджев подкарауливает случай и выкрадывает две лимонки, вывозит их в город, конструирует и приторачивает к ягодицам специальные ремешки... Это просто. Попутно он начинает делать карьеру и легко делает ее. Он же мертвый! И у него другая цель, чем карьера. Поэтому легко. Детали карьеры мне были столь же неясны, как и высокая образованность и даже гениальность моего героя, но эта неясность почему-то меня не так настораживала. Противно было, конечно, чтобы он подавал для этого в Партию... бывали же карьеры так называемого «беспартийного большевика». Особенно, по слухам, в академической среде. Депутат то есть Балтики. Короче, он у меня ее легко делал, карьеру. Чтобы баллотироваться в членкоры, попасть на особо важную внеочередную сессию Академии наук, быть приглашенным по этому случаю на правительственный банкет, который собирался почтить своим присутствием Сам, и успешно подорвать себя в непосредственной близи.

Детали всего этого пока что были более ясны герою, чем его автору. Автору был ясен посыл: за смерть души можно мстить с не меньшим правом, чем за жизнь любимого человека. Жалко было того маленького мальчика, так раскрытого миру... где его улыбка? Было также автору ясно, что, разорвав живые связи с жизнью, освободившись от уз страстей, сочувствия и слабостей, поставив перед собой постороннюю, секретную, нечеловеческую цель, пустив на это все свои бывшие духовные и интеллектуальные возможности, легко способен герой добиться всего того, чего так безуспешно пытается достичь живой честный человек в жизни, испытывая автоматическое противодействие и противостояние во всем человеческом. Короче, люди и нелюди, и герой занимает между ними свободную нишу для одного. На то он и герой.

Короче, роман был о том, как все это безумие ему удается.

Но! В последний момент, уже на банкете, миновав всю рентгенолазерную охрану, уже в непосредственной близи к Самому, разрешив все поставленные перед собой задачи, достигнув ЦЕЛИ, вспотев своими смертельными яйцами... не хочет он. Именно не «не может», а «не хочет». Он не оробел, не струсил — в нем все кончилось. И он уходит с банкета, не взорвавшись.

Этот финал был для автора наиболее важен, подробен и точен. Тут автор ВСЕ знал.

А пока Чизмаджев брел по лесу, грея в кармане просторного плаща рукоятку уже подтибренного ТТ... и даже, предварительно вынув обойму, взвел курок и поднес к виску, а потом, передумав разносить вдребезги свою талантливую и красивую голову, перенес ствол к своему опустошенному сердцу и стал плавно жать на спусковой крючок... раздался сухой треск, подломился и упал сухой сук и как раз стукнул его по спине ровно по критической точке.

Чизмаджев так и не понял, что произошло, отчего такая острая боль.

Как в сердце.

Может, в стволе оставался патрон?

Может, сердечный приступ, а не остеохондроз?

Не хотелось только почему-то падать навзничь...

Трещали за спиной кусты, будто там уходил крупный зверь, скажем, лось.

Боль между лопаток не давала ему обернуться. И, падая ниц, не видел он, что меж лопаток торчит рукоятка, конечно же, финского ножа.

И может быть, весь его столь удачно осуществленный план мести... был всего лишь предсмертный миг. Путь ножа. От острия до рукоятки.

«Жизнь мертвого, или Нож в спине» — так мог бы называться теперь роман... 1975-й.

Вместо него получились «Лес», «Птицы, или Новые сведения о человеке», «Заповедник».

Анатолий Эфрос начинает его ставить. Мне начинает везти. У меня идут две итоговые книги: «Дни человека» и «Семь путешествий».

И меня выпускают в капстрану, в составе туристской писательской спецгруппы.

Любопытно также, что выпускают меня наконец-то, когда я дал подписку о невыезде, потому что на меня было заведено уголовное дело.

Я делал правый поворот с Кузнечного на Достоевского, и в рыночной толчее, которую я ползком раздвигал, мне на капот кинулась старушка и сломала руку. Возведя горестный взгляд к небу, я увидел мемориальную доску в честь Федора Михайловича. Черный юмор насчет традиции по линии старушек...

Итак, дав подписку о невыезде, я оказался в Амстердаме.

О, вы не знаете, что такое впервые в Амстердаме!

И вы не знаете, какие ангельские старушки проживали в Ленинграде!

Я побывал там и оказался не виноват.

«Азарт» мой опять поутих. Попробовав влюбиться сначала во француженку, потом в голландку, я наконец окончательно и навсегда влюбился в югославку и взялся снова за «Японию...».

«Гулливер в Стране Советов», возможно, назывался ее новый вариант.

Книги мои продолжали выходить, но если раньше в них удавалось кое-что не только издать, но и опубликовать, то теперь, ввиду окрепшей моей репутации, издатель относился с особым подозрением к вещам, не прошедшим журнальную публикацию, и отказывался включать их в книгу. «Лес» и «Образ» удалось опубликовать в «Звезде», а вот «Наш человек в Хиве...» и «Птицы...» регулярно возвращались мне из всех редакций. Но полоса есть полоса — против удачи не попрешь. Это долгая история излагать тут все перипетии прохождения рукописей... Узнав и догадавшись, что в цензуре нерекомендованные рукописи проходят списком по заглавиям, я поспешно переименовал «Наш человек...» в «Азарт», обворовав свой собственный ненаписанный роман, и повесть, многажды отклоненная, беспрепятственно проскользнула. И «Птицы...» вдруг успевали в «Аврору».

«Не знаю, в чем дело, — сказала мне главный редактор издательства, когда все ее сомнения были ниспровергнуты грядущими публикациями, со вздохом подписывая всю книгу, — у вас ведь ничего такого нет, чтобы нельзя было печатать... но каждое слово вызывает во мне протест».

И она была права. Я был горд ее отзывом как орденом. В последний момент «Птицы...», снабженные двумя локомотивами спереди и сзади — биолога и философа, — были сняты Ленинградским обкомом. Но сигнал книги был уже у меня в руках. «Что же вы меня не предупредили!» — возмутилась главный редактор. «А я не знал», — честно, не краснея, врал я.

И то правда, честным я уже умел быть только в тексте. Вот так, наглея в везении, забыв, что я недоучившийся артиллерист, что в одну воронку два снаряда не падают, подаю я вторично заявку под белый лист бумаги в тот же «Совпис», где только что, в результате многолетних усилий редактора, был с меня списан предыдущий аванс, в связи с творческой неудачей.

«Молодой талантливый ученый Сергей Чизмаджев, — писал я в заявке, — в момент начала нашего повествования находится в той точке своего жизненного и творческого пути, когда...» Тоже не найду теперь этого бессмертного текста.

Но 1125 руб. аванса я получил.

«Головокружение от успехов» — так, кажется, называлась одна эпохальная статья...

Отметив беспримерную удачу с редактором, я непременно должен был отвезти ее домой. Тут разразился ливень, и машина не заводилась. Но что мне были какие бы то ни было знаки судьбы! Я находился, бес попутал, в состоянии героя собственного романа, который ведь собирался, ни мало ни много, взорвать себя изнутри. Пусть роман не написан — но аванс зато получен!

Но машина не заводилась ни в какую. Ни с подсосом, ни ручкой — никак. И я уже сдался.

И вот когда я уже сдался и уже направлялся к дому, то услышал это характерное почихивание. Остаточное электричество?.. ума не приложу.

Не иначе как... все же он, имени которого не назову.

Тьма, ливень водопадом... Переехав Дворцовый мост, в створе Ростральных колонн, из-за встречной машины, мне под колеса бросается тень. Я не успеваю и прикоснуться к тормозам, как он уже летит птицей, выбив мне лобовое стекло, и лежит, распластавшись, в свете моих фар. Босый. Сандалии валяются по сторонам. «Откинул сандалии...» — проносится в моем мозгу. Тут же припоминаю где-то слышанную шоферскую примету: если выскочил из обуви, значит, труп. Ни хрена себе, думаю, «азарт»... Сибирь! «Сибирь ведь тоже русская земля, Андрюха... — утешаю я себя, направляясь к телефону-автомату... — Значит, сейчас 76-й. К 86-му, глядишь, выйдешь». Все кажется мне настолько несправедливо заслуженным!

Я спокоен. Первой прибывает «скорая».

Услышал ли я тяжкий шелест отсыревших ангельских крыльев? Вряд ли тогда.

Но только мой труп, прежде чем к нему приблизились санитары, оказался ползающим на четвереньках в поисках сандалий и бормочущим отчетливо-живую невнятицу: один-то сандаль был у него в руке, и он им шлепал на босу руку по лужам, а второй где?

Ни за что не хотел он усаживаться в «скорую» без второго.

Оказывается, не выскочил он из них, а нес, по случаю дождя, в руках.

«Скорая» отъехала — подъехала ГАИ. Лейтенант был вне себя: «Вот всегда у меня так! Вчера ничего и позавчера ничего, а как мое дежурство, так третий вызов!»

Короче, он поехал на третий вызов, взяв с меня слово, что я немедленно явлюсь в ГАИ, как только запаркую битую машину...

Явился я наутро. Лейтенант был вне себя, но поезд ушел: «Все равно все зависит от медзаключения», — вздохнул он. Медзаключение оказалось в мою пользу: «состояние алкогольного опьянения средней тяжести», и все, ни царапин, ни ушибов.

В ДТП я объективно виноват не был. Лейтенант сделался моим лучшим другом и подсказал, как выйти на лобовое стекло, бывшее в ту пору острым дефицитом.

Я благословил небеса, разгрузившие мою душу от смертного греха, и, грамотно, решил счесть все происшествие последним и окончательным предупреждением.

То есть больше никогда не браться за свой взрывоопасный «Азарт».

А что, и верну аванс! — храбро думал я.

Но совесть человеческая коротка, а легкомыслие безмерно.

Я брался то за «Преподавателя...» (в 77-м написав «О — цифра или буква?»), то за «Японию...», тем временем подходил срок сдачи «Азарта», и я брал пролонгацию.

Я успел. Я успел еще съездить в Югославию и Испанию, у меня родился сын, и вот, возвращаясь из Болгарии, я услышал по «голосам» о выходе «Пушкинского дома». Значит, 78-й... Последний день в Болгарии особенно напугал меня. Не разбираясь в политике, я вдруг догадался о сущности «македонского конфликта»: по просьбе Болгарии не советские, а какие-нибудь гедеэровские или чешские войска входят в мою любимую Югославию...

Ну все, думаю. Ан нет, не все.

В январе 79-го те же «голоса» объявили о выходе «Метрополя».

У меня как раз шла премьера фильма «В четверг и больше никогда», снятого А.Эфросом по моему «Заповеднику». Первый показ произошел в четверг. «Больше никогда», — шутил администратор уже в пятницу, отвечая на телефонные запросы зрителей.

Обстановочка накалялась. Писатель-международник попросил собрание применить к «метрополистам» высшую меру наказания. Нас сокращали как могли. Но все по закону.

Войска в Югославию, однако, пока не входили.

Срок последней пролонгации «Азарта» истекал опять же не то 1 сентября, не то 1 октября. Вернуть было уже не из чего. Мягко и неумолимо осуществлялся запрет на профессию. И я уселся за проклятый «Азарт», втайне уповая на чудо вдохновения.

Чудо на этот раз не происходило. Я придумал себе жилет для самосожжения на Красной площади, если они только войдут... Я полностью подменял собою Чизмаджева.

Первое число приближалось быстрее танков.

И я придумал постмодернистский трюк (образца 79-го года): поскольку мой герой был мертв на первой же странице романа, от него могло остаться литнаследство, которое я публикую... Я сделал Чизмаджева писателем! Нет хода простодушнее, безвкуснее и вернее. Я передал ему все свои так и не опубликованные рукописи: «Автобус», «Записки из-за угла», начало «Японии...», «Грузинский альбом»... Все это было ни при каких обстоятельствах не печатно. И, сложив рукопись страниц так под пятьсот, после бессонной ночи, так же утром 1-го я принес и зарегистрировал *уркопись**[*] в издательстве. И она была положительно отрецензирована хорошим человеком Гусейновым и возвращена автору на доработку.

Ф.Ф.Кузнецов в статье «О чем шум?», посвященной непорядочности средств массовой информации на Западе по поводу преследования «метрополистов», заключил этот эпизод так: «Даже Битов сдал свой новый роман в издательство».

Так я стал автором еще одного романа, которого никогда не было.

---

* Изумительная ошибка наборщика! Прошу сохранить. — А.Б.

503

И танки вошли не в Югославию, а в Афганистан. Под какой локоть их подтолкнули совершить столь бессмысленную, и с точки зрения агрессора, акцию? Провидение.

И я снял свой воображаемый бензожилет.

В пору гласности я отобрал у Чизмаджева свои произведения обратно и опубликовал их под собственным именем. Так что теперь «Азарт» из одних дыр и состоит, как и состоял...

Эти дыры я и предлагаю благосклонному и неблагосклонному читателю, окончательно потеряв совесть. (Писано в Страстную неделю 1997 года в СПб.)

Андрей БИТОВ

АЗАРТ
(Труды и дни Чизмаджева)

«Советский писатель»
1979

> Я погибал как человек, как гений,
> как мерзавец — всё, вместе взятый.
> *Шекспир-Дорогавцев из Фрязино*

* * *

«...он прицелился в эту пустоту под сердцем. Ему не показалось это ни страшным, ни смертоносным. Казалось — пуля пролетит в пустоте, как птичка. Или — будто он, наподобие факира, нашел в своем теле неуязвимые маршруты для протыкания насквозь — один из них. Отыскать точку поточнее, нажать курок — вся эта возня была докучной, детской, как развлечения за приготовлением уроков: из подручных скрепок и промокашек... неловко было бы лишь — застичь себя за подобным занятием, — но в нем-то самом ничего чрезвычайного или особенного — не было. Всё — так. Все справедливо».

* * *

Оговорюсь в последний раз. Уж так мне хотелось бы на этот раз остаться в тени повествования. Спасет ли меня эта оговорка?.. В последнее время так укоренилось убеждение, что настоящий автор пишет лишь о том, что знает по-настоящему — испытал, изучил, — что мне не по себе. Я как раз собираюсь писать о том, о чем понятия не имею. Но так, как знал свой предмет мой герой, не знает его никто. И вообще, кроме него компетентны от силы три человека. Их хулу я приму с непокрытой головой. Но есть еще и немалый шанс, что либо они ничего не узнают об этом тексте, либо я об их мнении. Так что слабым знанием предмета как раз не так уж сложно воспользоваться. Важно напустить на себя вид знания — и успех обеспечен. Ибо незнающие, каковых подавляющее, и способны воспринять лишь приблизительный разговор, который обходит существо предмета. Многие устроились в этой нише, но беда в том, что их пример автора не увлекает, такого успеха он, видите ли, не жаждет. Можно ли ему верить? Это единственное, на что уповает автор, что верить ему можно. С другой стороны, будто бы и не обязательно было Дефо высаживать Робинзона на необитаемом острове, а Толстому участвовать в войне 12-го года. Но тут мне, естественно, возразят, что (раз) это гении с особою силою воображения, (два) Толстой хотя бы воевал, пусть и не в 12-м году, а Дефо владел чужим опытом — дневниками Селькирка... Достоевский, скажут, сам был на каторге. А я и от сумы не зарекаюсь. Но в том-то и дело, что автор тоже кое-чем владеет: тайной. Случай вручил мне эту тайну неведомого мне человека, которой никто, кроме него самого, не владел. Я знаю его тайну, но я не знаю самого человека, а то, что я мог узнать, слишком поздно и слишком мало — не у кого спросить, некому поправить... Потому что тайну я знаю буквальную, вроде секрета, она не означает той меры постижения, когда тайна *становится* известна — она мне известна заранее. И предстоит мне некий обратный исследовательскому путь: выяснить обстоятельства тайны, откуда она? из какого вырвана контекста? И тексты, на которые я в своем намерении наталкиваюсь, я не в силах прочесть — они то не окончены, то на шумерском... Но что же мне поделать с самой тайной, куда подевать этот неуместный предмет? С одной стороны, такой редкий, а с другой — никому не нужный?.. Тайна — есть, никому не принадлежит, но и не нужна никому и хранить ее уже не от кого.

* * *

Эта история содержит в себе определенные трудности для изложения, хотя она безусловно была и выдумывать в ней ничего не придется. Быть-то она была, но настолько слабо выделилась из общего тела жизни, что усилие рассказчика обвести ее исчезнувший контур чуть ли не превосходит энергию, пошедшую на собственно события, лежавшие в основе... а откуда ее взять, такую энергию? Авторская борьба с Энтропией в данном случае носит отнюдь не декларативный характер — восклицанием тут не отделаться... автор именно намерен возместить не им нанесенный ущерб. Едва находит он себе предшественников: одну мамину сослуживицу, вышедшую в сарафанчике на тридцатиградусный мороз «переделывать природу» (шла великая желудевая пора лесозащитных полос, колорадского жука и врачей-убийц...), и недавнего любопытного собеседника, подманившего автора к больничной решетке, — члена «партии других черепов» (кроме человеческих...), великого борца за «плюсовую температуру» (столь необходимую «другим черепам»...), утверждавшего, что все люди сошли с ума «на почве мясной и рыбной тарелки» и что джинсы и дубленка — «спецодежда дьявола» (я готов был разделить его убеждения, если бы не хищное заявление, что человечество задолжало ему «огромные суммы в иностранной валюте»). В таком же духе автор намерен вернуть в общий котел частицу мирового тепла, потребленного его героем на приобретение опыта, которого автор ни в коем случае приобретать не намерен. Ибо опыт, в его представлении, и есть та Энтропия, о которой он имеет весьма отдаленное представление, но которой инстинктивно чурается в силу принадлежности к живым организмам.

Эту историю тем более трудно начинать, что она начинается с конца. Впрочем, с конца для повествователя начинается почти любая история (кроме его собственной), даже и та, которую хотелось бы поведать значительно больше, чем эту. Начинается же она так: Чизмаджев — умер.

Обстоятельства его смерти пока что нам недостаточно известны, возможно потому, что обстоятельства эти суть все еще обстоятельства его жизни. Так, его видела из окошка трамвая одна его близкая приятельница: с весьма ироническим видом он нюхал розу у Киевского вокзала. Вид этот смутил приятельницу толчком застарелой ревности, на которую, как ей казалось, она уже не была способна. Она даже поскреблась в стекло, пытаясь обратить на себя внимание Чизмаджева, — но трамвай проехал. Кому роза?.. — так в ее памяти Чизмаджев жив и сейчас. И мама Чизмаджева все еще переживает, что, прощаясь перед отпуском, в последний момент забыл он захватить специально ею испеченную ему в дорогу ватрушку. За эту невнимательность она все еще ждет легких сыновних извинений...

Чизмаджев умер тридцати трех лет от роду, и то, что он проделал это в возрасте Иисуса Христа, почти ничего не значит.

Мы опишем его в гробу...

Не то чтобы всякая живая собака лучше дохлого льва... но соображение это не лишено, оно противостоит некрологу. Ибо всякая жизнь, зафиксированная наконец смертью, обретает черты невозможности, небывалости, на ней без особых преувеличений легко возводится миф. При взгляде вспять — открывается такая череда счастливой случайности зарождения, выживания и осуществления, которую, казалось бы, никакой сверхмозг организовать не может, никакая жажда жизни себе не подчинит и которую поэтому иначе как *судьбою* не назовешь. Естественным в таком свете покажется почтение к старикам: пусть они и выжили из ума, но — выжили! И ни одна доля не покажется жалкою, ни в канаве, ни в богадельне, — потому что все это цари жизни, возвышающиеся в ничтожестве над не выдержавшим времени большинством. Тем поразительней свежая смерть: какое чудо, что он прожил столько, вплоть до кончины! как это он умудрился?.. а если уж изловчился, то чего же вдруг врезал ни с того ни с сего, когда все препятствия позади и оставалось лишь жить да жить, уверившись в прочности престола собственной жизни?.. Это естественное изумление перед законченностью чужой жизни ложится в основу жанра некролога раньше, чем мы заподозрим его в неискренности, шаблоне или преувеличении. Преувеличить есть что. И быть может, не столь хороша живая собака и не столь жалок дохлый лев, просто живой лев — обязательно собака, а мертвая собака — уже лев.

Именно львиность поражает нас в остывших чертах Чизмаджева. Такой тихий, такой скромный, такой книжный... теперь и за него примутся... то он все грыз и грыз... Зато знал! уж он-то знал!.. Знать-то он, конечно, знал, этого не отнимешь... Но вот ведь — и отняли: пусть не от него, так вместе с ним. Но знания — были. Что было, то было. А вот идей особенно оригинальных, своих — все-таки не было. Знания-то после нас не живут, живут после нас идеи... а вот идей-то... Ну, гений, конечно, не гений; гений — это вы слишком... но кто еще мог знать и веды, и талмуд, и все апокрифы, и схоластов, и античность?.. слушайте, но это даже непонятно, откуда что взялось?! И всего тридцать три года... только докторскую защитил... Нет, она еще в ВАКе.

Так говорили сотрудники Чизмаджева, редкие бедолаги, застрявшие в Институте в разгар лета. Тишина и сумрак стояли особенные в этой академической сени — призрак дачи в раскаленном каникулярном городе. Можно было забежать между магазинами остыть и попить чайку, чтобы, отметившись за науку, ринуться с инфарктными кошелками на ту же дачу...

Трагически...

Дом, где помещался Институт, слыл архитектурным памятником. Не то это был барский дом, описанный графом Толстым в «Войне и мире», не то орловская конюшня, а может, все это Наполеон напутал во время пожара, что и особняк и конюшня... Чизмаджев был значительно менее силен в русской истории, как в предмете недостаточно точном для знания, и в голове его, в свое время, постоянно нелепо мешались эти противоречивые исторические предположения, и потому в пышном белоколонном вестибюле, где после очередного заседания его постоянно останавливал за пуговицу кто-либо из сотрудников, интересуясь именно его мнением, перед мысленным взором Чизмаджева всякий раз проводили под уздцы роскошного коня, непременно в яблоках, так что и Чизмаджев всякий раз раздувал ноздри, будто улавливая тонкий запах *тех* копыт... Что-то неуловимо античное существовало и в этом его представлении... Колонны, портал, портик, конь... Ага! Калигула... Калигула значительно более несомненен, чем пожар 12-го года, потому что и пожар для Чизмаджева отчетлив лишь через изумруд Нерона... Но что-то роднит... натягиваются имперские струны поэтической лиры... Ага! Третий Рим...

Коня увели. Чизмаджев раскланялся. Истаял запах. Трагически...

Несмотря на жару, один сотрудник сегодня все-таки трудился. На него легла эта общественная нагрузка (как на редактора стенной газеты «Связь времен»): плакат просыхал на той же колонне, обнимая ее, как афишную тумбу. Плакат был масштабов предвыборного, с большой фотографией, чести которой удостаивались почившие лишь начиная с завотдела. То ли ввиду малолюдности и летней бедности событиями, то ли смерть, к тому же трагическая, повышает в чине... Чизмаджев был ее удостоен (чести), не будучи (завом). Вакационная расслабленность расшатывала табель о рангах и вела к преувеличению: *талантливый*. Отсутствие весомой должности позволяло наградить его столь драгоценным эпитетом. Он был доктор наук (сомнения в решении ВАКа уже быть не могло). *Безвременно*... Очень непонятное и непонятое слово, если вдуматься.

Трагически... Дико топорщилось это слово на плакате. Кто бы мог подумать. Такой тихоня! Из ревности... А вы точно знаете? Что в нем было такого, чтобы из-за него?.. Не из-за него, а он сам... Не он сам, а его... Тем более не верится. Не говорите, в нем что-то было... — вздохнула сотрудник женского пола.

И впрямь. И невозможно с нею не согласиться... Необыкновенно живо и даже как-то остро взглядывал Чизмаджев со своей колонны на каждого вошедшего распаренного (на улице тридцать пять, к вопросу о похоронах...) сотрудника. Именно настойчивость взгляда Чизмаджева («прохожий, остановись!») гипнотизировала входящего, и лишь после, с трудом достигала сознания весть. Вошедший отходил, обсохнув и посвежев. Может, некоторый изгиб фотографии вокруг колонны придавал ей дополнительную объемность, может быть, толстые линзы очков, увеличивавшие и так не маленькие глаза Чизмаджева, усугубили еще этот эффект стереоскопичности, но именно все обсуждали взгляд Чизмаджева как особенно живой, тонко подмечая, что далеко не у всякого и живого взгляд вот так *смотрит*, что это не всякому дано — иметь *взгляд* (будто Чизмаджев был мертв, когда его фотографировали...). Все были согласны с этим не лишенным чего-то наблюдением, и все ненароком потуплялись, не уверенные в окончательной живости собственного взгляда.

Чизмаджев смотрел с колонны, как бы более живой, чем бывал прежде, на ставших чуть менее живыми, перед лицом такой живости, сотрудников; с тою же пристальностью смотрел он перед собой, и когда никого перед ним не было — испытующе на дверь, поджидая входящего... В краешках линз застыло по блику, навечно отразив не то дзету, не то лямбду, не то еще более древнюю альфу или омегу.

Нет, в гробу он без очков. В гробу он выглядит еще неожиданней, как всеобщая знаменитость при личной встрече. За дипломную работу в университете ему была присуждена сразу кандидатская степень, и ему ничего не оставалось, как получить за кандидатскую — докторскую. Но он и тут избежал напрасной карьеры, защитившись, по настояниям начальства, по очередной своей книге. Теперь бы ему прямая дорога в членкоры, кабы он вступил в ряды... Но он пока не вступал. Репутация вундеркинда по-прежнему выручала его, спасая от зависти ближних и от подозрительности кадров. И вот еще почему никто не ревновал его карьеру за чрезвычайную быстроту и легкость: было за что. Никто не мог поставить под сомнение реальную стоимость Чизмаджева как ученого. Поскольку он был такой один, для него и в оценках, и в эмоциях существовало *исключение*. Никто себя с ним не сравнивал, и он никого не задел, и теперь, безвременного, его особенно любили, не претендуя на освободившуюся вакансию, но с удовлетворением отмечая, что она теперь, как и раньше, как и должно быть, *не занята.*

Вот эта прямота удивления перед смертью как перед торжеством закономерности: его ведь и не могло на самом-то деле быть, такого необыкновенного Чизмаджева, лопочущего по-древнегречески с той же легкостью, как по-шумерски (или по-шумерски уже не говорят, а только лишь читают?.. — мы и этого не знаем отчетливо). Не могло его быть такого — вот его и нет. Безвременно.

Жара.

Никто бы не мог подумать, что у Чизмаджева такое значительное лицо, такие крупные черты: могучие надбровья и крутой нос придают ему античную львиность, ту самую, о которой уже упоминалось. Медальный профиль... человек, так приближающийся к предмету, как Чизмаджев, становится похож на этот свой предмет... собака и хозяин... помните, и академик Алексеев к концу жизни походил на китайца... а уж он-то был чистый русак... Чизмаджев тоже не еврей... похож ли Лихачев на Игоря?.. позвольте, почему на Игоря?.. но не может же он походить на «Слово...» — прочее глумление и лепет: профиль-то медальный, а вот греческий или римский — уже вопрос: который прямой, а который с горбинкой?..

К вопросу о происхождении Чизмаджева стоит вернуться с меньшей приблизительностью, если хотеть понять его феномен. Дело в том, что дед по отцу был ровесником отца по матери... нет, так быстро не удастся сказать. По матери Чизмаджев был внуком великого русского композитора средней руки (Танеев, Лядов, Гречанинов и др.), а по отцу — тоже приличного происхождения, какой-то полукнязь-полугорец. Во всяком случае, небезызвестный Александр Львович Казем-Бек, с которым Чизмаджев сблизился, изучая литургию, привечал нашего героя и даже принимал его дома, что никак не могло бы стать, если б Чизмаджев, как предполагали некоторые, в силу его знания и своего незнания языков, был еврей; к тому же Александр Львович, будучи знатоком не только православной службы, но и всех возможных русских генеалогий, поведал Чизмаджеву презанятные коленца его древа, подтверждавшие, что не по одной лишь матери был он вполне достойного рода. (Чизмаджев не был, как мы уже отмечали, внимателен к деталям такого рода, и совершенно напрасно.) Но даже уяснив себе некоторую чистопородность обеих чизмаджевских линий, не объяснить, однако, его уникальной культуры, в то время как все его поколение лишено ее поголовно, независимо от происхождения или от меры честности и таланта, в силу которых иные из них реставрировали в себе интеллигентность. Ученого такого диапазона, как Чизмаджев, не могло уцелеть, не могло и возникнуть: школа была разрушена до основания. Чизмаджев родился со школой внутри, что непонятно. В науке он был больше школа, чем индивидуальность. Это был человек-школа, если такое бывает в генетике.

Неудовлетворительность объяснений на генетическом уровне легче всего постигается на собственном примере. Они нам не подходят. Другим, может, и подходят, а нам — нет. Поскольку каждый из нас, прежде всего, не хуже другого. Будто и нам, при каком-то стечении, доступно и знание двунадесяти языков... Если бы у нас была такая возможность, то мы бы и с миллионным состоянием сумели управиться (причем очень быстро: мильона-то нам как раз бы и не хватило...). Ах, если бы у нас был талант или деньги, или время, или здоровье, и будь мы к тому же моложе лет на двадцать, да живи мы еще в такой стране, где все это будто бы есть... цены бы нам не было! и все бы наконец поняли, что мы на самом деле. Но нам все не везет... При чем тут генетика! Да на моем месте и Пушкин ничего бы не написал. Вот именно, не меньше чем Пушкина хочется посадить на свое место. Единственно, внешность не берется в расчет (если ее нет; а если есть, то очень даже берется...) — у Пушкина якобы ее тоже не было. Во всем остальном каждый из нас бесспорно достоин лучшей участи. И хотя такое заблуждение свойственно человеческой природе во все времена, берусь утверждать, что никогда оно так не властвовало, как в нашей стране и в наше время. То ли великая идея равенства так восторжествовала, но такого количества непризнанных гениев человечество еще не знало (если уравниваться, то по высшему, мол, пределу...). Не знало человечество и такого количества неудачников, вполне сытых и здоровых, не получивших участи по своим о себе представлениям. Так неудовлетворенное «каждому по потребности» выросло до «каждому по его представлениям о себе». Подумать только, что раньше подобные свойственные человеку запросы находили себе воплощение в качествах самого человека, как, скажем, в чувстве собственного достоинства, чести, в сдержанности и выдержке. С этим сейчас хуже.

Однако мы для себя попробуем вычленить возможность зарождения Чизмаджева на уровне историко-генетическом. Подыщем ему столь исключительные возможности, чтобы он никогда не мог послужить нам упреком в том, что мы чего-то не добились и не достигли по собственной вине. Усилие такого розыска совершенно симметрично и встречно усилию самооправдания. Итак, подыщем ему условия, при которых и мы могли бы быть не хуже его...

Итак, дело в том, что дед по отцу был ровесником отца по матери... В борьбу за выведение Чизмаджева включились не только разные крови (прапрадед по отцу запечатлен на фотографии в бурке, с рукою на кинжале и взглядом, наивнейшим образом имитирующим свирепость), но и разные поколения. Великий композитор был поздним сыном и сам, в свою очередь, женился в еще более позднем возрасте, произведя себе внучку, будущую маму Чизмаджева. По материнской линии отцы недолго ласкали своих детей, дети хранили одно смутное воспоминание об отце — не то похороны, не то новогодняя елка, — привыкали к портретам, легендам и фотографиям, вырастая в потенциальных хранителей музея. Дед вовремя умер, в самый канун, не оказавшись ни в Париже, ни на Соловках и не заложив основу каракалпакской оперы, никак дурно не повлияв на судьбу потомков. Демократические и народные мотивы (написанная в 1905 году «Березовая» соната) позволяли даже такое толкование, что он бы приветствовал и принял... Зато бабушка Чизмаджева, урожденная не то Дубельт, не то Бенкендорф, повлияла на дальнейшую судьбу дочери и внука даже положительно. Баронесса была из той ветки, которая обратно онемечилась, так что бабушка не имела уже никакого отношения к гибели Пушкина и была чистой немкой. Она себя ею не сознавала, приняв подданство, веру и язык мужа, разделив полностью, как и положено настоящей жене и немке, все интересы мужа (в глубокой тайне в семье сохранялось предание, что знаменитое предсмертное «Увидимся!», толкуемое теперь музыковедами не иначе как отражение глубокой веры в близкое будущее, которого ему не удалось увидеть, было на самом деле написано не им, а бабушкой). Немкой она себя не осознавала, что и важно. Но она не была и русской! И все творящееся на этой земле было лишь как бы метео- и материальными трудностями, которые надо было пережить и выжить. У нее не было другой судьбы, и она не искала себе другую; других возможностей она себе не рисовала и оттого сумела преодолеть эти. Родиной ее стала семья, а не земля. Она обладала историческим терпением оттого, что ничего не ждала. Она не торопилась с выяснением отношений с родиной, потому что их не было. Все это были независящие обстоятельства, а не отношения, выяснить которые не терпится. Историческое терпение всегда было единственной заменой историческому мышлению, которого тоже не было.

Такие серьезные пропуски поколений, которые стали тенденцией материнского рода, были скомпенсированы родом кавказским, где люди значительно реже умирали и значительно чаще рождались. И когда Чизмаджев днем лежал на руках матери в президиуме торжественного собрания, посвященного столетию со дня рождения великого композитора, в качестве единственного его внука (столетия!.. — ибо дедушка его родился тотчас на смену Пушкину, между двумя великими дуэлями), а вечером того же дня к ним стремительно вбегал его живой прадедушка по отцу — в черкеске, с еще не запрещенным старикам кинжалом на поясе, к которому в первую очередь (отметим на будущее) потянулся, то немудрено, что уже в школьные годы у него не было заблуждения насчет возрастов, свойственного его поколению, и Чехов не казался ему дедушкой, а Грибоедов или Лермонтов юношей (заблуждение, еще более всеобщее благодаря усилиям МХАТа). Моложавый прадедушка разворачивал влажные тряпки, извлекая сыры и лаваши, и рассказывал, как был бы рад увидеть такого славного внучка его собственный отец, который, слава Аллаху, все еще крепок и каждый день ходит в лес за хворостом, — пусть они тотчас собираются и едут с ним вместе повидать прапрадедушку и подышать неоценимым воздухом, пусть внучок вдохнет его так, чтобы ему хватило на его первые сто лет... Тот же Александр Львович повел однажды Чизмаджева в галерею героев 1812 года, где напротив портрета его прадеда по матери, отца отечественной баллистики, уже пожилого боевого генерала, который, однако, еще четверть века протянет в холостяках, висел юный и черноусый, с чудовищно румяными щеками и невероятными бакенбардами, боевой наперсник Дениса Давыдова (видно, по молодости и подражавший своему кумиру), его прапрапрапрапрапрапрапрапрапорщик, не носивший, правда, фамилию Чизмаджев, однако его прямой прапрапрапрапрапрапрадед по отцу, родившийся в XVIII, а умерший в XX веке, так что и отец нашего Чизмаджева мог бы его даже видеть и помнить, если бы они были знакомы, а вернее сказать, *могли бы быть знакомы*, потому что непосредственно отец Чизмаджева через пять поколений оказался значительно ухудшенного происхождения (львиная доля турецкой и армянской крови) и, следовательно, другого круга. Портреты в галерее висят напротив, и кажется, храбрый грузинский прапорщик изучает своего будущего родственника. Только для этого еще потребуется более ста лет не торопиться материнскому роду и спешить отцовскому... Обрусевать, онемечиваться, обармяниваться и вновь обрусевать... Пользуясь последними остатками наших геологических познаний, для образного определения генезиса нашего героя мы воспользуемся термином *сброс*. Это такое тектоническое явление, в результате которого в непосредственном контакте могут оказаться слои совершенно различных геологических эпох, где мел юра вдруг граничит с кембрием, а кембрий уже с делириумом. Преступная связь времен, граничащая с кровосмешением! Естественный сброс поколений в роду Чизмаджева скомпенсировал организованный сброс, творимый эпохою, — и вот все живы и здоровы, а плавно приземлившийся Чизмаджев так много знает. Семья, парадоксально сложив линии судьбы со столь разных ладоней, сложив ладони, как крылья, бесшумно спланировала в сегодняшний день, избежав трагедии. Только такой потомок мог заняться Эсхилом и Еврипидом с гордым чувством, что после них подлинных трагедий не возникало. Что даже Шекспир и Расин... не говоря уж о сегодняшнем дне. Но еще великий классик пролетарской литературы, благословляя сегодняшний день, передоверил творчество самой жизни: «Нет сказок лучше тех...»

Однако это далеко еще не весь путь, пройденный родом Чизмаджева, чтобы подставить ему плечо, с которого он шагнул на вершину знания. Теперь о книге, к которой (отметим еще раз: все-таки вслед за кинжалом...) потянулась ручка крошечного Чизмаджева... То была «Одиссея» на языке Гомера. Итак, необходима библиотека, с неведомо как туда попавшими и задержавшимися в ней античными авторами — так вот же она! Для этого потребуются достаточно сложные перемещения семьи Чизмаджевых, вплоть до переселения из города в город, но в результате мы опять увидим крошечного Чизмаджева, утонувшего с головой в недрах уцелевшего плюшевого кресла с «Метаморфозами» на языке Овидия в руках, а в углу различим темный шкаф, где за стеклом с вытравленными на нем цветами и фруктами скрываются вовсе не кузнецовские чашки и тарелки, а — книги, как ни странно, все на языке оригиналов.

(...Шкаф этот и до сих пор жив в кабинете Чизмаджева, но книги в нем, после Чизмаджева, опять некому читать, как, впрочем, было и до Чизмаджева...)

Книги эти принадлежали их отдаленному родственнику Пустобоярову, но и ему они принадлежали не всегда. Вот тут-то и подсоединяется (и опять с благожелательством к Чизмаджеву!) к естественному родовому сбросу — сброс исторически организованный. Во-первых, без революции не жениться бы чизмаджевскому отцу на дочке великого композитора («Нашла бы себе какого-нибудь дворянчика!..» — бывало, говорил он, отмечая положительные стороны революции). Во-вторых, не оказался бы Пустобояров в Энске и не стал бы обладателем ни при каком воображении не нужной ему библиотеки. А Пустобояров оказался в Энске потому, что непосредственно под этим городом находилось родовое имение великого русского композитора, в котором тот

516

никогда не бывал (теперь оно вошло в черту разросшегося города, и в нем музей). За участие в студенческих волнениях был Пустобояров не только исключен из университета, но и сослан — волею Провидения — в Энск. Композитор, жалея свою двоюродную сестру, которую Бог наградил столь непутевым сыном, разрешил ему поселиться в своем имении. Там Пустобояров женился на поповской дочке, а вскоре началась мировая война, где он попал вместе с будущим писателем Зощенко в знаменитую газовую атаку и, сильно кашляя, вернулся в тот же Энск. Произошла Революция, раскрепостившая все сословия, и поповская дочь ушла от него в Наркомзем. Шли годы, Пустобояров пристрастился к вину и перестал кашлять, сбывая понемногу будущие музейные экспонаты своего отдаленного дядюшки. Эпоха бурлила, сбывая таким же образом не только материальные, но и человеческие ценности, но и наиболее ценных людей. Короче, однажды, когда Пустобояров поутру обнаружил, что пропивать нечего, вокруг страна уже нуждалась в недобитых специалистах, и он оказался ценным кадром. Окончив классическую гимназию и будучи от природы человеком небесталанным, влился он в систему Наркомпроса. К тому времени не уцелело ни одного дипломированного классика, способного вести курс латыни во вновь организованном медицинском училище (сейчас Медицинский институт), и то ли основательные знания давала тогда гимназия, то ли Наркомпросу следовало выходить из положения, но Пустобояров кафедру принял и, более того, успешно ту латынь преподавал. Он очень вдохновился этою своей пригодностью к жизни, бросил пить и тут-то купил у книжника бесценную библиотечку, собранную одним из тех «классиков», которых уже не было в наличии. Торговец был рад избавиться от пыльной кучи, за десять лет сумевшей обратиться из редких книг в никому не нужную макулатуру. А Пустобояров, справедливо истолковав свое назначение как всего лишь аванс судьбы, решил самостоятельно восстановить, а затем и приумножить запас своих сведений в латыни, а заодно и в греческом, рисуя себя в будущем уже на кафедре того университета, из которого когда-то был изгнан, — решил весь этот шкаф прочесть... Да ограничился. Студенты пренебрегали его дисциплиной, как нынешние дети пением или физкультурой, его знаний было с лихвою достаточно, на него и так уже косились как на недобитого классового врага (классика...), с трудом прикрылся он былыми революционными заслугами, но окончательно восстановил к себе классовое доверие товарищей, лишь потеряв по пьянке свое пенсне.

Шкаф с книгами для Чизмаджева уже есть... Между тем семейство Чизмаджева все еще вдали от него... Оно...

Вопрос об организации музея в Энске был вписан в постановление по увековечиванию непосредственно в связи со столетием деда. После юбилея мать с маленьким Чизмаджевым отправилась в Энск, где и познакомилась с Пустобояровым и совершенно пустым домом со свежей мемориальной доской. Единственной мебелью в доме оказался шкаф с книгами, которые Пустоборяву не удалось при всем старании пропить — никто не давал ни копейки. Все это было «страшно и ужасно», как выразилась мама. Но само место было чудесное, над обрывом притока Волги, с лугом и лесом и не подступившим еще вовсе городом. Мать принялась за дом, принялась за Пустобоярова... Постановление сыграло свою роль — дом отремонтировали, была закуплена и кое-какая обветшалая мебель (по вкусу мамы) — ее можно видеть и теперь, она сохранилась в музее как принадлежавшая композитору... Мать приезжала сюда на все лето, и на следующее... «о лучшей даче нельзя было и мечтать»... постановление было забыто, и дело с музеем заглохло... но они уже вполне обжились, хотя бы на лето... как в третье лето приключилась война, и они уже не вернулись в Москву.

Так коренной москвич Чизмаджев становится на долгие годы провинциалом, и тут-то, в глухую военную пору, его крошечная исхудавшая ручонка потянулась к книге, которую никто не мог ему прочесть, ни мама, ни все забывший, кроме Горация, Пустобояров...

Теперь все ясно. Война обошла этот медвежий угол, хотя подкатывалась уже достаточно близко. Взволнованный сводками Пустобояров скрипел валенками по половицам. Маленький мальчик читал ему вслух Овидия, и тогда Пустобояров вдруг замирал посреди комнаты, глядя на безнадежную шейку малыша, бормочущего слова такого нетленного благородства, что Пустобояров отворачивался смахнуть свою слабую слезу, и казалось ему, что он прочтет еще этот шкаф! и станет!.. тут же слабел он от этой мысли... пусть не он... а вот этот мальчик... на секунду Чизмаджев мерещился ему сыном... которому он, старый и немощный, передает эстафету... эстафету чего... Пустобояров поеживался, пол-литра стоили как два килограмма хлеба, а килограмм хлеба — пятьсот рублей... и вдруг хриплым птичьим голосом произносил он выплывшие из не бывшего уже гимназического прошлого тяжкие, квадратные, скатывающиеся, как камни, слова:

Μῆνιν ἄειδε, Θεά, Πηληϊάδεω Ἀχιλῆος*.

— Переведи, — говорил Чизмаджев требовательно. И Пустобояров не мог вспомнить значения им произнесенных слов. В какое-то из подобных «занятий» с мальчиком Пустобояров обнаружил в его руках не Овидия, не Горация, не Тацита... По складам, но маленький Чизмаджев прочитал этот стих по-гречески. А потом перевел его.

Немцы были под Сталинградом.

Сердце патриота не выдержало радости победы и остановилось в груди Пустоборова, а Чизмаджев пошел в тот же год в энскую городскую школу. Как писали в романах, один из которых мы здесь, как можем, сокращаем, «мальчик рос нелюдимым и болезненным». Но особенно болезненным он на самом деле не был. Да, он был худ, бледен, сутул, к тому же носил с малых лет очки, которые тогда так трудно было достать и которые с него все время норовили сорвать или припрятать, да, его дразнили «жидком», «жиденком» и, наконец, смирившись, «воробьем». Да, по настоянию мамы он сидел в классе с постоянно замотанным горлом, но не из-за простуды, а из-за слабости голосовых связок — но он ни разу не болел, ни разу, даже когда провалился в прорубь, не простужался. Но привычка считаться больным сохранилась в нем на долгие годы, как и привычка говорить тихо. Да, он знал, что его ждет великое будущее! Кроме преподанных знал он уже такие образцы мужества, досто-

_____
* Гнев воспой, богиня, Пелиада Ахилла (*подстрочн. перев. ред.*).

инства и поведения, с помощью которых умел молчать и не унижаться до мелкой обиды. Обидчики вдруг отстали. Странным, хотя и холодноватым, уважением оказался он вдруг окружен! Дети еще не знали, чем же он отличается от них, кроме зримой немощи, однако признали это отличие и, более того, — право на него. Познания его были поразительны уже не только для Энска, не только для его возраста, но никто не знал об этих его познаниях вплоть до шестого класса, вплоть до истории древнего мира — тут ему не удалось сдержаться. В первый раз историк его выставил из класса, решив, что его разыгрывают. Но — всплыло, но — подтвердилось. Учителя смотрели на Чизмаджева с почтением, и ему было неловко. Он чувствовал страх и справедливо опасался его. Спасли его статьи о пионере, расшифровавшем письмена майи (Крапивин?.. Дубинин?.. нет, не помню). Пионер этот трагически погиб на охоте, как все вундеркинды сталинской эпохи. В сочинении, кто кем хочет стать, тринадцатилетний Чизмаджев сообщил, что его идеал Шлиман и что он еще откроет свою Трою. На вопрос, кто же этот Шлиман со столь подозрительной фамилией, Чизмаджев ясно пояснил, что Шлиман что-то вроде пионера Дробинина, только не подстреленного на охоте. «Значит, твой идеал пионер Дробинин? — утвердительно сказала учительница. — Садись, пять». Не разделяя либеральной усмешки многих, отметим, что в ранних устремлениях Чизмаджева этот пионер и впрямь сыграл важную роль, заставив продолжить свои занятия не только с прежней страстью, но и с новой верой, а также пробудив в нем неожиданный интерес (вспомним кинжал...) к стрелковому оружию. У кого из нас не замирало сердце от подвигов пионеров-героев? Двенадцатилетний Герой Советского Союза Котик... что же тут смешного?.. Окончательным кумиром класса Чизмаджев, однако, сделался позднее. Несмотря на безнадежность своего физического развития, он отлично стрелял. Это обнаружилось на первом же стрельбище, где ему, как очкарику, предоставили винтовку в последнюю очередь. Все готовились к презабавнейшему зрелищу, когда он дышал на очки и протирал их концом шарфа... однако, стреляя впервые, он всадил все пули в десятку, не только к удивлению всех, но и к своему собственному удивлению. Его тут же стали записывать в кружки и соревнования, и он тут же раскаялся в этой внезапной своей способности. Греки и римляне были тем хороши, что никому не требовались, и он принадлежал им по доброй воле... Но пора собирать нашего стрелка, нашего «классика» в новую дальнюю дорогу назад, на родину, в Москву... Ибо теперь уже не так мудрено, что Чизмаджев стал тем самым Чизмаджевым, которого мы по достоинству оплакиваем сейчас.

Переезжать было пора — шкаф Пустобоярова был давно усвоен. Отдышавшись после войны и окончательно отвыкнув от столицы, мама возобновила вопрос об организации музея, преследуя теперь более конкретную цель, чем увековечение памяти отца, которого она уже окончательно не помнила. Цель ясна — будущее сына, выдающимся способностям которого следовало уже дать столичный простор. Это было время, когда иных вундеркиндов выпускали вперед, давая сдать экстерном на аттестат зрелости. Таким образом получались пятнадцатилетние капитаны, которые и в университете прыгали через курс. С которыми неизвестно что потом стало...

Вопрос был поставлен так: где лучше организовывать музей, там, где композитор жил, или там, где он родился? Это был серьезный вопрос, маме с Чизмаджевым предоставили жилплощадь в Москве — выселили коммунальных соседей бабушки Дубельт-Бенкендорф, предоставив тем жилье в новых районах, и Чизмаджев, почти не заметив переезда в столицу, въехал в такой же старый и расшатанный дом, в каком жил в Энске. И шкаф Пустобоярова с ним. Так же скрипела половица, так же дерево смотрело в окно... Зато совсем рядом, дворами пройти, и он оказывался у здания Ленинской (б. Румянцевской) библиотеки. И букинистическая торговля в те годы!.. Книга еще была. Она все еще ждала своего истребленного покупателя и не стала товаром. Была еще и Москва. И Чизмаджев населял как раз ее. Неснесенная Собачья площадка...

На этот раз в школе он сразу завоевал сердца. Кроме фантастических познаний, которые ему не пришлось скрывать, ибо о них предусмотрительно поведала мама, еще один внезапный талант сразу отменил в глазах его новых товарищей ущерб провинциала — он высоко прыгал. Вызывая смех на конях, козлах, брусьях и канатах, которые он люто ненавидел, он преображался, когда меж двух столбиков натягивали веревочку. Пропрыгав всем классом маленькую высоту 1.25, палочки переставлялись на пять сантиметров выше, соответственно повышалась переброшенная через них веревочка. Класс редел, не справившись с высотою... И вот оставался один Чизмаджев и просил себе прибавить еще пять. Время, что ли, было для прыжков неблагоприятное... Чемпион Илясов годами не мог преодолеть 1.99, даже он не был мастером спорта, потому что норму установили все-таки 2.00. Чизмаджев прыгал обыкновенными ножницами, но даже ими прыгал почти на высоту собственного роста. Итак, в девятом он сдал экстерном за десятый класс.

Выше головы он прыгнул уже в университете, наконец увидев и тут же усвоив перекидной прыжок. Странное это было и волнующее зрелище, когда длинный и узкий Чизмаджев входил в зал, обмотав шею длинным шарфом... Он игнорировал разминки и все элементы общего развития. Влюбленный в него толстый и короткий тренер Натан Наумович разрешал ему это, с робким упреком как бы не замечая, как тот сидит развалясь, пока все упражняются... Но вот устанавливалась планка, Чизмаджев неторопливо, даже подчеркнуто долго разматывал шарф, будто семь раз обвивший его шею, обнаруживая ее такую тонкую... и, почти и не разбегаясь... Сверкнув, взлетали очки, прыщи, и, к удивлению сокурсников, над планкой повисало его немощное, бледное, пересидевшее над источниками тело. Он все брал с одной попытки, и, когда повышенная в очередной раз планка слетала, он хладнокровно обматывал свое беззащитное горло и, отодвинув умоляющий взгляд Натана Наумовича, выходил в раздевалку. Добрый Натан Наумович, наконец нашедший Божий дар в своем ученике!.. Он хватался за сердце, умоляя Чизмаджева всерьез заняться тренировками и общей подготовкой. Господи! ему бы долю этого дара в свое время... Чизмаджев уходил, не дослушав. Не знал Натан Наумович, что у себя во дворе, точно так же игнорируя внимание соседей, он каждый день прыгал в длину, отшвыривая от себя гантели, реконструируя технику прыжка древних олимпиад... Натан Наумович видел только результат облегченного прыжка, без гантелей. Очки у Чизмаджева были бабушкины, со специальными заушинами, и во время прыжка не падали.

Из всего этого мы видим, что, появись такой Чизмаджев в наши дни, никто бы не удивился ни его круглым очкам, ни гриве, ни рабочим штанам. Но тогда он был поразителен. Тройным прыжком, через курс, он оказался в преддверии диплома... Филфак тогда помещался в старом здании, то, что он не ездил на Ленинские (Воробьевы) горы, позволило ему сэкономить массу времени — все у него было под рукой, все рядом. Он возвышался над своими сверстниками, как на московском холмике внезапно неразрушенная колоколенка...

Пусть вам не мерещится никакая другая эпоха... Это только Чизмаджев своими удивительными прыжками сдвигает времена. Нет, он умрет, как мы сказали, открывая своей смертью 70-е годы XX века, именно эти, когда сосед оформляется в Израиль и назревает Олимпиада-80. А пока — полюбуемся им в середине 50-х, когда он, выше сверстников на голову (буквально, в переносном он — еще значительно выше), в заношенных все еще китайских брюках, так напоминающих будущие джинсы, в длинном, волочащемся шарфе, который войдет в моду лишь с его смертью, в китайских же кедах, со спортивной сумкой, где шиповки и Плутарх, в круглых бабушкиных очках, которые еще даже среди Битлов не надели, перепрыгивая через две, три, семь ступеней, сбегает по лестнице Ленинки, туда, вниз, к автобусной остановке, где его ждет та... на которой он женится в следующем абзаце.

Сердце, пораженное с трех сторон — пулею, кинжалом и инфарктом... Замысел мой, столь ниоткуда, столь, казалось мне, надуманный, получал неожиданную поддержку.

Я обнаружил себя в 1973 году аспирантом теории

литературы в ИМЛИ им. Горького. Судьба хихикала. Не иначе чтобы проверить на практике судьбу собственного героя. Ведь умудрился же я написать роман, ни разу не побывав в Пушкинском Доме! И вот, горный инженер по образованию, я разворачиваю в очаровательном особняке Рябушинского, подаренном Сталиным Горькому, ковер, подаренный Горькому Лениным, потому как святыня, ни разу не использованный. И мне, как почетному аспиранту... Идет ленинский субботник, и я пылесосю этот ковер! Рядом со мной Петр Палиевский протирает некий канделябр, а я пересказываю замысел «Азарта», а он одобряет его сюжет, только советует перенести место действия в вымышленную страну.

Другой образованный сотрудник сообщает мне о смерти Фета: оказывается, он умер от инфаркта, не донеся кинжал до груди, угрожая самоубийством девице, которую уговаривал.

И совсем уже я был потрясен собственною проницательностью, прочитав в интервью с Аверинцевым, из-за которого все... что отец его был на пять лет старше Блока! Генеалогия Чизмаджева была подтверждена; не могло быть такого!

Ему не было и двадцати лет. А он, заполняя личный листок по учету кадров для зачисления м.н.с. в академический институт, с удивлением обнаружил, что окончил в университете, и имеет степень, и имеет научные труды и что «семейное положение в момент заполнения личного листка» — женат. Позабавила его эта учтенная богатым опытом отдела кадров преходящесть мгновения — «в момент»... У него и тени сомнения не возникало, что мог быть какой-либо другой момент. В это время (почему-то именно женитьба подтолкнула его в этот бок) он изучал древнеармянский и иврит, два неожиданных для самого себя языка, и в том же листке его по-детски развлекло мелким бисером испещрить графу знания иностранных языков, перечисляя их все, какие знал. «Языки народов СССР, — писал он с усмешкой, — древнеармянский и иврит (со словарем)». Но и щегольнув всем, что имел, он, увлекшись, пропустил итальянский, на котором, после латыни и французского, уже давно свободно читал.

Он женился легко и свободно, отнесясь к процедуре регистрации лишь как к досадной помехе, которую и устранил. И если вы еще не заметили, что этот книжный червь, этот не заметивший окружающего мира человек — бесстрашен самым глубоким и непоправимым бесстрашием, то мы это знаем наверняка и что-нибудь еще расскажем такое, чтобы и вы убедились. Нелепо погибают только бесстрашные люди, кто-то это уже отмечал, может, и мы сами. Пусть же не гипнотизирует вас нелепость обстоятельств: не случайна встреча со случаем. Для погибшего она была сотой... Чизмаджев бесстрашен, ни разу себя ни с кем и ни с чем не сравнив, не подозревая о своем бесстрашии. Он культуры не убоялся, не то что жизни.

Он женился на девушке, «на которых не женятся». Почему, собственно? Этого не знают и те, кто на них не женится, а не только Чизмаджев. Камилла (именно так звали девушку, что для нас с точностью определяет поколение...) была чуть старше Чизмаджева и была вызывающе молода. Смотреть на нее было удовольствием, которому поддавались многие — и старики, и дети, и свободные от зависти женщины (или способные к объективности на свой счет, а еще точнее, как раз относящие на свой счет свое ко всему отношение, любой вид красоты). Короче сказать, женщины ее не любили. Но относились к ней парадоксально сносно, быстро распознавая в ней «неконкурентку» себе. И это странно.

Она была как полдень, как солнце, как пропитанный солнцем плод. Нет, в ней не было ничего восточного, это только описание такое. Она была совершенно северное создание. Но горячая посторонняя теплота (отнюдь не зазнайство, отнюдь!), как затылок младенца, как нагретое солнцем дерево, как совершенно спелый, но еще не сам собою упавший плод, а только что сбитый, но не помявшийся при этом, еще хранящий внутреннюю температуру дерева и уже чуть подогретый солнцем... Чизмаджев был не из тех, кто что-либо срывал на пути своем, он не покусывал травинку... Он нагнулся и поднял прекрасный плод, еще хранивший собственную прохладу внутри, не приметив предательской теплоты, уже переданной ему «окружающей средой». Ах, в нем не было ни на грамм каннибализма! Может, и впрямь на таких не женятся?..

Ни секунды он не думал, любит ли она его, — все было несомненно, как это лето, как молодая его зелень, не принявшая еще ни пыли, ни зноя, как сама она, с момента, как увидел ее. «Семейное положение — с момента, как увидел ее» — мог бы он написать в той же анкете, раз уж случилось слово «момент».

Нет, это не была так называемая испепеляющая страсть, с первого взгляда и наповал. Как раз все это было как бы очень спокойно — но ровно, сильно, несомненно. Чизмаджев был полон. Он начал жить. Здоровье охватило его. Да Боже мой! мы все никак не отыщем слова — что же это?

Счастье. Чизмаджев был бесстрашен, а она свободна... Отыщем ли мы лучшую пару? Чизмаджев и всегда был несомненен, со своими греками и латынью, но наконец он обрел плоть (мы имеем в виду прежде всего непереносный смысл). Его устремленность вытягивала его как бы уже только в одно измерение — только вдаль, только вверх, только ввысь... Прыжки, в этом смысле, скорее продолжали его, чем дополняли. Теперь он *пополнел*. Прыжки окончательно забросил, а занятия свои — нет. Даже наоборот. Занятия эти тоже как бы обрели плоть и полноту. Все ожило. Какой-то сильный, не бывший, не прошлый свет залил эти развалины. Пространство, солнце, дворик Академии... Теплая пыль забивалась в сандалии, пряжка хитона все съезжала и терла плечо, вкус несочного финика, время... Это вытянутое, продолговатое, живое время втиснулось в глиняные узкие улочки и дворики, из которых только что вышли, голоса еще слышны в оливковой роще. Лень, жара, время пролилось в эпохи, освещая закоулки. Живое время раскаляло камни — над Чизмаджевым вставало ТО солнце и грело. У Чизмаджева разгоралось лицо, он оборачивался — видел ее (он не мог никак ее называть — ни женою, ни по имени — ни вслух, ни про себя). «Эй! — говорил он. — Ты спишь?» Она или спала, или шила, или читала — все одно, она была ровно там, куда он обернулся. Улыбалась застенчиво. Он вставал...

Мама шуршала в соседней комнате; Чизмаджев протягивал руку, она беззвучно смеялась — он выдергивал ее из кресла (того самого, детского, плюшевого!), кресло, пригретое ею, скучнело, расставаясь. Ты что? — всякий раз говорила она и шла за ним, охотно, готово, будто каждый раз не зная, что он ей собирается показать. Он прислонял ее к книжному стеллажу, она смущалась и была откровенна — полдневное солнце освещало кабинет — и под соседнее шуршание мамы... Он запомнил навсегда нарушенный (наверно, ею же) порядок книг на полке, над ее левым плечом. Ксенофонт и «Жизнь пчел» Метерлинка... как она сюда затесалась? Он, не любивший беспорядка в книгах, всегда выговаривавший ей, что она неспособна поставить книгу на место, этих двух никогда не переставлял. Более того, кабы кто знал, то мог бы отыскать в его работе о Ксенофонте изящную (и нелепейшую!) связь с Метерлинком.

Он никогда не мог уследить, как это происходило. Помнил первое: он протягивает к ней руку, а она смущенно и тут же подает свою... дальше он опять сидит над рукописью, а она в том же кресле, и рукопись его неожиданно далеко зашла вперед: он был доволен, как он быстро и хорошо все это написал, не заметив, как и когда. Усмехался над комплексом Фрейда: только *после* мысль свободна — какое тут вытеснение и сублимация? Впрочем, так этот австриец и пишет — все вводит и вводит, сует свою мысль во все, все об одном, ни вздоха, ни простора. Фрейд тут был постольку поскольку. Чизмаджев еще раз шагнул в неожиданный бок — Ницше, Шпенглер Шопенгауэр, — показал всем, что и это может, поражая братию уже не только обширностью и глубиною, но и диапазоном. Впрочем, к этим немцам мы еще вернемся — не так вдруг они в Чизмаджеве завелись.

Пока что — счастье. Он его не замечал, и вовсе не в том смысле, что пренебрегал, а то и счастье, что не надо и замечать его. Все он делал с удовольствием: ел, спал, сидел, потягивался, взглядывал в окно, попадал под дождь... То ли все его слова уходили в бумагу, но они и ни о чем не говорили между собою, он и она; Чизмаджев не помнил никаких ее слов — все про нее знал, уверенный, что и она про него. Иногда он, поразившись собственной мысли, долго развивал ее, не сомневаясь, что молчит она, полностью ее разделяя. Однажды увидел ее спящей — не обиделся ничуть, но больше не выступал. А было у него в день полчаса счастья самого полного, *после* всего, после еще одного сопоставления Ксенофонта с Метерлинком, после окончания главы, после вечернего чая — он с удовольствием сидел в кресле напротив, пустой, гулкий какой-то внутри, и молча смеялся. Ты чего смеешься? — осматривая, все ли у нее в порядке, говорила она. Ничего, так, хорошо, — возможно, отвечал он, а возможно, снова смеялся.

Само собой было это счастье, которое никогда и словом-то этим ни про себя, ни тем более вслух не называлось. То самое, которое назовет свое имя, только исчезнув навсегда. Не поймешь что, не вспомнишь даже: будто было жарко, пляж, что ли, веснушки, мелкие бисеринки пота между веснушками... Только солнце и вспомнишь. Огнепоклонничество.

О, не эта вертлявая черноватая ртуть так называемых горячих и страстных! Не она горяча. Ровный свет, северное солнце грели душу Чизмаджеву, раскаляя его мысль: он и в исканиях своих двигался все куда пожарче, бежал вспять — из Иудеи в Египет... Она у Чизмаджева и лицом-то походила на солнце: волосы, веснушки.

И это было куда сильнее страсти, о чем понятия не имел Чизмаджев. Жили они хорошо. Так все говорили. Их кажущаяся непарность именно вскоре и убеждала, что они — пара. С откровенной (в смысле видимой дружескости) завистью друзья дивились удаче Чизмаджева и ставили ему еще один плюс в графе, где для него всегда стоял заведомый прочерк. И тут есть сходство с завистью профессиональной: так же, как занимался Чизмаджев лишь тем, что любил и знал, так же и женился он на той, что ему нравилась, «на которых не женятся». Так, женатый на красотке не поймет, что никогда в жизни не женился он на той, которая ему нравилась, потому, что, женись он по своему, утаенному от самого себя желанию, видели бы его сейчас на ули-

це с одной толстой и старой женщиной. И женись Чизмаджев как-нибудь экзотически — ему бы тоже позавидо-
вали, его смелости, его единственной жизни. Но тут еще —
она у него была из тех, что «всем нравятся», а он на ней и
женился, как в высшей степени нормальный во всем (выходит, не экзотичны и не элитарны его занятия?..) человек.
Только в удивлении и зависти окружающих, которые не обладали смелостью Чизмаджева, чтобы следовать устремле-
ниям души, была своя легкость выжидания и любопытства:
когда провалится этот опыт, а ведь провалится... «на свете
счастья нет» — пушкинская наколка. Именно так все радовались и поздравляли Чизмаджева, с удивлением, восхищением, подчеркнутой завистью, что ведь объявится, не может не объявиться возможность без всякого уже удивления
сказать: так мы и знали.

Так они и знали. Чизмаджев все знал, чего не знал
никто, все знал, кроме того, что знали все.

Итак, Чизмаджев сильно забежал вперед. И когда оглянулся — вокруг не оказалось никого. Так это ведь он
не сразу еще и оглянулся... Пока что он продолжал бежать
в пустоте, оставив все картонные препятствия («корочки»)
позади; пока что он еще продолжал счастливо вдыхать свободный воздух, обводя взором открывшееся и уже не зас-
лоненное ничем пространство. А те люди, что попадались
навстречу, уже годились ему в отцы и в деды, имея значительно большие познания в жизни, нежели в предмете.
«Мнение, высказанное уважаемым Сергеем Георгиевичем...
я совершенно согласен с Сергеем Георгиевичем... вы ничего
не хотите добавить, Сергей Георгиевич...» — Чизмаджеву
становилось смешно, потому что Сергей Георгиевич — это
был он, а вопрос, так долго сегодня обсуждавшийся, был до
такой степени ему ясен и так давно, будто ему шел третий
век, а не третий десяток... Он нетерпеливо сидел на стуле,
как всадник, все опережая, опережая мыслью то, что бубнил
очередной оратор, потом долго выжидая, пока тот догонит...
и так его утомлял этот неравный бег! Он терпеть не мог
этих заседаний, хотя все вокруг были такие предупреди-
тельные, славные, добрые, ласковые, вежливые люди — не-

удобно даже... слава Богу, один раз в неделю. К концу заседания уже сидел Чизмаджев на крайнем у двери стуле, на краешке, покачивая на коленях портфель, и выпархивал на улицу, как школьник с последним звонком, успевающий оказаться за три квартала, пока звонок все еще звенит в опустевшем храме.

То и означал этот боковой взгляд на бегуна, вовсе лишенный зависти и недоброжелательства (мы уже упоминали о «внеконкурентности» Чизмаджева), — то же, что означает скорбно-приветственный вздох «так мы и знали». И даже тот, кто с искренним восхищением шептал вдогонку: «Хорошо бежит!» — даже тот, по сути, готовил в себе ту же фразу. Чизмаджев должен был остановиться, споткнуться, кончиться, сломаться — что-нибудь из этого обязательно, и вовсе не для того, чтобы его догнали (никто за ним не только не гнался, но и не собирался), а чтобы подтвердить, что и на него распространяются общие для всех людей нормы и законы. Нет, никто ему не желал зла и не подставлял подножки... Феномен Чизмаджева заключался еще и в том, что он совершенно не нарушал общих норм и законов, в нем не было ни грамма сопротивления, нарочности или протеста — он просто не заметил, что таковые нормы в обществе есть. Все вокруг «так и знали бы», если Чизмаджева, как бывало, подстрелили бы на охоте, или бы он свалился в туристском походе в бурную реку Ингур, или пал жертвой автомобильной катастрофы... тогда подарил бы он себя людям в виде мифа. Но он пока не срывался в пропасти, всем на удивление. Вот это-то удивление и надоедало в Чизмаджеве окружающим. Будь он хоть чуть посолиднее и постарше, могло бы возникнуть закономерное недовольство им; зазнался, считает, что никого рядом нет, не видит людей и т.п. Но уж больно птенец еще был Чизмаджев! Прыгал через стулья и урны — подумать только...

Так что никто его не толкнул, не пнул, не съел... Все равно — они справедливо «так и знали» — Чизмаджев сам на себя наткнулся. Он как бы так бежал и бежал, с тою же легкостью, и вдруг ступил в собственный след, сделал, оказывается, круг, увидел собственную спину. Он слишком быстро проделал общий путь, слишком рано довел его до предела — при такой скорости он мог воспринимать все общее как свое личное; но вот не осталось никого, кого догонять, ничего, что узнавать... он застиг себя в пустоте и замер от внезапности: в этом пространстве он уже должен что-то значить *сам*, безотносительно.

Он растерялся и метнулся. Он впервые ощутил себя вырвавшимся из реальности. Конечно, не в том абсурдном смысле, чтобы пытаться нанизать свою античность на вульгарную нить современности. Просто все, что он так стремительно и удачливо познавал, было ради чего-то (большого и даже великого...), для чего он станет годен и нужен, когда познает... Так вот это-то — назначение — вовсе и не было ему уготовлено. Единственное амплуа, которое отныне ему отводилось, — это сверкать и блистать, иллюстрируя своим феноменальным примером наши замечательные достижения (в этом качестве ему была даже присуждена несообразная для ученого академического толка премия: он был куда-то выдвинут по молодежной линии наряду с героями очередной Олимпиады («И ты мог бы быть ее участником...» — со вздохом упрека сказал ему Натан Наумович, — случайная встреча...). А этого ему было достаточно. Он был нормальный и здоровый человек, он хотел себя отдать... Его новые соседи по локтю карьеры — чемпионы — не знали этой заботы. И он впервые поймал себя на чувстве, которого даже не узнал и не назвал, так было оно ему незнакомо: на зависти («А что, и мог бы...» — впервые согласился он с Натаном Наумовичем).

Как-то вечером, когда никого вдруг не оказалось дома, он достал и разложил забытые детские сокровища, с которых, наряду со шкафом Пустобоярова (о чем мы вовремя не упомянули), начался его безостановочный до сего дня путь... То была коллекция монет, которые он ласкал в младших классах, погружаясь в глубокое прошлое. Вот та, с которой началось... Огромный медный гривенник Павла, выкопанный им на школьном субботнике. Какой драки стоила ему его находка!.. Это была чемпионская бита для игры в «чхе». Он вернулся домой без очков, но гривенник остался при нем. Вот сибирские деньги... он сумел тогда, благо жил в Энске, составить почти полную их серию, ставшую в Москве предметом зависти других коллекционеров. Вот первая его античная монета — как он ею гордился! — «из металла электрон», говорил он, демонстрируя монету Пустоборову, таким образом оправдывая непонятную желтоватость серебра, «сплав с золотом!» (сейчас Чизмаджев умильно улыбался себе тогдашнему: монета была поддельной, подделка была тоже не античной, а XVIII век, причем из наиболее распространенных...). Но когда он сидел в плюшевом кресле, читая Гомера, то сжимал в пальцах настоящую драхму!.. Это теперь в его руках была наивная подделка (и вновь поймал себя Чизмаджев на том же уколе, что с «олимпийцами»... смешно! олимпийцы, не имеющие и представления об Олимпе, — и маленький Чизмаджев, сжимающий драхму, переживающий очередную свару богов как очевидец и участник...). Со вздохом ссыпал Чизмаджев свои пятаки обратно в дореволюционную коробочку из-под сигар (подарок Пустоборова). Рука его нашарила в глубине, в тайном тайничке еще одну коллекцию... на которую залюбовался нынешний Чизмаджев уже без тени снисходительности, — это были настоящие вещи! Немецкий штык, нож для харакири и кинжал деда, выкраденный в свое время у матери (он, впрочем, и предназначался дедом для внука, как в свое время достался и самому деду как внуку). «Откуда это у тебя?» — застиг Чизмаджева удивленный возглас жены (она стояла на пороге с набитой авоськой в руке). «Да так, экспонат...» — отмахнулся Чизмаджев.

Чизмаджев на некоторое время увлекся материальной культурой, что явилось для всех неожиданностью. Несколько его мелких статей (об одном сибирском кладе, о кинжальных надписях) были выполнены на высоком профессиональном уровне. Но самая замечательная его работа этого периода была связана с некоторыми тонкостями в «Илиаде» — по линии оружия, позволившими что-то уточнить в датировке (ах нет, мы в этом не волокем...).

По инерции этого увлечения домосед Чизмаджев вдруг решил тронуться с места и, без размышления оставляя дома свою Пенелопу, хлынул в археологическую экспедицию. Это даже стоило ему легких и едва ли не первых трений с начальством, не отпускавшим было Чизмаджева, впрочем, вовсе не потому, что он им был как-то особенно нужен (им никто, кроме плана, не нужен, а Чизмаджев был ударник и многостаночник, работавший в счет плана уже следующей пятилетки), — а потому, что, отпуская специалиста такого ранга в заштатную и не по их ведомству экспедицию, начальство нарушало нечто для себя священное — иерархию, номенклатуру, табель о рангах, о чем Чизмаджев и представления не имел: что уже принадлежит, что нарушает...

Но ничто бы его не остановило — ни жена, ни начальство... Никто поэтому и не сопротивлялся. Чизмаджев поковырялся в кургане в Молдавии, прочел несколько надписей, никому он не был нужен, снялся, оказался в Крыму, нырял в Судаке... Дальше след его теряется. Поздней осенью жена обрела его на виноградниках, обгоревшего, худого, заросшего — он все зарабатывал на обратный путь. Несколько дней они были совершенно счастливы. Чизмаджев не удержался и прочел ей вслух... Он начал писать.

Его прозе мы еще много посвятим.

Вернулся он с первым снегом. Его пожурили за трехмесячный прогул, но даже не вынесли выговора и выплатили зарплату, даже и полюбили его как-то за это, словно он доказал то, что от него давно требовалось, — принадлежность к роду человеческому. Его обласкали, облобызали, осыпали: блудный сын... Он прослыл оригиналом, прибавил к славе... Никто не заметил, что Чизмаджев наконец запнулся, споткнулся, остановился. Никого и не было рядом, способного это заметить. Но вот ведь! — наконец-то все обрадовались. Чизмаджев был поражен и растроган, обнаружив, как его, оказывается, все любят.

Дело в том, что Чизмаджев обнаружил *другую* жизнь. Вся его предшествующая биография готовила эту внезапность. И культовское детство, вычитавшее из школы любую информацию, и осторожность матери, дрожавшей за свою социальную чуждость, и любовь матери, старавшейся оградить его от любых столкновений и любых препятствий на его так рано выявившемся звездном пути, и сам этот путь, сосредоточивший и занявший его настолько, что, даже когда его инфантильное поколение стало отравляться первыми глотками свежего воздуха, исторической перемены, он все еще не знал, ни что было, ни как стало, не ощутил никаких изменений, потому что и до и после существовал лишь в своем личном времени, да еще в глубоком past perfect. Не знал он о существовании других людей, другой жизни, так что и переменилась — жизнь других, а не его. Так опередив всех, он имел и самую глубокую задержку в развитии, даже и не отставая от времени или поколения, а просто никогда в них не находясь. Бабушка подарила в честь преждевременного окончания школы часы и выгравировала: Per aspera ad astra. А гравировщик прочитал ее R как К. Получилось: Pek aspeka. Чизмаджев смеялся: никаких терний... Так у него и шло, как пожелала бабушка: Пек аспека. И если его поколение отравилось воздухом исторической перемены (на самом деле весьма быстро принюхавшись и придышавшись), то Чизмаджеву еще предстояло отравление куда более сильное, куда более тонким и смертельным ядом — отравление культурой, тем самым чистейшим, горным воздухом, которым он дышал всю жизнь. Стоило ему вдохнуть другой... и вот он лежит, задыхаясь, как выкинутая на берег рыба...

Слава Богу, задыхаться он выкинулся именно на берег и именно как рыба (после виноградника он и это попробовал — путина, разделка... Вилково в устье Дуная, свайный рыбачий городок...). На берегах Тавриды он еще не предполагал, что вдыхает не другой воздух, а именно *тот*. И потянувшись к *другой* жизни, он поначалу пьянел от реализации *той*. Море, раскаленный камень, вино, зной, ночи, костры, рыбаки, бичи, «планчик», игра в кости, виноградники — все это была живая *та* жизнь, с детства прочитанная у греков и римлян. Первые его литературные опыты, как мы подозреваем, беспомощные и им уничтоженные, как раз и были навеяны этой романтикой — «живой» античности. Ущемление авторского самолюбия (достигнуто самостоятельно, без помощи жены или друзей...), уценка подобной гибридизации культуры и жизни, для которой, казалось, Чизмаджев был просто создан (ему бы и карты в руки...), — думаем, и подтолкнули его к той радикальной и опаснейшей идее «непринадлежности никакой другой

культуре, кроме созданной в настоящем времени», идее
«необратимости и невозрождаемости» культур, которая долго, глубоко (вплоть до бессознательности, что это именно
она...) и неотступно им владела и ранила...

Что было делать Чизмаджеву с необыкновенным богатством, которым он владел! Он владел культурой мира (не
частью, не областью, не дисциплинкой...), которая была жива
и *была*, только ни для кого ее не было и быть не могло.
Не мог он никому объяснить, да и сам понять, что культура
эта была для обладающего — *качеством* жизни, которого
если нет, то нет (ни у знатока, ни у спеца...), качеством, которое если и было (было!), то утрачено до его рождения,
уничтожено, размозжено и не могло быть никому передано.
И только после окончательной утраты — каннибальская
сытость снисходительности к музеям и архивам, допустимость и обласканность самого Чизмаджева... так не было
этого ничего! И Чизмаджева — не было! Такой головокружительной формулы собственного небытия Чизмаджев
от жизни не ожидал.

Потому что вслед за жизнью, романтически показавшейся ему *той*, он уже утратил счастливую способность не замечать более *этой*. А задержка его развития была так
уникальна, так абсолютна, что трудно даже представить нам,
каким ударом для его сознания (казалось, такого мощного!)
явилось это внезапное «открытие» *другой* жизни, в которой
все, кроме него, давно жили, которую если и недопонимали,
то знали... Об этом ударе (разочаровании) — первая его
проза, дошедшая до нас.

Замечательно, как он сумел исключить («преодолеть»)
свой культурный багаж! По некоторым попавшимся нам
более поздним страничкам мы подозреваем, что усилие подобного исключения было и тяжким, и вполне сознательным
(при еще бессознательном уровне самой прозы — заслуга,
на наш взгляд, беспримерная — ничем не воспользоваться
из того, в чем силен). Как знаток культуры Чизмаджев был
уже недостижим, как делателю же... ему предстоял еще
опыт, который все прошли... «Культуру надо не возрождать,
а делать», — смело заявит он впоследствии.

Его проза и есть почти вся (но не вся!) та «тайна», которую он не смог «унести с собой в могилу» и которой мы неожиданно для себя овладели. И именно это нечистое действие мы сейчас проделаем... Мы ее сейчас опубликуем.

Проза Чизмаджева публикуется без ведома и согласия
ее автора
(Здесь я вставил «Автобус» и «Записки из-за угла»)

* * *

Итак, мы вступили в полосу жизни Чизмаджева, отчасти описанную им самим. Его проза проливает свет. Но, как ни странно, после таких его признаний — мы его хуже *знаем*. Проза, по-видимому, была тем предметом, которому мы не перестанем удивляться. Она проливает свет, она же и затемняет все на свете. Во всяком случае, оставляет что-то навсегда в тени. Нас, может быть, именно там нечто заинтересовало..... а там — пробел, или эпиграф, или название главы, и никого не интересующая дата. Свет, конечно, есть, но он, как бы это сказать, принудительный. Его проливает нам *автор*. Куда хочет. Или куда может. Или как получится. Может, искусство прозы не столько в том, чтобы освещать, сколько в том, чтобы затенять? Тут вопрос в том, кто источник света: автор или действительность? Автор ли проливает свой свет сквозь негатив действительности, получая свой позитив? Действительность ли пропечатывается сквозь душу автора, не узнавая свой негатив? И что негатив, а что позитив? Что отражает нам эта кружевная тень или этот испещренный свет... если еще и ветерок подует, и прогуляется не то тень, не то свет по неведомым закоулкам... Закрыта книжка; волнение еще некоторое время столбиком постоит в душе, и мы забываем; оглянемся вокруг, не сразу узнаем привычный нам мир, но потом — узнаем... Что же произошло?

С этого момента события в жизни Чизмаджева как бы начинают падать, некоторые начисто и навсегда, словно растворенные в самом едком растворителе — в слове. Причем, любопытно, не только для самого автора (по принципу: описал и освободился — поматросил и бросил...) — для всех. Кто, скажем, знал прозу Чизмаджева?.. Почти никто не знал даже то, что он вообще ее пишет. Однако именно с того момента, как он взялся за перо, жизнь его стала непрозрачной для окружающих. И чем больше жизнь его потрясала событиями (не только внутренними, но и внешними, чему, казалось, могли бы быть и свидетели...), тем все меньше почему-то от них остается на нашей людской памяти; куда-то они делись, поглотились. Каким-то образом мы перестаем быть свидетелями его жизни, да и свидетельств не хватает. Не есть ли проза своего рода черная дыра реальности?..

Что случилось за три года, описанные нам Чизмаджевым? Из «Автобуса» я узнал, что его теща варит варенье, следовательно, есть и жена (о чем не говорится; но о чем я и так знал, потому что он к тому же мечтает о дочке). Из «Записок» я узнаю, что эта дочка у него уже есть, и ей больше года. Значит ли это, что его жена была беременна, когда он писал «Автобус»? Нет, не значит. Но может означать...

И что же еще? Решительно ничего. Кроме пропасти между «Автобусом» и «Записками». Пропасть — есть. Но — что случилось, отчего она так углубилась? На это уже нигде нет ответа. Куда так быстро исчез чизмаджевский «автобус», еще полный нежности к людям и жажды любви? с какого моста упал? за какой угол завернул?

Тем более что за эти три года ничего плохого с Чизмаджевым не произошло. Укрепилась семья. Окрепло материальное положение. Упрочилась репутация почти гениального ученого. Никто не умер. Откуда же такой мрак? Предчувствовал ли Чизмаджев неизбежность близкой драмы или сам вызвал ее своим мраком из небытия?..

Как жаль, что до нас не все дошло из им написанного... Может, именно в эту пропасть ложится «Провинция» или «Ложь этого дня»? Может, кроме состояний можно подцепить и фактик для освещения его жизненного туннеля? Но нет, этих произведений для нас не сохранилось.

И у нас нет других объяснений его настроениям, кроме так называемого творческого кризиса. В таком случае, этот кризис начался даже раньше его творчества... Мы уже говорили, что он несколько завис в пустоте, оставшись один на один с мировой культурой. Что ему стало необходимо обрести реальность. И что не было для него пути обретения ее. Так вот нашелся-таки путь — *кризис*. Кризис как способ передвижения.

Итак, пропускаем три года неописанными. Нам известно, что сразу после времени «Записок» с Чизмаджевым нечто стряслось, уже не только в душе. Что-то вроде семейной драмы. (Как легко нам об этом говорить!..)

Мы оставили его жену всегда вяжущей или спящей, всегда за плечом Чизмаджева, всегда готовой перепутать Ксенофонта с Метерлинком... Но вот она и родила, и дочь такая симпатичная и здоровая, уже ходит и болтает: жена отчасти проснулась. Проснувшись же, она не сразу уснула снова... но потом... уснула навсегда. Она тоже внезапно обрела некоторый дополнительный смысл — стала рисовать картинки, увлеклась (в «Записках» Чизмаджев уже обзывает ее «художницей»). Она нарисовала акварелью маленький паровозик с очень большим дымом. Паровозик ехал на нас внизу картинки, так что труба его была больше его самого, и он слегка походил на носорога, только был не такой свирепый; дым же, выходя из этой толстой трубы-рога, расширяясь, заполнил всю картину: его было много, он был похож на пломбир. Чизмаджев картинку похвалил и повесил на стену. Затем она нарисовала симпатичную каракатицу, бредущую вдоль забора, с любовью поглядывающую на своего рода кошечку-сороконожку, свернувшуюся на солнышке у своего домика и совершенно этот призывный взгляд игнорирующую... Эта картинка понравилась Чизмаджеву *очень*. Дальше пошли серией, проходя быструю эволюцию и обретая черты нового вида, некие «немышонки-нелягушки». «Неведомые зверюшки» жили, плодились, строили дом, собирали плоды. Они были соблазнительны, чуть таинственны и милы, интригуя вас внутренним миром художницы, приглашая в него заглянуть... Чизмаджев похваливал: чем бы дитя ни тешилось, — и был принципиально снисходителен к ее дилетантизму, возможно, опасаясь за свой. Но вот в чем он оказался слеп: он не полагал, что она рисует эти картинки *всерьез*. Мы уже говорили, что он *допускал* существование окружающих (они не были конкурентами для него ни в чем...), но вряд ли сознавал, что для себя остальные люди существуют в единственном числе, как и он сам для себя. Жену он очень любил, первую и единственную, других на свете не могло быть, и этого вычитания ему хватало на доказательство ее бесспорного бытия, и он не знал, что в этом ее-то самой еще не было, что для себя она существовала куда более бесспорно... Ах, обычная ошибка!

Она уже посещала *студию*... Глаза ее горели. Он ее не слушал. ...Чизмаджев пришел из своего института и застал следующую, абсолютно его не насторожившую картинку (не нарисованную, а живую): в кухне на табурете сидел идеально лысый красавец, быть может, даже более красивый, чем Юл Бриннер (выходит, мы описываем эпоху «Великолепной семерки»...). Красотою он Чизмаджева поразил, но почему-то не задел. И мы знаем, почему!.. Потому что, сидя на табурете в кухне, он читал вслух жене Чизмаджева *свою прозу*. Не смутившись (как бы), он продолжил чтение и с приходом Чизмаджева. Это был напыщенный вялый текст, который «Бриннер» читал с искусственной страстью. Автор *такой* прозы не мог быть соперником Чизмаджеву. («Зачем ему еще и писать, раз он такой красавец...» — скажет он жене вечером.) Но пока Чизмаджев, сначала ревниво, а потом успокоенно, следил за *уровнем*, за формой, он не обратил должного внимания на содержание, тоже достаточно бессмысленное, от которого, однако, у его жены горели щеки. Что-то варяжское, про белокурую деву, про рыцарский голый восторг, когда он зачерпывает ее (деву) из набегающей волны северного моря... «Настырный провинциал...» — подумал Чизмаджев.

Провинциал... слово было найдено. И даже потом сказано.

Это был художественный руководитель студии, знаменитый ташист (фашистом, как это ни плоско, Чизмаджев его потом тоже обозвал...), то есть большой мастер «лирической абстракции». Резко оборвав чтение, он забыл в подарок картину и, не попрощавшись, стремительно ушел (провинциалы считают такой уход «английским»). Жена была счастлива от подарка (Чизмаджев в этом ничего не понимал, картина была гениальной...), и они тут же стали ее вешать. Причем, что Чизмаджев хорошо запомнил, они спорили о том, куда ее повесить, и жена, как художница, уже знала лучше Чизмаджева, на какой стене и на каком уровне она должна повиснуть... Тут-то и заметил Чизмаджев (в нем все еще зудело соображение, что его прозу она еще ни разу не назвала гениальной...), что она сверкающе красива... изумившись, попробовал обнять... нет, мы не станем писать, что она ушла от объятий...

Не хочется и писать. Все это по нотам. Чизмаджев нашел билетик на электричку (худрук жил за городом: не имел прописки)... ринулся в эту 3-ю зону, отыскал и сараюху, и художник оказался дома. Художник все время молчал, ничего не отрицал. И Чизмаджев, вместо того чтобы убить, хлопнул дверью. (Много позже, через несколько лет, когда они, равнодушные, встретились вновь и цинично выпили на пару, художник признался, что смертельно струсил тогда, что не сходил с места, держась поближе к топору, что лежал у кровати... Чизмаджев даже смеялся, это слушая, но когда вышел с ним из пивной, вдруг резко захмелел, и между ними прямо на улице началась чудовищная драка.)

Нам не жаль Чизмаджева — нам жаль его девочку... Это ей предстоит не пережить разлуку.

Чизмаджев же решительно ее бросил и стал оформляться в Японию.

И опять та же у нас досада... Лучше бы мы не находили ни клочка из чизмаджевского наследства, лучше бы он вообще не писал! Потому что в списке законченных произведений мы нашли у него упоминание романа «Япония как она есть»... Япония, может, и есть, а романа — нет. Осталась тоненькая пачечка набросков и черновиков, которые нам окончательно запутывают нашу бедную информацию, но что еще хуже — сковывают воображение. Чувствую, утомит нас этот роман (не «Япония», а тот, что пишем) именно этой чересполосицею включений: то воображай, то следуй... Лучше бы что-нибудь одно: включился и шпарь. Но, видно, хромота — судьба этого сочинения.

Связный текст «Японии» составляет несколько страничек, далее следуют бесконечные перемежающиеся пункты планов и случайные дикие записи, вроде: «Автор заверяет читателя, что в этой повести придумано все, кроме фамилий действующих лиц» (что бы нас как раз и интересовало! — но повести нет). Или: «Соответственно небольшому росту невелик и средний вес японца — всего три пуда семнадцать фунтов, тогда как средний вес немца составляет четыре пуда три фунта» — и тому подобное.

Из плана можно заключить, что в саму Японию Чизмаджев так и не поехал, а «Путешествие» свое построил как историю оформления за границу, все действие которой происходит в Москве. Эту характерную московскую историю он планировал, по-видимому, изложить как историю непреодоленного соблазна и искушения, непреодоленного независимо от того, удался этот соблазн или нет.

Для нас это несостоявшееся путешествие важно как точка отсчета, с которой начинается непрерывная «одиссея» Чизмаджева. С тех пор как он вышел из комнаты убивать художника, он почти никогда не возвращался в то место, из которого вышел. Дальнейшие странствия его достаточно полно отражены в его собственном сочинении, и поэтому мы, уже ступив на этот скользкий путь, передоверим ему право наполнить их содержанием.

Нам важно, что он ищет *страну*. Вряд ли это Япония, в которой он не побывал. Думаем, это что-то другое. Он бежит. Преждевременные мысли о смерти преследуют его. Обо всем этом он пишет с должной прямотою, лишь временами теряя чувство юмора. Предпоследним путешествием оказалась поездка на родину отца, будто там он мог обрести спасение. Но он уже давно во всех своих странствиях возил за собою только одну страну, свою Россию, и теперь мы можем сказать, что так и не покинул ее.

Чизмаджев оказался *одноразовый* человек. Все, что кончалось в его жизни, кончалось навсегда. Все, что гибло в нем, не регенерировало. Он не возвращался, он не размазывал, он не сворачивал: в пропасть — так в пропасть, в воду — так в воду, в гору — так в гору. Так и дошагал до конца. Карандаш и бумага — единственное, что не покинуло его.

Чизмаджев улетал в командировку в город Хиву. Эта соблазнительная возможность объявилась для него внезапно, и заказ был не противный: написать экзотический очерк самого общего толка, вроде как бы для иностранных туристов. Была весна, а Чизмаджев часто повторял себе, что доверяет только тому, что получается непроизвольно, само собой, без потных усилий, то есть он доверял себе, так ему казалось. И если еще вчера он менее всего мог предположить, что завтра полетит в Хиву, — то это-то его и радовало. В Хиве он еще не бывал, и можно себе представить, какой там замечательный сейчас май, свежий, невыжженный... Чизмаджев летел.

Нечто, однако, омрачало его весенний перелет. И удача и случай, вопреки своей природе, не казались ни светлыми, ни легкими, а таким же нытьем и вытьем ложились на плечи, как внезапно обносившееся, потяжелевшее весеннее пальто. Это «нечто омрачавшее» была, однако, сама его жизнь, от которой он улетал, фон удачи.

На этом фоне, от которого он удаляется, мы различаем, как говорится, тоненькую фигурку. Она как бы застыла на пороге, во что-то зябко кутаясь, щурясь на весенний свет, неуверенно и не в такт помахав рукой, как раз когда он уже пошел не оборачиваясь, а когда обернулся — ее уже не было: только пяточка мелькнула и дверь захлопнулась. Не слишком ли быстро? — так он не подумал, потому что не подвергал ее любовь к себе никакому сомнению, но весенняя тревога, мусорный снег, нытье в плечах — некая напрасность утвердилась в нем, будто он гриппом собирался заболеть. Взгляд ее напоминал: чересчур нежный, покорный, неудерживающий, но и не советующий уезжать. Прощательный? — так он тоже не подумал. Это была невеста Чизмаджева, даже жена. Они уже скоро два года как должны были пожениться.

Однако эта тень или этот свет, омрачившие было или озарившие чело Чизмаджева, лишь промелькнули, истолкованные как грусть расставания, да и неистолкованные. Регистрируя свой багаж, Чизмаджев уже пьянел от авантюрных дорожных чувств, поднимавшихся в нем как пузырьки в стакане, и удивлялся, что снова, в который раз, поддается этому опьянению: такое удивление — и было опьянением.

Однако если бы Чизмаджев действительно доверял легкости получающейся жизни, то мог бы обратить внимание на некие намеки судьбы, на сопротивление среды, имевшие место с самого начала его путешествия, — но тут ему изменял фатализм, и он не мог истолковать эти водяные знаки пространства, приняв мелочность неудач за чистую монету. Так, с самого начала, самолет его не полетел...

Нет, я не могу так! Мне не удастся написать это лучше, чем он сам. Что за странное испытание — не мочь преодолеть судьбою даренный тебе материал... Жутковато осознавать, что твой герой, фантом, труп, начинающий автор — переписывает тебя (а не ты — его).

Но — лень есть высшая справедливость! Она подводит беллетриста, но выручает — прозаика.

Тяжело, неохота... Надо ли?

А и не надо.

Пусть пишет сам (раз уже написал...).

(Тут я вставил свою собственную повесть «Наш человек в Хиве, или Обоснованная ревность» и потек дальше.)

Чем была для Чизмаджева его проза? Вопрос, который не может нас не занимать. Судя по целому ряду проговорок, он придавал ей, причем сразу, с самого начала, большое, если не основное значение. Он признается, что обрел смысл жизни, взявшись за перо (см. «Записки»), но мы видим, что он же его и утратил. И впрямь, зачем вундеркинду, состоявшемуся ученому с почти мировым именем (по нормам нашего научного преувеличения — так и с мировым) — браться за перо? (В тех же «Записках» он убедительно иронизирует в связи с такой постановкой вопроса.) А мы так этот вопрос и не поставим — мы на него ответим: а потому и взялся. Значит, не состоялся...

Прочтя только что единственное завершенное, наиболее жанрово отточенное произведение Чизмаджева, я приобрел лишь как человек и опять ничего не приобрел как следователь. Я вполне согласен с его рассуждением о быстром знакомстве с поэтом (см. пассаж о Пахлаване Махмуде):

итак, я с Чизмаджевым *знаком*. Но я опять ничего не узнал. Кто эта его любовь? Попытка ли то выйти все из той же первой, так и не пережитой им драмы (то есть о новой ли своей любви он говорит), или он все еще имеет в виду все ту же свою (скорее всего единственную) любовь к Камилле, все ту же ревность? Серьезны ли были его мысли о самоубийстве? (Теперь уже странная постановка вопроса, поскольку он доказал всю меру серьезности отношения к смерти тем, что до конца умер...) Отсутствие ответа на эти вопросы с бесспорностью указывает на то, что перед нами художник, а не ученый и не просто исповедующаяся личность. Поэтому, приступая к публикации его последней (из написанных) книги, я уже не ощущаю неудобства: значит, для того и писалось. Компрометировать я его этим не могу не только потому, что его уже нет, не только потому, что дал ему другую фамилию (увы! Чизмаджев — это лишь псевдоним, увы! не избранный самим героем), но и потому, что мне по душе, что́ он пишет.

Он мертв, и это не кажется нам уже удивительным. Так мы и знали...

Остается лишь разобраться в механизмах: как тайное становится явным, как осуществляется приговор судьбы, как от нее не уйдешь... Не больше и не меньше, чем проникнуть в самый замысел рока. Не больше и не меньше, чем заново начать тот же роман, почувствовав, что пока мы всего лишь определились в своем замысле и все еще не коснулись *Того* замысла, нависшего над героем, нависшего над нами, который мы исполняем.

Итак, кто же лежит в гробу?

Следствие еще ведется. Оно еще не может ответить, что же это было: своя смерть, самоубийство или убийство. При том, что и медицински и юридически могло быть только что-нибудь одно из трех (одно и было). Это триединство причин напоминает нам вполне спортивную ситуацию, когда требуется фотофиниш.

Допустим, я бы не знал тайны, отчего он умер. А было бы у меня к тому, что знали и близкие, только вот это — что он написал. Какие бы заключения мог вынести я о закономерности его смерти на основании этих текстов?

Да, он поставил себя вне. Он — противопоставил, претензия его ума помешала ему понять то, что так хорошо понимают все. Такой ум! а так плохо понял. Так глуп! а так понимал.

Великая претензия Чизмаджева исчерпала счастье его жизни, отмеренное ведь одинаково каждому смертному. Нет, он не был несчастлив — он счастье истратил, ему не могло его хватить. Великая претензия — энергетический кризис — поглотила все маленькие, общечеловеческие его претензии, и он не вправе их иметь по отношению к своей жизни и судьбе.

Да, это, возможно, и так. Но чтобы из-за этого умереть? или застрелиться? или быть убитым?.. Быть может, не такой уж он и один в этом самом приговоренном самочувствии. Пусть это и ничтожнейшая часть нашего здорового, в общем, общества, но — часть! Нет, не так уж он одинок. Просто он пытался для себя выразить (и выразил!) то, с чем живут, но не выражают. Не всякому это дано, или не всякому это нужно, или не у всякого на это найдется время... И нам легче, что это он себя так чувствует, а не мы.

Да, это, возможно, и так. Но этого еще так мало, чтобы быть убитым собственным героем. Этого еще так мало, чтобы мне, например, его осудить, что в нас крепнет уверенность, что мы кинемся на розыски, что мы доведем еще это следствие до конца.

Сейчас, прохладно размышляя на тему, отчего же мне так и не задался этот «Азарт», я нахожу целый ряд благообразных объяснений.

Во-первых, у меня был изначальный зарок никогда не убивать героя, не сажать его в тюрьму, не производить никогда таких жестокостей, с легкостью производимых сильными авторами. Может быть, я так и не мог его нарушить?

Впрочем, по крайней мере, я не позволил ему уже в процессе замысла совершить преступление. Убийцей, даже вурдалака, он у меня не становился.

Он выходил со своими вспотевшими смертоносными яйцами почему-то к морю (море еще следовало сюжетно оправдать, но это можно было придумать: лето, выездная сессия в курортной зоне, по соседству дача Самого, он решил почтить...). Он выходил к морю и выбрасывал их по одному в черный провал ночи, и там они лопались с негромким вакуумным звуком, как перегоревшие лампочки, выброшенные ребенком в форточку...

Но что же он, в таком случае, выбросил??

И куда ему теперь, потратившему все на истощение цели, идти?!

Дело в том, что перед акцией он подготовился по всем статьям: упорядочил все бумаги, раздал долги... Близких у него не было, ни родителей, ни детей, ни жены. Была одна дама, так, разовая, но и с ней он простился навсегда, не объясняя истинной причины, под видом окончательного разрыва. Она поплакала и отпустила.

И вот теперь, когда он взорвал свои яйца в черном провале моря, идти ему окончательно некуда. Его — нет. Он — никому не нужен.

Ноги сами приводят его к этой же даме.

«А я тебя ждала», — радостно, безупречно и без волнения говорит она ему, совсем не удивляясь его возвращению.

Ласковая, как сама Смерть.

И он понимает, что вот, кроме этой Любочки Смертяшкиной, у него нет НИКОГО.

Он сжимает ее в объятьях и тогда убеждается, что еще у него нет и НИЧЕГО.

С воем страсти, нежности, любви, ласки и бессилия ныряет он с головой в ее лоно и уходит в него.

И тут я нарушил еще один зарок: никогда не писать эротических сцен. Я таки написал эту сцену вперед всего романа. Она у меня получилась! Это такая спелеология, как он уходит туда — в живую пещеру. Как «мама, роди меня обратно!..». Кажется, я продержал дыхание на трех страницах... Но и сейчас, когда все можно и даже модно, я их здесь садомазохистски не опубликую. Пусть это будет мое искупление.

Он ушел туда, как в пещеру, как в тот пресловутый

туннель, и именно в этой абсолютной тьме объявилось ему то самое пресловутое пятнышко света.

Потому что именно в этот момент им воображенного мстительного сюжета ударил его по спине сук, сердце разорвалось от инфаркта, щелкнул в пустоту боек и нож в спине прошел свой путь от острия до рукоятки.

Замысел

И мы не нашли более у Чизмаджева ничего.

Осталась, правда, записная книжка. Видно, Чизмаджев имел последний, решительный, некий суперзамысел. Книжка так и озаглавлена «И даль свободного романа...». Впоследствии эти слова перечеркнуты, надо полагать, как чересчур расхожие. Над записями не всегда, но стоят даты, отражая последние полгода его гибели.

Создается впечатление, что ко дню гибели замысел стал окончательно отчетлив. Но — лишь для самого Чизмаджева... Нам из этих обрывков, при всем напряжении, не удается его воссоздать. И нам остается лишь тот же путь, которым мы, раз поддавшись лени, уже пошли: предоставить возможность заключений самому читателю. Казалось бы, мы, и переписывающие, и читающие, уже составили некоторое представление как о манере, так и о росте, так и о направленности духа нашего героя, — можно было бы и не приводить случайных обрывков (не Пушкин же, в конце концов!..). Но хотя нам и не удалось проникнуть окончательно в замысел и конструкцию, осталось от этих страничек беспокойное и безусловное впечатление, что они каким-то образом касаются всей судьбы Чизмаджева и проливают некоторый свет на непонятные обстоятельства его гибели. Даже и не тот, смутный, поэтический — предвиденья, предощущения своей смерти... А самый что ни на есть прямой — причинный...

31.V.63

Никак мне не начать уже по той причине, что, хотя и выбрав из двух возможных начал... это я понял однажды,

547

что если грубо, то всего два начала и бывает: либо герой уже давно живет там, где он живет, и давно уже у него определились связи со всем его окружающим, включая и людей, и автор снисходит к нему и рисует все в привычности и обыденности, из чего и делает все свои построения и заключения: такова жизнь и т.д. — это одно начало, а другое — когда наш герой сам спускается в интересующую нас действительность, или ее область, или район, райончик, и все пишется как бы сосвежа, сгоряча, с удивлением, доходящим до возмущения или восхищения, герой туда спускается, как бы с гор в долину, и начинается некое глумление, заварушка, шурумбурумчик, в результате которого часто и ничего-то от героя нашего не остается, тут поспевают и все выводы, которые и попытался сделать автор, — это другое начало. Так я после долгих колебаний и остановился на втором; то есть герой появляется в неведомом мире. Тут ведь и много всяких удобств: хотя бы то, что этого героя, пришедшего, спустившегося, постороннего, не так уж трудно приспособить как носителя, как вроде бы и не героя, но автора, потом все-таки и письмо с первым неожиданным взглядом на жизнь тоже привлекательно: и герой, и автор, и читатель лишены той душевной атмосферы затхлости и обыденности и тех неизбежно блеклых красок, как при первом способе начинать, тут наоборот: и герой, с ним автор и читатель как бы впервые видят все, что видят, как бы обнаруживают одновременно и удивляются, так сказать сопереживают, тоже одновременно. Так вот, взвесив все эти преимущества, которых, впрочем, и не больше, чем если писать по первой схеме, взвесив и, по самому мне неведомым все-таки причинам, решив, что так лучше, я и остановился на втором, то есть что герой спускается с гор, так сказать, в долину... Но одно это решение все-таки ничего мне не облегчило. Опять я остался в полной нерешимости, с чего же начать. Конечно же с его прибытия! Но опять же, что считать за прибытие, потому что кроме фактического приезда, до этого уже многое было связано с этим приездом, о чем не сказать тоже как-то жалко. Трудность начала, по-видимому, и упирается в то, что жалко отсекать что-то началом, больно вырубать кусок. И то стоило бы еще сначала сказать, и это. И все-таки, и это в данном случае мне было совершенно ясно, ни в коем случае нельзя начинать с рождения, не с него же начинать! Хотя и тут, надо отметить, уверенность существует как-то самопроизвольно и, если отдать отчет, без особых оснований: почему бы и не с рождения? а может, даже с до-рожденья? ведь и до-рожденье имеет отношение к герою... Впрочем, не надо себя мучить понапрасну: если с рождения — то таким-то способом каждый спускается в мир, и это, скорее, все-таки относится к первому способу повествования, а не ко второму, мною уже избранному.

И чтобы не превращать все это начало в самоочевидный прием, так сказать, в литературную особенность, следует признаться, что самое трудное для меня сейчас решить: начинать мне с приезда героя на место или с его оформления на это место, то есть с отдела кадров, а если с отдела кадров, то с какого, потому что герой, спускаясь сверху вниз, прошел не более и не менее как четыре таких отдела, которые как бы концентрическими кругами обнимают друг друга, и низовой отдел кадров находится соответственно внизу и в центре, так что получается своего рода воронка, котловина, — именно что с гор на дно этой котловины. Жалко терять то многообразие, которое можно было бы отобразить, описывая хождение героя по этим кругам. Но это само по себе не меньше романа и даже эпопеи. А если по верхам их охватить, круги эти, то не станет ли такое скучно читателю, не сольются ли круги и можно ли будет их отличить один от другого?..

Но это пустое. Это-то все и написано, чтобы начать. А теперь уже надо и начать. Начать с начала.

(Эта первая запись значительно опережает последующие. Записная книжка провалялась лет семь без употребления. — *А.Б.*)

27.V.70
Низкая материя.

Есть над людьми закон — возраст.

Первое ощущение возраста — не стану чемпионом. Но почему именно тебе — и медаль, и миллион, и любовь до гроба? Любовь к себе.

Второе — мудрость мироустройства: мол, люди живут и видят мудрее, чем объясняют и выражают.

3. Миру наплевать на тебя, и он велик.

4. Все, что произошло, — произошло, оказывается, именно с тобой, а не с X. Это не X дважды женат и неудачник; это не Y бросила жена; это не Z написал бездарную книгу; это не XYZ — зануда, вялый, неинтересный человек. Это, как ни странно...

5. Кожа (шея, локоть, колено... детская кожа...).

6. Зависть (от которой всю жизнь полагал себя свободным).

7. «Омоложение» окружающего мира (и как парадокс-следствие все еще попытка выдать себя моложе; он (она) уже старый, чтобы что-нибудь (хотя ты всего на два года моложе...).

8. Не убедить себя в удаче: у тебя прекрасные дети, в твоем возрасте никто не достиг того же, ты еще здоров, здоровы и живы любящие тебя. Настоящая-то беда миновала тебя (тьфу-тьфу): болезни детей, бездарность, недуг и т.д. От тюрьмы да от сумы — как все это тебя миновало? — и эта мысль вдруг и есть чувство поражения («Раньше сядешь, раньше выйдешь...»). Не гневи Бога! Все хорошо. Тут-то и вся горечь.

Хотевший человек. Воспоминание о желаниях.

9. Заторопил судьбу (не дождался). Поздняя опрометчивость. Рубка дров. (Седина в бороду...)

21.IX.70

Подуманность (о чем-то).

Исчерпано отношение к вещам. Они голы, они снова ЕСТЬ (катарсис).

Служители дьявола (наука, прогресс, соц.) оказываются тогда куда более порядочны, положительны и неужасны, чем безостановочно стоящие на путях духовного и прекрасного... Как раз служители прекрасного и духа — на пути, не достигши, поразившись, становятся мертвы и ужасны. И что считать за человека (по природе)? Существо безбожное, но человеческое... или разложенца на пути к Богу?..

Потому что человек — это то, что не справляется со своим назначением.

Мы прошли весь путь вместе с ними, при активнейшем их участии. Теперь, когда достигнут тот результат, который достигнут совместно, они — с видом пострадавших, забыв о собственной доле участия. Теперь они говорят «ваше», а не «наше».

«Надо любить Россию... Надо проездиться по России...» Надо и надо. Возможность и желание Гоголем не подразумеваются. Как подолгу приходилось каждому из нас верить в светлое будущее!

Если тюрьма есть попытка человека заменить пространство временем, то Россия есть попытка Творца заменить время пространством. (Кому бы приписать это высказывание? Кто бы это мог сказать? Стендаль? Де Кюстин?)

Роман-эпилог. То есть всегда хотелось удостовериться, мог ли бы эпилог быть развернут в роман. Или автор, устав, халтурно закатал в трубочку героя и свои ему обещания?..

Потому надо начать роман с конца — со смерти героя. «Карамышев умер» и т.д.

Он не понимает, что произошло. Он падает на поляну с одним лишь необъяснимым, но безусловным чувством, что ему надо упасть лишь бы не на спину. У него мысль об этой болезненной точке между лопаток: лишь бы это был не свежий приступ замучившего его остеохондроза.

...Трещали кусты — ему казалось, бегут к нему на помощь. Но это — убегали.

«Ты много пережил и имеешь терпение, и для имени Моего трудился и изнемогал.

Но имею против тебя то, что ты оставил первую любовь твою» (Апокалипсис).

Справедливость — единственная мера времени. Возмездие — наказание не вовремя. За что же мы платим? Так раздельны движения дающего и берущего, платящего и получающего, вопроса и ответа, замаха и удара, предательства и возмездия, преступления и наказания!.. Между ними века — не то что наши жизни. И мы своим коротким взглядом не успеем увидеть какого-либо законченного движения, от начала до конца. Мы помещены в какую-либо точку процесса, а ведем от нее счет... О самосознание молекулы! Оттого ли мы все еще живы? Но мы кричим: за что?!

Идея сходства, поражающего нас в середине пути, есть идея дерева. «...я очутился в сумрачном лесу». (Из-за леса дерева не видел...) Не пора ли остановиться, замереть?

«На работе человеческой нет их, и с прочими людьми не подвергаются ударам» (Псалом 102).

Преступная связь времен.

Позвонил А. (поэт).
— Я теперь не пью. Я женился, — первым делом, вместо «здрасте», сказал он.
Я его не встречал лет семь. Тогда он пил ужасно, говорили, что на средства К. (гомосека).

«Я издали глядел, смущением томим» (П. из Данте).

Умерло все.

«...Ни один из них, видимо, не признавал никаких тем для разговора, кроме своей излюбленной, и даже о ней не умел говорить как о неотъемлемой части мира, в которой есть и многое другое...» (Холодный дом).

«Кто в молодости ел с женщиною из одной тарелки, у того будет редкая борода» (арм.).
«Когда мудрый Соломон уже открыл все тайны мира, между прочим, пришел к заключению, что никому судьбы не миновать» (Сб. мат-лов для описаний местностей и племен Кавказа, вып. XIII).

«Скамья и три кресла, черная фигура в желтой шляпе и на переднем плане черный кот. Небо бледно-зеленое» (Письмо к Тео).

«Мы живем в такое время, когда пишутся самые странные сочинения, но не в такое, когда они имеют успех» (Вольтер к переводу «Тристрама Шенди»).

«Сколько поэзии для студента в женском платье!..» (Гоголь. «Страшная рука»).

Истощение у врат.

Нормальная жизнь воспримется, так сказать, по мере поступления. Одновременная незабываемость всего множества жизненных проблем — психологический шум. Шум жизни. Мы оглохли душою от этого шума.

Прибыл в деревню и оглох от тишины. Через поле ко мне бежала собака, тоже не производя никакого шума. Что-то поразило меня в этом. Не берусь объяснить, какую-то секунду мы существовали с нею в одном мире и в одном значении, а не только в одном времени. Вон бежит собака, она бежит ко мне... Вон стоит человек, я бегу к нему... В последний миг она смущенно свернула — собаки плохо видят, приняла меня за другого. Непривычность этого мига была в том, что он существовал в одном значении — для меня, для нее, для нас. Вон бежит собака, бежит ко мне — ничего, кроме этого, не наблюдалось в мире. Ни даже луга, по которому она бежала, ни неба, которое тоже в этот момент прекрасно продолжало существовать. Вот оно, нормальное восприятие, лишенное мозгового грохота! Оно исключает все не находящееся непосредственно в поле зрения (дер. Голузино).

10.XI.70

В какой момент нажать на курок, в который раз согласиться на предложение, когда захотеть, когда пропустить и когда заставить... — все это чувства игрока, и та же степень уверенности в результате. Без окончательной тупости — поступка не совершишь, если есть свобода выбора. И если она есть, то означает первую, третью или последнюю случайность, с которой ты смирился, на которой ты притупился, а далее означает то: найдешь ли в себе ограниченность полагать эту случайность закономерной и достаточной или нет.

Либо выигрывать по принципу «новичку везет» (т.е. свободное отсутствие системы) — или полагать себя не проигравшим благодаря выбранной наугад системе.

Полагать себя в рулетке лункой или шариком, мысленно втягивая его или подталкивая, — с той же эффективностью можем мы способствовать выигрышу собственной жизни, ибо, к тому же, не знаем, в чем он заключен. Однако именно эти два беспомощных предположения (лунка — шарик) есть различие людей.

Я полагал себя шариком — в настоящем и лункой — в прошлом. Так, всегда позволял я себе свободное перемещение под действием внешней силы жизни, потом приговаривая его как единственно возможное существование, приговаривая его в прошлом до неподвижности лунки. Секрет сводился к тому, чтобы не руководствоваться *сейчас* мыслями, рожденными остановившимся прошлым.

Будь я в Монте-Карло, уверен, это бы подтвердилось: один бы следил за шариком, другие сосредоточивались на лунке.

Скалетто — 17.IV.71

Пролог — Самочувствие *одного* человека — как мировая система. Дядька, который ходит к нам в сортир. Его жизнеобеспечение от людей, которые зависят от его здоровья. Его зависимость (буквальная) несравнима с зависимостью от него. Власть — ребенок. Власть — младенец. Конец ее — то же движение вспять, к рождению. Есть масса людей, в чьих руках власть над властью — (возможность поворота). Действительной власти у них тем не менее нет. Их несет тою же волною, какую они во власти породить, поэтому они своею властью над властью не воспользуются. Никто не оборвет шланг капельницы, по которой точится жизнь всей системы. Но мысль, самоубийственная мысль, прекратить это тление, пусть и ценою собственного полнокровия, не может не чесаться. Но никому — «и в голову не придет». На суеверный «всякий случай»...

Карамышев и на следующее утро с удивлением обнаружил, что все, оказывается, умерли вместе с ним.

Теперь он мог окинуть одним взглядом всю свою жизнь, и она предстала перед ним отчетливой и понятной. Оказывается, он умер даже значительно раньше, чем именно вчера.

Он вспоминает день, который, пожалуй, был этим днем смерти, да и точно им был. «Руками легких стен касаюсь...» Именно тогда не смог он покинуть предыдущего своего непрерывного существования, хотя в этот момент оно было обозначено и прервалось. Он не смог прорваться в другое измерение и мучительно оставался в прошлом. Значит, уже шесть лет, как он умер, не пережив. Ему было тогда 27 лет.

И эти шесть лет до окончательной смерти были болезнью. Клиническая картина. Болезнь была безнадежна, и точно, что все эти шесть лет он относился к жизни как больной, надеялся на невозможное, на нечто извне и без себя, на чудо. Собственно, это была ужасная жизнь, шестилетняя агония, судорога живого. Вот когда опыт, удерживаемый до того момента полем жизни непрерывного Карамышева, прорвался, хлынул, расширяя щели, карстово вымыл душу из помещения Карамышева.

До тех пор пока он, однако, приписывал происходящее с ним некоему возмездию, законы которого он умудрялся вычитывать в обреченном уже кратном своем опыте, он не умирал до конца, жизнь в нем теплилась, источаясь. Но когда он, помотав головой, криво усмехнулся и над этим своим заблуждением — он умер.

Умерев, он быстрым взглядом окинул клиническую картину этих шести лет. Все довольно четко делилось на симптомы, он мог их теперь различить, сгруппировать и перечислить в последовательности. Все эти узнавания прошлого в настоящем — захождение на второй круг. Соотношения реального и нереального, взаимосвязь прошлого, настоящего и будущего, постижение природы времени и обмен остатков живого на опыт — все эти окрашенные процессы происходили перед его мысленным взором с очевидностью химических реакций. Да, это так — только и можно было произнести по поводу оконченной вчера жизни.

И Карамышев, душа которого покинула тело, начинает обживать пространство, в котором страдала и погибала прежде его душа. Удивление перед наивностью, простотою, искренностью, трогательностью — в общем, прекрасностью того, ушедшего Карамышева — пожалуй, единственная интеллектуальная эмоция Карамышева-мертвого. Ему теперь скучно — все видно насквозь, а трепет еще живого — жалок. Пожалуй, он ненавидит всех за то, что тот прекрасный Карамышев разбил свою жизнь об них, об них же и умер.

Мысль его быстро прорывает периферийные пространства, которыми Карамышев-живой интересовался мало: внешний мир, общественную жизнь, социальные связи, — Карамышев-мертвый может только усмехаться над безмерной чистотою и идеальностью своего предшественника по телу. Но это сокрушение любовно, единственно, что и любит Карамышев-второй, так это Карамышева-первого. Карамышев-первый, в страстях, не успел отнестись к себе с любовью, которой заслуживал, по мнению Карамышева-второго. Временами Карамышеву-второму прямо-таки хочется отомстить за Карамышева-первого.

Тем более что пользоваться футляром ему не интересно. Мысль его проникает сквозь простую жизнь людей и мгновенно исчерпывает к ней интерес, и этот, бессмертный теперь, каземат карамышевского тела надоедает интеллекту Карамышева-второго со скоростью первой и последней мысли: незачем. Пытка безвременья и бесцелья постигнутого и неживого в себе устройства жизни — эмоция тоже единственная для Карамышева-второго, но отрицательная. Так он и состоит из тоски постигнутого и любви к умершему Карамышеву. Действительно, месть за гибель Карамышева-первого с одновременным уничтожением, распылением, аннигиляцией футляра, в который заключен Карамышев-второй, — такая месть может показаться единственным увлекательным выходом для Карамышева-второго.

Таким образом, у Карамышева-второго появляется цель. Своеобразным источником энергии для ее достижения становится ее «единоличность». Создание тайны; непосвящение никого, отсутствие доверенных лиц; неослабность подменяет силу, незаинтересованность — выдержку. И чудесно (по сравнению с предыдущим живым бытием) доступным становится каждое средство для достижения этой цели. Карамышев по мановению становится обладателем и владетелем всего того, обо что разбиваются, достигая, живые люди, — ему все доступно, он проходит, не встречая никакого сопротивления, насквозь, всегда прямо, для него прозрачны и бесплотны ограничения и стены. Людям остается только провожать его взглядом, поворачивать голову вслед, запыхиваясь на крутом пути, — за четыре года он проходит дорожку, которую безуспешно пытался преодолеть в течение 33 лет, и оказывается *наверху.*

Если бы он стремился наверх — он бы туда не прошел, но цель его была впереди, а путь наверх лишь — средство, и поскольку он не тормозился о живую жизнь и цель его была *за* жизнью, то успех, с точки зрения тех же живых, дался ему мгновенно, хотя сам он проявил невероятное, немыслимое для живого терпение, ибо время его стояло, пока время других шло, и его четыре года были как четыре вечности.

«Ты не человек...» — могли бы сказать ему с ненавистью и восхищением. «Вы правы», — согласился бы он. «Я не человек, — добавил бы он про себя, потому что до самого конца не собирался произносить этого вслух, — я — бомба. Время мое не пришло, но скоро уже».

Итак, прошло уже четыре года с тех пор, как Карамышев, умерев, превратился в бомбу. На самом деле, что он понял лишь со временем этих лет, и душа Карамышева-первого не умерла, покинув тело, а переселилась в бомбу, и теперь пустое тело Карамышева-первого (населенное мертвым разумом Новообразование под условным обозначением Карамышев-второй) стремилось воссоединиться со своей душой, своеобразно воскреснуть, исчезнув там же, где душа, и до такой же степени.

Однако и цель, так однозначно и голо сформулированная разумом Карамышева-второго сразу после смерти Карамышева-первого, за эти четыре вечности подвига терпения (ибо для разума терпение — подвиг) — цель тоже как-то изменилась, разрослась, вобрав в себя и тот микроскопический опыт, который представляет собою деятельность и практика. Цель эта, дабы продержаться, приобрела некую глобальность, маниакальную общезначимость и утратила свою одинокую солипсическую идею. Цель, накануне достижения, в своем роде сошла с ума. И Карамышев, продолжая безукоризненные инерционные движения для ее достижения, забыл, что и она была средством, но конечное средство, за долгий путь к Цели, подменило собою Цель, заслонило и стало ею, и тогда разум Карамышева-второго, усталый от пройденного пути, восстал и возроптал, ибо та цель, которую имел он перед собою, подойдя вплотную, была бессмысленна и неразумна, а исходную он забыл, а вернее, истратил на пути, ошибочно полагая, что энергию черпал лишь из одиночества, она же черпалась из Цели и потребляла ее.

Карамышев не взорвался.

И эта трагедия абсолютна, потому что это идеально черный цвет, отсутствие, ноль, и части (душа, тело, разум, Карамышев-первый, Карамышев-второй, жизнь, опыт, непрерывность, дискретность, смерть, воскрешение, рождение, время, реальность, небытие и т.д. и т.п.) — становятся невоссоединимы, не обнимаются уже ни новой, ни следующей идеей, разлучены навсегда, как безумие.

ПЛАН

1. Смерть

Карамышев посещает кладбище (б. «Тени»). Окончательная система уподоблений (сходство мертвеца и памятника) удручает его. Посещение становится поводом для анализа и воспоминаний всего того, что предшествовало сегодняшнему дню (анамнез).

Сходства (люди, пейзажи) и напоминания. Ничто не в первый раз.

История сновидений. Последний сон, зубчатое колесо, отсутствие снов.

Любовь. К нему, не его. Как к нему влезли в окно, как

сообщили о решении оставить ребенка, как девочка оставила ему портрет «Вам 70 лет».

Карамышев приходит к мысли о конечном сходстве, наблюдая памятник.

Карамышев возвращается с кладбища домой. Это эстонский хутор, на котором он отдыхает с семьей. Сидя за обеденным столом, он с удивлением откликается на собственное имя. Это же не он. Он кажется себе самозванцем, присвоившим облик на имя Карамышева и исполняющим роль Карамышева. Ему кажется смешным, что он *должен исполнять* эту роль по отношению к жене, детям, делу. Кому он, собственно, это должен, Карамышеву? Сам же он не Карамышев, чтобы иметь те обязательства, которых от него требуют.

Однако его сочтут за безумца не только потому, что не поймут (хотя что может быть логичнее?), если он заикнется об этом. Карамышеву скучно, он встает из-за стола, бродит по усадьбе без цели, сует свой нос — делать ему теперь ни в каком смысле нечего. Он заглядывает в сарай, хозяин-эстонец Ойво испуганно пытается спрятать две странные чугунные пупырчатые штуки, обмазанные солидолом, назад в ящик со стружками. Карамышев заинтересовывается, но эстонец перестает понимать по-русски.

Карамышев вдруг прекращает допытываться и уходит в задумчивости.

2. Ойво-Пустомяэ (убийца)

Ойво работал как всегда, будто спал, — медленно, непрерывно и неуклонно, переходя от операции к операции с такой лекальной плавностью, что никто бы не мог уследить, когда он кончил строгать новую доску к столу и начал косить, в какой момент отложил косу, оказавшись на крыше сарая, которую начал перестилать на прошлой неделе, да почти всю уже и перестлал; с крыши он видел почти уже навитый стог и сохнущий новый стол, но еще он видел надорвавшийся клочок пленки на парниковой раме, а там, где было море, примечал, что причалила лодка и рыбаки сгрузили бидоны с трудом, то есть с уловом, а в небе над ними застрял характерный пирожок из облака, обещавший ветер, который значительно расширит эту брешь в пленке, а также — скользнувшую с участка Эльзу, подкопавшую новый лаз под забором, куда хорошо поместится тот камень, о который вчера так больно запнулась дачница Катя; и, перенеся камень и закрепив пленку на парнике, выходил он из леса со стороны моря, гоня перед собою корову и двух ярок, держа под мышкой сухую валежину и тяжеленький бидончик с салакой в руке, так что, выйдя из хлева с полным подойником, уже можно было есть салаку, спеченную на противне, под которым эта валежина сгорела... Так за день, не торопясь, успевал он соединить собою все предметы, подступившие к нему из внешнего мира, и к вечеру все это можно было обозначить уже одним только словом — «хутор», которое замещалось тут же словом «ночь», четыре часа которой проводил Ойво тоже как всегда, будто только работал: не в пример сонной глади дня, — очень стремительно: вздрагивая, вскрикивая, биясь головой о перегородку, — будто за ним гнались.

Во сне к нему приходили братья Юло и Кайя и молчали. Старший брат ничего не сказал, и младший тоже.

(Здесь подобие плана обрывается, и дальше записи более случайны. — *А.Б.*)

Когда перед ним наконец распахивается последняя дверца «Туда» — и он видит признанного и невидимого до сих пор главу, то наибольшее впечатление на него производит то, что он обнаруживает среди посвященных целый ряд знакомых ему уже людей (по приемной). Они уже там. Но это все не те, за кем бы он мог, даже в виде допущения, предположить такое. Очень скромные, незаметные людишки. (О ком — с уважением, о ком — с пренебрежением. Это за дверцей «наверху», «у себя» у них все наоборот.)

Взгляни на камень, который выбросили строители. Он — краеугольный (Фома).

Чему сопротивляется Россия?

Вот жуткая картина... Карамышев, покушаясь, чувствует непоправимую боль в сердце и, в отчаянии, направляет удар на себя; но прежде чем удар достигает цели — самоубийца уже мертв от инфаркта, а в ту секунду, что он еще не упал, но уже мертв, да еще и с ножом в сердце, — ему всаживают в спину пулю. И вот вам затруднения экспертизы: всадили ли пулю в уже мертвого человека? Убил ли он себя сам, вызвав ранением инфаркт? или упал неловко на нож, сраженный пулей?..

Графиня умерла сама, но Германн ей угрожал пистолетом. Убийца ли Германн?

Символика ли — побег за день до освобождения? Убить себя за секунду до естественного конца или умереть ровно за ту же секунду до того, как тебя убьют? В этих долях заключен смысл целой жизни, которая окажется совершенно по-разному прожитой в зависимости от того, какое заключение вынесет наша экспертиза; не выдержало сердце... оказался жертвой... или сам себя не выдержал?.. чистая ли фатальность или — Судьба? (где неизбежность приговора была сблокирована трижды — не одно, так другое, — а уже по воле случая все сработало одновременно, чтобы доказать нам абсолютную неслучайность причины — будь то разрыв сердца или убийство, все равно...)

Сама ли умерла Пиковая дама? — Гениальное отсутствие ответа.

Герой читает автора, и тот ему не близок.

В каком бы виде мог он представить себе свою жизнь еще возможной? Стать невидимым (не как в детстве, не для всемогущества). Чтобы все связи были оборваны, чтобы все родные уже умерли. Он не прочь был бы присутствовать в столь опустевшем мире без страданий ближних. Чем-то вроде незримого глаза, прозрачный, несуществующий... Единственно, что попугивало его, — это так называемый «абсолютный мрак» небытия. Он хотел бы не принимать более никакого участия в жизни, но быть в ней растворенным — в бессловном созерцании, на правах воздуха.

С удивлением понял он, что его *устраивает* только смерть. И если бы быть уверенным, что смерть как раз такая, в какую тысячелетиями верили люди — бесплотная, — он, казалось бы, принял ее с охотою. Принял, кабы не его собственная, им уже прожитая жизнь. 1) Не заслужил ли он ею, неправедно прожитою, — ослепления загробным мраком?.. 2) Те материалистические представления, которые он давно уценил за их примитив, но которые вдалбливались в него с малолетства, — выходит, по-прежнему имели над ним власть — власть страха: а вдруг?.. а вдруг там таки ничего нет? Точно так когда-то, в его строго-атеистическом детстве (а именно в пионерлагере), поражал его симметричный вопрос: а вдруг Он есть? Хула не сходила тогда с языка (на всякий случай...). Теперь, через годы, сомнением (столь же слабым) было как раз обратное: а вдруг Его нет? И тогда он по-прежнему боялся смерти.

Одно было ясно: жизнь его подтаяла и перевернулась, как айсберг. И где было черное — стало белое, и где был день — стала ночь. И где был страх перед наказанием Божьим — стал страх перед отсутствием Его.

(В этом смысле постриг, монастырь не казались ему теперь насильною выдумкой. Это было бы для него естественным выходом из создавшегося положения. Естественно, если бы был сам монастырь... «Если бы я пошел в монастырь, не было бы этой богопротивной идеи мести-самоуничтожения...» — так отчаивался Карамышев.)

Страна, в которой жил и умирал Карамышев, была мало известна, но легко узнаваема — это был, как-никак, внутренний мир. Страна, в которую он переселился перед смертью, известна всем, но совершенно неузнаваема — мир внешний.

Для чего-то другого дано было человеку богатое воображение! Теперь оно подготовляет к внезапности, которой нет, истощая прямые силы жизни и соответствия реальности. Реальность всегда одна. Поливариантной же она становится лишь в попытках объяснения ее. Когда априори ни одно не может быть точно. Конкуренция гипотез — абсурднейшее соревнование «менее истинного» с «более истинным». Поэтому идея выигрывает лишь по оперению, по вторичному признаку: в конечном счете будет принята та, которая привлекательней. Интеллектуальные игры безнравственны, если выходят за рамки забавы. А они только и норовят. Без Бога жизнь не только бессмысленна, но и безмысленна.

Жизнь стала неузнаваема. Образа мира более не существует. Поражает, однако, по-прежнему лишь то, что отражено. Традиция *воспринимать* мир все еще несет перед собою (как знамя) исчезнувшее изображение. Между тем свет погас.

Жизнь суеверна.

(Беспамятство, постигшее Карамышева, связано с неосознанным ужасом бытия. Надо не понимать и не помнить, чтобы счесть его продолжением Жизни.)

Жизнь мертвого — вспять живая: встречное течение бывшей живой жизни (воспоминания).

Единственное, чем кроме «тайны» замысла мог бы разогреть себя для мести Карамышев, — это память. И чем дальше, тем подлинней и раньше его воспоминания, ближе к началу — к детству, младенчеству, маме...

Так уход Карамышева в утробу становится естественным — «мама, роди меня обратно».

...И прежде чем погрузиться окончательно в эту тьму, последней вспыхнула, как боль, картинка (описание поляны, повторное). Он не мог вспомнить, откуда этот отчетливый фрагмент, — вся жизнь была уже неотчетлива. Картинка гасла, и он еще успел подумать, что эти сволочи оказались правы: что — мрак, что — ничего нет... Но и это было *уже* не страшно. Что мрак небытия — симметричен утробному мраку, — так он успел подумать прежде, чем окончательно погрузиться в ту тьму, которую и ожидал, в которой нет времени, которая так абсолютна, что и ее-то, тьмы, нет. Он обо всем забыл. И поэтому никто уже не скажет, мгновение или вечность прошли прежде, чем он увидел перед собою расширяющееся пятнышко света.

(Последний абзац романа готов. Дурной признак!.. когда нет первого...)

563

Кошки и собаки попадают под машины не от глупости. Они способны решать и не такие задачи, связанные с жизнью. Какие человеку не под силу. В природе нет машин, они не умещаются в их сознании. Они гибнут потому, что у них другой тип сознания, а не от недостатка его.

Иногда охватит смех...

Напротив сидит завторгом с лицом Булгакова и дипломом Литинститута... И все это проекции такого моего будущего, что знай я его заранее и не обратись оно уже в прошлое, то вряд ли бы я и прожил его.

Испуг и страх — не есть ли это видение будущего, координаты вещего сна: только неотчетливо и расплывчато это видение, то приближающееся почти до ясности, то отлетающее и размытое, то в центре, то на периферии, то неясно, кто герой, то — каковы обстоятельства, и время действия пульсирует: завтра, через десять лет, после смерти?.. — жить надо — вот и прогоняешь, как суеверный бредок...

Но еще смешнее человек, действующий наверняка, обольщающий себя счетными способностями, как бы пропускающий ставку... И такой человек выиграет однажды, чтобы обольстить себя верностью выбранной им системы и глубже увязнуть в дьявольском соблазне разобраться в жизни. Но и тот человек выиграет впервые — по прихоти подошедший к столу... Но и этот останется не внакладе...

Но и я... Господи! прости... И я в таком поражении остаюсь, что верна моя надежда и надежна моя вера... Но это — после, после Тебя... А то ведь так глубоко мое падение и грех мой, что надежна лишь Твоя вера в меня и верна лишь Твоя надежда... О, как бы не получить «награду свою»!

Поиск означает неготовность к встрече. Уценка ложных ценностей более доступна и не означает готовности ценность встретить. Повстречать истину (или ее носителя) — это обнаружить себя в точке несоответствия ей (апостольская неготовность следовать).

Невежество совершает полный оборот. Идейное преодоление (прорыв) — еще не культура. Без фактов — как без жизни. Без красок. Отсталость от мысли. Вот признак культуры: нелегко прийти к новому (следующему) выводу. Несозидательность «полета» мысли...

«...он прицелился в эту пустоту под сердцем. Ему не показалось это ни страшным, ни смертоносным. Казалось — пуля пролетит в пустоте, как птичка. Или — будто он, наподобие факира, нашел в своем теле неуязвимые маршруты для протыкания насквозь — один из них. Отыскать точку поточнее, нажать курок — вся эта возня была докучной, детской, как развлечения за приготовлением уроков: из подручных скрепок и промокашек... неловко было бы лишь — застичь себя за подобным занятием, — но в нем-то самом ничего чрезвычайного или особенного — не было. Всё — так. Все справедливо».

Он знал, что обойма пуста, и все же не нажимал курок, опасаясь осечки.

(Может сгодиться как первый абзац.)

А это, пожалуй, название —

АЗАРТ

или

~~Опоздавший~~ человек

Опоздавший — зачеркнуто и надписано — Преждевременный.

Итак, я не написал свой «московский» роман — ни «Японию», ни «Азарт».

Ненаписанной с самого начала оказалась и «Провинция».

Великая трилогия «Империя» не состоялась.

Каких только романов я еще не написал!

Роман «Гласность» в 1970-м[*].

Романы «Солдаты Империи» и «Корейско-грузинский лайнер» в 1983-м.

* См. послесловие «Барак и барокко» в кн.: Иван Барков. Девичья игрушка. СПб., 1992.

Началась перестройка и гласность, и время оказалось окончательно упущенным.

Даже собрание сочинений стало выходить.

И тут меня ждала очередная историческая удача: 19 августа 1991 года.

Танец маленьких лебедей по телевизору...

Собрание сочинений, слава Богу, прекратилось.

В конце концов, и за «Пушкинский дом» я уселся лишь в ту секунду, как закончилась эпоха.

В результате, когда ко мне снова пришли за собранием сочинений, я решительно не хотел ни слова «собрание», ни слова «том», и я придумал, как их избежать, используя опыт Пруста.

«Империя в четырех измерениях» — так я обозначил свой новый план. Сложность была лишь побороть в себе жадность и исключить все не до конца этой новой «Империи» принадлежащее. Я действовал интуитивно и формально, и что же я прочитал, наконец сложив ее?

«Хорошо бы начать книгу, которую надо писать всю жизнь...»

«Империя...» начинается с отчего дома и кончается штурмом Белого. Я начал писать ее в 1960-м и издал в 1996-м.

Худо-бедно. Неизбежное как раз и написано.

Последовательность текстов

> Как вспышка молнии,
> как исчезающая капля росы,
> мысль о самом себе...
>
> *Иккю*

Ванзейская дискета

В результате этой вот книги (да и всей жизни, да и всех наших новоявленных свобод) я понял наконец, как вести дневник.

Вот брошу писать и начну писать.

Именно (и только) его.

Хорошее занятие. Сначала помолишься (если не забудешь), потом попытаешься вспомнить и записать сон. Потом... желательно почистить зубы, сделать зарядку, принять душ. Потом... Раскрыть Библию, ткнуть пальцем... Коран — ткнуть пальцем. И в третью... третья книга может быть вот какая: «Мысли» Паскаля или «Пословицы русского народа»... или Пушкин. Не всякую книгу можно вот так открыть! Чтобы заговорила в любом месте. Причем почему-то именно тебе.

И после этого попробовать прожить свой день так, чтобы не было мучительно стыдно перед этими тремя строчками. А потом записать, насколько это получилось.

Испробовав за сорок с лишним лет все мыслимые и немыслимые жанры, я пришел к исходному, с которого не начинал: к дневнику.

Не я его — он сам себя начал писать! Последовательность текстов... Вот, например, эта дискета. Ненароком на ней были записаны лишь случайные тексты.

Не те, над которыми я, так сказать, «работал». Я начал ее в Берлине, на берегу озера Ванзее, где через год с небольшим оказался снова, стал искать какой-то текст и по ошибке нажал не на ту клавишу. Принтер не ошибается и не поправляет ошибок — он стал выдавать «на гора» в е с ь текст. Я не знал, как его остановить. Раздражение мое росло, но не ускоряло процесса. Пришлось начать читать то, что из него выползало...

И вот что меня поразило: я этого никогда не читал! Текст оказался связным. Эта непрерванность пленки случайных текстов, скрепленных лишь последовательностью времени, его необратимостью, вознаградила меня редкою возможностью стать своим собственным читателем.

Вот что я прочел...*

26 мая 1998, Москва

Письменный стол (*Открытие программы*)

Screen пуст и чист, как свет в окошке.
На подоконник села кошка.
Умыла лапкою лицо.
А ты свободен, точно птица,
Небес пустей твоя страница,
И неподвижно колесо
Ума. Hard disk жужжит впустую.
Вращаясь на казенном стуле,
Сидишь и думаешь о вечном:
С чего начать... Хотя, конечно,
Пора бы знать, что продолженье
Есть лишь непрерванность движенья
Туда. К концу того начала,
Где все, что делалось, звучало.
Минуй, уныние ума!
Строка, строку перекрывая,
Расскажет все, как есть, сама,
Поскрипывая рифмой Рая.

20 февраля 1997, Ванзее

---

* Впрочем, разок пришлось передернуть. — А.Б.

568

Первое стало вторым, третье — первым...

(Памяти Вл.Соколова и Бродского)

> Поэт — издалека заводит речь.
> Поэта — далеко заводит речь.
> *М.Цветаева, «Поэт»*

JANUARY 29, 1997

To V.Sokolov

It was windy and birdy
Children blossomed in dust
Morning shining and dirty
Building future from past

We were left in the present
With the yesterday tie
To forget the last lesson
How to die

ЗАБЫТЫЙ ГАЛСТУК

> Никак не могу спиться...
> *Из разговора с В.Соколовым*

Был ветер, и птицы,
Дети в куртках, цвели,
И вчерашние лицы
Нас узнать не могли.

Оставалось не много
От тебя и меня,
И вставала дорога
Из вчерашнего дня.

Оставался бы чтобы
Ослепительный вкус,
Выпей все и попробуй,
Как ты полон и пуст.

29.1.97, Нью-Йорк — Принстон, в электричке

Годовщина

> Величие замысла может выручить...
> *Бродский, из последней встречи*

Вооруженный зреньем тыщи ос,
Не выбрав до конца ни сердца, ни погоста,
«Не быть иль быть?» — вопросом на вопрос
Ответив Гамлету, он просто...

Он вышел в сад. Калитка или выстрел?
Дымок вился из будто пистолета...

569

Сказал, быть может: «Господи, как быстро!
Последней может быть лишь сигарета».

Вооруженный зреньем тыщи ос,
В сад/зал взглянул, перевернув бинокль,
«Не быть иль быть?» — о замысле вопрос,
Вопрос, возможно, непротертых стекол.

За ним осталась приоткрытой дверь —
Щель у́же кошки, но пошире мышки...
Быть иль не быть, товарищ? Верь не верь,
Свобода есть приговоренность к вышке.

Не быть иль быть? — лишь замысла вопрос.
Что он/ты нам о благородстве трёкал?
Тень от отца, дымок от папирос —
Что вопрошать? Ты лучше в зал покнокай...

Сад полон ожиданьем прошлых встреч,
И «no more» — одно лишь постоянство.
Велик ли замысел? Проходит наша речь,
Да что там речь! проходит даже пьянство,

Проходит одиночество и боль,
Проходят девять дней, сороковины,
Призванье, назначение и роль
Проходят, как проходят годовщины.

Неужто вопрошанье только ритм?
Иное бытие покажется не новым,
Коль через год ты будешь говорить
С новопреставленным Володей Соколовым

И вы сойдетесь на двух-трех строках...
Ты будешь удивлен, что это из Рубцова.
Как будто выдается напрокат
Поэзия... Сыновья иль Отцова.

Там Мандельштам Есенину сродни:
Талас на голову иль вервие на шею...
И несочтенные, ворованные дни
У Пушкина...

6 февраля, Краснопрудная — 20 февраля, Ванзее

Один (*Вид из окна на Ванзее*)

Год, как нету Иосифа. А волны опять с перехлестом.
Осень ве́чна, и можно сменить лишь округу.
На какой ты там было намылился остров?
И какому писал позабытому другу?
Свою оптику сжав до оси́ и осы́,
Грудь раздвинув затяжкой последнего вздоха,
Состояньем рассвета, состояньем росы
Стать. Всего лишь. И это — эпоха.

Что получается...

МОНГОЛИЯ, И АМДО, И МЕРТВЫЙ ГОРОД
ХАРА-ХОТО — это название книги Петра Козлова, любимого ученика и преемника великого нашего путешественника Н.М.Пржевальского, читанной мною в раннем детстве,
до сих пор звучит в моих ушах неизъяснимо прекрасно.
Ритм — музыка и поэзия этих слов гипнотизируют меня,
как заклинание.

К Сталину я не испытывал никаких особенных чувств, а
вот Пржевальского любил. Портрет его висел у меня над
кроватью. И памятник верблюду в Адмиралтейском саду
вызывал у меня особые чувства. Поэтому один из апокрифов
рождения вождя, возникший в вихре оборзевшей гласности,
что вождь наш бастард не грузинско-княжеский, и не осетин-
ский, не армянский, а Пржевальский (как лошадь), не вызвал
у меня ни гнева, ни восторга.

Хотя, как знаток биографии Николая Михайловича, я
знал, что он посетил Кавказ накануне своего последнего, пятого, начавшегося смертью на Иссык-Куле, путешествия в

Центральную Азию. По срокам могло бы быть (весна 1879-го). И по внешнему виду... по усам. Но не хотелось бы портить биографию кумира детства. Пусть Саддам Хусейн будет сыном Сталина. Похож.

По внешнему виду я и сам родился азиатом. Ни в папу, ни в маму, ни в бабушек, ни в дедушек. По рассказам мамы, профессор (Морев или Мориц?), принимавший ее (мои?) роды, спросил ее не без ехидцы: «Ольга Алексеевна, я забыл, разве ваш муж нацмен?» (Вот отголосок «дружбы народов»! Нацмен — это не преждевременное влияние английского, это аббревиатура «национального меньшинства».) И когда в сорок третьем году мы добрались наконец до бабушки в Ташкент, местные спрашивали маму: «Почему вы русская, а ваш сын узбек?»

Является ли сходство таким уж внешним?.. Моим любимым предметом была география, моей любимой картой — физическая. О, эта палитра голубого и зеленого, песчаного и коричневого! Там проходила все-таки советская граница. За сибирским разливанным низменным морем, коричневея, сгущаясь в Памире, уходя в Монголию и далее... Тибет, Лхаса, мечта Пржевальского... Он так и не дошел. Я дойду!

Пусть кто-то мечтал о Париже — я о Монголии. Брат ловил на трофейном «телефункене» джаз, проскакивая ненужную ему Анкару, я замирал, как та змея перед йогом, на звук зурны или дудука. Голос ли крови аукался через полтысячелетия после ига?.. Про модную нынче реинкарнацию, или перевоплощение, тогда еще не знали. Мы собирали желуди для лесозащитных полос ВСППП (Великого Сталинского Плана Покорения Природы). Желуди я любил — они были цвета Тибета... И без приглашения высмеянной Набоковым «венской делегации» там, между Памиром и Гималаями, в яшмовых концентрических разводах, размещался не Тибет, а еще более неведомый мне Пубертад: если и не половое созревание, то половое созерцание.

Тьфу на это сенильно-эротическое толкование! Я не только о Монголии... из Европы я еще о государствах-карликах мечтал. Тут и без Фрейда, на уровне имперского подсознания: отголосок одной шестой части мировой суши. Андорра, Монако, Лихтенштейн, Люксембург. Люксембург был уже великоват. Тогда уж и Исландия! Исландию я очень любил. Там жило всего сто тысяч народу! Пасли овец, ловили треску, писали стихи. Гейзеры, одним словом. Остров! Я и сам был родом с Аптекарского острова... если уж подсознание, то островное... «География как жена», — напишет некто впоследствии. Случилось и так, что позднее, уже по окончании школы, я читал с восторгом первую современную переводную книгу. Современную в том невиданном при Сталине смысле, что была она переведена тогда же, когда и написана, когда и напечатана на родном языке. И был то исландский роман. Халдор Лакснесс. «Атомная станция».

Я еще и не думал писать сам! Но следующим подобным *современным* чтением оказался Грэм Грин. Наверно, «Наш человек в Гаване». Думаю, что оба эти романа проскочили в нашу печать как антиамериканские.

Тут уж и я взялся за перо. Претерпел то, что претерпел; написал то, что написал.

И вот что получилось в год моего первого юбилея...

Слабеющая Софья Власьевна наградила меня орденом «Знак Почета», не иначе как за свое собственное долготерпение. Развеселило меня народное прозвище ордена — «Веселые ребята», и я не счел для себя унижением сходить в Кремль и получить его из рук все того же тов. Демичева и сфотографироваться группово с прочими заслуженными козлами. Унижение паче гордости. Горд я тоже не был.

Теперь я смотрю на многое иначе. Мой дед по матери родился еще при крепостном праве. Я родился, когда советской власти еще не исполнилось двадцати лет, и я успел получить от нее орден до того, как она пала. Мне нравится его дизайн, еще тридцатых. Я уже знаю цену Чехонину. Резо Габриадзе, к тому же дню, воздвиг мне памятник, воистину нерукотворный: в виде куклы в наряде грузинского князя. Князь разбирался в наградах, и до сих пор носит мой орден не без достоинства.

Сфотографировавшись в Кремле, уже в качестве орденоносца я пошел к другому «парадному подъезду» (выражение О.В.Волкова), в Союз писателей СССР, узнать заодно, как мои дела с Америкой. С Америкой было все еще неясно. Дело в том, что с 15 сентября 1986 года я стал «выездной», скатавшись в Западный Берлин... Тут мне не удержаться от длинных скобок.

(Мучительная последовательность текста! вот что невыносимо для мемуариста... Память — пятится. Бросая начатый мемуар. А вот еще что было до этого! Впрочем, еще и до этого тоже было! И вот еще...

Я родился, учился, женился... нет, я помню блокаду, стройбат, измену... нет, я написал первое стихотворение, первый рассказ, родил первого ребенка... нет, я впервые закурил, впервые преодолел отвращение к пиву, впервые попал в парную... нет, у меня впервые умерла бабушка, я впервые познал женщину, я принял Крещение... нет! все не в этом порядке! сначала была бомбежка, потом женщина, потом первый друг... нет, сначала я закончил наконец роман, потом уехал навсегда мой друг, потом... нет, я никогда больше не буду женатым первый и единственный раз!

Первую устрицу я проглотил на страницах «Анны Карениной», а вторую — когда пала Берлинская стена... *Как это, однако, напомнило мне Любляну!* (Скобки внутри скобок: история принадлежит Юрию Росту. Однажды он был в Нью-Йорке с человеком, который до этого бывал за границей лишь один раз, а именно в Любляне. И вот, глядя в окно отеля, друг произнес задумчиво и проникновенно: «Знаешь, чем-то Нью-Йорк напоминает мне Любляну...») Западный Берлин был островом, летающей тарелкой, раем — чем угодно, только не Землей. Проделав свой первый свободный путь из отеля «Савой» в «Парис Бар», я навсегда заимпринтингован. Монголия мне напомнила Западный Берлин, а Исландия — Монголию и Западный Берлин. Попав в 1987-м в Вашингтон... это мне слегка напомнило смерть. Начать с того, что ни Россия, ни даже советская власть в нашем климате не виноваты. В Шереметьеве повалил сырой, крупный, как листопад, снег. В середине мая. На обитом серым цинком прилавке таможенник брезгливо поковырялся в пустоте моего чемодана. «Книги на продажу?» — «Нет, это мои». — «Нет, я понимаю, что ваши. Зачем одинаковые?» — «Потому что мои! Я написал, понимаете!» Пропустил.

Полет был в кайф. С Олегом Чухонцевым. Мы впервые осуществляли смычку эмигрантской и советской литературы на пробном, неофициальном уровне. Синявский, Эткинд.

Бродский, Аксенов, если уживутся, а если нет, то либо — либо.

Приземлились. Блондинки с цветами. Лимузин. Впервые такой вижу. Длинный, как такса. До сих пор мне кажется, что у него было не четыре колеса, а шесть. Голубое небо, солнце, теплынь. Все цветет: розовое, белое, желтое, фиолетовое, — сирень да сакура. Две старушки навстречу щебечут — чистенькие, розовенькие, в голубой седине, — в одной из них я признаю свою бабушку, скончавшуюся в 1954 году... для убедительности себя пощупал, если не ущипнул: бабушку понятно за что, меня-то за что в рай?.. Тут черный едет поперек в открытой бесконечной машине: музыка во всю мощь, а он еще и поет, вот что поразительно! Поселили нас не иначе как в «Хилтоне». Тут же телефонный звонок из Коннектикута: Юзик! Не думал, что когда-нибудь... Восемь лет прошло! Голос. «Еду! Вот сейчас сажусь в машину и еду». Похлопал я дверцей мини-бара, перещупал бутылочки — удержался: впереди прием.

Хиглиф!* Включишь телевизор, ляжешь в ванну и в дверное зеркало боевик смотришь. Потом белый халат и шлепанцы. В халате записка, мол, если он вам так нравится, не укладывайте сразу в чемодан, а спросите в рецепции — мы вам его уступим по чрезвычайно сходной цене... с этой же усмешкой, в криво повязанном галстуке спускаешься вниз на прием, топчешься с какой-то бурдой в стакане... Чухонцев все еще одевается, все чужие. Все время поглядываю на дверь: вдруг Юзик?! Дурак, он же не на вертолете, а на машине, путь неблизкий... а все равно поглядываю. Нет! не может быть! Иосиф... А этого я не видел пятнадцать лет.

_____
* High life (англ.)

Он тут свой. Он-то всех знает. Впрочем, еще больше знают здесь его. Похлопываем друг друга, пощупываем. Он мне ответственно поясняет, кто есть ху. До Юзика еще не скоро, но время уже летит. Дверь еще раз отворяется... не может быть! Не на вертолете же... прилетел!

Что-то крякнуло у меня в голове и счастливо поломалось: как же так! Одного не видел восемь лет, а другого пятнадцать, а увидел их обоих за четверть часа! Несоизмеримость лет и минут сошлась в затяжном мгновении, и очнулся я от вежливого покашливания стюарда: в своем номере, поверх одеяла, как был, в галстуке и ботинках. Таузенд, таузенд, лопочет он на плохом английском. Неужто я зеркало разбил?! А он мне бумажку протягивает: первый в моей жизни чек, на мое имя, от издателя. Я его на пол швырнул, оказывается... И здесь я закрываю скобки.)

...чтобы снова оказаться во дворе Союза писателей, обок с Львом Толстым, еще не ведая, что мне предстоит: про Америку все еще неясно: будут эмигранты, большая ответственность, возможны провокации, вы впервые, надо, чтобы с вами еще кто-нибудь, иначе не поедете... предлагают зато с делегацией в Монголию. И что поражает начальство — что за увеличение делегации на секретаря Союза перед американцами я ходатайствовать отказываюсь, а на Монголию готовно соглашаюсь. Про Америку все еще неясно, зато в Монголию — наверняка. Правда, позже, уже летом, жарко будет. Ничего, ничего, пусть жарко... после Америки и поеду. Ухмыляются: шутник... Но не успел я выйти за ворота, как хорошенькая консультантка по Скандинавии: Андрей Георгиевич! А не хотели бы вы слетать в Исландию? Шутить изволите? Когда? Да уже надо лететь... Лечу!

Так я и не знаю теперь, в какой последовательности были Штаты, да и были ли?

Точно, что увидел я в дверях одновременно двух Иосифов, они успели познакомиться и подружиться за мой счет, пока меня не было. А вот была ли за ними двумя Америка? — не помню точно. А вот что Исландия с Монголией были, помню точно. Причем даже помню, что Исландия была после Монголии. Потому что отдаленно ее напоминала.

И вместе они напоминали Западный Берлин.

Да нет же! Не как Любляна, а и впрямь. Тогда же я и книгу загорелся написать — «Сравнительная география». Во-первых, это три острова. Да, и Монголия! Как же вы еще определите страну в миллион жителей, втиснутую между Россией и Китаем? Тогда что же Западный Берлин, как не островок западной цивилизации в океане соцлага с набережной из Берлинской стены? Тогда что же это, как не два уникальных острова, лишенных моря? И я! — кричит Армения.

Ну, а что же пятидесятилетний капитан, не замочивший подошв?

Из всех Люблян он предпочитает Исландию, раз она последняя. Он влюблен.

В Исландии все напоминает Монголию: трава и небо, бесплодие почв и отсутствие полезных ископаемых, могучая история и древняя письменность при полном отсутствии архитектуры.

Даже лошадки одни и те же: маленькие, крепенькие, лохматенькие. Каурые.

Овцы... Тут начинаются некоторые различия. Лошадок меньше, овец больше. Ветер. По траве бежит ветер. И по овце. Овца накушалась и лежит, ей надоел такой ветер. И ветер гонит ее шерсть, как траву. Шерсть длиннее травы. И белее. Островки белой травы в зеленой. Такое вот руно...

Руны! Если в Монголии главным памятником культуры является Золотая Книга — действительно, из золота каждая страница-пластина, то в Исландии, конечно, саги.

И поскольку ни дерева, чтобы делать бумагу, ни золота, то писались они на специально выделанных шкурах. Это самая древняя европейская литература; ее сам Шекспир переписывал. И вот если Золотая Книга хранилась, пряталась, зарывалась, не пропадала ни при каких бедствиях как последняя святыня и оплот нации, то в Исландии случались такие беды, что не до этого. Однажды, например, ударил мороз и длился восемьдесят лет, и если раньше исландцы гибли в основном в рукопашной, истребляя друг друга, из-за чего и опередили Европу не только в поэтических описаниях убийств и самих убийствах, но и в том, что приняли первую в Европе Конституцию (собрались последние оставшиеся в живых на вершине некоей горы, сказали друг другу, как Горбачев Шеварднадзе: «так больше жить нельзя», и выработали первую Конституцию, первым законом которой оказался — что бы вы подумали? — «не убий», за одним, правда, небольшим исключением, о котором умолчу), то теперь стали вымерзать так же до последнего и, чтобы хоть как-то утеплиться, пустили саги на одежды, стегали из них тулупы, и все равно осталось достаточно текстов, чтобы основоположить европейскую литературу...

Конечно, не только саги. В стране, где не только дерева, но и камня нет, куда не только каждый гвоздь, но и каждую щепку надо было везти морем, где из местных пород не получается даже кирпич, нет ни одной дымящей трубы.

Гейзеры! Лишив этот остров всего, Господь снабдил его природным паровым отоплением. Значит, мы едем к гейзеру. Его все нет.

Тормозим, где он был, по мнению гида. Горячая серная лужица. Горстка невразумленных интернациональных писателей. Все смотрим на этот вулканический прыщ. Тут я, ни с того ни с сего, вспоминаю свое счастливое альпинистское детство и стремительно лезу вверх по зеленому склону, пока все там ждут возбуждения струи... и, оторвавшись, валюсь навзничь на хищно-изумрудную траву. Выкурив в небо сигарету, сажусь: наверно, меня уже ждут. Нет еще, и вижу я под собой... оказывается, по старой памяти, я вскарабкался достаточно высоко: подо мной сочная зеленая долина, и я здесь уже бывал... Это такое неоспоримое чувство! я скребу по дну памяти и нахожу сон... Я проснулся раз от печального и глубокого, нежного и страшного рева. Можно было бы уподобить его паровозному гудку, но он был живой. По дну зеленой долины, на склоне которой я лежал, ступал гигантский единорог, что был вровень со склонами, ступал и дудел, плача великим, безнадежным и всепрощающим плачем. Я приподнялся на локте над так и не проснувшимся гейзером: это была та самая долина, и мой слух возвращал мне тот плач. В Монголии — то же самое: я там отведал какого-то гигантского суслика, и к ночи стал погибать. Если в

Исландии мы возвращались от недействующего гейзера в «Хилтон», чтобы не украсть все тот же халат, то в Монголии нас тоже принимали по высшему разряду — то была обкомовская юрта люкс, с телевизором и холодильником, не говоря о коврах. С той разницей, что на пятьсот километров вокруг в этой ровной, как футбольное поле, степи не было электричества. Московский импринтинг секретаря монгольского райкома. И вот я начал умирать. Умирать я выбрался под звезды — это стоило того. Такие звезды, что непонятно, как со свода не падали. Я ушел подальше в степь и там помирал до утра. Под утро же забылся легким сном. И во сне я совсем умер, и, как положено, как уже всем известно, навстречу мне вышли родственники. Среди них были и те, к которым я, от любопытства, устремился к первым: те, кого я не застал при своей жизни в живых: скажем, оба моих деда. И что меня поразило: это не я, а они отнеслись ко мне с необыкновенной, младшей почтительностью. С этим их почтением я и воскрес. Мне хотелось поделиться этим откровением — коллеги-писатели: два поэта и один пародист — меня не восприняли. И нам пора было ехать. У нас по плану было посещение очередного кочевья.

Этот кочевник был передовой верблюжатник. Дело в том, что новорожденных верблюжат очень трудно выхаживать: они погибают на девяносто процентов. У него они на девяносто процентов выживали.

И вот у порога его юрты. Замечательно, порога там нет. Там есть дырка, и полог, и коврик. Зато перед юртой, как перед избой, поставлена русская лавка. На ней, рядком, руки отдельно, сапоги отдельно, сидят соседние чабаны, их жены, круглоголовые узкоглазые детки. Чабан отчитывается перед нами, сколько у него верблюжат выжило, показывает почетные грамоты. Затем отчитываемся (в буквальном смысле) мы: поэты читают стихи, пародист — на них пародии. Слушают нас так честно, что впору повеситься, да ни одного сука не найдете вы здесь, как и электричества. Интеллигентный монгол из Иностранной комиссии, проведший в студенческие годы семестр в Кембридже и от того впавший в непреходящую депрессию, переводит. Над стихами монголы смеются, над пародией плачут. Я их люблю.

Закончив официальную часть, мы приглашаемся в юрту, где накрыт очередной баран. Ужас охватывает меня, мне хочется закричать гоголевским криком «Бяяша! Бяяша!», выбежать в степь и добежать наконец до горизонта. Странно, что у монголов нет футбола, хотя сама Монголия — это океанское футбольное поле. Казалось бы, выкинь сюда хотя бы один мяч и гони до самой Бразилии... Но зачем им футбол, когда у них есть конь! Видели бы вы, как выходит из юрты монгол, и видит перед собой табун, и больше уже ничего не видит. Монгол и лошадь — это одно тело, разлучающееся лишь во сне. Сон... Его я и рассказываю великому верблюжьему акушеру, выпив водки и стараясь избежать пытки бараном, а именно: не есть его почетный глаз, а отделаться лишь, почетным же, треугольным лоскутком, выкроенным из его стыдливого узкого лба. В этой чистой, абсолютно русской внутри, как изба, юрте, где те же кровати со спинками и подушки под кружевными накидками и недействующий патефон под такою же салфеткой... в этой юрте, где этот уют избы оборудуется и ликвидируется за два часа, где выцветшие родственники, как пасьянс, как гербарий, засушены в общей раме рядом с почетными грамотами, где рядом с Буддой такой же Дзержинский в награду за выживаемость верблюжат, под недоуменные взгляды моих коллег наш хозяин с полуслова понял меня. И переводчик понял нас. Верблюжатник тут же объяснил мне, что я старше потому, что — позже, и предки того не хлебнули, что я хлебнул, а что хлебнули они, им уже так ясно.

Но и в Исландии разбираются кое в чем: скажем, в привидениях. У них никто не брякнется в обморок при виде сто лет назад помершей бабушки. Ихний мэр, принимавший нас в единственном на весь Рейкьявик деревянном особняке, где до меня за месяц перешептывались Горбачев с Рейганом, настолько всерьез воспринимал старшинство привидения этого дома над всеми прочими в Исландии, что я ничуть не усомнился, что эти двое тут тоже были. И Шекспир с его несомненными призраками стал мне более понятен.

В Монголии — Чингисхан, в Исландии — Поэт. У каждой нации должен быть Отец, как у нас Пушкин.

Чингисхан был вот какой: мудрый, добрый, миротворец. Победив, он убедился, что война кончилась, и стал бороться за мир во всем мире. (Я слышал, что в новой, демократической Монголии он напечатан на ихней стотугревке.) В Исландии же наш фестиваль приветствовал сам Лакснесс! Нет, сам он не смог: слишком уже стар и немощен, слишком его оберегали. Приветствие его нам зачитали со сцены — мы сидели в первом ряду; сзади, добросовестные, сидели зрители, полный зал. Я сидел крайним слева, справа от меня — исландский прозаик, спикавший по-английски и в этом качестве приданный мне. Скучая от слов, стал я оглядывать свой ряд, среди кого я. Следующим за приданным мне сидел краснорожий крепкий член Союза писателей Исландии. Присмотревшись, я уловил некоторое сходство его с патриархом, приветствие которого мы почтительно заслушивали. Я склонился к приданному мне, чтобы сообщить ему это свое наблюдение: что, мол, насколько велик здесь Лакснесс, что даже рядовые члены мимикрируют под него. Приданный мне прыснул (я самонадеянно подумал, что удачная получилась шутка): «Так это Лакснесс и есть!»

Вот это чудо и есть, что мы не знаем, где мы! Старик очень смеялся, что повлиял на русского писателя. Кажется, он читал «Мать» Горького и оценивал ее высоко.

В Монголии же больше всего в мире мяса на душу населения. У них нет ни хлеба, ни овощей. Но зато у них нет ни глазных, ни зубных болезней. Правда, нет и соответствующих врачей. Потому что они не нужны. Как Исландия отапливается теплыми источниками, так монгол получает все необходимое из мяса.

Истинные братья не знакомы. Они наклеены на разных частях шара и покрашены в разный самостоятельный цвет: розовый и желтый.

Если планета выживет, островное братство восторжествует!

Иначе как бы могло быть так... что Горбачев, воцарившись, начал борьбу с пьянством, что я дожил до пятидесяти, не прекращая его и не борясь ни с чем, кроме собственной подлости, ни разу, впрочем, не смутив ее ни единым сравнением, за что мне, по-видимому, и выдан «Знак Почета»... и вот осенью, уже после ордена, США, Монголии и Исландии, звонит мне дружок, Игорь Бэлза, приданный от СССР Грэму Грину, и предлагает с ним познакомиться. Я с ходу соглашаюсь. Встреча там же, во дворике, у Льва Толстого. Поутру я пытаюсь слить остатки во фляжку, потому что в ЦДЛ не подадут напитка. Домашние увещевают меня: идешь на встречу с мировым писателем, а ведешь себя как последний бомж. Я не чувствую истины в их словах, но примиряюсь с их логикой и не беру фляжку. Я поспеваю на эппойнтмент* вовремя, а он меня уже ждет. Погода мерзкая, и он продрог, ожидаючи. Сизый нос. В руке убогий советский полиэтиленовый мешочек «Березка». Ему за восемьдесят, и мне неловко. Я — все «сорри, сорри», что же он мне говорит вместо «здрасьте»? (По-английски.) «Я знаю, у вас трудности... я с собой взял». Господи! Бывают же люди! Как мне стыдно, что я не захватил с собой фляжки! Как я люблю этого старого пердуна! Как он прекрасен! Как мне хочется быть таким же! Как это просто: всего лишь не изменять себе! Это он сказал: мы почти две тысячи лет любуемся муками Христа, — а я поверил. Он не знал о моей благодарности, он еще раз сказал: «я с собой взял». (Я пишу это уже в Великую Среду 15 апреля 1998 года, все в том же, все еще Западном Берлине, все на том же Ванзее...)

Если вас интересует, что у него было в мешочке «Березка» — я честный, я не утаю: там у него было (перечисление памяти незабвенного Венедикта Ерофеева): два больших пол-литра (или Сабониса, или 0,75, как хотите) и одна маленькая (0,25, если вы помните). И мы все это в ихнем безводном ЦДЛ употребили.

Поровну. Я залпом, он — мелкими сиппочками, но поровну. Он был на тридцать пять лет старше меня. На вопрос подобострастного иностранца (из западных), как он может употреблять столько крепких напитков в своем возрасте, он безукоризненно ответил: «В моем возрасте вредно потреблять много жидкости». Я не помню, о чем мы проговорили, но — проффи! — он оставил верный автограф на книжке: на память о разговоре обо всем и Казанове. Только

_____
* Appointment (англ.)

582

жадный русский помнит, сколько он выпил, но не помнит о чем.

И вот что я не способен не понять спустя уже десять лет. Что не могло быть это даром — что это было моим даром: получить ровно через полвека: Монголию, Исландию, Лакснесса и Грина. Вместе со своей собственной жизнью в виде двух Иосифов.

Слава Тебе, Господи!

Но вот что и еще случилось. Я оказался в Париже, в котором всю жизнь делал вид, что не очень-то и хотелось. Это тоже может показаться кому угодно, кроме меня, случайным, но судьба не пускает меня практически южнее Германии. Даже в Берлине мне удается бывать значительно чаще, чем в Мюнхене. Не иначе как ближе к Питеру...

География моя определена. Мне не удалось выйти за пределы шестидесятой параллели. Единственное мое право — называться шестидесятником. Ни на Севере я севернее Полярного круга не служил, ни на Юге я южнее Северного тропика не заголился. Верхушка яйца. Как фаталист, я ни от чего никогда не отказывался — от Австралии, вдруг, отказался.

Так вот, на Юг меня не пускают: мало, мол, с тебя твоей территории?

Каким-то образом мне, доброму советскому человеку из Ленинграда, куда доступнее Рейкьявик, чем Париж. И вот я в Париже: в Лувр не хожу, Эйфелеву башню в упор не вижу. И вдруг. Звонит мне, видите ли, фотокорреспондент. Хочет, видите ли, снять советского писателя в Париже. Приставкин, видите ли, уехал. Приставкин да Приставкин — соглашаюсь. И место подобрано удобно — на том же Монпарнасе, Парк имени Марко Поло. Надпись на мраморной табличке стариннее, чем парфюмная фирма. Значит, место вполне подходящее, вполне питерское.

И вот сижу я перед ним — то фас, то профиль, то закуриваю, то творческое замысливаю... И вот он уходит.

И тут меня разбирает, творческий же, смех. Причем какой! Я хохочу и не могу удержаться. Меня ломает пополам и тошнит. Это же надо! Сквер имени Марко Поло! А кто кого видел?! Марко Поло открыл Китай, или Китай наблю-

дал Марко Поло? Пять тысяч лет или один случайный про-
ходимец?

Смех душил меня.

— А ю краинг? Пьюи-же вузэде, месье?*

— Заде, заде.

Француз, не похожий на француза. Скорее, немец.

— Нихт ферштейн**.

15 апреля 1998, Ванзее

Прогульщик, или Жизнь без вас

Вот еще чего я не могу вспомнить…

Помню скамейки старых трамваев. Их вытертый деревянный блеск. Вытянутость реек, подогнанных одна к другой,
с темнеющей щелью между ними. Она уходит вдаль и вдоль
пустого вагона. Как дорога.

Все это вытянуто, как время: щель, скамейка, вагон, рельсы
под ним, сама улица…

Переезжаем мост. Я смотрю направо, по-видимому, чтобы увидеть мечеть. Ее обширный голубой купол растворяет-
ся в морозном небе.

Холодно. В вагоне холодно. На окне морозный узор.
Можно приложить пятак, прижать пальцем. Палец неме-
ет — лед плавится. В образовавшийся глазок что-нибудь
да увидеть.

Ту же мечеть. Недействующую. Про нее известно, что
она третья по размеру в мире. Почему только третья?

Портфель! Помню: оттягивал руку, а потом уже не оттягивал. Куда я припрятывал портфель? Не помню.

Помню: кольцо. Оно лежит на пустыре, в черной заинде-
вевшей траве, поблескивая серебром рельсов. Очень удивительно, что и впрямь кольцо. Кондуктор и водитель скрываются в будке. Из форточки торчит самоварная труба. Из
трубы идет дым. Им — тепло.

Мне холодно. Я разглядываю черный бурьян между
рельсами.

---

* Are you crying? (*англ.*) Puis-je vous aider, monsieur? (*франц.*)
** Не понимайт (*искаж. нем.*).

Трамвай тоже замерз. Кажется, его колеса уже не крутятся, так они скрежещут, когда трамвай наконец снова трогается в путь. Он описывает кольцо, чтобы поехать в обратную сторону.

Я первый и единственный пассажир. Кондукторша признала меня, но тридцать копеек за новый билет взяла.

Мечеть теперь слева. Пока мы доедем, будет уже полдесятого. За полчаса до сеанса уже пускают внутрь.

Кинотеатр повторного фильма. Его недавно переименовали: был «Люкс» стал «Свет». Или был «Эдисон» стал «Яблочков»? Бабушка шутит, что пирожное «наполеон» теперь «кутузов». Борьба помполитов с космополитами.

Первый сеанс. Продленный. Значит, кроме «Новостей дня» будет еще и мультик. Но мультик этот я уже видел вчера. Фильм я тоже уже видел, но готов смотреть снова и снова. «Щедрое лето». Тепло. Девушки с граблями на плечах с песней уходят в золотое поле. Я влюблен в актрису Лучко. Прикидываю, насколько она меня старше, чтобы жениться на ней, когда мне стукнет восемнадцать.

Я согреваюсь.

Кроме повторного есть еще кинотеатр документального фильма. Там самые дешевые билеты. И фильмы хоть и короткие, зато много. Правда, программы меняют редко. Однажды я не ходил в школу целую неделю ради одного внезапного для меня фильма. Полвека прошло, а могу прокрутить его перед мысленным взором... Музыка душ.

Не то Тасмания, не то джунгли Амазонки, не то пигмеи... Может, все это вместе. Длинный прибой, теплый, как мыло, на стертой черно-белой пленке. Маленький, цвета высохшей грязи, голый человек, карман вместо набедренной повязки, совсем седой. Старик по-ихнему. По-своему даже неплохо сложен. Мышцы обозначены. Я уже занялся, значит, самоизобретенным культуризмом, и это мне небезразлично. Старик. Ковыряется в прибое. Достает толстоватого червя. Сначала как бы любуется им, почти плачет. Потом жадно ест. Старик голоден и молится. Я люблю его.

Подкрепившись, он взялся за дело всерьез. В руках у него копье. Он заходит по колено в воду. Ноги тощие.

Он — ждет. Он это умеет, ждать. Он дождался чего-то очень большого. Он, такой немощный, вдруг превратился в снаряд и метнул себя в волну и исчез. Море закипело. Долго было оно неспокойно.

И вот они уже лежат бок о бок, оба бездыханные: он и новое слово ДЮГОНЬ. Морж с хоботом. Тюлений слон. Морская корова. Восторженные соплеменники тут же выпорхнули из всех кустов.

Старик проковырял дюгоню череп и приник губами. Односельчане смотрят с восторгом на великого охотника.

Потом он же бежит, с напарником, в невысокие, поросшие причесанной постоянным ветром травой, плавные, как волны того прибоя, холмы. У них на плечах носилки. Плавно так бегут, как холмы. У них на носилках труп. А может, покойник — тот самый старик? Может, я перепутал, и другой соплеменник, а не он, бежит сейчас с носилками... они так похожи... а там лежит тот самый любимый старик. Съевший в прибое червя? Победитель дюгоня?.. То ли ветер, то ли они воют вдвоем на бегу, то ли поют ритуально, то ли такова закадровая музыка?

Я это слышу до сих пор.

Зрение и слух отдельны. Но если я слышу, то вижу это. А если вижу, то это и слышу.

Они взбегают на холм. Там сооружение из жердей. Носилки устанавливаются поверх. Тщательно, как крадучись за зверем, обкладывают покойника травой. Поджигают. И то ли вялят его на ветру, то ли сжигают.

В зале пахнет дымом и ветром.

Потом все сидят в джунглях вкруг, со святыми лицами, и гладкий белый ставит им на магнитофоне музыку. Они слушают, и так добры их лица, так неподвижны тела. Что могут они понимать в немецком хорале?

Так я впервые в жизни услышал Баха.

Когда я выхожу из кинотеатра, уже совсем светло. Солнышко хоть и не греет, но светит.

Теперь, если идти все время быстрым шагом, уже и не замерзнешь.

Я на Островах. Здесь вообще нет людей, кроме деревьев. Здесь уже нет осени, но еще нет зимы.

Я бреду по павшей листве, по проплешинам и пролужинам, не знаю куда. Я не пою, у меня нет мыслей, мне не скучно, я никуда не тороплюсь и ничего не должен. Все заполнено одним чувством, где нет ни счастья, ни несчастья: я свободен.

Выхожу к Неве. Напротив нежилой яхт-клуб. Жалобным, низким голосом, как дюгонь, трубит живой, мятый буксирчик.

Я сажусь на выбеленную, как кость, корягу, полувыброшенную на берег. Любуюсь разрушенным сандалием с водорослью внутри.

Какая сила поднимет меня встать и пойти назад?

На свете нет такой силы!

Обреченный, я встаю и иду назад в покинутый мною мир.

Где я был? что делал я восемь часов? Куда я возвращаюсь и почему я это так должен делать?

Я научился не огорчать маму, получать положительные оценки в школе, симулировать и подделывать медицинские справки, не быть никогда ни пойманным, ни разоблаченным, ничего не делать долгими часами, не впадая ни в какое беспокойство, никогда не искать себе компанию или подельщиков, хранить глухую несознанку во всем.

Я прогулял с шестого по десятый класс как минимум два года. Я продолжал делать то же самое в институте, на заводе, в армии... Я научился не служить, а прогуливать все: пространства и страны, города и мысли, детей и деньги, замыслы и тексты.

Кто бы знал, чего мне стоила хотя бы и эта вот страница?..

Но и ее прогулял.

У нас дома оставалось от прошлого лишь три несгоревших книги: «Горе от ума» (для гимназий), Коран (первое русское издание, перевод с французского) и Китайская книга от Тандина Куе (словарь с китайского на английский и японский).

Этот имеющийся под рукой Коран я раскрыл впервые лет в двадцать и прочитал в нем: «Вам предписали войну, и вы приняли ее с отвращением». Евангелие (западное издание) подарил мне Камил Икрамов в 1965 году, и я раскрыл его вот где: «Хочет ли человек жить? И любит ли долгоденствие, чтобы видеть благо?» О дзэн-буддизме я узнал впервые в 1968-м из диссертации одного англичанина «Буддизм в раннем творчестве Андрея Битова».

Первая цитата, которую я выловил в чьей-то еще диссертации, была: «Как вспышка молнии, как исчезающая капля росы — мысль о самом себе».

Вчера, застряв в этом тексте, я раскрыл на Псалме 68: «Чужим стал я для братьев моих и посторонним для сынов матери моей».

Не русская ли то загадка: «Кто таков: сын моих родителей, но не мой брат?»

Отгадайте.

17—19 мая 1998, Ванзее

Последнее воспоминание

— это, возможно, не то, что с последним вздохом. О нем я, слава Богу, не ведаю. А буду ведать — не успею сообщить. Назовем последним воспоминанием то, о чем всю жизнь не вспоминал, а оно вдруг выплыло, вне очевидной связи и последовательности.

1994 У меня был повод иметь множество последних воспоминаний: Институт нейрохирургии, самый безнадежный диагноз, который, к счастью, от меня скрывали. Я, наверно, много чего вспомнил — всю жизнь, — но на вопрос врачей, были ли у меня травмы головы, кроме перелома носа, ничего не вспомнил.

1996 Лишь два года спустя, когда все миновало... Я преподавал тогда в Принстоне. У меня была двухэтажная квартира, со спальней на втором этаже, где я наслаждался одиночеством. Будила меня белка. Она прыгала на ветку, которая поэтому стучала мне в окно. В одно и то же время это происходило. Приятнейшая досада! Пытаясь догнать сон, я мысленно побрел по Питеру, от отчего дома, что на Аптекарском острове, по Аптекарскому же проспекту вдоль ограды Ботанического сада, свернул на Карповку... Она была без набережной, с еще земляным, деревенским бережком... когда же «одели в гранит»? Значит, я побрел по ней до этого. Время прояснилось: со мной рядом шел мой первый школьный друг — Валерий Григорьянц, живший в том же доме... значит, это был мой день рождения — 27 мая — день основания Петербурга, чем я особенно гордился... мама устроила нам пир: сосиски и чай... Валерка уминал и потел... почему-то ярче всего запомнилось, как он крупно потел... значит, мне

1946 девять лет!

И вот гуляем мы вдвоем вдоль ограды Ботанического сада и вдоль речки Карповки по направлению к Невке. На том берегу территория больницы Эрисмана, вот морг, о нем поговорили, идем дальше. Дальше, уже совсем вблизи Невки, наблюдаем на том берегу приземистое старинное строение с прогуливающимся перед ним распоясанным солдатом. В смысле без пояса. Там что-то вроде казармы было... сейчас подумал, что, возможно, и «губа» (в смысле гауптвахта). Погодка! Солнышко, первые листики... гуляют два девятилетних мальчика, дышит и солдат. Больше никого людей. Мы поравнялись. Между нами, то есть между оградой сада и тем строением, проезжая часть, сама речка, плац перед строением... метров тридцать, не меньше. Вдруг солдат издает нечеловеческий, без преувеличения, крик, разбегается и швыряет нечто в нашу сторону. Мы с интересом ждем. Наверно, он был чемпионом по метанию гранаты... Хорошо, что это была не граната! Это был ком ссохшегося глинозема, весом в полкило, не меньше. От удара о мою голову, как раз справа, хорошо, не в висок, он рассыпался, и это тоже хорошо.

Окровавленного приволок меня Валерка обратно домой. Мама мыла рану... И ничего! Зажило, как на кошке.

Только вот что же этот чемпион по метанию? Что вбил мне тогда тот солдат в голову и что, спустя почти полвека, мне удалил из нее великий Коновалов?

24 марта 1998. Ванзее

Первое воспоминание

1937 Когда я родился на свете
И к калейдоскопу приник,
Сидел на молочной диете,
Но не был безумный старик,

То было, то было, то было!
Единственное одно.
1939 И солнце воскресное било
В аптекарское окно,

Меня подносили к оконцу,
Счастливейшего дурака,
Биение сердца и солнца
Я с ложечки ел на руках.

Пока возлежал на раменах,
Умотанный в бабушкин шарф,
Разглядывая на стенах,
Где слон, где медведь, где жираф,

Блуждая в саваннах обоев,
Вися на промытом луче,
Я не был отдельным собою
В общественном параличе:

Ни боли, ни водки ни грамма,
Ни первой, ни третьей вины...
Одна бесконечная мама —
В тридцатых еще, до войны.

29 января 1998

Андрей Георгиевич Битов
Неизбежность ненаписанного

Редактор В.П.Кочетов.
Художественный редактор А.И.Хисиминдинов.
Технолог М.С.Белоусова.
Оператор компьютерной верстки А.В.Волков.
Корректоры Г.В.Булгакова, Г.В.Казнина,
Н.Л.Коршунова, Л.Н.Морозова.

Издательская лицензия № 101053 от 4 апреля 1997 года.
Подписано в печать 16.07.98. Формат 60 × 90/16. Гарнитура Антиква.
Печать офсетная. Объем 37 печ. л. Тираж 5000 экз. Изд. № 753. Заказ № 1347.

Издательство «ВАГРИУС». 103064, Москва, ул. Казакова, 18.
Интернет/Home page — http:\\www.vagrius.com
Электронная почта (E-Mail) — vagrius@mail.sitek.ru

Отпечатано с готовых диапозитивов
в Государственном ордена Октябрьской Революции,
ордена Трудового Красного Знамени Московском предприятии
«Первая Образцовая типография»
Государственного комитета Российской Федерации по печати
113054, Москва, Валовая, 28.

Оптовая торговля:
Эксклюзивный дистрибьютор издательства «Клуб 36,6»
Тел./факс: (095) 265-13-05, 267-29-62
267-28-33, 261-24-90

Фирменный магазин:
(мелкооптовая и розничная торговля)

Проезд: Рязанский пер., д. 3
(рядом с м. «Комсомольская» и «Красные ворота»)
Тел.: (095) 265-86-56, 265-81-93

Склад:

Тел.: 523-92-63, 523-25-56
Факс: 523-11-10
г. Балашиха, Звездный бульвар, д. 11
(от ст. м. «Щелковская», авт. 396, 338А до ост. «Химзавод»)

Книжная лавка «У Сытина»:
113054, Москва, ул. Пятницкая, д. 73
Тел.: (095) 230-89-00 Факс: (095) 959-27-00
Интернет: http://www.kvest.com/mainmenu.htm
Электронная почта: sytin@aha.ru или info@kvest.com
Журнал «Книжный вестник»: http://www.kvest.com

В серии СОВРЕМЕННАЯ РОССИЙСКАЯ ПРОЗА